JOJO
MOYES

Книги
ДЖОДЖО МОЙЕС

До встречи с тобой

После тебя

Всё та же я

* * *

Девушка, которую ты покинул

Последнее письмо от твоего любимого

Корабль невест

Один плюс один

Серебристая бухта

Вилла «Аркадия»

Танцующая с лошадьми

Ночная музыка

Счастливые шаги под дождем

Где живет счастье

ДЖОДЖО МОЙЕС

Издательство «Иностранка»
МОСКВА

УДК 821.111
ББК 84(4Вел)-44
М74

Перевод с английского Ольги Александровой

Оформление обложки Ильи Кучмы

Иллюстрация на обложке Екатерины Платоновой

Издание подготовлено при участии издательства «Азбука».

ISBN 978-5-389-14539-9

Дорогой Саскии.
С гордостью носи свои полосатые колготки

Познай сначала, кто ты есть,
и вот так украшай себя.

Эпиктет

Глава 1

Именно усы напомнили мне, что я уже не в Англии: густая седая подкова, закрывающая верхнюю губу; усы а-ля «Виллидж пипл», ковбойские усы, этакая мини-швабра, свидетельствующая о том, что с его обладателем шутки плохи. У нас в Англии подобных усов практически не встретишь. Я смотрела на них во все глаза.

— Мэм?

Единственным человеком, у которого я в свое время видела такие усы, был мистер Нейлор, наш учитель математики, и в этих его усах вечно застревали крошки, которые мы радостно пересчитывали на уроке алгебры.

— Мэм?

— Ой! Простите.

Мужчина в форме, не отрывая глаз от экрана, пригласил меня пройти вперед резким движением руки. Я терпеливо ждала у стойки паспортного контроля. Скопившийся за долгую дорогу пот начал мало-помалу впитываться в платье. Мужчина небрежно помахал четырьмя толстыми короткими пальцами. Как я поняла пару секунд спустя, это означало требование предъявить паспорт.

— Имя.

— Там все написано.

— Ваше имя, мэм.

— Луиза Элизабет Кларк. Хотя именем Элизабет я вообще не пользуюсь. Потому что мама почти сразу же поняла, что тогда все будут звать меня Лу Лиза. А если произнести очень быстро, то получится Лу Шиза. Хотя папа считает, это имя мне вполне подходит. Но не потому, что я шизик. Я хочу сказать, вам ведь в вашей стране и своих шизиков хватает. Ха! — Мой голос эхом отдавался от плексигласовой перегородки.

Хозяин густых усов наконец поднял на меня глаза. У него были широкие плечи, а пронизывающий взгляд действовал лучше любого электрошокера. Мужчина не улыбался. Он ждал, когда померкнет моя улыбка.

— Простите, — сказала я. — Вид людей в форме меня нервирует. — Я оглянулась на иммиграционный зал, на змеящуюся за моей спиной очередь, которая сдваивалась бессчетное число раз, превращаясь в бурлящее людское море. — Мне стало немножко не по себе. Если честно, это была самая длинная очередь, в которой мне когда-либо доводилось стоять. Я даже подумала, что пора начать составлять список рождественских подарков.

— Положите руки на сканер.

— Она всегда такая длинная?

— Сканер? — нахмурился он.

— Нет. Очередь.

Но он меня уже не слушал. А внимательно изучал что-то на экране. Я положила пальцы на считывающее устройство. И тут звякнул мой телефон.

Мама.

Ты приземлилась?

Я начала было печатать ответ свободной рукой, но мужчина в форме резко повернулся ко мне:

— Мэм, здесь запрещено пользоваться мобильными телефонами.

— Это моя мама. Хочет узнать, долетела я или нет. — Убрав от греха подальше телефон, я попыталась незаметно нажать на смайлик.

— Цель поездки?

Тем временем от мамы пришел ответ:

Что это значит?

Мама пристрастилась к текстовым сообщениям, как утка к воде, и теперь набирает их быстрее, чем говорит, а именно со сверхзвуковой скоростью.

Ты же знаешь, мой телефон не принимает маленькие картинки. Это что, СОС? Луиза, срочно сообщи, что ты в порядке!

— Цель вашей поездки, мэм? — Усы раздраженно задергались. — Что вы делаете здесь, в Соединенных Штатах?

— У меня новая работа.

— Какая?

— Я собираюсь работать на одну семью в Нью-Йорке. Центральный парк.

Мой собеседник поднял брови. Буквально на миллиметр. Проверил адрес на заполненном мной бланке.

— И чем вы будете заниматься?

— Сложно объяснить. Я буду чем-то вроде платной компаньонки.

— Значит, платная компаньонка.

— Вот именно. Однажды я уже работала на одного мужчину. Была его компаньонкой, а еще давала ему лекарства, вывозила на прогулки, кормила. Конечно, это может показаться несколько странным... но у него не действовали руки. В общем, никаких там тебе извращений. В результате вся эта история переросла в нечто большее: сложно не привязаться к людям, за которыми ухаживаешь, а Уилл — тот мужчина — был потрясающим, и мы... Короче, мы полюбили друг друга. — Слишком поздно осознав, что предательские слезы уже на подходе, я порывисто вытерла глаза. — Поэтому, полагаю, работа будет примерно такой же. За исключением любовной линии. И кормления. — Увидев, что офицер иммиграционной службы продолжает на меня таращиться, я попробовала улыбнуться. — Если честно, рассказывая о работе, я, вообще-то, не плачу. Я ведь не шизик, несмотря на дурацкое имя. Ха! Но я любила его. А он любил меня. И потом он... Одним словом, он предпочел уйти из жизни. Теперь я просто пытаюсь начать все заново. — Слезы уже текли непрерывным потоком. Ужасно неловко. Но я не знала, как их остановить. — Простите, все дело в смене часовых поясов. Ведь, если считать по нормальному времени, сейчас, наверное, всего два часа ночи. Так? Короче, у меня новый парень. Супер! Парамедик! И такой горячий! Это все равно что выиграть парня в лотерею. Так? Горячего парамедика? — Я безуспешно пыталась нашарить в сумочке носовой платок. А когда подняла глаза, иммиграционный офицер уже протягивал мне коробку бумажных салфеток. Я взяла одну. — Спасибо. Итак, мой друг Натан — он из Новой Зеландии, но работает здесь — помог мне получить эту должность, и я пока не в курсе, в чем конкретно будут состоять мои обязанности. Знаю только, что придется приглядывать за женой этого богатея. У нее депрессия. Но на сей раз я твердо решила жить так, как завещал Уилл, поскольку раньше что-то пошло не так. Я ведь недавно бросила работу в аэропорту. — И тут я сразу прикусила язык. — Нет... э-э-э... нет ничего плохого в том, чтобы работать в аэропорту. Я уверена, иммиграционная служба — очень ответственное поле деятельности. Очень, очень. Но у меня есть план. Я собираюсь делать что-нибудь новое каждую неделю моего пребывания здесь. И я собираюсь сказать «да».

— Сказать «да»?

— Новым вещам. Уилл всегда говорил, что я закрыта для чего-то нового. Поэтому у меня вот такой план.

Офицер внимательно изучил заполненные мной бумаги, после чего заявил:

— Вы неправильно заполнили графу с адресом. Мне нужен почтовый индекс.

Он подтолкнул ко мне бланк. Я проверила номер, который предварительно напечатала на бумажке, и дрожащей рукой вписала в нужную графу. Потом покосилась налево. Очередь уже начала роптать. У соседней стойки два офицера опрашивали китайскую семью. И когда женщина стала протестовать, их всех вместе куда-то повели. Внезапно я почувствовала себя очень одинокой.

Офицер оглядел толпу за моей спиной, после чего резким движением проштамповал паспорт.

— Удачи вам, Луиза Кларк, — произнес он.

— Вот так просто? — уставилась на него я.

— Вот так просто.

Я расплылась в улыбке:

— Ой, спасибо вам большое! Как мило с вашей стороны! Я хочу сказать, страшно впервые оказаться совсем одной на другом конце света, но сейчас у меня такое чувство, будто я только что встретила здесь своего первого хорошего человека и...

— Мэм, проходите, пожалуйста.

— Конечно. Извините меня. — Собрав свои вещи, я смахнула со лба потную прядь волос.

— И, мэм...

— Да? — Интересно, что еще я сделала не так.

Он не стал отрывать взгляд от экрана:

— Будьте осторожны. И хорошенько подумайте, прежде чем сказать «да».

Натан, как и обещал, ждал меня в зале прибытия. Я обшарила глазами толпу, явно чувствуя себя не в своей тарелке, поскольку в глубине души была уверена, что никто не станет меня встречать. Но он был там, огромной рукой махал поверх голов обтекающего его потока людей. Он поднял вторую руку, расплывшись в широкой улыбке, после чего протиснулся ко мне и оторвал от земли в крепком объятии:

— Лу!

При виде Натана у меня непроизвольно сжалось сердце — из-за воспоминаний об Уилле, внезапного ощущения утраты, эмоциональной перегрузки после довольно тряского семичасового перелета. Я была рада оказаться в крепких объятиях друга, так как это давало мне время собраться.

— Добро пожаловать в Нью-Йорк, Коротышка! Вижу, ты не утратила чувства стиля. — Теперь он держал меня на вытянутых руках и ухмылялся.

Я одернула платье с тигровой расцветкой в духе 1970-х. Мне казалось, в нем я буду похожа на Джеки Кеннеди, в ее бытность женой Онассиса, правда пролившей себе на колени полчашки поданного в самолете кофе.

— Как я рад тебя видеть! — Он легко, как перышко, подхватил мои набитые чемоданы. — Пошли. Давай отвезу тебя домой. «Приус» сейчас на техобслуживании, поэтому мистер Гупник одолжил свою машину. Пробки чудовищные, но зато прибудешь с помпой.

Автомобиль мистера Гупника был черным, гладким, размером с автобус, а двери закрывались с едва различимым глухим чмоканьем, говорившим о шестизначной цифре на ценнике. Натан уложил чемоданы в багажник, и я, вздохнув, устроилась на пассажирском сиденье. Проверила телефон, в ответ на четырнадцать маминых сообщений написала, что я в машине и позвоню завтра, после чего ответила Сэму, который сообщил, что скучает, коротким:

Приземлилась. ххх

— Как там твой парень? — поинтересовался Натан.

— Хорошо, спасибо. — На всякий пожарный я добавила еще парочку «хх».

— Не возражал против твоего отъезда?

Я пожала плечами:

— Он понимает, что мне это необходимо.

— Мы все понимаем. Тебе просто потребовалось время, чтобы выбрать свой путь. Такие дела.

Я убрала телефон, откинулась на спинку сиденья и принялась разглядывать незнакомые названия на вывесках вдоль дороги: «Мило́. Продажа шин», «Спортзал у Ричи», — а еще машины «скорой помощи», дома на колесах, ветхие коттеджи с облупившейся краской и покосившимися верандами, баскетбольные площадки, длиннющие фуры, возле которых дальнобойщики что-то прихлебывали из огромных пластиковых стаканов. Натан включил радио. Комментатор по имени Лоренцо говорил о бейсбольном матче, и я вдруг почувствовала себя так, будто оказалась в параллельной реальности.

— У тебя будет весь завтрашний день на то, чтобы оклематься. Какие-нибудь пожелания имеются? Думаю, тебе нужно хорошенько выспаться, ну а потом я отведу тебя на бранч. За первую неделю в Нью-Йорке ты должна получить представление о здешнем общепите.

— Звучит заманчиво.

— Они вернутся из загородного клуба не раньше завтрашнего вечера. На прошлой неделе они всю дорогу собачились. Ладно, посвящу тебя в суть дела, после того как выспишься.

Я уставилась на Натана:

— Никаких скелетов в шкафу, да? Это ведь не будет, как...

— Они не похожи на Трейноров. Типичная неблагополучная семья мультимиллионеров.

— А она милая?

— Она классная. Правда, еще та заноза в заднице, но все равно классная! Впрочем, он тоже.

Пожалуй, это самая лестная характеристика, которую можно услышать из уст Натана. После этого он погрузился в задумчивость. Натан никогда особо не любил сплетничать. Ну а я сидела в прохладном салоне элегантного «Мерседеса GLS» и из последних сил боролась с накатывающими на меня приступами сонливости. Я думала о Сэме, который за несколько тысяч миль отсюда, наверное, видел сейчас десятый сон в своем железнодорожном вагоне, о Трине и Томе, живущих в моей тесной квартирке в Лондоне. Потом я услышала голос Натана:

— Ну вот и приехали.

С трудом разлепив воспаленные веки, я обнаружила, что мы на Манхэттене, едем по Бруклинскому мосту, сверкающему миллионом ярких огней, захватывающему дух, блестящему, прекрасному до невозможности и настолько знакомому по телепередачам и фильмам, что с трудом верилось, что я вижу его наяву. Я выпрямилась на сиденье и, онемев от восторга, смотрела, как мы въезжаем в самую известную столицу мира.

— Нестареющий вид, да? Пожалуй, пошикарнее будет, чем твой Стортфолд.

И тут меня наконец накрыло. *Мой новый дом*.

— Привет, Ашок! Как дела?

Натан покатил мои чемоданы по отделанному мрамором вестибюлю, а я усиленно таращилась на черные с белым плитки, на латунные перила, стараясь не спотыкаться; мои шаги эхом разносились под высокими сводами. Все это было похоже на вход в роскошный, слегка поблекший отель: лифт отделан блестящей латунью, на полах — красные с золотом ковры. Обстановка чересчур мрачная, чтобы быть комфортной. В воздухе стоял запах пчелиного воска, начищенных туфель и больших денег.

— Нормально, приятель. А это кто?

— Луиза. Она будет работать на миссис Гупник.

Выйдя из-за стойки, консьерж в униформе протянул мне руку. У него была широкая улыбка и цепкий взгляд бывалого человека.

— Очень приятно познакомиться. Ашок. Так вы англичанка! У меня есть кузен в Лондоне. Крой-даун. Вы знаете Крой-даун? Вы там когда-нибудь были? Большой человек. Понимаете, о чем я?

— Я плохо знаю Кройдон, — ответила я, но, увидев его вытянувшееся лицо, поспешно добавила: — Но в следующий раз, когда там окажусь, непременно его отыщу.

— Луиза, добро пожаловать в «Лавери». Если вам что-нибудь понадобится, обращайтесь. Я здесь двадцать четыре часа семь дней в неделю.

— И это вовсе не шутка, — подтвердил Натан. — Мне иногда кажется, что он даже спит под своей стойкой. — Натан махнул рукой в сторону тускло-серых дверей грузового лифта в задней части вестибюля.

— Черт, трое ребятишек, мал мала меньше! — сообщил Ашок. — Поверьте, только работа и помогает мне не свихнуться. Чего нельзя сказать о моей жене. — Он ухмыльнулся. — Я серьезно, мисс Луиза. Только свистните — и я всегда к вашим услугам.

— Это он о наркотиках, проститутках и борделях? — шепотом спросила я, когда за нами закрылись двери грузового лифта.

— Нет. Это он о театральных билетах, столиках в ресторане и первоклассных химчистках, — ответил Натан. — Мы ведь на Пятой авеню. Господи! Чем ты занималась у себя в Лондоне?

Резиденция Гупника занимала семь тысяч квадратных футов на втором и третьем этаже здания в готическом стиле из красного кирпича. Подобный дуплекс, какой нечасто встретишь в этой части Нью-Йорка, являлся свидетельством богатства нескольких поколений семейства Гупник. Как сказал Натан, «Лавери» был уменьшенной копией известного здания «Дакота» и, кроме того, одним из старейших кооперативов в Верхнем Ист-Сайде. Никто не мог ни купить, ни продать квартиру в этом доме без одобрения правления собственников жилья, которые упорно противились любым переменам. И если шикарные кондоминиумы по другую сторону парка стали прибежищем для представителей новых денег: русских олигархов, поп-звезд, китайских сталелитейных магнатов и миллиардеров из технологической сферы, — с общественными ресторанами, спортзалами, детсадами и бесконечными бассейнами, — то жители «Лавери» оставались приверженцами старых традиций.

Апартаменты эти передавались по наследству из поколения в поколение. Их обитатели сумели приспособиться к системе внутридомовых сетей 1930-х годов, выдержали продолжительные и позиционные бои, чтобы получить разрешение на любые переделки чуть существеннее, нежели установка переключателя, и вежливо смотрели в другую сторону, пока Нью-Йорк вокруг них стремительно менялся, словно отворачиваясь от нищего с картонной табличкой в руках.

Я даже не успела толком рассмотреть роскошный дуплекс, с паркетными полами, высокими потолками и камчатыми шторами, поскольку мы прямиком направились в комнаты для прислуги, расположенные на втором этаже, в дальнем конце идущего от кухни длинного узкого коридора, — аномалия, сохранившаяся с незапамятных времен. В более современных или модернизированных домах комнаты для прислуги уже ликвидированы как класс: домработницы и нянечки теперь едут из Квинса или Нью-Джерси на самых ранних поездах и возвращаются уже затемно. Но семья Гупник владела этими комнатушками еще со времени постройки здания. Их нельзя было ни переделывать, ни продавать, поскольку, согласно документам, они были неотъемлемой частью хозяйской резиденции и числились как кладовые. И нетрудно было заметить, почему их вполне можно было рассматривать в качестве таковых.

— Вот тут. — Натан открыл дверь и поставил мой багаж.

В моей комнате — примерно двенадцать на двенадцать футов — поместились двуспальная кровать, комод, платяной шкаф и телевизор. В углу примостилось обитое бежевой тканью небольшое кресло с продавленным сиденьем — свидетельство хронической усталости предыдущих обитателей комнаты. Крошечное окошко, кажется, выходило на юг. Или на север. Или на восток. Впрочем, трудно сказать, поскольку окно находилось всего в шести футах от глухой кирпичной стены здания напротив, причем такого высокого, что небо можно было увидеть, лишь прижавшись носом к стеклу и свернув себе шею.

Кухня для персонала располагалась тут же по коридору, мне предстояло делить ее с Натаном и домоправительницей, чья комната была напротив.

На моей кровати высилась аккуратная стопка из пяти темно-зеленых футболок поло и нечто вроде черных штанов с дешевым тефлоновым блеском.

— Разве они не сказали тебе про униформу? — (Я рассеянно взяла футболку из стопки.) — Это просто штаны и футболка. Гупники считают, что с униформой все становится проще. Каждый твердо знает свое место.

— Конечно, если хочешь выглядеть как игрок в поло!

Я заглянула в крошечную ванную комнату, отделанную коричневым мрамором в известковом налете, и увидела унитаз, маленькую ванну, будто дошедшую до нас с 1940-х годов, и душ. Мыло в бумажной обертке лежало на краю ванны, средство для уничтожения тараканов скромно стояло в сторонке.

— По манхэттенским стандартам, это еще очень даже шикарно, — произнес Натан. — Понимаю, комната выглядит обшарпанной, но миссис Гупник сказала, что мы можем ее перекрасить. Парочка дополнительных светильников, вылазка в «Крейт и Баррель» и...

— Мне нравится, — дрожащим голосом прервала я Натана. — Натан, я в Нью-Йорке. Я действительно здесь.

Он сжал мое плечо:

— Ага. Ты действительно здесь.

Преодолевая приступы сонливости, я распаковала вещи, перекусила с Натаном готовой едой (он называл это «едой навынос», совсем как настоящий американец), попереключала 859 каналов на маленьком телевизоре, бо́льшая часть которых до бесконечности крутила американский футбол, рекламу средств для улучшения пищеварения или бездарные криминальные шоу, после чего меня наконец сморило, и я отрубилась. Проснулась я без четверти пять утра, дезориентированная воем незнакомой сирены и глухим рычанием газующего грузовика. Включила свет, а когда вспомнила, где нахожусь, почувствовала приступ нервного возбуждения.

Достав из сумки лэптоп, я отправила Сэму текстовое сообщение:

Ты там? Ххх

Я ждала, но ответа так и не получила. Он говорил, у него сегодня дежурство, а значит, ему будет не до того, чтобы высчитывать разницу во времени. Тогда я убрала лэптоп и попыталась еще немного вздремнуть. Трина говорит, что от недосыпа я становлюсь похожа на грустную лошадь. Но непривычные звуки чужого города действовали на меня как сигнал к побудке, так что уже в шесть утра я вылезла из постели, приняла душ, стараясь не обращать внимания на льющуюся ржавую воду, оделась — джинсовый сарафан и винтажная бирюзовая блузка без рукавов с принтом статуи Свободы — и отправилась на поиски кофе.

Я шлепала по коридору, судорожно вспоминая, где находится кухня для персонала, которую накануне показывал Натан. Открыв заветную дверь, я с порога поймала на себе пристальный взгляд какой-то коренастой женщины средних лет. Темные волосы, уложенные крупными волнами, как у кинозвезды 1930-х годов, красивые карие глаза и брюзгливо опущенные уголки рта, словно для демонстрации постоянного недовольства.

— Хм... Доброе утро! — (Она продолжала сверлить меня взглядом.) — Я... я Луиза. Новая девушка. Помощница... миссис Гупник...

— Она не миссис Гупник. — Заявление темноволосой женщины повисло в воздухе.

— Вы, должно быть... — Я порылась в своих раскисших мозгах, но так и не смогла припомнить ни одного подходящего имени. «Ну давай же, тупица, давай!» — подстегивала я себя. — Простите. У меня сегодня каша в голове. Временной сдвиг.

— Меня зовут Илария.

— Илария. Ну конечно же! Простите. — Я протянула руку, но женщина проигнорировала мой жест.

— Я знаю, кто ты.

— Э-э-э... Не могли бы вы показать, где Натан держит молоко? Я просто хотела выпить кофе.

— Натан не пьет молока.

— Да неужели? А раньше пил.

— Думаешь, я лгу?

— Нет. Я совсем не это хотела ска...

Она сдвинулась чуть-чуть левее и махнула рукой на навесной шкафчик, вдвое меньше всех остальных, находящийся практически вне пределов досягаемости:

— Это твой. — После чего она открыла холодильник, чтобы достать сок, и я заметила на ее полке двухлитровую бутылку молока, затем захлопнула дверцу и смерила меня суровым взглядом. — Мистер Гупник будет дома в восемнадцать тридцать. К его приходу ты должна надеть униформу. — С этими словами она, негодующе стуча подошвами шлепанцев, вышла в коридор.

— Приятно было познакомиться! Уверена, у нас еще будет куча возможностей для встреч!

С минуту я задумчиво разглядывала холодильник, а потом решила, что в такое время вполне можно выйти в магазин за молоком. Ведь, как ни крути, я была в городе, который никогда не спит.

Нью-Йорк, может, и не спал, но «Лавери» был окутан плотной пеленой тишины, будто намекающей на совместный прием снотворного всеми собственниками жилья. Итак, я прошла по коридору и осторожно закрыла за собой входную дверь, предварительно восемь раз проверив, что кошелек и ключи лежат в сумке. Я прикинула, что столь ранний час и сонное царство вокруг дают мне полное право присмотреться к месту, где я в конце концов оказалась.

Я на цыпочках пробиралась к выходу, роскошный ковер приглушал шаги, но тут за одной из дверей затявкала собака — истеричный, надрывный, протестующий лай, — и старческий голос что-то крикнул, правда, я не разобрала что. Чтобы не перебудить весь дом, я ускорила шаг и, обойдя стороной главную лестницу, направилась к грузовому лифту.

В вестибюле никого не было, поэтому я сама открыла дверь на улицу, тотчас же оказавшись посреди сумятицы света и звуков, настолько ошеломляющей, что пришлось на секунду замереть, чтобы не упасть. Прямо передо мной оазисом в пустыне раскинулся на многие мили вокруг Центральный парк. Слева от меня на боковых улочках уже вовсю кипела жизнь: здоровенные парни в комбинезонах под наблюдением копа, скрестившего на груди похожие на окорока руки, выгружали из фургона деревянные ящики. Неподалеку деловито тарахтела подметально-уборочная машина. Водитель такси переговаривался через открытое окно с каким-то человеком. Я перебрала в уме основные достопримечательности Большого яблока. Запряженные лошадьми экипажи! Желтые такси! Невероятно высокие здания! Двое усталых туристов, явно находившихся пока в другой временно́й зоне, катили, сжимая в руках пенопластовые стаканчики кофе, коляски с детьми. Манхэттен простирался во все стороны — необъятный, позолоченный солнцем, оживленный и сверкающий.

Мой синдром смены часовых поясов исчез с остатками утренней дымки. Я сделала глубокий вдох и пошла вперед, понимая, что улыбаюсь, как идиотка, но ничего не могу с этим поделать. Я отмахала восемь кварталов, так и не встретив ни одного круглосуточного супермаркета. Свернув на Мэдисон-авеню, я прошла мимо стеклянных фасадов роскошных магазинов, мимо затесавшихся между ними ресторанчиков с темными, как пустые глазницы, окнами, мимо раззолоченного отеля со швейцаром в ливрее, не удостоившего меня взглядом.

Я прошла еще пять кварталов, постепенно начиная осознавать, что здесь отнюдь не тот район, где можно запросто заглянуть в бакалейную лавку. В свое время я представляла себе нью-йоркские закусочные на каждом углу, с хамоватыми официантками и мужчинами в белых шляпах с плоской тульей и загнутыми полями, но все вокруг было настолько помпезным и гламурным, что не приходилось рассчитывать найти за этими дверями омлет с сыром или кружку горячего чая. Мне попадались навстречу в основном туристы или затянутые в лайкру, отгородившиеся от мира наушниками заядлые любители бега, которые ловко обходили стороной недовольных бомжей со злобными глазами и морщинистыми серыми лицами. Наконец я наткнулась на большой сетевой кофе-бар, где, похоже, собиралась половина нью-йоркских ранних пташек. Они таращились в айфоны или кормили неестественно жизнерадостных малышей под лившуюся из настенных динамиков поп-музыку.

Я заказала капучино и маффин, который бариста, не дав мне открыть рот, разрезал пополам, подогрел и намазал маслом, причем все это не отрываясь от увлекательной беседы с коллегой о бейсболе.

Расплатившись, я села с завернутым в фольгу маффином и откусила небольшой кусочек. Даже если не учитывать сосущее чувство голода, вызванного синдромом смены часовых поясов, это была самая восхитительная еда, какую я когда-либо пробовала.

Я, наверное, с полчаса смотрела в окно на утренний Манхэттен, во рту стоял вкус тающего маслянистого маффина и обжигающего крепкого кофе, а в голове крутились сумбурные мысли. Мой обычный внутренний монолог. *Я пью нью-йоркский кофе в нью-йоркской кофейне! Я гуляю по нью-йоркской улице! Совсем как Мег Райан! Или Дайан Китон! Я в самом настоящем Нью-Йорке!* И тут я наконец ясно поняла, что именно пытался объяснить мне Уилл два года назад. В эти несколько минут, наслаждаясь непривычной едой и впитывая в себя незнакомые виды, я жила мгновением. Я целиком и полностью отдалась происходящему, все мои чувства воскресли, все мое существо было открыто для восприятия нового опыта. Я была в единственном месте на земле, где хотела быть.

И тут буквально на ровном месте две женщины за соседним столом устроили кулачный бой. Брызги кофе и кусочки выпечки летели во все стороны. Баристы оперативно бросились разнимать хулиганок. Отряхнув крошки с платья и закрыв сумку, я решила, что, пожалуй, пора возвращаться в спокойствие и тишину «Лавери».

Глава 2

Когда я вернулась в «Лавери», Ашок сортировал кипы газет, складывая их пронумерованными стопками. Он с улыбкой выпрямился:

— Ну, здравствуйте, мисс Луиза. Как вам первое утро в Нью-Йорке?

— Потрясающе! Спасибо.

— А вы напевали «Let the River Run», когда шли по улице?

Я остановилась как вкопанная:

— Как вы догадались?

— Все так делают, впервые оказавшись на Манхэттене. Черт, я и сам иногда пою это по утрам, а уж я-то точно не похож на Мелани Гриффит.

— А разве тут поблизости нет никаких бакалейных лавок? Я все ноги стоптала, чтобы выпить кофе.

— Мисс Луиза, почему же вы мне не сказали?! Идите за мной! — Он махнул рукой куда-то за стойку и, открыв дверь, провел меня в темный офис, его обшарпанная, неряшливая обстановка резко контрастировала с мрамором и латунью парадного вестибюля. На столе стояли мониторы камер наблюдения, между ними — старенький телевизор, большой гроссбух, а еще кружка, книжки в бумажной обложке и целая экспозиция фотографий сияющих беззубых детишек. За дверью приютился допотопный холодильник.

— Вот. Берите. Отдадите потом.

— А что, все консьержи это делают?

— Никто не делает. Но «Лавери» — это особая статья.

— Тогда куда люди ходят за продуктами?

Он поморщился:

— Мисс Луиза, люди в этом доме вообще не ходят за продуктами. Они даже *не думают* о продуктах. Зуб даю, большинство из них считают, что еда, уже приготовленная, словно по волшебству появляется у них на столе. — Он оглянулся и понизил голос: — Могу поспорить, что восемьдесят процентов женщин в нашем доме за последние пять лет вообще ни разу не приготовили обед. Хочу заметить, половина женщин в этом здании вообще не едят. Точка. — В ответ на мой удивленный взгляд он лишь пожал плечами. — Мисс Луиза, богатые живут совсем не так, как мы с вами. А богатые из Нью-Йорка вообще живут не так, как все. — (Я взяла картонку с молоком.) — Все, что вам нужно, доставляется на дом. Вы к этому скоро привыкнете.

Я собралась было спросить его насчет Иларии и миссис Гупник, которая, оказывается, вовсе не миссис Гупник, а также о семье, с которой мне придется познакомиться, но он уже отвернулся от меня, устремив взгляд в коридор:

— Доброго вам утра, миссис Де Витт!

— Что все эти газеты делают на полу?! Это место похоже на убогий газетный киоск! — Крошечная тщедушная старушонка раздраженно фыркнула, глядя на кипы «Нью-Йорк таймс» и «Уолл-стрит джорнал», которые Ашок не успел распаковать.

Несмотря на ранний час, старушка разоделась, словно на свадьбу: на ней был малиновый пыльник, красная шляпка-таблетка и огромные солнцезащитные очки в черепаховой оправе, закрывавшие ее крошечное морщинистое личико. Сидевший на поводке одышливый мопс с выпученными глазами наградил меня агрессивным взглядом, по крайней мере мне показалось, будто он на меня смотрит, хотя трудно сказать, поскольку его глаза вращались во всех направлениях. Я наклонилась, чтобы помочь Ашоку убрать газеты с пути вздорной старухи, и в этот момент собачонка прыгнула на меня с утробным рыком. Я отпрянула, едва не перелетев через пачку «Нью-Йорк таймс».

— Ой, ради всего святого! — послышался сердитый дрожащий голос. — А теперь вы расстраиваете мою собаку!

Собачьи зубы оказались в опасной близости от моей ноги. Кожа болезненно отреагировала на контакт.

— Пожалуйста, постарайтесь, чтобы к нашему возвращению весь этот хлам был убран. Я уже неоднократно говорила мистеру Овицу, что наш дом приходит в упадок. И кстати, Ашок, я оставила под дверью мешок с мусором. Потрудитесь его немедленно вынести, или весь дом пропахнет увядшими лилиями. Одному Богу известно, какой идиот додумался прислать в подарок лилии?! Погребальные цветы! Дин Мартин!

Ашок прикоснулся к кепи:

— Конечно, миссис Де Витт.

Дождавшись, когда она уйдет, он повернулся и посмотрел на мою ногу.

— Эта собака пыталась меня укусить!

— Да. Это Дин Мартин. Советую обходить его стороной. Он самый вредный обитатель «Лавери». А это уже о чем-то говорит! — Положив на стол очередную партию газет, Ашок выпроводил меня из офиса. — Не беспокойтесь, мисс Луиза. Я сам справлюсь. Газеты слишком тяжелые, а вас и так ждет нелегкий хлеб там, наверху. Желаю хорошего дня.

И он исчез, прежде чем я успела спросить, что он имел в виду.

День прошел как в тумане. Все утро я наводила порядок в своей маленькой спальне, отмывала ванную, развешивала фотографии Сэма, родителей, Трины и Тома, чтобы хоть как-то обуютить комнату. Натан отвел меня в закусочную неподалеку от Коламбус-серкл, где нам подали еду на тарелке размером с автомобильную покрышку и такой крепкий кофе, что на обратном пути у меня тряслись руки. А еще Натан показал места, которые могли бы мне пригодиться: открытый допоздна бар, фургончик с едой, в котором готовили классный фалафель, надежный банкомат, чтобы получить наличность... От обилия новой информации мозги начинали закипать. К середине дня моя бедная голова буквально раскалывалась, а ноги точно налились свинцом. Тогда Натан, взяв меня под руку, проводил обратно до квартиры. Я была счастлива снова оказаться в сумрачной тишине здания с его грузовым лифтом, благодаря которому можно было не подниматься по лестнице.

— Постарайся немного вздремнуть, — посоветовал Натан, когда я скинула туфли. — Но только не больше часа, а иначе твои биологические часы окончательно взбесятся.

— Во сколько, ты говорил, возвращаются Гупники? — У меня уже начал заплетаться язык.

— Обычно часам к шести. А сейчас только три. Так что у тебя еще куча времени. Давай покемарь немного. И снова почувствуешь себя человеком.

Он закрыл за собой дверь, и я с благодарностью повалилась на кровать. Но, уже засыпая, внезапно поняла, что если упущу момент, то не успею поговорить с Сэмом. Выйдя из ступора, я взяла лэптоп и напечатала в приложении для мессенджера:

Ты здесь?

Через пару минут с негромким бульканьем на экране появилась картинка — и передо мной возник Сэм. Он сидел в своем вагончике, нависнув мощным телом над компьютером. Сэм. Парамедик. Человек-гора. Мой новый бойфренд. Мы лыбились друг на друга, как два деревенских придурка.

— Привет, красотка! Как твое ничего?

— Хорошо! — ответила я. — Я бы показала тебе комнату, но боюсь, что впилюсь в стенку, если буду поворачивать экран. — Я развернула лэптоп так, чтобы он мог увидеть мою крошечную спальню во всей красе.

— А по мне, так вполне неплохо. Она тебе подходит.

Я посмотрела на серое окно за его спиной. И сразу живо представила себе дождь, барабанящий по крыше железнодорожного вагона, запотевшее стекло, мокрое дерево и куриц, прячущихся во дворе под перевернутой тачкой. Сэм смотрел на меня в упор, и я вытерла глаза, горько пожалев, что не догадалась ради такого случая наложить макияж.

— Ты уже начал работать?

— Ага. Мне сказали, что через неделю я смогу полностью приступить к своим обязанностям. Надеюсь, швы не разойдутся, когда буду ворочать больных. — Он инстинктивно положил руку на живот, куда получил пулю буквально несколько недель назад — рутинный вызов, который едва не закончился для него трагически, но в результате упрочил наши отношения, — и я почувствовала, как что-то внутри дрогнуло.

— Как бы я хотела, чтобы ты был тут! — вырвалось у меня.

— Я тоже. Но ведь у тебя сегодня первый день твоего большого приключения, которое наверняка окажется грандиозным. А уже через год ты будешь сидеть здесь...

— Не здесь, — перебила я Сэма. — В твоем достроенном доме.

— В моем достроенном доме, — повторил Сэм. — И мы будем разглядывать фотки в твоем телефоне, а я буду думать про себя: «Господи, снова-здорово! Она уже задолбала меня рассказами о своей жизни в Нью-Йорке!»

— А ты напишешь мне? Письмо, пронизанное любовью и желанием, орошенное скупой мужской слезой?

— Ах, Лу, ты же знаешь, что я не мастер писать. Но я позвоню. И буквально через четыре недели приеду к тебе.

— Хорошо. — У меня сдавило горло. — Ладно. Пожалуй, пойду немного вздремну.

— Я тоже, — ответил Сэм. — Но все мои мысли будут исключительно о тебе.

— Грязные и непристойные? Или романтические, в стиле Норы Эфрон?

— А что для меня безопаснее? — улыбнулся он и, помолчав, добавил: — Лу, ты хорошо выглядишь. Хотя ты... будто витаешь в облаках.

— У меня действительно голова идет кругом. Я чувствую себя ужасно, ужасно усталой. Кажется, еще немного — и я взорвусь. Все как-то непривычно.

Я положила руку на экран, потом Сэм положил свою, чтобы наши руки встретились. Мне показалось, я чувствую тепло его кожи.

— Сэм, я люблю тебя, — преодолев смущение, произнесла я.

— И я тебя. Я бы поцеловал экран, но, боюсь, все, что ты получишь, — это возможность созерцать волосы у меня в носу.

Я с блаженной улыбкой закрыла компьютер и уже через секунду провалилась в сон.

Кто-то вопил в коридоре. Я сразу проснулась, одурманенная, мокрая от пота, и выпрямилась на кровати, думая, что это, наверное, плохой сон. Но нет, за дверью моей комнаты действительно орала какая-то женщина. В моем воспаленном мозгу молнией пронеслись тысячи мыслей. Газеты, пестревшие сообщениями об убийствах в Нью-Йорке и о том, как информировать о преступлении. По какому номеру нужно звонить? Точно не 999, как в Англии. Я судорожно порылась в мозгу, но безуспешно.

— Чего ради? Почему я должна сидеть и мило улыбаться, пока эти ведьмы будут меня оскорблять? Ты не слышал и половины того, что они говорили! А ведь ты мужчина! У тебя точно затычки в ушах!

— Дорогая, пожалуйста, успокойся. Пожалуйста. Сейчас не время и не место.

— И никогда не будет! Потому что здесь всегда кто-нибудь отирается! Мне нужно купить собственную квартиру, чтобы было где ссориться!

— Не понимаю, почему ты принимаешь все так близко к сердцу. Ты должна относиться к...

— Нет!

Что-то с грохотом врезалось в деревянный пол. Теперь я окончательно проснулась. Сердце бешено колотилось.

За дверью повисла тяжелая тишина.

— Сейчас ты скажешь, что это была фамильная ценность.

Пауза.

— Ну да, да, была.

Сдавленный всхлип.

— Мне плевать! Мне плевать! Я задыхаюсь от истории твоей семьи! Ты меня слышишь? Задыхаюсь!

— Агнес, дорогая. Не в коридоре. Пойдем. Мы можем обсудить это позже.

Я застыла на краю постели.

Сдавленные всхлипы — и тишина. Выждав какое-то время, я на цыпочках подкралась к двери и прижалась к ней ухом. Посмотрела на часы: 16:46.

Я умыла лицо и поспешно переоделась в униформу. Причесалась, вышла в коридор, завернула за угол.

И остановилась.

Под дверями кухни на полу лежала, свернувшись клубком, молодая женщина. Мужчина постарше обнимал ее обеими руками, неловко сидя на корточках и упираясь спиной в стену. Похоже, он пытался подхватить женщину, но она, падая, увлекла его за собой. Ее лица я не видела. Мне удалось разглядеть лишь длинную тонкую ногу под задравшимся подолом темно-синего платья, завесу разметавшихся белокурых волос и побелевшие костяшки скрюченных пальцев.

Я громко сглотнула, не в силах отвести глаз. Мужчина поднял голову. И я сразу узнала мистера Гупника.

— Не сейчас. Благодарю, — мягко сказал он.

Онемев от волнения, я невольно попятилась и, вернувшись в свою комнату, закрыла за собой дверь. Стук сердца гулко отдавался в ушах, и мне казалось, будто они тоже слышат этот предательский звук.

Битый час я сидела, уставившись невидящими глазами в телевизор, в голове то и дело всплывала картина их сцепленных рук. Я решила отправить сообщение Натану, но не знала, что написать. Вместо этого без пяти шесть я покинула комнату и осторожно открыла дверь, ведущую из служебного коридора в хозяйские апартаменты. И пошла, тихо ступая по паркетному полу, мимо пустой просторной столовой, гостевой спальни и двух закрытых дверей на отдаленный звук голосов. Оказавшись возле гостиной, я остановилась у дверного проема.

Мистер Гупник на диванчике у окна разговаривал по телефону, рукава голубой рубашки закатаны, рука закинута за голову. Не прерывая разговора, он махнул мне, приглашая войти. Слева от меня какая-то блондинка — миссис Гупник? — на антикварном розовом диване без устали стучала пальцем по айфону. Она, похоже, успела переодеться, и я на секунду смешалась. Я продолжала неловко топтаться в дверях, пока мистер Гупник не закончил разговор и не встал с места, причем, как я успела заметить, с большим трудом и болезненно скривившись. Тогда я шагнула ему навстречу, чтобы избавить его от лишних движений, и пожала протянутую руку. Рука была теплой и мягкой, а рукопожатие — сильным. Молодая женщина продолжала постукивать по телефону.

— Луиза, очень рад, что вы благополучно добрались. Надеюсь, у вас есть все, что вам нужно? — Обычно так спрашивают исключительно из любезности, не ожидая в ответ каких-либо просьб.

— Все чудесно. Спасибо.

— Это моя дочь Табита. Таб? — (Девушка подняла руку и, изобразив намек на улыбку, снова уткнулась в телефон.) — Я прошу извинения, но моя жена Агнес, к сожалению, не смогла к нам присоединиться. Прилегла на часок. Ужасная головная боль. У нас был длинный уик-энд.

На его лицо набежала тень, но не дольше чем на секунду. Буквально ничто в его манере поведения не напоминало о той неприятной сцене, свидетелем которой я стала час назад.

Он улыбнулся:

— Итак, сегодня вы совершенно свободны, ну а начиная с завтрашнего утра будете повсюду сопровождать Агнес. Ваша официальная должность — помощница, и вы будете оказывать мое жене содействие во всем, что она пожелает сделать в течение дня. У нее весьма напряженный график. Я попросил своего помощника ознакомить вас с расписанием нашей семьи. Он будет уведомлять вас по электронной почте о корректировках планов. Лучше всего проверять почту около десяти утра, поскольку именно в это время мы вносим последние изменения в программу. С остальными членами нашей команды вы познакомитесь завтра.

— Чудесно. Спасибо. — Взяв на заметку слово «команда», я живо представила себе футболистов, бегущих по этим шикарным апартаментам.

— Папа, а что у нас сегодня на обед? — спросила Табита с таким видом, будто меня нет в комнате.

— Не знаю, дорогая. Мне казалось, ты говорила, что собираешься пойти в ресторан.

— Сомневаюсь, что сегодня вечером у меня хватит сил на городскую суету. Я, пожалуй, останусь.

— Как пожелаешь. Только предупреди Иларию. Луиза, у вас есть вопросы?

Я напряглась, пытаясь сказать что-нибудь умное.

— Кстати, мама просила меня узнать, нашел ли ты ту картину. Миро.

— Милая, тема закрыта. Картина останется здесь.

— Но мама говорит, что это она выбрала картину. И теперь маме ее не хватает. Тебе ведь она никогда не нравилась.

— Не в этом дело.

Я неловко переминалась с ноги на ногу, не будучи уверенной, отпустили меня или нет.

— Но, папа, дело как раз в этом. Тебе все мамины нужды до лампочки.

— Картина стоит восемьдесят тысяч долларов.

— Маме плевать на деньги.

— А нельзя ли обсудить это потом?

— Потом ты будешь занят. Я обещала маме уладить вопрос.

Я осторожно попятилась к двери.

— Здесь нечего улаживать. Соглашение было заключено восемнадцать месяцев назад. И мы все окончательно решили. Ой, дорогая, тебе уже лучше?

Я оглянулась. Женщина, которая вошла в комнату, была сногсшибательной красавицей. На лице ни капли косметики, белокурые волосы небрежно затянуты узлом. Высокие скулы усеяны редкими веснушками, форма глаз говорила о славянском происхождении. На вид моя ровесница. Прошлепав босиком к мистеру Гупнику, она подарила ему поцелуй, ее рука небрежно пробежалась по его затылку.

— Это Луиза, — произнес он.

Она повернулась ко мне:

— Моя новая союзница.

— Твоя новая помощница, — поправил жену мистер Гупник.

— Привет, Луиза. — Она протянула мне тонкую руку.

Я почувствовала на себе ее испытующий взгляд. Она улыбнулась, и я невольно улыбнулась в ответ.

— Илария хорошо подготовила твою комнату? — У нее был мягкий голос с легким восточноевропейским акцентом.

— Все замечательно. Спасибо.

— Замечательно? Похоже, ты очень неприхотлива. Комната — точно кладовка для швабр. Если тебе что-то не нравится — говори, не стесняйся, и мы все исправим. Ведь так, дорогой?

— Агнес, а разве ты не жила в свое время в каморке, еще меньшей, чем эта? — бросила Таб, не отрываясь от айфона. — Папа говорил, ты делила ее еще с пятнадцатью иммигрантками.

— Таб! — В голосе мистера Гупника послышались металлические нотки.

Агнес, с коротким вздохом расправив плечи, гордо откинула голову:

— И правда, моя комната была еще меньше. Но я делила ее с очень милыми девушками. И никаких проблем. Если люди милые и вежливые, то можно многое вынести. Что скажешь, Луиза?

— Да, — сглотнув, ответила я.

Тем временем в гостиную вошла Илария. На ней были такие же, как у меня, темные брюки и футболка поло, только прикрытые белым передником. Она даже не взглянула в мою сторону.

— Илария, дорогая, а для меня что-нибудь найдется? — положив руку на спинку дивана, проворковала Таб. — Я, пожалуй, сегодня останусь здесь.

Лицо Иларии неожиданно потеплело. Передо мной был совершенно другой человек.

— Ну конечно, мисс Табита. Я всегда готовлю по воскресеньям лишнюю порцию на случай, если вы решите остаться.

Агнес застыла посреди комнаты. На секунду ее лицо стало испуганным. Затем она воинственно выпятила подбородок:

— Тогда я хочу, чтобы Луиза обедала с нами.

Возникла неловкая пауза.

— Луиза? — переспросила Таб.

— Да. Мне хочется познакомиться с ней поближе. Луиза, у тебя есть какие-нибудь планы на сегодняшний вечер?

— Э-э-э... Кажется, нет.

— Тогда ты поешь с нами. Илария, ты вроде говорила, что приготовила лишнюю порцию?

Илария посмотрела на мистера Гупника, который, похоже, был всецело поглощен своим телефоном.

— Агнес, — нарушила молчание Таб, — тебе, должно быть, известно, что мы не едим вместе с обслуживающим персоналом?

— Что значит «мы»? Не знала, что в этом доме есть служебная инструкция! — Вытянув руку, Агнес с наигранным спокойствием принялась рассматривать обручальное кольцо. — Дорогой, неужели ты забыл дать мне служебную инструкцию?

— При всем моем уважении, пусть даже Луиза и очень милая, — заявила Таб, — существуют некие границы! И всем это только на пользу.

— Я с удовольствием сделаю так, как... — начала я. — Мне не хочется причинять никаких...

— Ну, при всем моем уважении, Табита, я бы хотела, чтобы Луиза поужинала со мной. Она моя новая помощница, и нам предстоит проводить вместе каждый божий день. И я не вижу проблемы в желании познакомиться с ней поближе.

— Никаких проблем, — произнес мистер Гупник.

— Но, папочка...

— Никаких проблем, Таб. Илария, будьте добры, накройте стол на четыре персоны. Благодарю вас.

У Иларии округлились глаза. Она бросила на меня косой взгляд, ее рот превратился в узкую полоску, свидетельствующую о плохо сдерживаемой ярости, словно это я была инициатором грубейшего нарушения домашней иерархии, после чего она удалилась в столовую, откуда тотчас же донеслось демонстративное звяканье столовых приборов и звон бокалов. Агнес, облегченно вздохнув, откинула со лба волосы, после чего улыбнулась мне заговорщицкой улыбкой.

— Что ж, тогда приступим, — спустя минуту произнес мистер Гупник. — Луиза, может, вы хотите чего-нибудь выпить?

Обед оказался томительным, мучительным мероприятием. Я была подавлена великолепием стола из красного дерева, роскошью тяжелых серебряных приборов и хрустальных бокалов. Все это никак не вязалось с моей униформой. Мистер Гупник в основном хранил молчание и дважды исчезал, чтобы ответить на звонки из офиса. Таб занималась своим айфоном, демонстративно игнорируя остальных. Илария подавала цыпленка в винном соусе с гарниром, а потом убирала посуду с таким лицом, будто она, по выражению моей мамы, вот-вот пёрнет. Возможно, только я и заметила, как она презрительно, со стуком, ставит передо мной тарелку и громко фыркает, проходя мимо моего стула.

Агнес практически не притронулась к еде. Она сидела напротив меня и весело щебетала, совсем как с новой закадычной подружкой, бросая время от времени осторожные взгляды в сторону мужа.

— Значит, ты впервые в Нью-Йорке, — начала она. — А где еще ты успела побывать?

— Хм... Так, кое-где. Я, как бы это сказать, слишком поздно начала путешествовать. Не так давно объездила всю Европу, а до того... побывала на Маврикии. И в Швейцарии.

— Америка не похожа на другие страны. И каждый штат воспринимается нами, европейцами, как нечто уникальное. Леонард показал мне лишь некоторые из них, но для меня они словно разные страны. Ты рада, что оказалась здесь?

— Безумно. Я хочу воспользоваться случаем и получить все, что может предложить Нью-Йорк.

— Она говорит совсем как ты, Агнес, — промурлыкала Таб.

Агнес, пропустив колкость мимо ушей, по-прежнему не сводила с меня глаз. И эти глаза, с едва заметно приподнятыми уголками, буквально завораживали своей красотой. Мне даже пришлось несколько раз напомнить себе, что неприлично так открыто пялиться на незнакомого человека.

— Расскажи о своей семье. У тебя есть братья? Сестры?

Я по мере сил описала свою семью, правда сделав ее больше похожей на Уолтонов, чем на Аддамсов.

— Значит, сестра теперь живет в твоей квартире в Лондоне? С сынишкой, да? Она приедет тебя навестить? А твои родители? Они будут по тебе скучать?

Я вспомнила о папиных словах, сказанных на прощание: «Лу, можешь не спешить с возвращением! Мы собираемся переоборудовать твою бывшую спальню в ванную комнату с джакузи!»

— О да, конечно! Очень сильно.

— Моя мама плакала две недели, когда я покинула Краков. А у тебя есть парень?

— Да. Его зовут Сэм. Он парамедик.

— Парамедик? Вроде доктора? Как мило! Покажи его фото. Обожаю рассматривать фотографии.

Я вытащила из кармана телефон и прокрутила фотки, пока не нашла свою самую любимую — ту, где Сэм, еще не успевший снять после дежурства темно-зеленую униформу, сидит на фоне закатного солнца на террасе, устроенной на крыше моей лондонской квартиры. В руках у него кружка чая, а на губах — счастливая улыбка. Я отчетливо помню, как это было. Моя кружка с остывшим чаем стояла на бортике, а Сэм терпеливо ждал, пока я щелкала фотографию за фотографией.

— Какой интересный мужчина! А он приедет к тебе в Нью-Йорк?

— Хм, нет. В данный момент он занимается строительством дома, так что прямо сейчас ничего не выйдет. К тому же он работает.

У Агнес округлились глаза.

— Но он должен приехать! Вы не можете жить в разных странах! Разве это любовь, если твоего мужчины нет рядом?! Лично я не способна перенести разлуку с Леонардом. Не люблю, когда он уезжает по делам даже на два дня.

— Ну да, полагаю, ты действительно приложишь максимум усилий, чтобы не быть слишком далеко от него, — бросила Таб.

Оторвав глаза от тарелки, мистер Гупник перевел взгляд с жены на дочь и обратно, но предпочел промолчать.

— И все же, — невозмутимо продолжила Агнес, расправляя на коленях салфетку, — Лондон не настолько далеко. А с любовью не шутят. Правда, Леонард?

— Конечно да. — Его лицо на миг смягчилось от улыбки жены.

Агнес погладила мужа по руке, и я поспешно уставилась в свою тарелку.

В комнате на секунду стало тихо.

— Пожалуй, отправлюсь-ка я домой. А то меня уже начинает подташнивать.

Таб со скрипом отодвинула стул и швырнула салфетку в тарелку. Белый лен моментально пропитался красным соусом. Я с трудом сдержала порыв спасти мокнущую салфетку. Поднявшись, Таб клюнула отца в щеку. Он нежно погладил ее по руке.

— Ладно, папочка, поговорим на неделе. — Она обернулась и отрывисто кивнула. — Луиза... Агнес. — И вышла из комнаты.

Агнес проводила ее взглядом. Кажется, она что-то тихо пробормотала себе под нос, но в этот момент Илария убирала мою тарелку и столовые приборы с таким яростным грохотом, что я ничего не расслышала.

С уходом Таб Агнес тотчас же утратила весь боевой задор. Она словно обмякла на стуле, плечи и голова устало поникли, отчего сразу выступили острые ключицы. Я встала:

— Думаю, мне пора вернуться в свою комнату. Большое спасибо за ужин. Он был восхитительным.

Никто не стал возражать. Мистер Гупник, положив на стол руку, нежно перебирал пальцы жены.

— Увидимся утром, Луиза, — не глядя на меня, произнес он.

Агнес пристально посмотрела на мужа, ее лицо помрачнело. Я бочком выбралась из столовой и, проходя мимо кухни, невольно ускорила шаг, чтобы виртуальные ножи, которые, как я чувствовала, Илария метала оттуда мне в спину, не попали в цель.

Спустя час я получила сообщение от Натана. Он с друзьями пил пиво в Бруклине.

Слышал, ты прошла настоящее крещение огнем. Ты в порядке?

На остроумный ответ у меня просто-напросто не осталось сил. Впрочем, так же как и на вопрос, откуда он узнал.

Все наладится, когда познакомишься с ними поближе. Обещаю.

Я ответила:

Увидимся утром.

У меня вдруг возникло дурное предчувствие — на что это я подписалась? — но потом я собралась и, сказав себе пару ласковых, в изнеможении рухнула на кровать.

В ту ночь мне снился Уилл. Он редко мне снился, и в первое время сны эти были источником грусти, когда я так тосковала по нему, что казалось, будто кто-то проделал в моем теле огромную дыру. Сны прекратились, когда я встретила Сэма. И вот в этот ранний час Уилл опять возник передо мной, точно живой. Я стояла на тротуаре и неожиданно увидела его на заднем сиденье автомобиля, дорогого черного внедорожника, совсем как у мистера Гупника. И я сразу же почувствовала невероятное облегчение оттого, что он не умер, что он здесь, с нами, а затем чисто инстинктивно поняла: ему не следует ехать туда, куда он направляется. Нужно непременно его остановить. Но всякий раз, как я пыталась перейти дорогу с интенсивным движением, передо мной возникал новый поток машин. Они вихрем проносились мимо, заслоняя от меня Уилла. Мой голос, выкрикивающий любимое имя, тонул в реве моторов. Уилл был так близко и так далеко — кожа цвета карамели, легкая улыбка, приподнятые уголки губ; он что-то говорил водителю, а вот что именно — я не слышала. В последнюю минуту он поймал мой взгляд — его глаза слегка округлились, — и тут я проснулась, вся в холодном поту, пуховое одеяло запуталось вокруг ног.

Глава 3

Кому: Samfielding1@gmail.com
От кого: BusyBee@ gmail.com

Пишу в спешке — у миссис Гупник урок игры на фортепиано, — но я постараюсь посылать тебе сообщения каждый день, чтобы мне хотя бы казалось, будто мы болтаем. Я скучаю по тебе. Пожалуйста, напиши ответ. Я знаю, ты говорил, что ненавидишь электронную почту, но сделай это ради меня. Пожалуйста, пожалуйста, пожалуйста! (Здесь ты должен сразу представить себе мое умоляющее лицо.) Люблю тебя. Л. xxxxxx

— Ну, здравствуйте!

Передо мной стоял, подбоченившись, очень большой афроамериканец в обтягивающей алой лайкре. Я — в футболке и спортивных трусах — замерла, растерянно моргая, на пороге кухни. Может, он мне снится? И будет ли он по-прежнему стоять тут, если я закрою дверь, а потом снова открою?

— Вы, наверное, мисс Луиза? — Огромная рука с таким энтузиазмом стиснула мою ладонь, что я невольно подпрыгнула.

Тогда я бросила взгляд на часы. Все верно. Часы показывали четверть седьмого.

— Я Джордж. Тренер миссис Гупник. Слышал, вы к нам присоединитесь. Жду с нетерпением.

Я с трудом проснулась после нескольких часов беспокойного сна, пытаясь стряхнуть с себя обрывки опутавшей меня паутины сновидений, и теперь, точно зомби, ковыляла в поисках кофеина по коридору.

— О'кей, Луиза! Главное — пить побольше жидкости! — И, прихватив две бутылки воды, Джордж легкой рысцой пробежал по коридору.

Я налила себе кофе, и в это время на кухню вошел Натан, уже одетый и благоухающий лосьоном после бритья. Натан с удивлением уставился на мои голые ноги.

— Я только что познакомилась с Джорджем, — сообщила я.

— Ну, насчет ягодичных мышц ты все лучше его знаешь. Ты ведь взяла с собой кроссовки?

— Ха! — Пока я пила кофе, Натан продолжал выжидающе на меня смотреть. — Натан, про кроссовки разговора не было. Я не бегунья. Короче, я неспортивная. Одним словом, рохля и лежебока. Что тебе прекрасно известно. — (Налив себе черного кофе, Натан поставил колбу обратно в кофеварку.) — Ну а кроме того, я ведь еще в этом году свалилась с крыши. Помнишь? Переломав кучу костей.

Теперь я уже могла легко шутить о той страшной ночи, когда, оплакивая Уилла, надралась и упала с крыши своего лондонского дома. Хотя боли в бедре не давали мне об этом забыть.

— У тебя все хорошо. И ты помощница миссис Гупник. Твоя работа, подруга, — быть рядом с ней в любое время. Если она хочет, чтобы ты начала бегать, значит побежишь как миленькая. И не надо впадать в отчаяние.

Тебе понравится. Через несколько недель будешь в отличной форме. Здесь все занимаются фитнесом.

— Сейчас всего четверть седьмого.

— Мистер Гупник встает в пять. Мы только что закончили сеанс лечебной гимнастики. Миссис Гупник любит немного поваляться.

— И когда мы начинаем бегать?

— Без двадцати семь. Встречаетесь в хозяйском коридоре. До встречи! — Он помахал рукой и был таков.

Агнес, естественно, относилась к тому типу женщин, которые по утрам выглядят даже лучше, чем вечером. Чистое лицо, похожее на слегка размытое фото, снятое через фильтр, но при этом очень сексуальное. Волосы, небрежно затянутые в конский хвост, облегающий топ и штаны для бега придавали ей небрежный шарм, свойственный супермоделям в нерабочее время. Она прогарцевала по коридору, словно скаковая лошадь паломино[1] в солнцезащитных очках, и приветственно взмахнула тонкой рукой, давая понять, что сейчас слишком рано для разговоров. У меня с собой были лишь шорты и майка, в которых я наверняка выглядела как толстуха со стройки. И что еще хуже, я не успела побрить подмышки, а потому старалась прижимать локти к бокам.

— Доброе утро, миссис Гупник! — Появившийся возле нас Джордж протянул ей бутылку воды. — Ну что, готовы? — (Она кивнула.) — Вы готовы, мисс Луиза? Сегодня мы пробежим всего четыре мили. Миссис Гупник хочет поделать дополнительные упражнения для укрепления мышц живота. Вы уже успели растянуться, да?

[1] Пегая лошадь с белой гривой. — *Здесь и далее примеч. перев.*

— Хм, я... — У меня не было ни воды, ни бутылки. Но мы уже рванули вперед.

Я когда-то слышала выражение «взять с места в карьер», но до знакомства с Джорджем толком не понимала, что оно означает. Джордж припустил по коридору со скоростью чуть ли не сорок миль в час, и когда я уже было понадеялась, что перед лифтом мы сбавим темп, он распахнул двустворчатую дверь на лестницу, и мы побежали вниз по ступенькам прямо до первого этажа. После чего вихрем промчались по вестибюлю мимо Ашока, так что я едва уловила его приглушенное приветствие.

Боже милостивый, ведь еще слишком рано для этого! Я проследовала за Агнес с Джорджем, бежавшими легко и непринужденно, словно пара лошадей в упряжке. Итак, я тащилась сзади. Мои короткие шаги не совпадали с их, мои кости дребезжали при каждом ударе ноги о землю, я то и дело бормотала извинения, лавируя между прохожими, имевшими неосторожность попасться мне на пути. Бег был фишкой моего бывшего бойфренда Патрика. Собственно, бег похож на суп из капусты: ты знаешь, что он, возможно, очень полезный, но при этом понимаешь, что жизнь слишком коротка, чтобы растрачивать себя на такие вещи.

«Ну давай же, ты это сделаешь! — подбадривала я себя. — Тебе наконец представилась первая возможность сказать „да“. Ты на пробежке в Нью-Йорке! Ты стала совершенно другим человеком!» Несколько великолепных размашистых шагов — и я на секунду почти поверила в это. Тем временем транспортный поток остановился, светофор переключился. Джордж с Агнес легко пританцовывали на цыпочках на краю тротуара, меня же за ними не было видно. И вот мы, перебежав через дорогу, оказались в Центральном парке, тропа исчезала под нашими ногами, звуки транспорта затухали по мере того, как мы углублялись в зеленый оазис в сердце большого города.

Мы отмахали почти милю, когда я внезапно поняла, что это плохая идея. И хотя сейчас я больше шла, чем бежала, мне явно не хватало воздуха, а бедро протестующе напоминало о свежих травмах. За все эти годы я лишь раз пробежала пятнадцать ярдов за уходящим автобусом, причем неудачно. Подняв голову, я увидела, что Агнес с Джорджем весело болтают, не сбавляя хода. Мне было ни вздохнуть, ни охнуть, а они беседовали как ни в чем не бывало.

Тут я вспомнила о папином приятеле, получившем инфаркт во время пробежки. Папа всегда использовал этот случай в качестве наглядной иллюстрации того, почему спорт скорее вреден, чем полезен. Почему я не сослалась на свои травмы?! И неужели мне суждено выхаркать свои легкие прямо здесь, посреди парка?!

— Мисс Луиза, вы там как, нормально? — Джордж, развернувшись, потрусил назад.

— Отлично! — Я подняла вверх большой палец.

Мне всегда хотелось посмотреть Центральный парк. Но не такой ценой. И тут у меня, естественно, возник вопрос: что будет, если я загнусь в первый же день на новой работе? Я свернула в сторону, чтобы пропустить женщину с неуверенно ковыляющими тройняшками. «Господи, — взмолилась я, глядя на двух легко бегущих впереди людей, — сделай так, чтобы один из них навернулся. Нет, не сломал ногу, а просто растянул связки. Короче, что-нибудь такое, что пройдет через сутки, но заставит лежать на диване с поднятой ногой и смотреть дневные программы по телику».

Они уже здорово оторвались от меня, и тут я ничего не могла поделать. Разве в парке должны быть горки?! Мистер Гупник наверняка разозлится, что я не бегу, как приклеенная, за его женой. А она поймет, что я всего лишь бестолковая, унылая англичанка и никакая не союзница. И тогда они наймут какую-нибудь стройную, шикарную девицу в более подходящей для бега одежде.

Именно в этот момент мимо меня протрусил какой-то старикан в наушниках. Он повернул голову в мою сторону, затем проверил свой фитнес-трекер и резво побежал дальше. Ему явно было не меньше семидесяти пяти.

— Ой, ну *давай же*! — Я уныло проводила глазами убегающего старика.

И неожиданно увидела запряженную лошадью коляску. Рванув вперед, я поравнялась с кучером:

— Эй! Эй! А вы не могли бы подкинуть меня туда, где бегут эти люди?

— Какие люди?

Я показала на крошечные фигурки, видневшиеся вдали. Кучер равнодушно пожал плечами. Я залезла в коляску и пригнула голову. Кучер, натянув вожжи, направил лошадь в нужную сторону. «Ну вот, еще одно нью-йоркское приключение, хотя и незапланированное!» — подумала я, скорчившись за спиной кучера. Когда мы подъехали поближе, я похлопала его по плечу, чтобы он меня высадил. Мы проехали не больше пятисот ярдов, но теперь я практически догнала Агнес с Джорджем. Когда я собралась соскочить с коляски, кучер сказал:

— Сорок баксов.

— Что?

— Сорок баксов.

— Но ведь мы проехали всего пятьсот ярдов!

— Леди, такова цена.

Агнес с Джорджем продолжали о чем-то увлеченно беседовать. Вытащив из заднего кармана две двадцатки, я сунула их кучеру и, спрятавшись за коляской, продолжила пробежку. И очень вовремя, поскольку Джордж обернулся проверить, где я. Тогда я в очередной раз радостно подняла вверх большой палец с таким видом, будто все время была здесь.

Но вот наконец Джордж надо мной сжалился. Он заметил, что я хромаю, и, пока Агнес делала растяжки, вытягивая длинные, как у цапли, ноги, подбежал ко мне:

— Мисс Луиза! Вы там как, в порядке?

Джорджа я теперь могла только слышать: пот заливал глаза, лишая способности видеть. Я согнулась, пыхтя как паровоз, и положила руки на колени.

— У вас проблема? Вы слегка раскраснелись.

— Нет... практики, — прохрипела я. — Проблемы... с бедром.

— У вас что, была травма? Почему вы не сказали?!

— Не хотелось... лишать себя удовольствия! — Я вытерла ладонью воспаленные глаза. Отчего стало только хуже.

— И где именно?

— Левое бедро. Перелом. Восемь месяцев назад.

Он положил руки на мое левое бедро и принялся оттягивать ногу назад и вперед, чтобы проверить, как она вращается. Я из всех сил старалась не дергаться.

— Думаю, на сегодня вам достаточно.

— Но я...

— Нет. Отправляйтесь-ка назад, мисс Луиза.

— Ну, если вы настаиваете... Хотя, конечно, очень обидно.

— Встретимся дома. — Он похлопал меня по спине с такой силой, что я едва не шлепнулась лицом вниз, после чего жизнерадостно помахал мне рукой и исчез из виду.

— Хорошо провели время, мисс Луиза? — поинтересовался Ашок, когда сорок пять минут спустя я ввалилась в дом.

Оказалось, что, помимо всего прочего, в Центральном парке легко можно заблудиться.

Я сделала паузу, чтобы отлепить от спины мокрую от пота футболку.

— Великолепно. Мне понравилось.

Поднявшись наверх, я обнаружила, что Джордж с Агнес вернулись домой на целых двадцать минут раньше меня.

Мистер Гупник говорил, что у Агнес плотное расписание. И если учесть, что она не работала и не имела детей, Агнес действительно оказалась самым занятым человеком из всех, кого я когда-либо видела. После ухода Джорджа у нас с ней было всего полчаса на завтрак. Агнес уже ждал накрытый стол с омлетом из яичных белков, ягодами и кофе в серебряном кофейнике. Я же схомячила маффин, оставленный Натаном на кухне для персонала. Затем мы провели полчаса в кабинете мистера Гупника, где его помощник Майкл ознакомил нас с намеченными на эту неделю мероприятиями, которые должна была посетить Агнес.

Кабинет мистера Гупника был подчеркнуто мужским: панели из темного дерева, полки, ломящиеся от книг. Мы сидели за кофейным столиком на стульях с мягкой обивкой. На огромном письменном столе мистера Гупника у нас за спиной стояли несколько телефонов и лежали ежедневники в твердой обложке. Майкл периодически просил Иларию принести еще ее восхитительного кофе, что она и делала, расточая улыбки, предназначенные ему одному.

Майкл ознакомил нас с предстоящими мероприятиями. Агнес должна была присутствовать на встрече членов филантропического фонда семейства Гупник, на благотворительном обеде в среду, на поминальном обеде и коктейле в четверг, на художественной выставке в Линкольн-центре и на концерте в Метрополитен-опере в пятницу.

— Однако спокойная неделя, — заметил Майкл, глядя в айпад.

В ежедневнике Агнес на сегодня было отмечено: посещение парикмахера в десять (парикмахера она посещала три раза в неделю), прием у дантиста (рутинная гигиеническая процедура) и встреча с декоратором интерьера. В шестнадцать часов у нее был урок игры на фортепиано (они проходили дважды в неделю), в семнадцать тридцать — велотренажеры, после чего она собиралась пообедать вдвоем с мистером Гупником в ресторане в Мидтауне. Мой рабочий день заканчивался в восемнадцать тридцать.

Расписание на сегодняшний день, похоже, вполне устроило Агнес. Или все дело было в пробежке. Агнес, окутанная облаком духов, уже успела переодеться в темно-синие джинсы и белую блузку, в вырезе которой виднелся крупный бриллиантовый кулон.

— Все замечательно, — заявила Агнес. — Ладно, мне нужно сделать несколько звонков.

Похоже, она была уверена, что я в курсе, где ее можно будет найти.

— Если есть какие-то сомнения, подожди ее в холле, — шепнул Майкл, когда она ушла. Он улыбнулся, напускная деловитость моментально исчезла. — Когда я только начал здесь работать, то никогда не знал, где их искать. Наша задача быть всегда рядом в любой момент, когда мы можем им понадобиться. Но при этом не ходить за ними хвостом в ванную или уборную.

Майкл был не намного старше меня, но относился к тому типу людей, которые появляются на свет из утробы матери уже красивыми, в сочетающейся по цвету одежде и в идеально начищенных туфлях. И у меня невольно возник вопрос: неужели все в Нью-Йорке, за исключением меня, именно такие?

— И как давно ты тут работаешь?

— Чуть больше года. Им пришлось уволить свою личную секретаршу, потому что... — Он смущенно замолчал. — Ну, в общем, они решили начать с чистого листа и все такое. А через какое-то время поняли, что им недостаточно одного помощника на двоих. И тут появилась ты. Ну привет! — Он протянул мне руку.

— Ну и как тебе здесь? — пожав его руку, поинтересовалась я.

— Очень нравится. Причем я даже не знаю, кто из них мне нравится больше — он или она, — ухмыльнулся Майкл. — Он умнейший человек. И очень красивый. А она просто куколка.

— Ты с ними бегаешь?

— Бегаю? Ты что, издеваешься?! — Он вздрогнул. — Терпеть не могу потеть. Ну разве что с Натаном. Черт! Вот с ним бы я попотел. Роскошный мужик! Он предложил мне помассировать плечо, и я влюбился в него с первого взгляда. Как, ради всего святого, ты умудрилась, так долго проработав с ним бок о бок, не запрыгнуть на это великолепное австралийское тело?

— Я...

— Не говори мне. Даже если ты и была с ним, не хочу ничего знать. Мы должны оставаться друзьями. Ладно. Мне пора на Уолл-стрит. — Он дал мне кредитную карту («На всякий пожарный — она постоянно забывает свою. Все выписки со счета отправляются ему») и планшет, после чего показал, как набирать пин-код. — Здесь контактные телефоны, которые могут понадобиться. А также все, что касается расписания встреч. — Майкл принялся прокручивать указательным пальцем сенсорный экран. — Каждый человек имеет свой цветовой код: мистер Гупник — синий, миссис Гупник — красный, Табита — желтый. Мы больше не ведем ее ежедневник, так как она живет в другом месте, но всегда полезно знать, когда она может появиться здесь и намечаются ли совместные семейные мероприятия вроде заседаний членов опекунского совета или правления фондов. Я сделал тебе персональный адрес электронной почты. Если будут какие-либо изменения, мы с тобой это обговорим, чтобы продублировать их на экране. Тебе придется все перепроверять. Единственная вещь, которая гарантированно приведет мистера Гупника в бешенство, — накладки в расписании встреч.

— Поняла.

— Итак, каждое утро ты будешь проверять ее почту и выяснять, какие мероприятия она захочет посетить. Затем мы будем проводить сверку, так как иногда она говорит «нет», а он ее заставляет. Поэтому ничего не выкидывай. Просто складывай приглашения в две стопки.

— А много приходит приглашений?

— Ой, ты даже не представляешь! Гупники — это элита. А значит, они получают приглашения буквально на все светские мероприятия и, как правило, не ходят ни на одно из них. Но если ты принадлежишь к высшему обществу, но уровнем пониже, то почтешь за счастье получить хотя бы половину этих приглашений и ни от одного из них не откажешься.

— А как насчет третьего уровня?

— Неудачники. С радостью пойдут на открытие фургончика, где торгуют бурито. Их можно встретить даже на светских тусовках. — Майкл вздохнул. — Ужасно неловко.

Я открыла страницу ежедневника, нашла текущую неделю, которая буквально ослепила меня разноцветием красок. И постаралась по возможности скрыть свою полную растерянность.

— А что значит коричневый цвет?

— Это для Феликса. Кота.

— У кота есть свой ежедневник?!

— Всего лишь запись к грумерам, ветеринару, дантисту-гигиенисту, ну и типа того. Ой нет! На этой неделе он записан к бихевиористу. Должно быть, опять обосрался после «Зиглера».

— А фиолетовый?

Майкл понизил голос:

— Бывшая миссис Гупник. Если увидишь фиолетовый квадрат возле какого-нибудь события, это значит, что она тоже там будет. — Майкл собрался было что-то добавить, но тут у него зазвонил телефон. — Да, мистер Гупник... Да. Конечно... Да, непременно. Ждите меня. — Он убрал телефон в сумку. — Ладно. Мне пора бежать. Добро пожаловать в команду!

— А сколько человек в этой нашей команде? — спросила я, но он уже стоял в дверях с пальто в руках.

— Первый большой фиолетовый код намечается через две недели. Поняла? Я отправлю тебе имейл. И носи в нерабочее время нормальную одежду! А иначе будешь похожа на девушку из сетевого экосупермаркета.

День прошел как в тумане. Двадцать минут спустя мы вышли из дому и сели в ожидающий автомобиль, который доставил нас в шикарный салон в нескольких кварталах от «Лавери», при этом я усиленно делала вид, будто мне не привыкать ездить в больших черных авто с кремовыми кожаными сиденьями. Я сидела в сторонке и смотрела, как парикмахерша со стрижкой, будто сделанной с помощью линейки, моет и укладывает Агнес волосы. Час спустя водитель отвез нас к дантисту, где мне опять пришлось ждать в приемной. Обстановка во всех местах, которые мы сегодня посетили, была умиротворяющей и изысканной. Другой мир, где не было и намека на то безумие, что творилось на улицах вокруг.

По такому случаю я выбрала наименее кричащий наряд: темно-синюю блузу с якорями и полосатую юбку-карандаш, хотя, похоже, можно было и не трудиться, так как повсюду я мгновенно становилась человеком-невидимкой, словно у меня на лбу вытатуировали слово «ОБСЛУГА». Я научилась сразу замечать других личных помощников, расхаживающих взад-вперед с сотовыми телефонами в руках или вбегающих в приемную с пакетами из химчистки и картонными упаковками кофе из специализированных кофеен. Интересно, мне тоже следовало принести Агнес кофе или нужно делать все строго по списку? Бóльшую часть времени я вообще не понимала, зачем здесь нахожусь. Все работало как часы и без моей помощи. Похоже, для Агнес я была своеобразным защитным барьером — живым щитом, отделяющим ее от остального мира.

Между тем, когда Агнес вернулась в автомобиль, вид у нее был расстроенный, она или разговаривала по-польски по сотовому, или просила меня записать кое-какие вещи в планшете: «Нам нужно узнать у Майкла, отдали ли в химчистку серый костюм Леонарда. И возможно, позвонить миссис Левитски насчет моего платья от „Живанши". Мне кажется, я немного похудела с тех пор, как надевала его в последний раз. Может, она чуть-чуть ушьет его». Агнес порылась в необъятной сумке «Прада», достала блистер с таблетками, две сунула в рот.

— Воды! — (Отыскав бутылку с водой в кармане двери автомобиля, я отвинтила крышку и протянула бутылку Агнес.) — Благодарю.

Водитель — мужчина средних лет с густыми темными волосами и полными и обвислыми щеками, колыхавшимися при каждом движении, — вышел, чтобы открыть Агнес дверь.

Когда Агнес исчезла в ресторане, где швейцар приветствовал ее как родную, я собралась было последовать за ней, но водитель заблокировал дверь. Я осталась на заднем сиденье.

С минуту я просто сидела, пытаясь отгадать, что мне следует делать.

Затем проверила телефон. Посмотрела в окно в поисках магазина, где можно было бы купить сэндвич. Нетерпеливо притопнула ногой. И, не выдержав, протиснулась вперед между спинками кресел переднего сиденья:

— Мой папа, когда ходил в паб, вечно оставлял нас с сестрой в машине. Он приносил нам оттуда кока-колу и упаковку маринованного лука «Монстр Мунк», чего вполне хватало, чтобы успокоить нас на три часа. — Я побарабанила пальцами по коленке. — Сейчас за это вполне могут вменить жестокое обращение с детьми. Учтите, маринованный лук «Монстр Мунк» был нашим любимым лакомством. Во все дни недели.

Водитель ничего не ответил.

Я наклонилась еще ближе, мое лицо оказалось всего в нескольких дюймах от его.

— Итак. Сколько времени это обычно занимает?

— Сколько нужно, столько и занимает. — Он посмотрел в зеркало заднего вида, стараясь не встречаться со мной глазами.

— И вы все это время ждете в машине?

— Работа такая.

Подумав с минуту, я просунула руку между спинками кресел:

— Я Луиза. Новая помощница миссис Гупник.

— Приятно познакомиться, — не оборачиваясь, буркнул он.

Это были его последние слова, обращенные ко мне. Он вставил CD-диск в приемник.

— Estoy perdido, — произнес по-испански женский голос. — ¿Dónde está el baño?[1]

— Эс-ТОЙ пер-ДИ-до. ДОН-де ест-ТА эль БА-НЬО, — повторил водитель.

— ¿Cuánto cuesta?[2]

— Куан-то КВЕС-та, — произнес водитель.

Весь следующий час я сидела на заднем сиденье, таращилась в айпад, стараясь не слушать лингвистические экзерсисы водителя, и гадала, нужно ли мне тоже заняться чем-то полезным. В результате я отправила Майклу имейл с этим вопросом, на что он написал:

Пупсик, это твой перерыв на обед. Наслаждайся! Целую.

Мне не хотелось сообщать ему, что у меня нет еды. В тепле стоящей на месте машины меня окончательно разморило, и усталость в очередной раз накатила, как морской прибой. Я прислонила голову к окну, уговаривая себя, что это нормально — чувствовать себя выбитой из колеи, будто я взялась не за свое дело. *Поначалу тебе будет не по себе в изменившемся мире. Покидать уютное гнездышко всегда непривычно*. Строки из письма Уилла эхом отдавались у меня в голове.

А затем — пустота.

Я проснулась в испуге, когда открылась дверь. В автомобиль садилась Агнес, очень бледная и натянутая как струна.

[1] Я заблудился. Где туалет? *(исп.)*

[2] Сколько стоит? *(исп.)*

— Все в порядке? — поспешно выпрямившись, поинтересовалась я, но она не ответила.

Машина тронулась с места, в салоне повисла тягостная тишина, прохладный воздух, казалось, звенел от возникшего напряжения.

Агнес повернулась ко мне. Я нашарила бутылку с водой и предложила ей.

— У тебя есть сигареты?

— Э-э-э... нет.

— Гарри, у тебя есть сигареты?

— Нет, мэм. Но мы можем купить для вас.

Только сейчас я заметила, что у нее трясутся руки. Она залезла в сумочку, достала бутылочку с таблетками, я снова протянула ей бутылку с водой. Она молча проглотила несколько таблеток, в глазах у нее стояли слезы. Гарри припарковался возле аптеки «Дьюан Рид», и я поняла, что сейчас мой выход.

— А какие? Я хочу сказать, какой марки?

— «Мальборо лайтс», — промокнув глаза, ответила Агнес.

Я выпрыгнула, а скорее, вывалилась кулем из машины, поскольку ноги до сих пор болели после утренней пробежки, и купила пачку «Мальборо», не переставая удивляться, что в аптеке продают сигареты. Когда я вернулась, Агнес на кого-то орала по телефону по-польски. Закончив разговор, она открыла окно, прикурила сигарету, сделала глубокую затяжку. После чего предложила мне закурить. Я отказалась.

— Только не говори Леонарду, — попросила Агнес, ее лицо сразу как-то смягчилось. — Он терпеть не может, когда я курю.

Несколько секунд мы просто сидели, двигатель работал, а Агнес курила, делая короткие сердитые затяжки, и я даже испугалась за ее легкие. Затем Агнес затушила окурок — ее губы кривились от едва сдерживаемой внутренней ярости — и махнула Гарри, приказывая ехать.

У Агнес был урок игры на фортепиано, и на короткое время я оказалась предоставлена самой себе. Я ретировалась в свою комнату и стала подумывать о том, чтобы прилечь, но, побоявшись, что одеревеневшие ноги не позволят мне встать с постели, села за письменный столик, отправила Сэму короткий имейл и проверила расписание на следующие несколько дней.

И пока я занималась своими делами, квартира наполнилась музыкой: сначала это были гаммы, но потом — нечто очень мелодичное и прекрасное. Я прервалась, чтобы послушать, наслаждаясь чарующими звуками. Как это, должно быть, чудесно — рождать подобную красоту! Я закрыла глаза, пропуская через себя музыкальное произведение и вспоминая тот вечер, когда Уилл впервые пригласил меня на концерт, чтобы я смогла открыть для себя новый мир. Живая музыка оказалась гораздо объемнее, чем в записи, и у меня тогда словно что-то замкнуло внутри. Дивная музыка, что лилась из-под пальцев Агнес, казалось, исходила из потайного уголка ее израненной души, наглухо закрытого во время повседневного общения с миром. «Ему бы это понравилось, — рассеянно подумала я. — Ему бы здесь точно понравилось». И в самый кульминационный момент Илария включила пылесос, который, ударяясь о тяжелую мебель, заглушал магические звуки пронзительным ревом. Музыка смолкла.

У меня завибрировал телефон.

Пожалуйста, попроси ее выключить пылесос!

Я встала из-за стола и отправилась на поиски Иларии.

Домоправительница, сосредоточенно качая головой, с остервенением толкала туда-сюда пылесос прямо под дверью кабинета Агнес. Я тяжело сглотнула. В Иларии было нечто такое, что заставляло тебя хорошенько подумать, прежде чем вступать с ней в конфронтацию, хотя она и относилась к тому немногочисленному числу людей, которые находились еще ниже на здешней социальной лестнице, чем я.

— Илария, — начала я.

Она продолжала пылесосить.

— Илария! — Я встала прямо перед ней, лишив ее возможности меня игнорировать. Она пяткой выключила пылесос и смерила меня злобным взглядом. — Миссис Гупник просила, если не возражаешь, пропылесосить дом в другое время. Ты мешаешь ей музицировать.

— И когда, интересно, мне убирать квартиру? — огрызнулась Илария с явным расчетом, что ее услышат за дверью.

— Хм... Может, в любое другое время дня, за исключением этих конкретных сорока минут?

Илария выдернула шнур из розетки и с шумом поволокла пылесос по паркету. Она посмотрела на меня с такой ненавистью, что я даже попятилась. Короткая пауза — и дом снова наполнился музыкой.

Когда двадцать минут спустя Агнес наконец вышла из кабинета, она скользнула по мне взглядом и улыбнулась.

Первая неделя прошла с переменным успехом, как и мой первый день. Я ловила сигналы Агнес — в свое время моя мама именно так следила за нашим псом, у которого к старости ослаб мочевой пузырь. Ей нужно выйти из дому? Чего она хочет? Где мне следует быть? Каждое утро я бегала трусцой с Агнес и Джорджем.

Примерно через милю махала им рукой, показывала на бедро и медленно брела домой. И вообще, я кучу времени проводила в холле, а когда кто-нибудь проходил мимо, принималась увлеченно изучать айпад, чтобы не думали, будто я бью баклуши.

Майкл, появлявшийся каждый день, инструктировал меня торопливым шепотом. Казалось, вся его жизнь проходила в бегах между этой квартирой и офисом мистера Гупника на Уолл-стрит: к уху вечно прижат один из двух сотовых, на локте висит пакет из химчистки, в руках стакан кофе. Майкл был само очарование и всегда улыбался, но я понятия не имела, нравлюсь я ему или нет.

Натана я практически не видела. Похоже, его основной обязанностью было подстраиваться под график мистера Гупника. Иногда Натан работал с ним в пять утра, иногда — в семь вечера, а при необходимости приезжал в офис. «Меня наняли не затем, чтобы я делал то, что делаю, а затем, чтобы я делал то, что *могу* делать», — объяснял Натан. Время от времени Натан исчезал, и уже после я обнаруживала, что он улетел на ночь глядя с мистером Гупником в Сан-Франциско или Чикаго. У мистера Гупника была тяжелая форма артрита, с которым надо было непрерывно работать, чтобы держать болезнь под контролем, поэтому в дополнение к курсу противовоспалительной и обезболивающей терапии они с Натаном плавали и разрабатывали суставы по несколько раз в день.

Помимо Натана и Джорджа, тренера, который также приходил по утрам каждый божий день, за первую неделю в доме побывали:

Уборщики. Очевидно, существовала некоторая разница между тем, чем занималась Илария (домашней работой), и настоящей уборкой. Дважды в неделю бригада из одетых в униформу трех женщин и одного мужчины атаковали апартаменты в стиле блицкрига. Каждый из них приносил с собой коробку с экологически чистыми моющими средствами. Уборщики практически не разговаривали и лишь изредка отрывисто консультировались с напарниками. Через три часа они уходили, оставляя Иларию нюхать воздух и неодобрительно проводить пальцами по плинтусам.

Флорист, прибывший в фургоне в понедельник утром с огромными вазами тщательно аранжированных цветов, которые нужно было расставить с соблюдением стратегических интервалов в местах общего пользования. Некоторые из ваз оказались настолько большими, что их несли двое подручных, снявших перед дверью обувь.

Садовник. Да-да, честное слово! Сперва я отреагировала на него несколько истерически («А вы действительно понимаете, что мы живем на втором этаже?»), но затем обнаружила на заднем фасаде дома длинные балконы с миниатюрными деревьями и цветами в горшках, которые садовник полил, подрезал и удобрил, после чего незаметно исчез. Балкон и впрямь смотрелся очень красиво, но, кроме меня, на него никто не выходил.

Бихевиорист для домашних животных. Крошечная, похожая на птичку японочка появилась в пятницу в десять утра. Битый час она наблюдала за Феликсом издалека, потом обследовала его еду, его поддон, места, где он спал, расспросила Иларию о его поведении, сделала рекомендации по поводу игрушек, проверила высоту и прочность шеста, о который Феликс драл когти. Все то время, что японская дама была здесь, Феликс ее игнорировал, более того, он с оскорбительным энтузиазмом принялся демонстративно вылизывать у себя под хвостом.

Бригада по доставке продовольственных товаров приходила дважды в неделю. Они приносили с собой большие зеленые ящики свежих продуктов, которые распаковывали под присмотром Иларии. Как-то раз я случайно увидела счет: этих денег хватило бы, чтобы кормить мою семью и, возможно, половину района в течение нескольких месяцев.

И это не считая маникюрши, дерматолога, учителя музыки, автомеханика, рабочего, который обслуживал здание; он менял перегоревшие лампочки и отлаживал кондиционеры. Стройная, как тростинка, рыжеволосая дама приносила огромные пакеты из магазинов «Бергдорф Гудман» или «Сакс Пятая авеню». Она буравила взглядом все, что примеряла Агнес, заявляя: «Нет. Нет. Нет. Ой, дорогая, просто идеально. Что ж, очень мило. Может, вы будете носить это с той маленькой сумочкой „Прада“, которую я показала вам на прошлой неделе? Ну а теперь, что мы будем делать с этим платьем для торжественного вечера?»

А еще были: виноторговец; человек, развешивавший картины; женщина, которая чистила шторы, и мужчина, который натирал паркетные полы в главной гостиной какой-то похожей на газонокосилку штуковиной, ну и остальные — так, по мелочам. Мало-помалу я привыкла видеть вокруг себя незнакомых людей. За первые две недели, похоже, не было и дня, чтобы в квартире находилось одновременно меньше пяти человек.

Одним словом, не дом, а лишь одно название. Для меня, Натана, Иларии и безразмерной команды наемных работников, служащих и прихлебателей, которые толклись здесь от зари до темна, апартаменты эти были скорее рабочим местом. Иногда после ужина процессия одетых в костюмы коллег мистера Гупника шествовала в его кабинет, а примерно час спустя появлялись, бормоча что-то о звонках в Вашингтон, округ Колумбия, или в Токио. Мистер Гупник, казалось, работал двадцать четыре часа в сутки, если не считать того времени, что проводил с Натаном.

Иногда я провожала глазами Агнес, которая посреди дня закрывала за собой дверь гардеробной комнаты — предположительно единственного места, где она могла уединиться, — и задавала себе вопрос: а была ли эта квартира хоть когда-нибудь просто домом?

Вот потому-то, решила я, они и исчезают на время уик-энда. Хотя, конечно, и в загородном доме, по идее, должна быть прислуга.

— Не-а. Это единственный случай, когда ей удалось настоять на своем, — ответил на мой вопрос Натан. — Она велела отдать загородную резиденцию его бывшей жене. И уговорила умерить амбиции и купить взамен что-нибудь попроще: скромный домик на побережье. Три спальни. Одна ванная. И никакого обслуживающего персонала. — Натан покачал головой. — А следовательно, никакой Таб. Агнес далеко не дура.

— Привет!

Сэм был в форменной одежде. Сделав в уме кое-какие прикидки, я поняла, что он только что вернулся после дежурства. Он взъерошил волосы и наклонился к экрану, желая разглядеть меня получше. И как всегда во время наших разговоров после моего отъезда, внутренний голос начал меня донимать: «Зачем ты уехала на другой континент от этого человека?!»

— Ты что, только что пришел?

— Да, — вздохнул Сэм. — Не самый лучший день для возвращения на работу.

— Почему?

— Донна уволилась.

Я не могла скрыть потрясения. Донна — прямолинейная, забавная, невозмутимая — и Сэм были точно инь и ян, она служила ему якорем, голосом разума. Невозможно было представить их друг без друга.

— Что? Почему?

— У ее отца рак. Прогрессирующий. Неоперабельный. Она хочет ухаживать за отцом.

— Боже мой! Бедная Донна! Бедный отец Донны!

— Да. Тяжелая история. А теперь придется ждать и смотреть, кого мне дадут в напарники. Не думаю, что дадут новичка. Ну ты понимаешь, из-за всех моих дисциплинарных взысканий. Полагаю, это будет кто-нибудь с другого участка.

Со времени нашего знакомства Сэма уже дважды разбирали на дисциплинарной комиссии. По крайней мере одно нарушение он совершил из-за меня, и я невольно почувствовала укол совести.

— Тебе будет ее не хватать.

— Ага. — Выглядел Сэм не лучшим образом, и мне захотелось просунуть руку в экран, чтобы обнять Сэма. — Она меня спасла.

Сэм не отличался склонностью к пафосным заявлениям, и эти три слова пронзили мне сердце. Я как сейчас помню ту страшную ночь: Сэм, истекающий кровью после огнестрельного ранения на полу «скорой», и спокойная, собранная Донна, отдающая мне отрывистые приказания. Именно она держала в своих руках до приезда врачей тонкую нить его жизни. Помню кислый, металлический привкус страха во рту и отвратительное ощущение теплой крови на ладонях. Я содрогнулась, отгоняя от себя этот образ. Я не хотела, чтобы Сэму подставлял плечо кто-то другой. Они с Донной были командой. И оба знали, что напарник их не подведет. Хотя вечно подкалывали друг друга.

— А когда она увольняется?

— На следующей неделе. Ее освободили от обязательной отработки с учетом семейных обстоятельств, — вздохнул Сэм. — Ну ладно, теперь давай о хорошем. Твоя мама пригласила меня в воскресенье на ланч. Вроде бы собирается приготовить ростбиф с гарниром. Ой, и твоя сестра попросила меня заглянуть к ней домой. Только не надо на меня так смотреть! Она хотела, чтобы я помог ей слить батареи.

— Ну, началось. Ты реально попал. Моя семья поймает тебя, как венерина мухоловка.

— Как-то странно идти туда без тебя.

— Может, мне стоит вернуться домой? — (Он попытался улыбнуться, но не смог.) — Что?

— Ничего.

— Давай говори.

— Я не знаю... У меня такое чувство, будто я потерял сразу двух любимых женщин.

В горле внезапно встал ком. Между нами повис призрак третьей женщины, которую он потерял, — его сестры, умершей от рака два года назад.

— Сэм, ты не должен...

— Не обращай внимания. Некрасиво с моей стороны.

— Я по-прежнему вся твоя. А разлука — это ненадолго.

— Не думал, что мне будет так тяжело, — устало вздохнул Сэм.

— Теперь я даже не знаю, радоваться мне или огорчаться.

— Ладно, со мной все будет в порядке. Просто не самый удачный день.

Секунду-другую я наблюдала за Сэмом, после чего заявила:

— Вот такой план. Сперва ты идешь и кормишь кур, потому что это действует на тебя успокаивающе. Природа всегда действует умиротворяюще и все такое.

Сэм немного приободрился:

— Ну а потом?

— Ты приготовишь себе свой нереально вкусный соус болоньезе. Тот, что занимает кучу времени: с вином, беконом и прочим. Потому что невозможно чувствовать себя паршиво после роскошных спагетти с соусом болоньезе.

— Куры. Соус. Что дальше?

— Затем ты включишь телевизор и найдешь действительно хороший фильм. Тот, что позволит тебе забыться. И никаких реалити-шоу. Что-нибудь такое, где нет рекламы.

— Вечернее лекарственное средство от Луизы Кларк. Мне нравится.

— А потом... — Я сделала паузу. — Потом ты должен думать о том, что еще три недели с небольшим — и мы увидимся. А это значит... Та-дам! — Я задрала майку.

Жаль, я не могла предвидеть, что в этот самый момент Илария принесет мне выстиранное белье. Она остановилась, с полотенцами под мышкой, и буквально окаменела, увидев мою голую грудь и мужское лицо на экране компьютера. После чего, что-то пробормотав себе под нос, она быстро захлопнула дверь. Я поспешила прикрыться.

— Эй?! — Сэм ухмылялся, пытаясь увидеть, что у меня тут происходит. — Что случилось?

— Домоправительница. — Я одернула майку. — Боже мой!

Сэм откинулся на спинку стула. Теперь он уже откровенно смеялся, держась рукой за живот, чтобы не разошелся шов.

— Ты не понимаешь. Она меня ненавидит.

— Ну а теперь ты Мадам Веб-кам. — Он продолжал смеяться.

— Теперь все домоправительницы от Нью-Йорка до Палм-Спрингса навечно заклеймят позором мое имя! — Я не выдержала и захихикала, заразившись его смехом.

— Лу, ты сделала это, — ухмыльнулся Сэм. — Ты реально подняла мне настроение.

— Что ж, тогда я тебя сильно расстрою. Это был первый и последний раз, когда я показывала тебе свои прелести по WiFi.

Сэм наклонился, чтобы послать мне воздушный поцелуй:

— Ну ладно. По крайней мере, нам еще крупно повезло, что это была ты, а не я.

После инцидента с веб-камерой Илария не разговаривала со мной два дня кряду. Когда я входила в комнату, она тут же отворачивалась и шарахалась в сторону, словно опасаясь, что, поймав мой взгляд, может заразиться от меня вульгарной привычкой развратно демонстрировать голую грудь.

Натан поинтересовался, что между нами произошло, когда Илария подтолкнула ко мне чашку кофе кухонной лопаточкой, но я не знала, как объяснить, чтобы это не прозвучало еще хуже, чем было на самом деле. Поэтому я невнятно пробормотала что-то насчет чистого белья и необходимости врезать замки в наши двери — в тайной надежде, что потом все как-нибудь само собой рассосется.

Глава 4

Кому: KatClark!@yahoo.com
От кого: BusyBee@gmail.com

Привет! Сама ты Вонючая Задница!

(Разве пристало уважаемой бухгалтерше так разговаривать с путешествующей по миру сестрой?!)

Я хорошо, спасибо. Моя хозяйка — Агнес — моих лет и очень милая. И это плюс. Ты не поверишь, где мне пришлось побывать! Прошлым вечером я ходила на бал в платье, которое стоит больше моей месячной зарплаты. Я натурально чувствовала себя Золушкой. Правда, в отличие от Золушки, у меня реально классная сестра. (Что явно нечто новенькое. Ха-ха-ха!)

Рада, что Тому нравится в новой школе. Насчет рисунков фломастером на стене можешь не волноваться. Стену всегда можно перекрасить. Мама говорит, что это у него такой креативный способ самовыражения. Ты в курсе, что она пытается уговорить папу пойти на вечерние курсы, чтобы он научился самовыражению? И он вбил себе в голову, что она собирается заставить его заниматься тантрической любовью. Одному Богу известно, где он об этом вычитал. А когда он мне позвонил, я наврала, будто мама именно об этом мне и говорила, и теперь чувствую себя немного виноватой, потому что он в диком трансе, так как боится вынимать своего старого дружка на глазах у полной комнаты незнакомцев.

Сообщай мне новые подробности. Особенно насчет даты!!

Скучаю.

Лу. ххх

P. S. Если папа действительно вынет своего старого дружка на глазах у полной комнаты незнакомцев, я не хочу НИЧЕГО об этом знать.

Судя по расписанию светских мероприятий Агнес, многие из них были яркими событиями в светской жизни Нью-Йорка, однако обед Благотворительного фонда Нила и Флоренс Стрейджер считался самым престижным. Гости были все в желтом, мужчины при галстуках, за исключением отдельных эпатирующих личностей. Фотографии этого события появились во всех печатных изданиях — от «Нью-Йорк пост» до «Харперс базар». Обязательный дресс-код. От желтых нарядов слепило глаза, а билеты стоили без малого тридцать тысяч долларов за столик. Причем в дальнем конце зала. Я была в курсе, потому что наводила справки о любом мероприятии, на которое приглашали Агнес. Это было самым значительным и не только по масштабу необходимых приготовлений (маникюрша, парикмахер, массажист, дополнительные занятия с Джорджем по утрам), но и по степени нервного напряжения Агнес. Она буквально физически вибрировала на протяжении всего дня, орала на Джорджа, что не может делать упражнения, которые он показывает, не может пробежать дистанцию. *Невозможно*, и точка. Джордж, обладавший неистощимыми запасами чуть ли не буддистского спокойствия, сказал, что все отлично, и они повернули назад, поскольку, если верить Джорджу, эндорфинов после прогулки тоже вполне достаточно. Уходя, он подмигнул мне, словно ничего другого и не ожидал.

Мистер Гупник, возможно вняв отчаянному призыву жены, вернулся домой в обеденное время и обнаружил, что она заперлась в гардеробной комнате. Я забрала у Ашока вещи из химчистки, отменила запись на процедуру отбеливания зубов и устроилась в холле, не зная, что делать дальше. Когда мистер Гупник открыл дверь, я услышала ее сдавленный голос:

— Я не хочу туда идти.

Похоже, все, что она потом наговорила мужу, заставило его задержаться дома дольше, чем я ожидала. Натана не оказалось на месте, и я не знала, с кем посоветоваться. Ко мне подошел Майкл, оглядел закрытую дверь:

— Он еще здесь? Мой трекер не работает.

— Трекер?

— На телефоне. Единственный способ определить, где находится мистер Гупник.

— Он в ее гардеробной комнате. — Я не знала, насколько можно доверять Майклу, а потому не стала продолжать, но очень трудно было игнорировать доносящиеся из-за двери громкие голоса. — Не уверена, что миссис Гупник жаждет туда пойти.

— Фиолетовый код. Я тебе говорил. — (И тут я действительно вспомнила.) — Бывшая миссис Гупник. Это ее большой выход в свет, о чем Агнес прекрасно осведомлена. Вот такие дела. Все старые гарпии там будут. А их точно не назовешь слишком дружелюбными.

— Ну, это многое объясняет.

— Он крупный благотворитель, поэтому не может не показаться. И, кроме того, они со Стрейджерами старые друзья. Но это самый тяжелый вечер в ее расписании. В прошлом году была просто жесть.

— Почему?

— Ах, она пошла туда, как агнец на заклание. — Майкл скорчил рожу. — Думала, они станут ее новыми лучшими друзьями. Как я узнал уже потом, они буквально *поджарили* ее живьем.

Я содрогнулась:

— А он не может пойти туда без нее?

— Ох, солнышко, ты не знаешь здешних порядков. Нет, нет и нет. Она должна идти. Она должна надеть на лицо улыбку и фотографироваться для журналов. Теперь это ее работа. И она знает. Хотя вечер явно будет не из приятных.

Разговор за дверью пошел на повышенных тонах. Мы услышали, как Агнес громко возражает, а мистер Гупник умоляющим голосом ее урезонивает.

Майкл посмотрел на часы:

— Я, пожалуй, вернусь в офис. Можешь сделать мне одолжение? Отправь сообщение, когда он уйдет. Мне нужно, чтобы до пятнадцати часов он подписал пятьдесят восемь бумаг. Я тебя люблю! — Майкл послал мне воздушный поцелуй и удалился.

Я старалась не прислушиваться к перепалке за дверью гардеробной комнаты. В очередной раз прокрутила календарь, прикидывая, что бы такого сделать полезного. Мимо важно прошел Феликс — поднятый хвост, как знак вопроса, — которому было в высшей степени наплевать на кипящие вокруг человеческие страсти.

Потом дверь внезапно открылась. Мистер Гупник увидел меня.

— А-а, Луиза. Ты не могла бы зайти на минуточку? — (Я встала и пошла, периодически переходя на бег, ему навстречу. Что было нелегко, так как от долгого сидения у меня свело мышцы.) — Луиза, я хочу узнать, ты свободна сегодня вечером?

— Свободна?

— Чтобы пойти на вечер. Благотворительный.

— Э-э-э... Конечно. — Я с самого начала знала, что у меня будет ненормированный график. И по крайней мере сегодня я точно не наткнусь на Иларию. Я загружу какой-нибудь фильм в айпад и посмотрю в машине.

— Ну вот. Что скажешь, дорогая?

Глаза у Агнес были заплаканные.

— А она сможет сесть рядом со мной?

— Я постараюсь выяснить. — (Она прерывисто вздохнула.) — Ну ладно. Думаю, что да.

— Сесть рядом со...

— Хорошо-хорошо! — Мистер Гупник проверил свой телефон. — Все. Мне действительно надо бежать. Встретимся в главном бальном зале. В семь тридцать. Если переговоры по конференц-связи закончатся раньше, я дам тебе знать. — Он подошел к Агнес, взял ее лицо в ладони и поцеловал. — Ты в порядке?

— В порядке.

— Я люблю тебя. Очень, очень. — Очередной поцелуй — и мистер Гупник исчез.

Агнес сделала еще один глубокий вдох. Положила руки на колени. Посмотрела на меня:

— У тебя есть желтое бальное платье?

Я вытаращила на нее глаза:

— Хм, нет. На самом деле у меня плоховато с бальными платьями.

Она оглядела меня с головы до ног, словно пытаясь понять, влезу ли я в какой-нибудь из ее нарядов. Думаю, мы обе прекрасно знали ответ. Тогда она выпрямилась и решительно произнесла:

— Позвони Гарри. Мы едем в «Сакс».

Полчаса спустя я стояла в примерочной, а две продавщицы пытались втиснуть мой бюст в платье без бретелек цвета несоленого масла. На что я саркастически заметила, что в последний раз, когда меня так щупали в интимных местах, я настояла на немедленной помолвке. Никто не засмеялся.

Агнес нахмурилась:

— Слишком похоже на подвенечное платье. И оно толстит ее в талии.

— Миссис Гупник, у нас есть отличные корректирующие трусики.

— Ой, не уверена, что я...

— А у вас есть что-нибудь в духе пятидесятых? — спросила Агнес, вертя в руках телефон. — Потому что это слишком врезается в талию и не ее роста. А у нас совершенно нет времени на подгонку.

— Мэм, во сколько начало вечера?

— Мы должны быть там в семь тридцать.

— Миссис Гупник, мы все успеем к нужному времени. Я попрошу Терри доставить вам его к шести часам.

— Тогда давайте примерим вот это, цвета подсолнуха, и вон то, с блестками.

Если бы я знала, что в тот день буду впервые в жизни примерять платья за три тысячи долларов, то не стала бы надевать смешные штанишки с нарисованной таксой и бюстгальтер, который держался на английской булавке. Интересно, сколько раз за одну неделю можно успеть продемонстрировать грудь идеальным незнакомцам? И еще, видели ли они когда-нибудь тело вроде моего, в реально жирных складках? Продавщицы были слишком хорошо воспитаны, чтобы комментировать мою фигуру, если, конечно, не считать постоянных намеков насчет корректирующего белья. Они просто приносили платье за платьем, двигая меня туда-сюда, словно пастухи, гонящие скот на выпас, пока наконец Агнес, сидевшая на стуле с мягкой обивкой, не сказала:

— Да! То, что нужно! Как думаешь, Луиза? И даже длина, с учетом тюлевой нижней юбки, просто идеальна.

Я посмотрела на свое отражение в зеркале. Талия затянута вшитым корсетом, грудь вздымается двумя идеальными округлостями. Желтый цвет придавал коже мягкое сияние, а юбка удлиняла ноги до неузнаваемости. Ну а тот факт, что я практически не могла дышать, уже не имел значения.

— Мы сделаем тебе высокую прическу и подберем какие-нибудь сережки. Идеально!

— И на это платье двадцать процентов скидки, — заметила одна из продавщиц. — Каждый год сразу после бала у Стрейджеров спрос на желтые платья резко снижается...

Я даже немного сдулась от облегчения. А потом посмотрела на ценник, где значилось $ 2575. Месячная зарплата. Должно быть, Агнес заметила мое вытянувшееся лицо, поскольку, махнув рукой продавщице, сказала:

— Луиза, иди переодевайся. У тебя есть подходящие туфли? Мы можем забежать в обувной отдел.

— Туфли есть. Полно туфель. — У меня действительно были золотые атласные танцевальные туфли на каблуке, которые вполне подходили. И мне совсем не хотелось увеличивать цифру на чеке.

Я вернулась в кабинку, осторожно вылезла из платья, ощущая его медленно оседающую на пол дорогостоящую тяжесть, и, пока одевалась, услышала, как Агнес попросила принести сумочку и какие-нибудь серьги, после чего заявила:

— Припишите это к моему счету.

— Конечно, миссис Гупник.

Мы встретились у кассы. Покинув магазин с пакетами в руках, я спросила Агнес:

— Итак, вы, наверное, хотите, чтобы я была предельно осторожной? — (Она удивленно посмотрела на меня.) — С платьем. — Увидев, что она по-прежнему смотрит на меня как баран на новые ворота, я понизила голос: — Дома мы засовываем этикетку внутрь, чтобы можно было на следующий день вернуть вещь. Естественно, если на ней нет винных пятен и она не провоняла табаком. Хотя тогда можно попрыскать освежителем воздуха.

— Вернуть?

— Ну да, в магазин.

— А зачем нам это делать? — спросила она, когда мы сели в автомобиль и Гарри положил пакеты в багажник. — Луиза, расслабься. Думаешь, я не знаю, что ты сейчас чувствуешь? Когда я приехала сюда, у меня вообще ничего не было. Мы с подругами даже одалживали друг другу одежду. Но когда ты будешь сидеть рядом со мной сегодня вечером, на тебе должно быть хорошее платье. Только не униформа. И я буду счастлива оплатить твой наряд.

— Ладно.

— Ты ведь понимаешь? Да? Сегодня ты не будешь обслуживающим персоналом. И это очень важно.

Я вспомнила о внушительном пакете в багажнике автомобиля, медленно прокладывающего себе путь в транспортном потоке Манхэттена, и в очередной раз удивилась неожиданному повороту сегодняшних событий.

— Леонард говорит, ты ухаживала за мужчиной, который потом умер.

— Ухаживала. Его звали Уилл.

— Он говорит, ты очень ответственная.

— Я стараюсь.

— А еще, что ты здесь никого не знаешь.

— Только Натана.

— Натан. По-моему, он хороший человек, — немного подумав, сказала Агнес.

— Очень хороший.

— Ты говоришь по-польски? — поинтересовалась Агнес.

— Нет, — ответила я и поспешно добавила: — Но возможно, могу научиться, если хотите...

— Луиза, знаешь, что для меня самое трудное? — (Я покачала головой.) — Я не знаю, кто я такая... — Поколебавшись, она явно решила сменить тему. — Мне нужно, чтобы сегодня ты стала моей подругой. Хорошо? Леонард... Ему придется выполнять свою работу. Бесконечные разговоры с другими мужчинами. Но ты ведь будешь со мной, да? Рядом со мной.

— Как пожелаете.

— А если кто-нибудь спросит, ты моя старая подруга. Мы подружились, когда я жила в Англии. Знакомы... знакомы еще со школы. Не моя помощница. Договорились?

— Все поняла. Со школы.

Мой ответ, похоже, ее устроил. Она кивнула и откинулась на спинку сиденья. И пока мы ехали домой, больше не проронила ни слова.

Отель «Нью-Йорк палас», где проходил гала-вечер фонда Стрейджеров, был величествен до абсурда: сказочная крепость с внутренним двором и арочными окнами и множеством ливрейных лакеев в бледно-желтых штанах до колена. Казалось, авторы этой неземной красоты объездили европейские гранд-отели, взяв на заметку резные карнизы, мраморные вестибюли, ювелирную позолоту, после чего решили соединить все вместе, присыпав сверху волшебной пылью из диснеевских мультиков и уже от себя добавив элементы гротеска. В глубине души я ожидала увидеть карету из тыквы и потерянную хрустальную туфельку на устилавшем лестницу красном ковре. Пока мы поднимались наверх, я во все глаза таращилась на сияющий интерьер, мерцающие огни, море желтых платьев и меня разбирал смех, но Агнес была так напряжена, что я сдержалась. А кроме того, мой корсаж оказался слишком тугим, и я опасалась за прочность швов.

Гарри высадил нас у главного входа — на повороте, забитом большими черными лимузинами. Мы прошли мимо толпы зевак на боковой дорожке. Служитель взял наши пальто, и я впервые смогла полностью разглядеть платье Агнес.

Агнес выглядела сногсшибательно. На ней было не обычное бальное платье вроде моего или как у других женщин, а неоново-желтое, структурированное платье-футляр до полу, с высоким кружевным украшением на одном плече. Волосы туго затянуты назад и безжалостно зализаны, в ушах — огромные золотые серьги с желтыми бриллиантами. Весьма экстравагантный наряд. И здесь, с испугом поняла я, это было некоторым перебором и не вполне уместно для старомодного величественного отеля.

Все головы тотчас же повернулись в сторону Агнес, матроны, в корсетах на косточках и в желтых шелках, презрительно косились на нее краешком тщательно накрашенных глаз.

Но Агнес, казалось, ничего не замечала. Она рассеянно озиралась по сторонам в поисках мужа. Я понимала, что она сможет расслабиться лишь после того, как возьмет его под руку. Когда я видела их вместе, то ощущала буквально осязаемое чувство облегчения, которое она испытывала, находясь возле него.

— У вас потрясающее платье, — сказала я.

Она посмотрела на меня так, словно впервые вспомнила о моем присутствии. Нас ослепили вспышки фотокамер. Я посторонилась, чтобы не заслонять Агнес, но фотограф меня остановил:

— И вы тоже, мэм. Вот так. И улыбнитесь.

Агнес улыбнулась и посмотрела на меня, будто желая удостовериться, что я все еще рядом.

И тут появился мистер Гупник. Он подошел чуть скованной походкой — Натан говорил, что у мистера Гупника была плохая неделя, — поцеловал жену в щеку и что-то прошептал на ухо, и она улыбнулась широкой, искренней улыбкой. Именно тогда я поняла, что два человека могут соответствовать определенным стереотипам, но при этом сохранять неподдельное наслаждение от общества друг друга. И меня неожиданно пронзила острая тоска по Сэму. Хотя было совершенно невозможно представить его в подобной обстановке, в смокинге и галстуке-бабочке. И он наверняка чувствовал бы себя здесь не в своей тарелке.

— Ваше имя, пожалуйста? — Рядом со мной неожиданно возник фотограф.

Возможно, то, что я думала о Сэме, заставило меня это сделать.

— Луиза Кларк-Филдинг. — Я с трудом выжала из себя аристократический акцент. — Из Англии.

— Мистер Гупник! Прошу сюда, мистер Гупник!

Я посторонилась, смешавшись с толпой, пока фотографы снимали их обоих: его рука легко лежала на спине Агнес, а она расправила плечи и подняла подбородок, словно давая понять, что ей нечего бояться. А потом я заметила, что мистер Гупник ищет меня взглядом. Наши глаза встретились, и он поспешно подвел ко мне Агнес:

— Дорогая, мне необходимо кое с кем побеседовать. Ну как, вы без меня справитесь?

— Конечно, мистер Гупник, — сказала я небрежно, будто мне было не привыкать.

— А ты скоро вернешься? — Агнес продолжала держать его за руку.

— Мне нужно переговорить с Уэйнрайтом и Миллером. Я обещал им уделить десять минут, чтобы обсудить сделку с бондами.

Агнес покорно кивнула, но, судя по выражению лица, ей явно не хотелось отпускать мужа. Она ушла вперед, а мистер Гупник шепнул мне на ухо:

— Не позволяй ей слишком много пить. Она и так на взводе.

— Хорошо, мистер Гупник.

Он кивнул, задумчиво огляделся вокруг, потом с улыбкой повернулся ко мне.

— Ты чудесно выглядишь, — сказал он и скрылся в толпе.

В бальном зале яблоку негде было упасть — настоящее желто-черное море. На мне был браслет из черных и желтых бусинок, который перед моим отъездом из Англии подарила Лили, дочка Уилла. Жаль, что я не могла надеть любимые пчелиные колготки! Окружавшие меня дамы слишком серьезно относились к своему гардеробу и за всю жизнь, похоже, ни разу не экспериментировали с одеждой.

Меня буквально с порога поразила их неестественная худоба: костлявые ключицы выпирали из вырезов узких платьев, словно поручни. В Стортфолде женщины в определенном возрасте начинали потихоньку раздаваться вширь, маскируя лишние дюймы кардиганами или длинными джемперами («Скажи, он прикрывает задницу?»). Навести красоту для них означало в кои-то веки купить новую тушь или подправить сделанную шесть месяцев назад стрижку. В моем родном городе слишком пристальное внимание к своему внешнему виду вызывало подозрение или считалось проявлением нездорового интереса к себе.

Однако женщины в бальном зале выглядели так, словно уход за внешностью был для них самой настоящей работой на полный рабочий день. Волосы у всех до одной были уложены волосок к волоску, а верхняя часть рук подтянутая благодаря постоянным физическим упражнениям. Даже женщины неопределенных лет (огромное количество ботокса и филлеров практически не позволяло определить их возраст) выглядели так, будто понятия не имели о дряблых плечах и обвисших подмышках. Я вспомнила об Агнес, о ее персональном тренере, ее дерматологе, ее парикмахере и маникюрше и подумала: «Теперь это ее работа». Ей приходится поддерживать нужную форму, чтобы иметь возможность показаться здесь и продемонстрировать свою конкурентоспособность.

Агнес, с высоко поднятой головой, легко скользила среди гостей, улыбаясь друзьям своего мужа, которые подходили поздороваться и переброситься с ней парочкой слов. Что до меня, то я уныло плелась в арьергарде. Все друзья были исключительно мужского пола. И улыбались ей только мужчины. Что касается женщин, они были достаточно хорошо воспитаны, чтобы не шарахаться от нее. Нет, они просто делали вид, будто смотрят в другую сторону, что избавляло их от необходимости вступать с ней в непосредственный контакт. Я заметила, как каменеют лица других жен, когда Агнес проходила мимо, словно одно ее присутствие уже было своего рода грехом.

— Добрый вечер, — услышала я чей-то голос у себя над ухом.

Я подняла глаза и чуть не упала, неловко попятившись. Передо мной стоял Уилл Трейнор.

Глава 5

Потом я была даже рада, что в зале так много народу. Когда я врезалась в стоявшего поблизости человека, он инстинктивно протянул мне руку, и, словно по мановению волшебной палочки, еще несколько мужчин в смокингах пришли мне на помощь. Я вдруг увидела море улыбок и встревоженных лиц. Пока я извинялась и рассыпалась в благодарностях, до меня дошло, что я ошиблась. Конечно, это был не Уилл, хотя волосы были того же цвета и так же подстрижены, да и кожа того же карамельного оттенка. Должно быть, я слишком громко вздохнула, потому что мужчина, которого я приняла за Уилла, сказал:

— Простите, неужели я вас напугал?

— Я... Нет. Нет. — Я приложила руку к щеке, попрежнему не сводя с него глаз. — Вы... вы просто очень похожи на одного человека, которого я знаю. Знала. — Я почувствовала, что краснею. Алое пятно на груди поднималось все выше, заливая лицо до корней волос.

— Вы в порядке?

— Господи! Отлично. У меня все отлично. — Теперь я чувствовала себя форменной идиоткой. Мое лицо буквально пылало.

— Вы англичанка.

— А вы нет.

— И даже не ньюйоркец. Я из Бостона. Джошуа Уильям Райан Третий. — Он протянул мне руку.

— Вас даже зовут так же, как его.

— Простите?

Я пожала ему руку. Вблизи он совсем не был похож на Уилла. Глаза темно-карие, лоб более низкий. И тем не менее едва уловимое, но явное сходство напрочь выбило меня из колеи. С трудом оторвав взгляд, я поняла, что продолжаю держать его за руку.

— Извините. Я немного...

— Позвольте принести вам чего-нибудь выпить.

— Нет, не могу. Я должна быть с моей... с моей подругой. Вон там.

Он посмотрел на Агнес:

— Тогда я принесу выпить вам обеим. Тем более что вас... хм... будет нетрудно найти. — Он с ухмылкой тронул меня за локоть и ушел.

Я старалась не смотреть ему вслед.

Подойдя к Агнес, я увидела, как ее собеседника силой уволакивает прочь жена. Агнес подняла руку, словно собираясь что-то ему ответить, но увидела лишь необъятную спину в смокинге. Она повернулась, ее лицо стало похожим на маску.

— Прошу прощения. Застряла в толпе.

— У меня неподходящее платье, да? — прошептала она. — Я сделала колоссальную ошибку. — Она наконец поняла: в этом людском море платье слишком бросалось в глаза и казалось скорее вульгарным, нежели авангардным. — Что мне делать? Это катастрофа. Мне необходимо переодеться.

Я попыталась прикинуть, успеет ли она заехать домой и вернуться обратно. Даже без учета пробок на все про все уйдет не меньше часа. А кроме того, имелся очень большой риск, что она вообще сюда не вернется.

— Нет! Нет, никакой катастрофы. Отнюдь. Все дело в том... — Я замялась. — Понимаете, вы должны вести себя как ни в чем не бывало.

— Что?

— Нести себя. Идти с гордо поднятой головой. Словно вам глубоко насрать. — (Агнес выпучила от удивления глаза.) — Меня научил этому друг. Мужчина, на которого я когда-то работала. Он говорил, чтобы я с гордостью носила свои полосатые колготки.

— Твои — что?

— Он... Ну, он говорил, это нормально — быть не такой, как все остальные. Агнес, вы выглядите в сто раз лучше, чем все эти тетки, вместе взятые. Вы роскошная женщина. И платье потрясающее. Так пусть оно будет для них словно огромный средний палец. Понятно? *Я ношу что хочу*.

Агнес пристально на меня посмотрела:

— Ты так думаешь?

— Ну да, конечно.

Она сделала глубокий вдох:

— Ты права. Покажу им всем средний палец. — Агнес расправила плечи. — А мужчинам вообще плевать, какое на тебе платье. Ведь так?

— Всем до единого.

Лукаво улыбнувшись, она бросила на меня заговорщицкий взгляд:

— Их заботит лишь то, что под платьем.

— Мэм, ваше платье — просто улет! — Рядом со мной появился Джошуа. Он протянул нам по изящному бокалу. — Шампанское. Единственным желтым напитком был «шартрез», но уже при одном взгляде на него меня начинает подташнивать.

— Благодарю. — Я взяла шампанское.

Мой новый знакомый протянул руку Агнес:

— Джошуа Уильям Райан Третий.

— Вам непременно нужно чуть подкорректировать имя. — (Они оба удивленно уставились на меня.) — Такие имена годятся разве что для мыльных опер, — заявила я и, спохватившись, поняла, что начинаю озвучивать свои мысли.

— Ну ладно. Можете звать меня просто Джош, — согласился он.

— Луиза Кларк, — произнесла я и тут же добавила: — Первая.

У него слегка сузились глаза.

— Миссис Леонард Гупник. Вторая, — сказала Агнес. — Хотя вам наверняка это известно.

— Действительно известно. Вы у всего города притча во языцех. — Его слова могли показаться излишне суровыми, но он произнес их с удивительной теплотой в голосе.

Я заметила, что Агнес слегка расслабилась.

Джош сообщил нам, что сопровождает свою тетю, так как ее муж в отъезде, а ей не хотелось идти одной. Он работает на фирму, занимающуюся управлением рисками для брокеров и хедж-фондов. И специализируется в области акционерного капитала и долгов корпораций.

— Если честно, я без понятия, что это значит, — заявила я.

— Должен признаться, я тоже.

Спору нет, Джош был само очарование. И атмосфера в зале вдруг стала не такой холодной. Он родился в Бэк-Бэй, пригороде Бостона, недавно переехал в Нью-Йорк, поселился, по его словам, в кроличьей норе в Сохо и со времени переезда набрал два килограмма: уж больно хороши рестораны в центре города.

— А как насчет вас, Луиза Кларк Первая? Чем занимаетесь?

— Я, собственно...

— Луиза — моя подруга. Приехала погостить из Англии.

— Ну и как вам Нью-Йорк?

— Мне нравится, — ответила я. — У меня до сих пор голова идет кругом.

— И Желтый бал — ваше первое светское мероприятие. Так, так, так, миссис Леонард Гупник Вторая, вы явно не размениваетесь по мелочам!

Тем временем вечер шел своим чередом, и после второго бокала шампанского стало немного легче. За ужином я сидела между Агнес и мужчиной, который так и не сумел назвать мне свое имя и заговорил со мной лишь один раз, поинтересовавшись у моих грудей, с кем они тут знакомы, но, узнав, что практически ни с кем, повернулся к ним спиной. Выполняя просьбу мистера Гупника, я внимательно следила за тем, что пила Агнес. Я незаметно поменяла ее полный бокал на свой почти пустой и с облегчением увидела едва заметную одобрительную улыбку мистера Гупника. Агнес слишком оживленно разговаривала с мужчиной справа от нее, ее смех был чуть-чуть громче, чем нужно, ее жесты — нервными и порывистыми. Я исподволь наблюдала за присутствующими женщинами и видела, как они смотрят на нее и многозначительно переглядываются, словно желая подтвердить вынесенный в частном порядке обвинительный вердикт. Все это было ужасно.

Мистеру Гупнику, сидевшему напротив жены, было до нее не дотянуться, но я видела, как он бросал на Агнес настороженные взгляды, даже когда улыбался, и пожимал руки, и с виду казался самым спокойным человеком на этой земле.

— Где она? — (Не расслышав, я наклонилась к Агнес поближе.) — Бывшая жена Леонарда. Где она? Луиза, ты должна выяснить. Я не смогу расслабиться, пока не узнаю. Я буквально кожей ее чувствую.

Фиолетовый код.

— Ладно, я выясню план рассадки. — Извинившись, я вышла из-за стола.

Я остановилась у огромного стенда у входа в обеденный зал. На схеме значилось более восьмисот напечатанных мелким шрифтом имен, а я даже не знала, сохранила ли миссис Гупник фамилию бывшего мужа. Черт! И тут возле меня возник Джош.

— Потеряли кого-то?

Я понизила голос:

— Мне необходимо выяснить, где сидит первая миссис Гупник. Вы, случайно, не знаете, сменила она фамилию или нет? Агнес... хотелось бы знать, куда ее посадили. — Джош нахмурился, и я добавила: — Агнес немного переживает.

— Боюсь, ничем не могу помочь. А вот моя тетя — возможно. Оставайтесь здесь. — Джош легко коснулся моего обнаженного плеча и размашисто зашагал обратно в обеденный зал.

Я попыталась сделать вид, будто я не романтическая особа, которую бросает в краску от прикосновения незнакомого мужчины, а светская дама, внимательно изучающая стенд в поисках полдюжины близких друзей. Он вернулся буквально через минуту.

— Она по-прежнему Гупник. Тетя Нэнси говорит, что, возможно, видела ее у стола аукциониста. — Он пробежался наманикюренным пальцем по списку имен. — Нашел. Столик сто сорок четыре. Я специально прошел мимо. Там действительно сидит женщина, внешность которой подпадает под приметы миссис Гупник. Пятьдесят с хвостиком, темные волосы, стреляет отравленными стрелами, извлеченными из сумочки «Шанель», так? Они посадили ее на максимальном удалении от Агнес.

— Ой, слава богу! — обрадовалась я. — Ей сразу станет легче.

— Жуткое дело — эти нью-йоркские матроны. Поэтому я не осуждаю Агнес за то, что предпочитает не поворачиваться к ним спиной. Интересно, а в Англии высшее общество столь же кровожадно?

— Высшее общество? Ой, не знаю... Я не любитель светских мероприятий, — поспешно сказала я.

— Я тоже. Честно говоря, я ужасно изматываюсь за день и самое большее, на что способен после работы, — это заказать еду навынос. А вы, Луиза, чем занимаетесь?

— Э-э-э... — Я бросила растерянный взгляд на телефон. — Боже мой! Мне нужно вернуться к Агнес.

— Мы еще увидимся до вашего ухода? За каким вы столиком?

— За тридцать вторым, — ответила я и сразу прикусила язык, поняв, что совершила ошибку.

— Тогда увидимся позже. — Его улыбка на мгновение пригвоздила меня к месту. — Кстати, я собирался сказать, что вы очень красивая. — Он наклонился и, слегка понизив голос, произнес мне на ухо: — На самом деле ваше платье нравится мне гораздо больше платья вашей подруги. Вы уже сделали фотографию?

— Фотографию?

— Вот. — Он поднял руку и, прежде чем я поняла его намерения, снял нас, практически голова к голове, на телефон. — Отлично! Дайте мне ваш номер, и я пошлю вам фото.

— Вы хотите послать мне фото, где мы вдвоем?

— Как вам удалось разгадать мои тайные мотивы? — Он ухмыльнулся. — Тогда ладно. Оставлю фотографию себе. На память о самой красивой девушке в этом зале. Если, конечно, вы не захотите стереть снимок. Ну вот. Решайте, стирать или нет. — Он протянул мне телефон.

Мой палец завис над кнопкой. После секундного колебания я отдернула руку:

— По-моему, это невежливо — стирать кого-то, с кем ты только что познакомился. И вообще... спасибо вам... за разведданные о рассадке за столами. Очень мило с вашей стороны.

— Всегда к вашим услугам.

Мы улыбнулись друг другу. После чего я, чтобы не брякнуть лишнего, поспешила вернуться за свой стол.

Я сообщила Агнес благую весть и, услышав ее громкий вздох облегчения, села на место, чтобы съесть кусочек уже успевшей остыть рыбы и заодно унять звон в ушах. «Он не Уилл», — твердила я себе. Не тот голос. Не те брови. Он американец. И тем не менее было нечто такое в его манере держаться — самоуверенность в сочетании с острым умом, аура сильного мужчины, способного отбить любую твою подачу, и этот взгляд, от которого я вдруг почувствовала себя выпотрошенной. Я оглянулась, вспомнив, что не спросила Джоша, где он сидит.

— Луиза? — (Я поймала на себе пристальный взгляд Агнес.) — Мне нужно в туалет.

У меня ушло не меньше минуты, чтобы сообразить, что моя обязанность — проводить туда Агнес.

Мы медленно прошли через зал в сторону дамской комнаты. Усилием воли я заставляла себя не вертеть головой в поисках Джоша. Буквально все присутствующие в зале не сводили глаз с Агнес, и не только из-за кислотного цвета платья, а скорее, из-за того, что от нее исходил некий магнетизм, невольно притягивающий взгляды.

И как только мы оказались в дамской комнате, она рухнула в кресло в углу, жестом попросив меня дать ей сигарету:

— Боже мой! Ну и вечер! Я точно умру, если мы в ближайшее время не уйдем домой.

Служительница — женщина лет шестидесяти — при виде сигареты выразительно подняла брови и отвернулась.

— Э-э-э... Агнес, я не уверена, что здесь можно курить.

Но Агнес, похоже, было наплевать. Если вы реально богаты, для вас не писаны правила, действующие для обычных людей. Да и что, собственно, ей могли сделать? Выставить вон?

Агнес прикурила сигарету, затянулась и облегченно вздохнула:

— Фу! Это платье жутко неудобное. И трусики «танга» врезаются, словно струна сырорезки. — Она задрала платье и, извиваясь перед зеркалом, сунула под подол ухоженную руку. — Эх, зря я надела нижнее белье!

— Но вы хорошо себя чувствуете?

Она улыбнулась мне:

— Я хорошо себя чувствую. Сегодня вечером некоторые гости вели себя очень мило. Этот Джош очень милый, и мистер Петерсон, который сидел рядом со мной, был очень дружелюбным. Все не так плохо. Может, рано или поздно люди примут как факт, что у Леонарда новая жена.

— Им просто нужно какое-то время.

— Подержи-ка. Я хочу сделать пи-пи. — Она протянула мне недокуренную сигарету и исчезла в кабинке. Я осторожно зажала сигарету между пальцами, как раскаленный уголь. Мы переглянулись со служительницей, она пожала плечами, будто желая сказать: *А что тебе остается делать?*

— О боже! — послышался из кабинки голос Агнес. — Мне придется снять чертово платье. Его невозможно задрать. Потом поможешь мне застегнуть молнию.

— Хорошо, — ответила я.

Служительница вновь подняла брови, мы обе с трудом сдерживали смех.

Вошедшие в туалет две дамы средних лет бросили неодобрительный взгляд на мою сигарету.

— Вся штука в том, Джейн, что им словно шлея под хвост попадает, — произнесла одна из дам.

Она остановилась перед зеркалом поправить прическу, в чем, собственно, не было особой необходимости: волосы были так густо залиты лаком, что даже десятибалльный шторм вряд ли сумел бы их растрепать.

— Знаю. Все это старо как мир.

— Но обычно им, по крайней мере, хватает воспитания не вести себя вызывающе. Именно это больше всего и расстраивает Кэтрин: вызывающее поведение.

— Да, другое дело, если бы это был кто-то более-менее из нашего круга. А этой явно не хватает класса.

— Верно. Он повел себя как в плохом анекдоте.

И в этот момент головы обеих дам повернулись ко мне.

— Луиза? — донеслось из кабинки. — Не могла бы ты подойти ко мне?

Я поняла, о ком они говорили. Сразу поняла, когда увидела их лица.

В туалете повисла напряженная тишина.

— Надеюсь, вы понимаете, что здесь не курят? — с нажимом произнесла одна из дам.

— Разве? Я дико извиняюсь. — Я затушила окурок в раковине и залила водой.

— Луиза, ты можешь мне помочь? У меня заело молнию.

Они тоже все поняли. Сложили два и два, после чего их лица окаменели.

Прошествовав мимо них, я постучалась в кабинку, Агнес меня впустила.

Агнес стояла в бюстгальтере, желтое платье-футляр обмотано вокруг талии.

— Что...— начала она, но я приложила палец к губам и молча показала на дверь.

Агнес прищурилась, словно могла видеть, что там за дверью, и нахмурилась. Я развернула Агнес спиной к себе. Молния, уже на две трети расстегнутая, застряла на талии. Я потянула за «собачку» раз, другой, третий, потом достала из вечерней сумочки телефон и включила фонарик, чтобы понять, в чем дело.

— Ты можешь ее починить? — прошептала Агнес.

— Я пытаюсь.

— Ты должна. Я не могу появиться перед этими женщинами в таком виде.

Агнес, в крошечном лифчике, стояла совсем близко от меня, от ее бледной плоти теплыми волнами поднимался аромат дорогих духов. Косясь на заевшую «собачку», я пыталась обойти Агнес то так, то этак, но все было бесполезно. Требовалось больше свободного пространства, чтобы стянуть платье и дать мне возможность поработать над молнией. А иначе все было без толку. Я посмотрела на Агнес и пожала плечами. На ее лице появилось страдальческое выражение.

— Агнес, не уверена, что смогу сделать это в кабинке. Здесь негде развернуться. И абсолютно ничего не видно.

— Но не могу же я выйти в таком виде. Они скажут, что я шлюха. — Она в отчаянии закрыла лицо руками.

Давящая тишина снаружи говорила, что две дамы затаились в ожидании нашего следующего шага. Они даже не делали вида, будто им нужно справить нужду. Мы оказались в ловушке. Чуть отступив, я задумчиво покачала головой. И тут меня осенило.

— Средний палец, — прошептала я.

У Агнес округлились глаза.

Тогда я посмотрела на нее в упор и едва заметно кивнула. Она нахмурилась, затем ее лицо просветлело.

Я распахнула дверь кабинки и отступила в сторону. Агнес сделала вдох, выпрямила спину и продефилировала мимо оторопевших дам, точно топ-модель у задника сцены, верх от платья по-прежнему был закручен вокруг талии, бюстгальтер — два крошечных треугольника — практически не скрывал белую грудь. Она остановилась в центре комнаты и наклонилась вперед, чтобы я смогла осторожно стянуть с нее платье через голову. Потом, практически обнаженная, если не считать двух тонких лоскутков нижнего белья, выпрямилась, демонстрируя абсолютную безмятежность. Не решаясь взглянуть на лица тех двух дам, я перекинула желтое платье через руку и неожиданно услышала, как одна из них театрально, с громким всхлипом, втянула в себя воздух.

— Ну, я... — начала она.

— Мэм, может, дать вам набор для шитья? — Возле меня появилась служительница.

Пока она открывала пакетик с иголками и нитками, Агнес элегантно сидела в кресле, вытянув в сторону сжатые с притворной скромностью длинные бледные ноги.

В туалет вошли еще две дамы. При виде полуобнаженной Агнес они оборвали разговор. Одна из них поперхнулась на полуслове, обе демонстративно отвернулись и, спотыкаясь, кое-как продолжили обмен банальностями. Тем временем Агнес полулежала в кресле, явно пребывая в блаженном неведении.

Служительница вручила мне булавку, и я, орудуя острым концом, зацепила попавшую в «собачку» тонкую ниточку и осторожно вытащила ее, освободив наконец молнию.

— Готово!

Агнес поднялась и, опираясь на руку служительницы, вступила в лежащее на полу платье, которое мы общими усилиями натянули на ее стройное тело. Я легко застегнула молнию, Агнес расправила платье вокруг своих длинных ног, и оно элегантно заструилось по коже.

Служительница взяла баллончик с лаком для волос.

— Вот. Позвольте вам помочь. — Наклонившись вперед, она прыснула лаком на зацепку. — Теперь она никуда не денется!

— Огромное спасибо за вашу доброту. — Вытащив из сумочки пятидесятидолларовую банкноту, Агнес вручила ее служительнице, потом обратила ко мне сияющую улыбку. — Луиза, дорогая, ну что, пожалуй, пора вернуться за стол? — Царственно кивнув опешившим дамам, Агнес решительно вздернула подбородок и неторопливо зашагала к двери.

В туалете повисла напряженная тишина. Затем служительница повернулась ко мне и с широкой улыбкой сунула деньги в карман.

— Вот это и есть, — неожиданно громко и отчетливо произнесла она, — самый настоящий класс.

Глава 6

На следующее утро Джордж не пришел. Мне об этом никто не сказал. Я сидела в холле в шортах, заспанная, с красными глазами, и только в половине седьмого поняла, что занятия, должно быть, отменили.

Итак, Агнес встала с постели уже после девяти, тем самым заставив Иларию то и дело неодобрительно поглядывать на часы. Агнес послала мне сообщение с просьбой отменить все назначенные на первую половину дня встречи. Вместо этого около полудня она заявила, что хотела бы прогуляться вокруг Центрального водохранилища. День выдался ветреным, мы замотались до подбородка шарфами и шли, сунув руки в карманы. Всю ночь я вспоминала лицо Джоша. Оно по-прежнему не давало мне покоя, невольно заставляя задаваться вопросом: сколько еще призрачных двойников Уилла прямо сейчас бродит по свету? У Джоша были более густые брови, глаза другого цвета, другой акцент. И все же.

— А знаешь, что мы делали с подружками, когда наутро мучились от похмелья? — нарушив ход моих мыслей, спросила Агнес. — Мы шли в японский ресторанчик возле Грамерси-парка, ели лапшу и говорили, говорили, говорили.

— Тогда давайте сходим.

— Куда?

— Туда, где подают лапшу. А по пути можем подобрать ваших подружек.

Она загорелась, но тотчас же пошла на попятную:

— Нет, не могу. Теперь все по-другому.

— Нам совершенно не обязательно вызывать Гарри. Поймаем такси. Оденетесь попроще и внезапно объявитесь. Это будет здорово.

— Я ведь сказала: теперь все по-другому. — Агнес повернулась ко мне. — Луиза, я уже пробовала это сделать. Несколько раз. Но мои подруги — они любопытные. Им хочется знать все о моей теперешней жизни. А когда я говорю им правду, они начинают вести себя... странно.

— Странно?

— Понимаешь, в свое время мы все были примерно на равных. А теперь они говорят, что сытый голодного не разумеет. Потому что я богатая. И у меня, типа, не может быть проблем. Потому что они для меня чужие, словно я теперь совсем другой человек. Словно все перемены к лучшему в моей жизни — для них смертельное оскорбление. Думаешь, я могу хоть кому-нибудь из окружающих поплакаться по поводу домоправительницы? — Агнес остановилась посреди дороги. — Когда я вышла за Леонарда, он открыл счет на мое имя. Свадебный подарок. Чтобы мне не пришлось клянчить у него деньги. И тогда я дала своей ближайшей подруге Пауле небольшую сумму. Десять тысяч долларов. Рассчитаться с долгами и начать новую жизнь. Сперва она была просто счастлива. И я тоже! Помочь лучшей подруге!

Чтобы у нее, совсем как у меня, больше не было финансовых проблем! — В голосе Агнес прозвучали тоскливые нотки. — А потом... потом она ни с того ни с сего больше не захотела меня видеть. Она жила другой жизнью, и у нее никогда не было времени, чтобы со мной встретиться. И я наконец поняла: она не может мне простить то, что тогда я помогла ей. Всякий раз, когда мы встречались, она вольно или невольно думала лишь о том, что она моя должница. Она ведь гордая, очень гордая. И ей не хотелось жить с этим чувством. Итак... — Агнес передернула плечами. — Теперь она не отвечает на мои звонки. Так что о совместном походе в ресторан можно и не мечтать! Из-за денег я потеряла подругу.

— Богатые тоже плачут, — глубокомысленно заметила я, поняв, что она ждет моей реакции. — А проблемы есть у всех.

Агнес отошла в сторону — пропустить малыша на самокате. Задумчиво посмотрела ему вслед, затем повернулась ко мне:

— У тебя есть сигареты?

Теперь я уже успела подготовиться. Вытащила из рюкзака пачку сигарет и протянула Агнес. Сомневаюсь, что мне следовало поощрять эту пагубную привычку, но Агнес была моим боссом. Она затянулась и выпустила длинную струйку дыма.

— Да, проблемы есть у всех, — медленно повторила она. — А у тебя, Луиза Кларк?

— Я скучаю по своему парню. — Я, скорее, хотела убедить в этом себя, нежели Агнес. — А так... Вроде особенно нет. Все... отлично. И я здесь счастлива.

Агнес кивнула:

— Когда-то я чувствовала то же самое. Нью-Йорк! Всегда что-то новое! И всегда волнующее. А сейчас я ужасно... скучаю по... — Она осеклась.

На секунду мне показалось, будто в глазах у Агнес блеснули слезы. Но ее лицо тут же окаменело.

— А знаешь, кто меня ненавидит?

— Кто?

— Илария. Ведьма. Она была домоправительницей при той, бывшей, и Леонард не захотел лишиться столь ценного кадра. Теперь мне от нее никуда не деться.

— Может, со временем она вас полюбит?

— Может, со временем она решится подсыпать мне в еду мышьяка. Я ведь вижу, как она на меня смотрит. Она хочет, чтобы я умерла. Представляешь, каково это жить под одной крышей с человеком, который жаждет твоей смерти?

Честно говоря, я и сама слегка побаивалась Иларии. Но не хотела, чтобы об этом знала Агнес. Мы двинулись дальше.

— В свое время я работала на одного человека, который, я уверена, поначалу меня буквально ненавидел, — сказала я. — Мало-помалу я поняла, что дело тут вовсе не во мне. Он просто ненавидел свою жизнь. А когда мы узнали друг друга поближе, то в конце концов отлично поладили.

— А он, случайно, не подпаливал твою лучшую блузку? Не стирал твое нижнее белье порошком, от которого, как он точно знал, у тебя будет зудеть промежность? Не распространял о тебе мерзкие слухи, выставляя тебя проституткой?

У меня отвисла челюсть, совсем как у золотой рыбки в аквариуме. Я поспешно закрыла рот и потрясенно покачала головой.

Агнес убрала упавшие на лицо пряди волос:

— Луиза, я люблю его. Но жить его жизнью оказалось для меня невозможным. Моя жизнь стала невозможной... — Она снова осеклась.

Мы остановились, молча наблюдая за гуляющей публикой: молодежью на роликах и детишками на самокатах, идущими рука об руку парочками, патрулирующими полицейскими. Температура заметно понизилась, и мне стало зябко в куртке от спортивного костюма. Я невольно поежилась.

Агнес вздохнула:

— Ладно. Возвращаемся назад. Посмотрим, какую из моих любимых вещей эта ведьма испортит на сей раз.

— Нет, — ответила я. — Лучше пойдемте-ка есть вашу лапшу. Уж что-что, а это мы точно можем сделать.

Доехав на такси до Грамерси-парка, мы вышли у здания из бурого песчаника на тенистой стороне улицы, которое выглядело настолько задрипанным, что сразу наводило на мысль о кишечной палочке. Но как только мы сюда приехали, Агнес сразу повеселела. Пока я расплачивалась с водителем такси, она взлетела по ступенькам и прошла в сумрачный зал ресторана. Выбежавшая из кухни молодая японка бросилась ей на шею, словно давней подруге, и, взяв Агнес под руку, принялась расспрашивать, куда та запропастилась. Стянув с головы вязаную шапочку, Агнес начала расплывчато объяснять, что была очень занята, вышла замуж, переехала в другой дом, при этом ни словом, ни полусловом не давая понять о кардинальных изменениях в своей жизни. Я заметила, что она надела простое обручальное кольцо, а не бриллиантовое, помолвочное, которое было настолько массивным, что разрабатывало трицепсы лучше любых гантелей.

И когда мы устроились в отделанной пластиком кабинке, я увидела, что напротив меня сидит совершенно другая женщина. Агнес была веселой, оживленной и шумной, с отрывистым, кудахтающим смехом, и я сразу поняла, почему в нее влюбился мистер Гупник.

— А как вы познакомились? — поинтересовалась я, пока мы, причмокивая, поглощали горячую лапшу в горшочках.

— С Леонардом? Я была его массажисткой. — Она замолчала, словно ожидала, что я буду шокирована ее заявлением, но, не увидев бурной реакции с моей стороны, опустила голову и продолжила: — Я работала в отеле «Сент-Реджис». И они каждую неделю посылали к нему домой массажиста. Обычно это был Андре. Андре хорошо знал свое дело. Но в тот день Андре приболел. И меня просят его заменить. Я думаю: «Ой нет, еще один парень с Уолл-стрит!» Ты даже не представляешь, сколько их развелось, причем, как правило, одни говнюки. Они тебя даже за человека не считают. Не здороваются, не разговаривают... Некоторые просят... — она понизила голос, — чтобы им подрочили. Ты только прикинь, подрочили! Словно ты проститутка какая-то. Фу! Но Леонард, он добрый. Здоровается со мной за руку, прямо с порога спрашивает, хочу ли я черного чая. Ему так нравилось, когда я массировала его. И я точно знаю.

— Что именно?

— Что она никогда его не трогала. Его жена. Ну, ты понимаешь, не трогала его тело. Она была холодной, холодной женщиной. — Агнес потупилась. — А иногда у него случаются дикие боли. Ужасно болят суставы. Еще до появления Натана. Пригласить Натана было моей идеей. Помочь Леонарду оставаться здоровым и крепким. Ну да ладно. Я действительно стараюсь хорошо его отмассировать. Даже отрабатываю дольше положенного времени. Прислушиваюсь к тому, что говорит мне его тело. А после он был очень благодарен. И просит, чтобы на следующей неделе прислали меня. Андре, конечно, был не слишком доволен, но я-то тут при чем? Итак, я начинаю ходить дважды в неделю к нему домой. Иногда после массажа он предлагает мне выпить с ним черного чая, и мы разговариваем. А потом... Ну, это нелегко. Потому что я понимаю, что влюбляюсь в него. И тут уже ничего не поделаешь.

— Ну да, как врачи и пациенты. Или учителя.

— Вот именно. — Агнес положила в рот клецку. Я еще никогда не видела, чтобы она столько ела. Прожевав, она продолжила: — Но я не могу заставить себя перестать думать об этом мужчине. Так грустно. И так сладко. И так одиноко! В конце концов я говорю Андре, чтобы пошел вместо меня. Не могу туда больше ходить.

— А что случилось потом? — Я даже перестала жевать.

— Леонард приезжает ко мне домой! В Квинс! Он как-то разузнал мой адрес, и его большая черная машина подкатывает к моему дому. Мы с подружками сидим на пожарной лестнице и курим, и я вижу, как он выходит из автомобиля и говорит: «Мне нужно с вами поговорить».

— Совсем как в «Красотке»!

— Да! Вот именно! И я спускаюсь в переулок, а он весь из себя такой злой. И говорит: «Я что, вас чем-то обидел? Неподобающе с вами обошелся?» А я только качаю головой. Он расхаживает взад-вперед и говорит: «Почему бы вам не вернуться? Я больше не хочу Андре. Я хочу вас». И тут я, как последняя дура, начинаю реветь. — Глаза Агнес наполнились слезами. — Реву средь белого дня прямо на улице, на глазах у своих подруг. Ну а потом говорю: «Я не могу вам сказать». И он начинает сердиться. Хочет знать, не оскорбила ли меня его жена. Или, может, у меня что-то случилось на работе. И тогда я наконец признаюсь: «Я не могу вернуться, потому что вы мне нравитесь. Очень сильно. А это непрофессионально. И я могу потерять работу». А он так пристально смотрит на меня, но ничего не говорит. Вообще ничего. Потом садится обратно в автомобиль, и водитель его увозит. И я думаю: «Ой, нет! Я больше никогда не увижу его и потеряю работу». И вот на следующий день я прихожу в наш отель и ужасно нервничаю. Ужасно нервничаю, Луиза. Даже живот болит!

— Потому что вы решили, он пожалуется вашему начальнику.

— Совершенно верно. Но знаешь, что случилось, когда я туда пришла?

— Что?

— Меня ждет огромный букет красных роз. Я такого никогда в жизни не видела. Прекрасных махровых ароматных роз. Таких мягких, что хочется их потрогать. И нет никакой карточки. Но я сразу все понимаю. А потом каждый день новый букет красных роз. Наша квартира забита розами. Подруги говорят, им уже дурно от запаха. — Агнес расхохоталась. — И вот в последний день он снова приезжает ко мне домой, и я спускаюсь вниз, и он предлагает мне сесть к нему в машину. И мы сидим на заднем сиденье, и он просит водителя пойти прогуляться и говорит мне, что очень несчастен и с той минуты, как мы встретились, не перестает обо мне думать и одного моего слова будет достаточно, чтобы он оставил жену и мы были вместе.

— И вы даже не целовались?

— Ничего. Конечно, я массировала ему ягодицы, но это совсем другое дело. — Она выдохнула, смакуя воспоминание о сладостном мгновении. — И я поняла. Поняла, что мы должны быть вместе. И я сказала это. Сказала «да».

Я была потрясена.

— В ту ночь он идет домой и говорит своей жене, что больше не хочет быть ее мужем. И она сердится. *Так* сердится! И она спрашивает его почему, и он говорит ей, что не может жить в браке без любви. И в ту же самую ночь он звонит мне из отеля и просит приехать к нему, и мы в этом роскошном номере в «Риц-Карлтоне». Ты когда-нибудь останавливалась в «Риц-Карлтоне»?

— Мм... Нет.

— Я вхожу, и он стоит у двери, словно слишком нервничает, чтобы сесть, и он говорит мне, он знает, что банален и слишком стар для меня, что его тело изуродовано артритом, но, если есть хотя бы маленькая надежда, что я действительно хочу быть с ним, он сделает все возможное и невозможное, чтобы я была счастлива. Так как у него есть особое чувство насчет нас, представляешь? Что мы с ним родственные души. И мы держим друг друга в объятиях и наконец целуемся, а потом всю ночь не смыкаем глаз и говорим, говорим о нашем детстве, и о нашей жизни, и о наших надеждах и мечтах.

— Это самая романтическая история, какую я когда-либо слышала.

— И потом мы, конечно, трахаемся, и, мой бог, я чувствую, что этот мужчина был заморожен на многие годы, понимаешь?

На этом месте я даже подавилась лапшой. Пришлось выплюнуть ее прямо на стол. Когда я подняла глаза, то обнаружила, что посетители за соседними столиками смотрят на нас во все глаза.

Голос Агнес внезапно обрел новую силу. Она принялась размахивать руками:

— Ты не поверишь. В нем словно засел постоянный голод, и этот голод, копившийся из года в год, теперь наконец *прорвался* наружу. *Прорвался!* В ту первую ночь он был ненасытным.

— Понятно, — пискнула я, вытирая губы бумажной салфеткой.

— Настоящее волшебство это слияние наших тел. И после мы просто держим друг друга в объятиях много-много часов, и я обвиваюсь вокруг него, и он кладет голову мне на грудь, и я обещаю, что ему больше никогда не придется жить в замороженном состоянии. Понимаешь?

В ресторане вдруг стало очень тихо. Какой-то парень за спиной у Агнес уставился ей в затылок, не донеся ложку до рта. Заметив, что я за ним наблюдаю, он с громким звоном уронил ложку.

— Это... это действительно чудесная история.

— И он держит свое обещание. Как он говорил, так и вышло. Мы счастливы вместе. Очень счастливы! — На ее лицо набежала тень. — Но его дочь меня ненавидит. Его бывшая жена меня ненавидит. Она винит меня во всем, хотя сама никогда его не любила. Она говорит каждому встречному и поперечному, что я плохой человек, так как украла у нее мужа. — (Я не знала, что на это сказать.) — И каждую неделю я должна ходить на эти благотворительные вечера и коктейли, и улыбаться, и делать вид, будто не знаю, что болтают за моей спиной эти женщины. А как они на меня смотрят! А я вовсе не такая, как они утверждают. Я говорю на четырех языках. Играю на фортепиано. Защитила диплом по терапевтическому массажу. А знаешь, на каком языке она говорит? На *лицемерном*. Но очень трудно притворяться, будто тебе не больно, понимаешь? Будто тебе наплевать.

— Люди меняются, — попыталась я обнадежить Агнес. — Со временем.

— Нет. Сомневаюсь, что такое возможно. — Взгляд Агнес вдруг стал задумчивым. Она пожала плечами. — Но нет худа без добра. Они все очень старые. И вероятно, некоторые из них скоро умрут.

Днем, когда Агнес прилегла вздремнуть, а Илария занялась хозяйственными делами внизу, я позвонила Сэму. После вчерашнего вечера и утренних откровений Агнес у меня голова шла кругом. Словно каким-то чудом я переместилась в параллельную реальность. «У меня такое чувство, будто ты не просто помощница, а близкая подруга, — сказала Агнес по пути домой. — Хорошо, когда рядом есть кто-то, кому можешь доверять».

— Я получил твои фотки. — (В Англии уже был вечер, и у Сэма ночевал его племянник Джейк. Где-то на заднем плане играла музыка, которую любил слушать Джейк.) — Ты выглядела замечательно.

— Никогда в жизни больше не надену такое платье. Но мероприятие было потрясающим. И еда, и музыка, и бальный зал... но, что самое странное, гости этого даже не замечали. Они не видят, что происходит вокруг! Там была целая стена из гардений и китайских фонариков. Совсем как настоящая монолитная стена! И нам подавали самый потрясающий шоколадный пудинг — прямоугольник из помадки с перьями из белого шоколада и крошечными трюфелями по краям, и ни одна из присутствующих там дам к нему даже не притронулась. Ни одна! Я прошлась вокруг столов и посчитала, чисто из спортивного интереса. Меня так и подмывало положить парочку трюфелей в сумочку, но я побоялась, что они растают. Зуб даю, они просто выбросили всю эту красоту на помойку. Ой, и каждый стол декорирован по-своему, но все инсталляции были в форме разных птиц, сделанных из желтых перьев. У нас была сова.

— Похоже, действительно грандиозный вечер.

— И еще там был бармен, который смешивал коктейли с учетом твоего характера. Нужно было только рассказать ему три вещи о себе — опля, коктейль готов!

— А тебе он сделал коктейль?

— Нет. Парню, с которым я разговаривала, он сделал «Соленую собаку», и я побоялась, что мне он приготовит «Оживитель трупов», или «Скользкий сосок», или типа того. Поэтому я ограничилась шампанским. Ограничилась шампанским! Ну как, звучит?

— А с каким это парнем ты разговаривала? — после небольшой паузы поинтересовался Сэм.

И к моему крайнему смущению, мой ответ прозвучал после такой же небольшой паузы:

— Ой!.. Да так, один парень... Джош. Белый воротничок. Он составил нам с Агнес компанию, пока мы ждали, когда вернется мистер Гупник.

Очередная пауза.

— Звучит здорово.

И тут я начала строчить как из пулемета:

— И что самое приятное — тебе вовсе не нужно беспокоиться о том, как добраться домой, потому что снаружи уже ждет автомобиль. Даже когда они ходят за покупками. Водитель просто подъезжает или едет вокруг квартала, ты выходишь — и та-дам! Перед тобой твоя большая черная сияющая машина. Залезаешь. Он кладет вещи в багажный отсек. Здесь говорят просто «багажник». Никаких ночных автобусов! Никакого ночного метро, где тебе запросто наблюют на туфли.

— Красивая жизнь, да? После такого ты и не захочешь возвращаться домой.

— Ой, нет! Это вовсе не *моя* жизнь. А просто похмельный синдром. Но посмотреть на все это вблизи страшно интересно.

— Лу, мне нужно бежать. Обещал Джейку угостить его пиццей.

— Но... Но мы еще толком даже и не поговорили. Что у тебя слышно? Расскажи свои новости.

— Как-нибудь в другой раз. Джейк проголодался.

— Ну ладно. — Мой голос вдруг сделался неестественно звонким. — Передавай ему от меня привет!

— Ладно.

— Я тебя люблю, — сказала я.

— Я тебя тоже.

— Еще одна неделя! Уже считаю дни.

— Мне пора.

Положив телефон, я почувствовала себя как-то неуютно. Собственно говоря, я и сама толком не поняла, что именно произошло. Я сидела неподвижно на краешке кровати, и тут мой взгляд упал на визитную карточку Джоша. Он вручил ее мне перед уходом, чуть ли не насильно вложив в ладонь и заставив сжать пальцы.

Позвоните мне. Я покажу вам кое-какие крутые места.

Я взяла визитку и вежливо улыбнулась. Что, конечно, можно было понимать как угодно.

Глава 7

«Лисий коттедж»

Вторник, 6 октября

Дорогая Луиза!

Надеюсь, у тебя все хорошо и ты наслаждаешься жизнью в Нью-Йорке. Я уверена, что Лили тебе тоже пишет, но после нашего последнего разговора я очень много думала и, заехав в лофт Уилла, захватила оттуда несколько писем, в свое время отправленных им из Нью-Йорка. Мне кажется, они тебе понравятся. Как ты знаешь, Уилл был любителем путешествий, вот я и подумала, что, возможно, тебе захочется пройти по его следам.

Я и сама перечитала некоторые письма: тяжелое чувство. Можешь оставить их у себя до нашей следующей встречи.

С наилучшими пожеланиями,

Камилла Трейнор.

Нью-Йорк

6.12.2004

Дорогая мама!

Я должен был позвонить, но разница во времени не позволяет жить по расписанию, поэтому я решил тебя потрясти, написав письмо. Думаю, это первое письмо после всех тех отписок из «Прайори мэнор». Похоже, я не был создан для жизни в интернате. Не так ли?

Нью-Йорк — удивительный город. Он буквально заражает своей энергией. К половине шестого утра я уже полностью готов выйти из дому. Моя фирма расположена на Стоун-стрит в Финансовом квартале. Найджел нашел мне офис (не угловой, но с хорошим видом на воду — именно по таким вещам в Нью-Йорке обычно и судят о людях), и ребята на работе — отличная спаянная команда. Передай папе, что в субботу я ходил на оперу в Метрополитен с босом и его женой — «Кавалер розы» (слишком много гротеска), и ты будешь счастлива узнать, что еще я посмотрел «Опасные связи». Очень много ланчей с клиентами, очень много софтбола. А вот вечера более-менее свободные: мои новые коллеги — все женатые, с маленькими детьми, так что приходится в одиночку путешествовать по барам...

Встречался с парой девушек — ничего серьезного (здесь они ходят на свидания, чтобы хорошо провести время), а так в основном качаюсь в спортзале или зависаю со старыми друзьями. Здесь полно людей из «Шипменс» и парочка тех, кого я знаю еще со школы. Наш мир, оказывается, довольно маленький... Большинство из них тут здорово изменились. Стали жестче и ненасытнее. Думаю, таким тебя делает этот город.

Кстати! Сегодня вечером встречаюсь с дочкой Генри Фарнсворта. Помнишь ее? Звезда стортфолдской молодежной организации «Пони клаб»? А сейчас открылась с совершенно новой стороны в качестве гуру в вопросах шопинга. Только не питай напрасных иллюзий — я просто делаю любезность Генри. Я веду ее в свой любимый стейк-хаус в Верхнем Ист-Сайде: куски мяса размером с одеяло гаучо. Надеюсь, она не вегетарианка. Здесь у всех свои пищевые причуды.

Ой, и в прошлое воскресенье я доехал на метро до дальнего конца Бруклинского моста и вернулся назад уже пешком по мосту, как ты и предлагала. Пожалуй, это лучшее, что я успел сделать за все время. Мне показалось, будто я попал в один из ранних фильмов Вуди Аллена. Ну ты знаешь, в тот, где у него возрастная разница в десять лет с главными героинями...

Скажи папе, что я позвоню ему на следующей неделе, и обними за меня собаку.

С любовью, У. х

После той миски дешевой лапши мои отношения с Гупниками неуловимо изменились. Мне кажется, я стала лучше понимать, как помочь Агнес в ее новой роли. Она нуждалась в человеке, на которого можно было опереться и которому можно было доверять. А учитывая осмотическую энергию Нью-Йорка, это значило, что теперь я буквально выпрыгивала из кровати, чего не делала с тех далеких времен, когда ухаживала за Уиллом. Илария неодобрительно закатывала глаза, Натан исподволь наблюдал за мной, словно опасаясь, что я подсела на наркотики.

Но все объяснялось очень просто. Мне хотелось хорошо делать свое дело. И, работая на этих потрясающих людей, взять максимум от Нью-Йорка. Получать удовольствие от каждого дня, как делал Уилл. Я снова и снова перечитывала его письмо и, преодолев первоначальный шок оттого, что опять слышу его голос, неожиданно почувствовала некое сродство между нами: мы оба были приезжими в незнакомом городе.

Я начала поднимать ставки. Каждое утро бегала вместе с Агнес и Джорджем, иногда даже умудрялась преодолеть весь маршрут без риска, что меня сейчас вырвет. Я изучила места, где Агнес постоянно бывает, усвоила все, что ей нужно иметь с собой, что надеть, что принести домой. Выходила в коридор раньше ее и держала на готовности воду, сигареты и овощной сок, когда она еще сама не знала, потребуется ей все это или нет. Если Агнес собиралась на ланч, где имелся какой-то риск столкнуться с Жуткими Матронами, я старалась заранее ее развеселить и сбавить градус нервозности, посылала ей забавные гифки с пукающими пандами или с людьми, падающими с батута, чтобы поднять ей настроение во время еды. А после я ждала ее в автомобиле и выслушивала излияния по поводу того, кто что ей сказал или, наоборот, не сказал, сочувственно кивала или соглашалась, типа да, они *действительно невыносимые, злобные твари. Тощие как палки. И совершенно бессердечные*.

Я научилась делать непроницаемое лицо игрока в покер, когда Агнес пускалась в откровения о прекрасном теле Леонарда, о том, какой он изумительный, изумительный любовник, и старалась не смеяться, когда она вставляла польские слова, такие как *холера*, которыми обзывала Иларию так, чтобы та не поняла.

Агнес, как я довольно быстро обнаружила, не умела, грубо выражаясь, фильтровать базар. Папа всегда сетовал, что я говорю первое, что приходит в голову, но я никогда бы не решилась сказать то, что выдавала Агнес: *Вонючая старая шлюха. Нет, ты только прикинь, как можно делать восковую эпиляцию этой мерзкой Сьюзен Фицуолтер?! Ведь это все равно что счищать бороду с закрытой раковины мидии? Брр...*

И не то чтобы Агнес была по своей природе недоброжелательным человеком. Думаю, подобное поведение объяснялось тем, что она жила в постоянном стрессе: ей нужно было вести себя соответствующим образом и стараться сделать так, чтобы после скрупулезной оценки ее не пригвоздили к позорному столбу. Вот потому-то я и служила для Агнес своего рода отдушиной. Сразу после встречи с этими дамами Агнес плевалась и ругалась последними словами, но к тому времени, как Гарри доставлял нас домой, брала себя в руки, чтобы с завидным самообладанием встретить мужа.

Я разработала определенную стратегию привнесения элемента веселья в жизнь Агнес. Раз в неделю посреди дня мы проводили незапланированную вылазку в кинотеатр на Линкольн-сквер, где, давясь от смеха и чавкая попкорном, смотрели дурацкие, тупые комедии. А иногда мы посещали шикарные бутики на Мэдисон-авеню, где примеряли самые безобразные дизайнерские шмотки, какие только удавалось найти, после чего с непроницаемыми лицами спрашивали продавщиц: «А у вас, случайно, не найдется такого же, только ярко-зеленого?», а те, косясь на сумку Агнес «Биркин» от «Эрмес», выдавливали сквозь стиснутые зубы комплименты. Однажды Агнес уговорила мистера Гупника встретиться там в обед и, чтобы развеселить его, расхаживала перед ним, словно топ-модель по подиуму, демонстрируя смахивающие на клоунские брючные костюмы, так что у мистера Гупника от с трудом сдерживаемого смеха дергались уголки рта. «Ты такая шалунья», — покачав головой, нежно сказал он.

Однако не только работа поднимала мне настроение. Я стала чуть лучше понимать Нью-Йорк, а он в свою очередь стал относиться ко мне более приветливо. Что в этом пристанище иммигрантов было достаточно легко, ведь вне тонкого стратосферного слоя повседневной жизни Агнес я была просто очередным приезжим из далекой страны, который бегал по городу, работал, заказывал еду навынос и учился точно указывать по крайней мере три вещи при покупке кофе или сэндвича, чтобы не слишком отличаться от местных жителей.

Я наблюдала, и я училась.

Вот что я узнала о жителях Нью-Йорка за первый месяц пребывания здесь.

1. Обитатели нашего дома не общались с другими квартирантами, причем Гупники разговаривали исключительно с Ашоком. Старуха со второго этажа, миссис Де Витт, не разговаривала с парой из Калифорнии, занимавшей пентхаус, а пара в строгих костюмах с третьего этажа вечно шла по коридору, уткнувшись в айфоны, и только отдавала лающие команды в микрофон. Даже дети с первого этажа — нарядно одетые маленькие манекены, которых пасла забитая молодая филиппинка, — никогда не здоровались и смотрели в пол всякий раз, как я проходила мимо. А когда я улыбнулась девочке, она вытаращила на меня глаза, словно мое поведение показалось ей крайне подозрительным.

Обитатели «Лавери» садились в однотипные черные машины, терпеливо поджидающие их у тротуара. Правда, они, похоже, точно знали, где чья. Миссис Де Витт, насколько я успела заметить, была единственным человеком, которая хоть с кем-то разговаривала. Ковыляя по дому, она едва слышно бубнила себе под нос, обращаясь к Дину Мартину, насчет этих ужасных русских и жутких китайцев из соседнего дома, которые заставляют своих шоферов ждать двадцать четыре часа семь дней в неделю, заполонив в результате всю улицу машинами. А еще она шумно жаловалась Ашоку или управляющему зданием на звуки фортепиано Агнес. Когда мы проходили мимо нее по коридору, она нас догоняла и осуждающе фыркала нам вслед.

2. И наоборот, в магазинах все с тобой разговаривали. Продавцы ходили следом, вытянув шеи, чтобы лучше тебя слышать, и всегда искали способ услужить или

предлагали отнести отобранные вещи в примерочную. Я не получала столько внимания с тех незапамятных времен, когда мне было восемь лет и нас с Триной застукали в почтовом отделении на краже батончика «Марс», после чего все следующие три года миссис Баркер ходила за нами тенью, точно оперативник МИ-5, всякий раз, как мы заходили туда за пакетиками леденцов.

И буквально все продавцы Нью-Йорка желали тебе хорошего дня. Даже если ты покупал всего-навсего картонку апельсинового сока или газету. На первых порах, обезоруженная их любезностью, я отвечала: «Ой! Ну и вам тоже хорошего дня!» — заставая их тем самым врасплох, поскольку демонстрировала вопиющее незнание правил ведения разговора в Нью-Йорке.

Что касается Ашока, то любой, кто переступал порог «Лавери», непременно перекидывался с ним парой слов. Но это была его работа. А он туго знал свое дело. И всегда спрашивал, как у тебя дела и не нужно ли чего. «Мисс Луиза, вы не можете выйти на улицу в шлепанцах!» Он, словно фокусник, доставал откуда-то зонтик и провожал вас до края тротуара, а чаевые принимал ловким движением руки карточного шулера. Он умел вытаскивать из рукава доллары, чтобы незаметно отблагодарить копа, который убирал с дороги фургончик бакалейщика или развозку из химчистки и высвистывал ярко-желтое такси, материализующееся буквально из воздуха. Он был не только привратником «Лавери», но и сердцем этого дома, обеспечивая бесперебойное функционирование его кровеносной системы.

3. Ньюйоркцы, которые не отъезжали на лимузинах от нашего здания, обычно ходили реально быстро, очень, очень быстро, размашисто шагая по тротуару, окунаясь в толпу и выныривая оттуда, словно у них бы-

ли специальные сенсорные устройства, не дающие им столкнуться с другими прохожими. В руках они держали телефоны или пенопластовые стаканчики с кофе, и уже к семи утра по крайней мере половина из них была в рабочей одежде. Всякий раз, замедляя шаг, я слышала над ухом глухое проклятье или чувствовала, как в спину больно врезается чья-то сумка. Я отказалась от своей самой затейливой обуви, в которой приходилось ковылять: от шлепанцев на высокой гейше или полосатых сапог на платформе а-ля семидесятые, — в пользу кроссовок, чтобы можно было двигаться вместе с потоком, а не становиться препятствием на пути водной стихии. И если бы вы посмотрели на меня сверху, то никогда не догадались бы, что я не местная. По крайней мере, мне очень хотелось так думать.

Во время первых уик-эндов я только и делала, что ходила, буквально часами. Я почему-то решила, что мы с Натаном будем поводить время вместе, обследуя новые места. Но у Натана уже образовался свой круг знакомых — в основном накачанных парней из категории тех, кого не слишком интересует женское общество, по крайней мере пока они не вольют в себя несколько банок пива. Натан проводил уйму времени в тренажерном зале и отмечал каждый уик-энд свиданием с одной или двумя девушками. Когда я предлагала сходить в музей или пройтись по парку Хай-Лайн, он смущенно улыбался и говорил, что у него уже есть свои планы. Итак, я гуляла в одиночестве. С картой в руках, обходя стороной центральные улицы, я шла через Мидтаун в Митпэкинг, Гринвич-Виллидж и Сохо; словом, туда, где, как мне казалось, были интересные места, и по дороге пыталась запомнить, куда какой транспорт идет. Я увидела, что Манхэттен делится на четко различимые районы: от

Мидтауна, с его высотными зданиями, до мощенных булыжником холодных мостовых Кросби-стрит, где каждый второй человек выглядел как модель, как будто все они выкладывали в «Инстаграме» фотки, посвященные органическим продуктам. Я шла куда глаза глядят, без особой цели. Поела салат в салат-баре, заказав резаные овощи с кинзой и черной фасолью, потому что такого никогда не пробовала. Села в метро, делая отчаянные попытки не походить на рядового туриста, когда пыталась понять, как купить билет и идентифицировать легендарных сумасшедших, после чего десять минут ждала, чтобы унять сердцебиение, когда снова оказалась при свете дня. А потом я перешла реку по Бруклинскому мосту, как в свое время сделал Уилл, и при виде мерцающей внизу воды, от грохота транспорта под ногами у меня вдруг подпрыгнуло сердце, а в голове еще раз прозвучал его голос: *Просто живи ярко. Подгоняй себя. Не останавливайся на достигнутом.*

Я замерла на середине моста, завороженно глядя на Ист-Ривер. Я словно оказалась в подвешенном состоянии, у меня внезапно закружилась голова от возникшего в душе странного чувства, что я больше не привязана ни к какому конкретному месту. Ну вот, еще одна галочка в моем списке. Правда, очень скоро я перестала ставить галочки, потому что все кругом было новым и незнакомым.

Во время этих первых прогулок я увидела:

мужчину в женской одежде. Он ехал на велосипеде и пел в микрофон с динамиками мелодии из шоу, а прохожие ему аплодировали;

четырех девочек, прыгавших через скакалку между двумя пожарными гидрантами. Они прыгали сразу через две скакалки, и я остановилась, чтобы им похлопать. Они застенчиво улыбнулись в ответ;

собаку на скейтборде. Но когда я написала об этом сестре, она ответила, что я надралась;

Роберта Де Ниро.

По крайней мере, мне показалось, что это Роберт Де Ниро. Был ранний вечер, и на меня вдруг напала тоска по дому, а он проходил мимо на углу Спринг-стрит и Бродвея, и я, не удержавшись, громко сказала: «Боже мой! Роберт Де Ниро!», но он даже не повернул головы, и потом я терзалась сомнениями, то ли это был случайный прохожий, который решил, что я говорю сама с собой, то ли это действительно был Роберт Де Ниро, которому просто пришлось не по вкусу, что незнакомые женщины на тротуаре выкрикивают его имя.

Я выбрала второй вариант. И моя сестра опять обвинила меня, что я надралась. Тогда я послала ей фотку с моего телефона, на что она ответила: «Идиотка, это мог быть чей угодно затылок», добавив, что я не только пьяная, но и с самого рождения скудоумная. После чего тоска по дому чуть-чуть ослабла.

Мне хотелось рассказать об этом Сэму. Рассказать все, все, все. Изложив в письмах, написанных красивыми буквами, или, по крайней мере, в длинных сумбурных имейлах, которые мы непременно сохраним и распечатаем, а потом, после пятидесяти лет счастливого брака, отыщем на чердаке нашего дома, чтобы показать своим внукам. Но я ужасно устала за первые несколько недель, и самое большее, на что оказалась способна, — это послать ему имейл о том, как я устала.

Я ужасно устала. Я скучаю по тебе.

Я тоже.

Плачу над телерекламой, засыпаю, когда чищу зубы, и в результате моя усталая грудь оказывается вымазанной в пасте.

Ладно, я все понял.

Я старалась не обращать внимания, что он стал редко присылать имейлы. Я старалась постоянно напоминать себе, что он делает настоящую тяжелую работу, спасает людям жизнь и изменяет мир к лучшему, тогда как я сижу у дверей маникюрного салона или наматываю круги по Центральному парку.

Начальник изменил ему расписание дежурств. Сэм теперь работал четыре ночи подряд и по-прежнему ждал, когда ему дадут постоянного напарника. По идее, это должно было помочь нам говорить чаще, но как-то не срослось. Каждый вечер в любую свободную минуту я прилежно проверяла сообщения на своем телефоне, но именно в это время он уезжал из дому, чтобы заступить на дежурство.

Иногда я чувствовала себя до смешного потерянной, и мне начинало казаться, что Сэм — плод моего воображения.

Одна неделя, успокоил он меня. Еще одна неделя.

Но как ее пережить?

Агнес снова играла на фортепиано. Она играла, когда была счастлива или, наоборот, несчастлива, сердита или разочарована, выбирая мощные, эмоциональные вещи. Она закрывала глаза, когда ее руки порхали по клавиатуре, и раскачивалась на стуле. Предыдущим вечером она играла ноктюрн, и, проходя мимо открытой двери гостиной, я увидела мистера Гупника, который сидел возле жены на банкетке. Агнес была целиком поглощена музыкой, но даже с первого взгляда становилось ясно, что она играет для него, а он, в свою очередь, был явно счастлив просто сидеть рядом и переворачивать ноты. Закончив, Агнес обратила к мужу сияющую улыбку, и мистер Гупник, склонив голову, поцеловал ей руку. Я осторожно прокралась мимо на цыпочках, чтобы не мешать семейной идиллии.

Я сидела в кабинете, изучая светские мероприятия на предстоящую неделю, и уже добралась до четверга (благотворительный ланч в пользу детей с раковыми заболеваниями, «Свадьба Фигаро»), но неожиданно услышала, как кто-то стучится во входную дверь. Илария в данный момент была с бихевиористкой для домашних животных — Феликс снова сделал что-то неприличное в кабинете мистера Гупника, — поэтому я вышла в коридор и открыла дверь.

Передо мной стояла миссис Де Витт с поднятой, словно для удара, тростью. Я инстинктивно пригнула голову, но, когда миссис Де Витт опустила трость, выпрямилась, поняв, что старуха просто-напросто стучала тростью по двери.

— Я могу вам помочь?

— Скажи ей, чтобы прекратила этот адский грохот! — Ее изборожденное морщинами крошечное личико побагровело от ярости.

— Простите?

— Массажистка. Невеста по переписке. Без разницы. Мне в моей квартире все слышно.

На миссис Де Витт был пыльник с зелеными и розовыми завитушками а-ля семидесятые в стиле Пуччи, на голове — изумрудно-зеленый тюрбан. И хотя оскорбления старой грымзы задели меня за живое, я не могла оставаться равнодушной к ее наряду.

— Хм, на самом деле Агнес — дипломированный физиотерапевт. И это Моцарт.

— Мне наплевать! Хоть чудо-конь Чемпион, который играет на казý сама знаешь чем. Скажи ей, чтобы прекратила. Она в этом доме не одна. Пусть проявит хоть каплю уважения к другим жильцам!

Дин Мартин зарычал на меня, явно соглашаясь с хозяйкой. Я не смогла с ходу сформулировать ответ, поскольку отвлеклась, пытаясь понять, какой его глаз смотрит прямо на меня, а какой — в сторону.

— Миссис Де Витт, я все передам. — Я пустила в ход свою профессиональную улыбку.

— Что значит «все передам»? Не нужно ничего передавать! Заставь ее *прекратить* шуметь! Она сводит меня с ума своей проклятой пианолой. В любое время дня и ночи. Когда-то это был тихий дом.

— Но ваша собака тоже ла...

— Правда, та, другая, была не намного лучше. Жалкая женщина. Вечно со своими крякающими подругами, *кря, кря, кря* в коридоре, а их неприлично большие автомобили забивали улицу. Фу! Я ничуть не удивлена, что он решил поменять ее с доплатой.

— Не уверена, что мистер Гупник...

— Дипломированный физиотерапевт! Боже правый, значит, теперь это так называется?! Полагаю, в таком случае я глава Организации Объединенных Наций. — Она промокнула лицо носовым платком.

— Насколько я понимаю, Америка гордится тем, что здесь вы можете стать всем, кем захотите, — улыбнулась я.

Она прищурилась. Я продолжала улыбаться.

— Вы англичанка?

— Да. — Я почувствовала, что она сменила гнев на милость. — А что, у вас там родственники, миссис Де Витт?

— Не смеши меня. — Она оглядела меня с головы до ног. — Мне просто казалось, что английским девушкам присуще чувство стиля. — С этими словами она круто развернулась и, обреченно махнув рукой, поковыляла дальше по коридору, Дин Мартин недовольно потрусил за ней.

— Это что, та чокнутая старая ведьма из квартиры напротив?! — крикнула Агнес, когда я тихонько закрыла дверь. — Брр! Неудивительно, что ее никто не навещает. Она похожа на мерзкую сушеную воблу.

В коридоре повисла тишина. Я услышала, как Агнес переворачивает страницы.

А затем она заиграла какую-то вещь с быстрыми пассажами и мощными аккордами, ее пальцы буквально обрушивались на клавиатуру, а нога с такой силой давила на педаль, что дрожал пол.

С улыбкой на лице я отошла от двери гостиной и, вздохнув про себя, посмотрела на часы. Оставалось всего два часа.

Глава 8

В тот день должен был прилететь Сэм, который собирался остаться здесь до вечера понедельника. Он забронировал нам номер в отеле в нескольких кварталах от Таймс-сквер. Памятуя о словах Агнес, что разлука отдаляет влюбленных, я отпросилась у нее на вторую половину дня. Она сказала «может быть», и по ее тону я поняла, что ответ будет скорее положительным, хотя внутренний голос подсказывал мне, что новость о приезде Сэма на уик-энд ее не слишком обрадовала. И все же я шла, пританцовывая, с дорожной сумкой в руках, на Пенсильванский вокзал, чтобы сесть на аэроэкспресс до аэропорта имени Джона Кеннеди. К тому времени, как я добралась до аэропорта, у меня внутри все дрожало от нетерпения.

На табло прилета было указано, что самолет приземлился. Значит, сейчас Сэм ждет багаж, поэтому я поспешила в дамскую комнату привести в порядок прическу и макияж. Чувствуя себя слегка вспотевшей и растрепанной после битком набитого поезда, я подкрасила ресницы и губы, затем прошлась щеткой по волосам. В честь такого случая я надела юбку-брюки из бирюзового шелка, черную футболку поло и высокие черные ботинки. Мне хотелось больше походить на себя прежнюю и в то же время показать, что я как-то неуловимо изменилась, возможно, стала чуть-чуть более загадочной. Дав дорогу какой-то измученной тетке с огромным чемоданом на колесиках, я подушилась и посмотрелась в зеркало, примеряя на себя роль женщины, встречающей любовника в международном аэропорту.

Из дамской комнаты я вышла с отчаянно бьющимся сердцем, а когда посмотрела на табло, то поняла, что жутко нервничаю, хотя наша разлука длилась всего четыре недели. Этот мужчина видел меня в самом неприглядном виде: разбитой, испуганной, печальной, противоречивой — и тем не менее продолжал меня любить. Он был все тем же Сэмом, уговаривала я себя. Моим Сэмом. Ведь ничего не изменилось с тех пор, как он позвонил в мою дверь и через переговорное устройство, смущаясь, пригласил на свидание.

На табло по-прежнему было написано: «Ожидание багажа».

Я заняла выгодную позицию у барьера, в очередной раз проверила прическу и устремила взгляд на раздвижные двери, непроизвольно улыбаясь при виде счастливых парочек, встречающихся после долгой разлуки. И сразу подумала: «Еще минута — и мы будем на их месте». После чего я сделала глубокий вдох, внезапно почувствовав, что у меня начинают потеть ладони. Через раздвижные двери уже начали просачиваться тонкими струйками прибывшие пассажиры, и мое слегка безумное лицо невольно стало смахивать на маску предвкушения: с открытым от волнения ртом и восторженно поднятыми бровями, совсем как у политического деятеля, заметившего, якобы случайно, кого-то в толпе.

Порывшись в сумке в поисках носового платка, я еще раз оглядела прибывших пассажиров. В нескольких ярдах от меня стоял Сэм, его голова заметно возвышалась над людским морем. Сэм, точно так же как я, сканировал взглядом толпу. Пробормотав «простите» стоявшему рядом человеку, я поднырнула под барьер и кинулась к Сэму. Он резко повернулся, больно стукнув меня сумкой по ноге.

— Вот черт! Ты в порядке? Лу? Лу?

Я потерла ногу, с трудом сдержавшись, чтобы не выругаться. На глаза навернулись слезы, и я, преодолевая боль, проговорила сквозь стиснутые от боли зубы:

— Там было написано, что твой багаж еще не прибыл! Поверить не могу, что прошляпила наше великое воссоединение! Я была в туалете!

— У меня только ручная кладь. — Он положил руку мне на плечо. — Как нога? Не болит?

— Но я ведь все так хорошо распланировала! Даже табличку сделала и все такое! — Я достала из-под куртки заламинированную картонку и выпрямилась, стараясь не обращать внимания на пульсирующую боль в ноге. «Самый красивый парамедик в мире». — Это должно было стать одним из определяющих моментов наших отношений! Одним из тех, к которым вы то и дело возвращаетесь: «А помнишь, как я встречала тебя в аэропорту Джона Кеннеди?»

— Но это так или иначе прекрасный момент, — с надеждой произнес он. — Я очень рад тебя видеть.

— Рад меня видеть?

— Счастлив. Счастлив тебя видеть. Прости. Я что-то торможу. Совсем не спал.

Я снова потерла ногу. Минуту-другую мы молча смотрели друг на друга.

— Нет, так не годится! — заявила я. — Тебе придется вернуться.

— Вернуться?

— К барьеру. И потом я сделаю все, как запланировано, то есть подниму табличку, подбегу к тебе и мы поцелуемся. Вот тогда все будет правильно.

— Ты серьезно? — вытаращился на меня Сэм.

— Это стоит того. Ну давай иди! Пожалуйста.

Поняв наконец, что я не шучу, Сэм направился навстречу потоку прибывших пассажиров. Люди смотрели на него с удивлением, некоторые осуждающе качали головой.

— Стой! — Я попыталась перекричать стоящий кругом гвалт. — Достаточно!

Но Сэм меня не слышал. Он продолжал идти в сторону раздвижных дверей — и мне вдруг стало страшно, что он сядет на самолет и улетит обратно.

— Сэм! — завопила я. — СТОЙ!

Все дружно посмотрели в мою сторону. Он повернулся и увидел меня. И пока он разворачивался, я снова поднырнула под барьер.

— Сюда! Сэм! Это я! — Я помахала табличкой, и он пошел навстречу, невольно улыбаясь этой дурацкой затее.

Уронив табличку, я бросилась к нему, и на сей раз он не стал бить меня сумкой по ноге, а бросил сумку на пол и поднял меня вверх, и мы поцеловались, совсем как в кино — страстно, самозабвенно и восторженно, не смущаясь и не думая о запахе кофе изо рта. По крайней мере, мне так показалось. Потому что после того, как Сэм оторвал меня от земли, я забыла обо всем: о наших сумках, о людях кругом, о любопытных взглядах. Обо всем, кроме его крепких рук и нежных губ. Мне не хотелось отпускать Сэма. Я прижалась к нему, такому сильному и надежному, и вдохнула знакомый аромат кожи, и уткнулась носом в его шею, буквально до боли чувствуя, как каждая клеточка моего тела истосковалась по нему.

— Ну что, ненормальная, теперь лучше? — спросил Сэм, слегка отстранившись, чтобы получше меня разглядеть.

Я подумала, что наверняка помада размазалась по лицу, волосы взъерошились, а вдобавок от его медвежьих объятий побаливали ребра.

— О да, — сказала я, улыбаясь как последняя идиотка. — Намного.

Мы договорились забросить вещи в отель, и по дороге я усиленно сдерживалась, чтобы не трещать без умолку от возбуждения. Я молола чепуху, обрушивая на Сэма неотфильтрованный поток сознания. Он смотрел на меня, как смотрят на не в меру разрезвившуюся собачку: с некоторым изумлением и легкой тревогой. Но когда за нами закрылись двери лифта, он притянул меня к себе, взял мое лицо в ладони и снова поцеловал.

— Ты это специально, чтобы я заткнулась? — поинтересовалась я.

— Нет. Потому что мне этого не хватало все четыре бесконечные недели, и теперь я собираюсь это делать столько раз, сколько получится, до самого отъезда.

— Мне нравится ход твоих мыслей.

— Всю дорогу готовился.

Я смотрела, как он вставляет ключ-карточку и, наверное, в пятисотый раз изумлялась своему везению. Ведь я нашла такого мужчину именно в тот момент, когда и не надеялась кого-то полюбить. И сейчас я чувствовала себя такой порывистой, непредсказуемой и романтичной, совсем как героиня воскресного кино.

— Ну вот и все.

Мы остановились на пороге. Номер отеля оказался меньше моей комнаты у Гупников, на полу ковролин в коричневую клетку, а постель не роскошное ложе с эксклюзивным итальянским бельем, как я рисовала в своих фантазиях, а продавленная двуспальная кровать, застеленная покрывалом в бордово-оранжевую клетку. Я старалась не думать о том, когда его в последний раз отдавали в химчистку. Сэм закрыл за нами дверь, и я бочком обошла кровать, чтобы заглянуть в ванную комнату. Только душевая кабина и никакой ванны, а когда я включила свет, вентилятор завыл дурным голосом, словно капризный малыш у кассы супермаркета. В комнате пахло застарелым табаком и промышленным освежителем воздуха.

— Тебе не нравится. — Сэм напряженно вглядывался в мое лицо.

— Нет! Все идеально!

— Конечно не идеально. Прости. Я забронировал его через Интернет, вернувшись после ночного дежурства. Может, спуститься вниз и попросить другой номер?

— Дама на ресепшн говорила, что отель забит под завязку. Брось, все замечательно! Кровать, душ, отель в самом центре Нью-Йорка, и вообще, тут есть ты. А значит, все будет замечательно!

— Брехня! Мне следовало посоветоваться с тобой.

Я никогда не умела врать. Сэм протянул руку, и я нежно сжала его ладонь.

— Все чудесно. Честное слово!

Мы, не сговариваясь, бросили взгляд в сторону кровати. И я прижала руку к губам, понимая, что не могу сказать то, что вертелось у меня на языке.

— Возможно, нам стоит проверить кровать на предмет клопов.

— Ты серьезно?

— Если верить Иларии, то здесь, в Нью-Йорке, просто нашествие клопов. — (У Сэма понуро поникли плечи.) — Даже в самых шикарных отелях бывают клопы. — Я подошла к кровати и, резким движением сдернув покрывало, принялась обследовать белую простыню, после чего наклонилась, чтобы проверить край матраса.

— Ничего! Итак, все замечательно! Мы в отеле, где нет клопов! — Я подняла большие пальцы вверх. — Ура!

В комнате вдруг стало тихо.

— Пойдем прогуляемся, — сказал Сэм.

И мы пошли прогуляться. По крайней мере, отель находился в отличном месте. Мы прошли шесть кварталов по Шестой авеню и вернулись на Пятую, петляя и идя куда глаза глядят. Я пыталась не болтать без умолку о себе или о Нью-Йорке, что оказалось труднее, чем я думала. Сэм же в основном молчал. Он взял меня за руку, я прислонилась к его плечу, стараясь не пожирать Сэма глазами. Было нечто странное в том, что он здесь. Я поймала себя на том, что ловлю буквально мельчайшие детали его внешности — царапину на руке, слегка отросшие волосы — в нелепой попытке воссоздать любимый образ в своем воображении.

— Ты перестал хромать, — заметила я, когда мы остановились посмотреть в окно Музея современного искусства.

Я нервничала, поскольку Сэм упорно молчал, словно этот жуткий номер отеля все испортил.

— И ты тоже.

— Я начала бегать! — сообщила я. — Ты только прикинь! Каждое утро мы с Агнес и Джорджем, ее тренером, совершаем пробежку по Центральному парку. Вот, потрогай мои ноги! — Я подняла ногу, Сэм сжал мое бедро, и это явно произвело на него впечатление. Увидев, что на нас начинают оборачиваться, я поспешно добавила: — Ладно, теперь можешь отпустить.

— Извини, — сказал он. — Просто давным-давно забытое ощущение.

Я совсем запамятовала, что Сэм всегда предпочитал слушать, нежели говорить. Поэтому он не сразу сообщил, что у него новый напарник. После двух фальстартов — парня, в результате решившего, что не хочет быть парамедиком, и Тима, профсоюзного деятеля средних лет, который, очевидно, ненавидел все человечество (образ мыслей, совершенно неподходящий для этой работы), — Сэму дали в напарники женщину со станции скорой помощи Северного Кенсингтона, которая недавно переехала и хотела найти работу поближе к дому.

— А какая она из себя?

— Она, конечно, не Донна, — ответил Сэм. — Но вполне нормальная. Она хотя бы знает, что делает.

За неделю до этого Сэм встретился с Донной за чашкой кофе. Химиотерапия не помогла отцу Донны, но она всячески старалась замаскировать мрачное настроение едким сарказмом и шутками, впрочем, как обычно.

— Я хотел сказать ей, что нет нужды в напускной браваде. Ведь она знает, что я прошел все это со своей сестрой. Однако мы все так или иначе научились по-своему справляться с подобными вещами.

Джейк, рассказал Сэм, вполне прилично успевает в колледже и просил передать привет. Его отец, свояк Сэма, бросил лечение у психотерапевта, поскольку, по его словам, это было не для него, хотя он и оставил маниакальную привычку тащить в постель каждую встречную незнакомую женщину.

— Теперь он научился справляться со своими чувствами, — вздохнул Сэм. — После твоего отъезда он, можно сказать, кремень.

— А ты?

— Я справляюсь, — как-то обыденно бросил Сэм, но у меня от его слов защемило сердце.

— Но это ведь не навсегда, — сказала я, когда мы остановились.

— Знаю.

— А пока ты здесь, предлагаю оттянуться на полную катушку.

— Ну и какие у тебя планы?

— Хм, в первую очередь я хочу, чтобы ты разделся догола. Затем ужин. После этого ты снова разденешься догола. Возможно, прогулка по Центральному парку, ну и банальная туристская программа вроде парома на Стейтен-Айленд, Таймс-сквер, шопинг в Ист-Виллидж и, наконец, немножко реально хорошей еды, после чего ты опять разденешься догола.

— А ты сама-то собираешься раздеться? — ухмыльнулся Сэм.

— Ну конечно, два по цене одного. — Я прислонилась к его плечу. — А если серьезно, я рада, что ты приехал и своими глазами увидел, где я работаю. Возможно, я познакомлю тебя с Натаном, и с Ашоком, и со всеми людьми, с которыми мне приходится иметь дело. Мистера и миссис Гупник не будет в городе, так что тебе вряд ли удастся с ними встретиться, но, по крайней мере, ты сможешь получить общее представление.

Сэм остановился и развернул меня к себе лицом:

— Лу, на самом деле мне глубоко наплевать, чем мы будем заниматься. Лишь бы быть вместе с тобой. — Он даже слегка покраснел, словно и сам не ожидал от себя такого.

— Что ж, мистер Филдинг, очень романтично.

— Я тебе вот что скажу. Мне срочно нужно хоть что-нибудь поесть, если ты хочешь воплотить в жизнь ту часть плана, где я должен разделся догола. Где мы можем перекусить?

Мы как раз шли мимо Радио-Сити, окруженного громадными офисными зданиями.

— Здесь есть кофейня, — сказала я.

— Ой, нет! — хлопнул в ладоши Сэм. — Вот он, мой дорогой. Настоящий нью-йоркский фургончик с едой. — Он показал на один из обычных фургончиков с едой, предлагающий разнообразные бурито: «Мы приготовим любые по вашему желанию».

Последовав за Сэмом, я терпеливо ждала, пока он заказывал нечто размером с колесо, пахнущее горячим сыром и жирным мясом неясного происхождения.

— У нас ведь на сегодня не запланирован поход в ресторан? — с набитым ртом спросил Сэм.

Я не выдержала и расхохоталась:

— Все, что угодно, лишь бы ты продержался и не заснул. Хотя у меня есть нехорошее подозрение, что это доведет тебя до пищевой комы.

— Боже, как вкусно! Хочешь кусочек?

Конечно да. Но я надела реально шикарное нижнее белье, и мне не хотелось, чтобы резинки впились в мясистые части тела. Поэтому я подождала, пока Сэм доест, шумно оближет пальцы и выбросит салфетку в урну.

— Ладно. — Сэм взял меня за руку, и, к счастью, все снова стало нормально. — Как насчет раздевания догола?

На обратной дороге в отель мы молчали. У меня больше не было сосущего ощущения, будто разлука создала невидимый барьер между нами. Сейчас мне уже не хотелось разговаривать. Хотелось поскорее прижаться к его обнаженному телу. Хотелось принадлежать ему полностью, покориться, забыться в его объятиях. Мы пошли вниз по Шестой авеню, мимо Рокфеллеровского центра, и я больше не замечала путающихся под ногами туристов. Я будто оказалась заперта в невидимом пузыре, и все мои чувства сейчас были настроены на теплую ладонь, сжимавшую мои пальцы, на тяжелую руку на моем плече. Все его движения были пронизаны желанием, от которого у меня перехватывало дыхание. Да, можно смириться с разлукой, подумала я, если наши встречи после расставания будут столь же сладостными, как эта.

Не успели мы войти в лифт, как Сэм страстно прижал меня к себе. Мы поцеловались, и я растаяла, сомлела от близости его тела, а кровь стучала в висках так, что я практически не услышала, как остановился лифт. Не размыкая объятий, мы вывалились наружу.

— Эта штука для открывания дверей. — Сэм нервно ощупывал карманы. — Штука для открывания! Куда я ее положил?

— Она у меня, — успокоила я Сэма, пытаясь залезть в задний карман брюк.

— Слава богу! — с облегчением вздохнул он, ногой прикрыв за собой дверь. — Ты даже не представляешь, как долго я об этом мечтал!

Две минуты спустя я лежала, вся в липком поту, на Бордовом Покрывале Судьбы и думала, как бы незаметно дотянуться до трусиков. Несмотря на проведенный ранее тщательный осмотр кровати, было в этом покрывале нечто такое, что невольно вызывало желание поставить преграду между ним и моим обнаженным телом.

Голос Сэма повис в воздухе где-то рядом со мной.

— Прости, — прошептал он. — Я знал, что буду счастлив тебя видеть. Но не ожидал, что настолько.

— Все нормально. — Я повернулась к нему лицом.

Он обладал удивительной способностью обволакивать меня и словно возносить к облакам. Раньше я никогда не понимала женщин, утверждавших, будто наличие мужчины создает у них чувство защищенности, но именно так я чувствовала себя в присутствии Сэма. Правда, сейчас, судя по отяжелевшим векам, он явно боролся со сном, ведь, по моим прикидкам, в Англии было около трех утра.

— Дай мне двадцать минут, и я снова буду в строю, — поцеловав меня в нос, сказал Сэм.

Пробежавшись кончиками пальцев по его губам, я закинула на него ногу, чтобы прижаться к нему всем телом. Сэм накрыл нас одеялом, и я вдруг почувствовала, что снова воспламеняюсь. Уж не знаю, что такого было в Сэме, но с ним я становилась сама не своя — свободной от предрассудков и ненасытной. И я знала, стоит только прикоснуться к нему, как во мне сразу просыпается вожделение. Его плечи, мощные руки, мягкий, как у ребенка, пушок на шее у линии волос — все это будило желание.

— Я люблю тебя, Луиза Кларк, — нежно произнес он.

— Двадцать минут, да? — улыбнулась я, еще сильнее прижимаясь к нему.

Но он уже заснул, словно провалившись в сон. С минуту я смотрела на Сэма, напряженно гадая, стоит ли будить его и что придется для этого сделать, но затем вспомнила, какой измученной и потерянной я была сразу после прилета в Нью-Йорк. И еще подумала, что он пахал всю неделю по двенадцать часов в день. Да и вообще, это всего лишь несколько часов, а у нас еще целых три дня впереди. Я отпустила Сэма и с грустным вздохом перекатилась на спину. Тем временем за окном уже совсем стемнело, в притихший номер вдруг проник далекий шум транспорта. Мою душу раздирали противоречивые чувства, и, что самое неприятное, одним из них было разочарование.

«Прекрати!» — строго приказала я себе. Мои ожидания оказались слишком высокими, словно суфле, опадающее под воздействием окружающей атмосферы. Он был здесь, и мы были вместе, и через несколько часов он снова проснется. «Давай-ка лучше спать, Кларк». Я положила на себя тяжелую руку Сэма, вдохнула запах его теплой кожи. И закрыла глаза.

Полтора часа спустя я лежала на краю кровати, изучала на экране телефона мамину страничку в «Фейсбуке», удивляясь ее нездоровому пристрастию к мотивационным цитатам, а также к фотографиям Тома в школьной форме. Часы показывали половину одиннадцатого, и, естественно, сна не было ни в одном глазу. Тогда я встала с кровати и прошлепала в ванную. Я специально не стала включать свет, чтобы звук воющего вентилятора, не дай бог, не разбудил Сэма. Если честно, я не слишком рвалась ложиться обратно в кровать. Сэм скатился на середину продавленного матраса, и мне оставалось или примоститься на крошечном кусочке с самого краю, или взгромоздиться на Сэма. Да и вообще, может, этих полутора часов сна ему уже более чем достаточно? Тогда я залезла в постель, прижалась к Сэму и после секундного колебания поцеловала его.

Тело Сэма откликнулось на ласку раньше его самого. Он притянул меня к себе, большая ладонь гладила мое тело, губы осыпали мою спину сонными, нежными поцелуями, заставляя меня выгибаться дугой. Я сменила положение с тем, чтобы он оказался сверху, нашла его руку, наши пальцы переплелись, из моей груди вырвался страстный вздох. Сэм явно хотел меня. Он открыл глаза, и я, изнемогая от страсти, утонула в их сумрачной глубине, но тут с удивлением заметила, что его вдруг прошиб пот.

Он окинул меня долгим взглядом.

— Привет, красавчик, — прошептала я.

Сэм явно попытался что-то сказать, но слова, похоже, застряли у него в горле. Он смущенно посмотрел в сторону. И внезапно скатился с меня.

— Что? — удивилась я. — Что я такого сказала?

— Прости, — ответил Сэм. — Подожди, я сейчас.

Он рванул в ванную, с силой захлопнув за собой дверь. До меня донеслось: «Господи!» — а затем жуткие звуки, которые, к счастью, частично заглушил вой вытяжного вентилятора.

Оцепеневшая, я сидела на кровати, затем встала и натянула футболку:

— Сэм?

Я прижалась ухом к двери, после чего внезапно отпрянула. Звуковые эффекты безжалостно нарушали интимность происходящего в ванной.

— Сэм? Ты в порядке?

— Все нормально, — послышался сдавленный голос.

Но все было далеко не нормально.

— Что случилось?

Напряженная тишина. Звук сливаемой воды.

— Я... Э-э-э... Похоже, у меня пищевое отравление.

— Ты серьезно? Я могу тебе чем-то помочь?

— Нет. Просто... просто не входи сюда. Хорошо? — Затем последовали звуки неукротимой рвоты и приглушенное чертыханье. — Не входи сюда.

Примерно в таком же духе прошли еще два часа: Сэм из последних сил боролся со своими внутренними органами по одну сторону запертой двери, а я, в одной футболке, сидела, терзаемая тревогой, по другую. Сэм категорически отказывался впустить меня внутрь. Думаю, ему не позволяла гордость.

Мужчина, который наконец вышел из ванной около часа ночи, был цвета шпаклевки. Я поспешно вскочила на ноги, когда дверь ванной наконец открылась. Сэм перешагнул через порог и слегка отшатнулся, словно не ожидал меня здесь увидеть. Я инстинктивно протянула ему руку, явно не в силах удержать человека его комплекции:

— Что мне делать? Может, стоит вызвать врача?

— Нет. Мне просто нужно... чтобы это улеглось. — Схватившись за живот, Сэм плюхнулся на постель. Под его запавшими глазами залегли черные тени, взгляд был устремлен в пустоту. — В прямом смысле.

— Я дам тебе попить. И вообще, я сейчас сбегаю в аптеку и куплю тебе диоралит или что там у них есть от расстройства желудка.

Но Сэм был не в состоянии говорить. Мокрый от пота, он лежал на боку, глядя прямо перед собой.

Я купила нужное лекарство, мысленно благодаря Город, Который Не Только Никогда Не Спит, Но И Предлагает Регидрат. Сэм жадно выпил порошок, после чего, извинившись, снова исчез в ванной. Что до меня, то время от времени я просовывала в дверную щель бутылку с водой, но в конце концов сдалась и уселась пред телевизором.

— Прости, — пробормотал Сэм, когда где-то около четырех, шатаясь, вышел из ванной.

Рухнув на Бордовое Покрывало Судьбы, он забылся коротким беспокойным сном.

Я тоже пару часов поспала, накрывшись гостиничным халатом, а когда проснулась, то обнаружила, что Сэм до сих пор спит. Приняв душ и одевшись, я тихонько закрыла за собой дверь, чтобы выпить кофе в холле отеля. Меня буквально шатало от усталости. Ничего, успокаивала я себя, у нас еще два дня впереди.

Но когда я вернулась в номер, Сэм снова был в ванной.

— Мне ужасно жаль. — Сэм наконец вышел из ванной. Я раздвинула шторы, и при свете дня его лицо, на фоне несвежей простыни, казалось особенно серым. — Сомневаюсь, что сегодня от меня будет много проку.

— Все отлично! — бодро откликнулась я.

— Но к обеду, может, и оклемаюсь.

— Отлично!

— Хотя поездка на пароме, возможно, пока исключается. Не уверен, что могу позволить себе места с...

— ...общественными туалетами. Я поняла.

Сэм печально вздохнул:

— Да уж, я отнюдь не так представлял себе сегодняшний день.

— Все отлично! — Я прилегла к нему на кровать.

— Может, прекратишь твердить как попугай «все отлично»! — раздраженно оборвал меня Сэм.

Секунду-другую я обиженно молчала, после чего ледяным тоном проронила:

— Отлично!

Сэм осторожно посмотрел на меня краешком глаза:

— Извини.

— Перестань все время извиняться.

Мы сидели на кровати, глядя перед собой невидящими глазами. Внезапно он накрыл мою руку своей:

— Послушай, я, вероятно, застряну тут еще на пару часов. Тебе необходимо набраться сил. А не торчать здесь со мной. Лучше прошвырнись по магазинам или типа того.

— Но ты ведь приехал только до понедельника. И без тебя мне вообще ничего не хочется делать.

— Лу, я сейчас ни на что не гожусь. — Сэм, казалось, был готов треснуть кулаком по стене, если, конечно, у него хватило бы сил сжать руку в кулак.

Я прошла два квартала к газетному киоску, где накупила кипу газет и журналов. А еще купила себе нормального кофе, кекс и простой белый рогалик на случай, если Сэм, проснувшись, захочет есть.

— Припасы, — заявила я, свалив все это добро на край кровати. — Теперь можно здесь окопаться.

Именно так мы и провели день. Я прочла «Нью-Йорк таймс» от корки до корки, включая обзор бейсбольных матчей. Повесила на дверь табличку «Не беспокоить», пока он дремал, и принялась ждать, когда к его лицу вернутся краски.

Может, ему станет лучше, и мы еще успеем прогуляться, пока не стемнело.

Может, мы еще сможем пропустить по стаканчику в баре отеля. Может, ему будет полезно принять сидячее положение.

Ладно, может, завтра ему все же будет лучше.

Без четверти десять, когда я выключила телевизионное ток-шоу, спихнула с кровати газеты и забралась под одеяло, единственной частью моего тела, которая касалась Сэма, были кончики пальцев, переплетенные с его.

В воскресенье он проснулся повеселевшим. Думаю, к этому времени в его организме уже просто не осталось лишней жидкости, способной выйти наружу. Я принесла ему немного бульона, он осторожно поел и заявил, что чувствует себя вполне здоровым, чтобы пойти прогуляться. Двадцать минут спустя мы бегом вернулись в номер, и он снова заперся в туалете. И вот тут-то он уже не на шутку разозлился. Я попыталась ему сказать, что все в порядке, но в результате только еще больше разозлила его. Ведь нет ничего более жалкого, чем громадный мужчина ростом почти шесть футов четыре дюйма, не способный поднять стакан с водой.

Не в силах более скрывать своего разочарования, я даже решила на какое-то время оставить Сэма. Мне срочно нужно было пройтись по улицам и убедить себя в том, что это не было дурным знаком и, собственно, ничего не значило; да и вообще, немудрено растерять весь свой природный оптимизм, если ты вот уже две ночи толком не спишь и целых сорок восемь часов сидишь взаперти в номере с отвратительной звукоизоляцией в ванной комнате, где прочно засел мужчина, павший в неравной борьбе с острым гастроэнтеритом.

И действительно, тот факт, что сегодня воскресенье, буквально разбивал мне сердце. Ведь завтра мне уже пора возвращаться на работу. А он ничего не успел сделать из всего того, что я запланировала. Мы не сходили на бейсбол, не проехались на пароме до Стейтен-Айленда. Не поднялись на крышу Эмпайр-стейт-билдинга, не прошлись рука об руку по парку Хай-Лайн. В тот вечер мы сидели в кровати, он ел вареный рис, купленный мной в суши-баре, а я жевала безвкусный сэндвич с цыпленком-гриль.

— Ну все, теперь я на верном пути, — пробормотал Сэм, когда я накрыла его одеялом.

— Здорово, — отозвалась я, но он уже заснул.

Я была не способна еще одну ночь прокручивать экран телефона, поэтому тихонько встала с постели и, оставив Сэму записку, покинула номер. Черт, я чувствовала себя глубоко несчастной и обиженной на жизнь! Почему ему понадобилось есть какую-то гадость, которая повлекла за собой пищевое отравление? Почему он так медленно идет на поправку? Ведь он как-никак парамедик. Почему он не смог выбрать отель получше? Я пошла вниз по Шестой авеню — руки сердито засунуты в карманы, уши заложены от рева непрерывного потока транспорта — и вскоре обнаружила, что направляюсь прямиком к дому.

Дом.

Неожиданно для себя я поняла, что теперь именно так думаю о «Лавери».

Ашок под навесом болтал с другим швейцаром, который при моем появлении тотчас же отошел в сторону.

— Привет, мисс Луиза. Разве вы сейчас не должны быть со своим бойфрендом?

— Он заболел, — ответила я. — Пищевое отравление.

— Вы, наверное, меня разыгрываете. И где он сейчас?

— Спит. Я просто... не выдержу, если мне придется еще двенадцать часов просидеть с ним в номере.

Я внезапно почувствовала, что вот-вот разревусь. Думаю, Ашок это тоже заметил, потому что махнул мне рукой, предложив поскорее войти внутрь. Он вскипятил чайник в своей каморке и заварил чай с мятой. Я сидела за его письменным столом, прихлебывая горячий чай, Ашок тем временем выглядывал в вестибюль проверить, не появилась ли поблизости миссис Де Витт с обвинениями в том, что он манкирует своими обязанностями.

— Ну ладно, — сказала я. — Почему ты сегодня дежуришь? Мне казалось, сегодня очередь ночного консьержа.

— Он тоже приболел. И в данный момент моя жена зла на меня, как сто чертей. Она собиралась пойти в библиотеку на собрание книголюбов, но нам не с кем оставить детей. Так вот, она пригрозила, что еще одно внеплановое дежурство в мой выходной день — и она самолично потолкует с мистером Овицем. А это уже совсем лишнее. — Ашок покачал головой. — Мисс Луиза, моя жена — страшная женщина. И я никому не советую расстраивать мою жену.

— Я бы с удовольствием помогла, но мне, пожалуй, стоит вернуться в отель, проверить, как там Сэм.

— Вы там с ним поласковей, — сказал Ашок, когда я вернула ему кружку. — Ведь он проделал неблизкий путь, чтобы повидаться с вами. И ручаюсь, ему куда тяжелее, чем вам сейчас.

Когда я вернулась в номер отеля, Сэм уже не спал. Откинувшись на подушки, он смотрел на зернистый экран телевизора. Не успела я открыть дверь, как он поднял на меня глаза.

— Я только... вышла немного прогуляться. Я... я...

— Скажи честно, что ты просто больше не могла ни минуты оставаться со мной. — Я замерла на пороге. Голова Сэма печально поникла. Он выглядел бледным и глубоко несчастным. — Лу, если бы ты знала, как я казню себя...

— Все отлич... — Я вовремя осеклась. — Нет, правда. У нас все хорошо.

Я включила душ, заставила Сэма забраться в душевую кабину, вымыла ему голову, выдавив остатки шампуня из крошечной бутылочки, а затем смотрела, как грязная пена стекает по его широченным плечам. Сэм молча взял мою руку и нежно поцеловал запястье поцелуем раскаяния. Набросив ему на плечи полотенце, я помогла вернуться в комнату. С тяжелым вздохом он лег обратно в кровать. Я разделась и прилегла рядом с ним, чувствуя себя полностью опустошенной.

— Расскажи что-нибудь о себе. То, чего я еще не знаю.

Я повернулась к нему:

— Ты знаешь обо мне все. Ведь я для тебя как открытая книга.

— Ну давай! Побалуй меня. — Его дыхание щекотало мое ухо, но в голове у меня было пусто.

Я по-прежнему чувствовала странное раздражение из-за испорченного уик-энда, хотя прекрасно понимала, как это несправедливо.

Увидев, что я словно воды в рот набрала, Сэм сказал:

— Ладно, тогда начну я. С этого дня перехожу исключительно на тосты из белого хлеба.

— Очень смешно.

Сэм вгляделся в мое лицо. Когда он снова заговорил, голос его звучал непривычно тихо:

— Да и дома дела идут далеко не блестяще.

— Ты о чем?

Сэм слегка замялся, явно сомневаясь, стоит ли начинать.

— Я о работе. Понимаешь, до того как меня подстрелили, я вообще ничего не боялся. Мог за себя постоять. Наверное, считал себя крутым парнем. А теперь тот случай не выходит у меня из головы. — Я попыталась скрыть удивление, а Сэм растерянно потер лицо и продолжил: — С тех пор как я вернулся на работу, я постоянно ловлю себя на том, что совсем иначе оцениваю ситуации, в которые попадаю... пытаюсь найти пути отхода, потенциальные источники угрозы. Даже когда для этого нет особых оснований.

— Ты боишься?

— Да. Боюсь. — Он сухо рассмеялся, покачав головой. — Они предложили мне встретиться с психологом. Ну, я еще в армии проходил такие тесты. Типа проговариваю проблему, пытаюсь понять ход своих мыслей, оценивая то, что случилось. Плавали, знаем. Но все это здорово сбивает с толку. Должен признаться, я теперь сам себя не узнаю. — (Я терпеливо ждала продолжения.) — Вот почему уход Донны стал для меня таким ударом... Потому что она всегда присматривала за мной...

— Но твоя новая напарница тоже будет присматривать за тобой. Наверняка. Как ее зовут?

— Кэти.

— Кэти за тобой присмотрит. Одним словом, она ведь опытная, и вас, ребята, учат заботиться друг о друге, верно? Сэм, тебя больше не подстрелят. Бомба в одну воронку дважды не падает. Я *точно* знаю.

Конечно, я сморозила глупость, но сказала это, потому что не могла видеть его несчастным. Потому что отчаянно хотела, чтобы так оно и было.

— Со мной все будет в порядке, — тихо проронил Сэм.

У меня вдруг возникло такое чувство, будто я предала его. Интересно, как долго он держал все это в себе? Некоторое время мы лежали молча. Потом я легонько пробежалась пальцами по его руке, пытаясь найти нужные слова.

— Ну а ты?

— Что я?

— Расскажи о себе что-нибудь такое, чего я не знаю.

Я собиралась сказать, что он знает обо мне абсолютно все. Собиралась вести себя в соответствии со своим нью-йоркским амплуа: быть жизнерадостной, энергичной, непрошибаемой. Собиралась выдать что-нибудь забавное, чтобы его рассмешить. Но ведь он сказал мне правду.

Тогда я повернулась к Сэму лицом:

— Есть одна вещь. Но боюсь, ты станешь по-другому ко мне относиться. Если я тебе все расскажу. — (Сэм нахмурился.) — Это случилось много лет назад. Но ты ведь со мной поделился. Поэтому я хочу сделать то же самое.

Я перевела дух и рассказала ему все. Рассказала ему историю, о ней знал лишь Уилл — человек, который меня внимательно выслушал и помог сбросить камень с души. Рассказала Сэму историю о девушке, которая десять лет назад однажды перепила и перекурила, и расплатой за это стало осознание того, что мальчики из хороших семей не обязательно бывают хорошими. Я говорила спокойным тоном, чуть-чуть отстраненно. Да и вообще, сейчас мне уже начало казаться, будто это произошло в другой жизни, не со мной. В номере было темно. Сэм слушал, не сводя с меня глаз, и не комментировал.

— Вот одна из причин, почему поездка в Нью-Йорк и работа у Гупников имеют для меня такое значение. Сэм, я надолго ушла в свою скорлупу. Убеждала себя, это необходимо, чтобы чувствовать себя в безопасности. А теперь... Ну а теперь, полагаю, мне нужно двигаться дальше. Понять, на что я способна, если не оглядываться назад.

Когда я закончила, Сэм не произнес ни слова. Он молчал так долго, что на секунду я даже засомневалась, стоило ли вообще ему это рассказывать, но потом протянул руку и погладил меня по голове:

— Прости. Как бы мне хотелось быть рядом с тобой, чтобы тебя защитить. Как бы мне хотелось...

— Все хорошо. Это было давным-давно.

— Нет, не хорошо. — Сэм притянул меня к себе, я положила голову ему на грудь, прислушиваясь к ровному биению его сердца.

— Только прошу, не надо смотреть на меня по-другому, — шепнула я.

— Тут уж ничего не поделаешь. Не могу не смотреть на тебя по-другому. Только теперь я считаю тебя еще более потрясающей. — Сэм сжал меня в кольце своих сильных рук. Его голос стал тихим и нежным. — У меня есть масса причин любить тебя. Но ты к тому же еще и храбрая, и сильная, и вообще, ты только что напомнила мне... что у всех на пути встречаются препятствия. Я свое непременно преодолею. И я обещаю тебе, Луиза Кларк, никто и никогда больше не причинит тебе зла.

Глава 9

Кому: SillyLily@gmail.com

От кого: BusyBee@gmail.com

Привет, Лили!

Я печатаю это второпях в метро (в последнее время я постоянно куда-то тороплюсь), но все равно я счастлива получить от тебя весточку. Рада, что учеба идет хорошо. Хотя тебе крупно повезло, что тебя тогда пронесло с курением. Миссис Трейнор совершенно права: стыд и позор, если бы тебя отчислили еще до экзаменов.

Но я вовсе не собираюсь читать тебе нотации. Нью-Йорк потрясающий! Я наслаждаюсь каждой минутой. И да, будет чудесно, если ты сюда приедешь, но, думаю, тебе придется остановиться в отеле, поэтому сперва следует поговорить с родителями. А еще я очень занята, так как постоянно нахожусь при Гупниках, и прямо сейчас у меня не будет времени, чтобы потусить с тобой.

Сэм в полном порядке, спасибо. Нет, он меня еще не бросил. На самом деле он сейчас здесь. Но уже улетает домой. Когда вернется, можешь попросить его одолжить тебе мотоцикл. Думаю, самое время кому-то из вас сделать шаг навстречу другому и попытаться наладить отношения.

О'кей, моя остановка. Передай от меня привет миссис Ти. Скажи ей, что я делаю все то, о чем твой папа в свое время написал ей в письме (хотя и не все: я так и не сходила на свидание с длинноногой блондинистой специалисткой по связям с общественностью).

Целую. Лу

Мой будильник зазвонил в шесть тридцать утра: разрезавшая тишину сирена в миниатюре. Мне нужно было вернуться к Гупникам к половине восьмого. Я со стоном протянула руку к прикроватному столику, чтобы заткнуть будильник. По моим расчетам, дорога до Центрального парка занимала не больше пятнадцати минут. Я освежила в уме список неотложных дел, прикинула, хватит ли шампуня в ванной и придется ли погладить футболку.

Неожиданно Сэм притянул меня к себе.

— Не уходи, — сонно пробормотал он, придавив меня к постели рукой.

— Мне пора идти.

— Почему бы тебе чуть-чуть не опоздать?

Сэм разлепил веки. От него сладко пахло теплом. Глядя мне прямо в глаза, он закинул на меня тяжелую мускулистую ногу.

Устоять против искушения было невозможно. Сэм чувствовал себя лучше, на самом деле гораздо лучше.

— Я должна одеться.

Он принялся осыпать мою шею легкими поцелуями, от которых по спине побежали мурашки. Затем его рот начал целеустремленно скользить вниз. Сэм, вопросительно подняв бровь, посмотрел на меня из-под покрывала.

— Я и забыл об этих шрамах. А знаешь, они мне и правда нравятся.

Он опустил голову и поцеловал серебристые волнистые бугорки — следы хирургической операции, заставив меня поежиться, после чего исчез.

— Сэм, мне нужно идти. Правда. — Я стиснула край покрывала. — Сэм... Сэм... Я правда... О...

Некоторое время спустя — кожу стянуло пленкой засохшего пота, дыхание вырывалось прерывистыми толчками — я лежала на животе с глупой улыбкой на губах, а мои мышцы болели в самых неожиданных местах. Волосы упали на глаза, но не было сил откинуть их назад. И теперь густая прядь поднималась и опускалась при каждом вдохе и выдохе. Сэм лежал рядом со мной. Его рука осторожно пробралась по простыне навстречу моей.

— Я соскучился по тебе. — Он перекатился, чтобы лечь сверху, тем самым пригвоздив мое тело к матрасу. Его голос, невероятно глубокий и страстный, резонировал где-то у меня внутри. — Луиза Кларк, что ты со мной делаешь?!

— Если уж подходить формально, то это ты что-то со мной сделал.

Лицо Сэма буквально дышало нежностью. Я поцеловала его. И тотчас же забыла обо всех перипетиях последних сорока восьми часов! Я была в нужном месте с нужным мужчиной, и его руки обнимали меня, и его тело было прекрасным, до боли знакомым. Я провела пальцем по щеке Сэма, после чего наклонилась и нежно поцеловала.

— Не делай так больше, — не сводя с меня глаз, прошептал он.

— Почему?

— Потому что иначе я за себя не отвечаю, а ты уже и так опаздываешь, и я не хочу, чтобы из-за меня ты потеряла работу.

Я повернула голову, чтобы посмотреть на часы. И растерянно заморгала. *Без четверти восемь?! Это что, шутка? Какого черта?! Не может быть, что уже без четверти восемь!*

Я кинулась под душ так стремительно, что капли воды практически не касались моего тела, а когда вышла оттуда, Сэм уже держал наготове предметы моего туалета, чтобы я могла поскорее одеться.

— Туфли? Где эти чертовы туфли?!

Сэм протянул мне туфли.

— Причешись. — Он показал на мои волосы. — Тебе необходимо причесаться. Твои волосы... ну...

— Что еще?

— Спутались. Сексуально. Женщина сразу после секса. Я соберу твои вещи, — сказал Сэм, а когда я побежала к двери, схватил меня за руку и притянул к себе. — А вообще-то, ты можешь, ну знаешь, немножко опоздать.

— Я и так опаздываю. Причем здорово.

— Один-единственный раз. Ведь она твоя новая лучшая подруга. Вряд ли тебя за это уволят. — Сэм пробежался губами по моей шее, отчего меня сразу бросило в дрожь. — И вообще, это мое последнее утро здесь.

— Сэм...

— Еще пять минут.

— Ты не уложишься в пять минут. Вот черт... поверить не могу, что сказала такое...

Сэм разочарованно застонал:

— Проклятье! Сегодня я чувствую себя хорошо. Реально хорошо.

— И я могу это подтвердить.

— Мне жаль. А впрочем, нет! Ничуточки.

Я ухмыльнулась, закрыла глаза и вернула ему поцелуй, борясь с искушением снова упасть на Бордовое Покрывало Судьбы и в очередной раз забыть обо всем.

— Мне тоже. Ну ладно, увидимся позже.

Я вывернулась из его объятий и кинулась бежать по коридору, слыша, как мне вслед несется: «Я тебя люблю!» Что ж, несмотря на возможных клопов, антисанитарию, несвежее постельное белье и крошечную ванную, отель все-таки был чудесным!

Мистер Гупник полночи не спал из-за острой боли в ногах, в результате чего Агнес казалась особенно нервной и раздражительной. Она провела отвратительный уик-энд в загородном клубе, где другие женщины демонстративно ее игнорировали и сплетничали о ней в спа. Судя по тому, что успел шепнуть мне Натан, когда мы встретились в вестибюле, они вели себя как мерзкие тринадцатилетние девчонки во время вечеринки с ночевкой.

— Ты опоздала! — накинулась на меня Агнес.

Она только что вернулась после пробежки с Джорджем и теперь вытирала взмокшее лицо полотенцем. В соседней комнате мистер Гупник разговаривал на повышенных тонах по телефону, что было для него нехарактерно. Что касается Агнес, то она даже не смотрела в мою сторону.

— Простите. Это все из-за моего... — начала я, но она уже прошла мимо.

— Она психует из-за благотворительного приема сегодня вечером, — шепнул Майкл, промчавшийся мимо меня с кучей вещей из химчистки и клипбордом под мышкой.

Я прокрутила свой мысленный ролодекс:

— Детская онкологическая больница?

— Она самая, — ответил Майкл. — Агнес должна принести дудл.

— Дудл?

— Маленькую картинку. Вроде поздравительной открытки. Они будут продавать их с аукциона во время обеда.

— Ну и в чем проблема? Она может нарисовать улыбающуюся рожицу, или цветочек, или типа того. Если она хочет, то я и сама смогу это сделать. Могу худо-бедно изобразить улыбающуюся лошадь. И даже в шляпе, из которой торчат уши. — Моя душа до сих пор пела после встречи с Сэмом, и сейчас мне было море по колено.

Майкл посмотрел на меня как на идиотку:

— Солнышко, ты, наверное, думаешь, что дудл — это просто каракули? Ой нет! Это должно быть настоящее искусство.

— В школьном аттестате у меня была четверка по рисованию.

— Ты просто прелесть! Нет, Луиза, они сами не рисуют картинки. И сейчас каждый мало-мальски приличный художник наверняка потратил целый уик-энд на создание миниатюрного шедевра тушью за немереные бабки налом. Она узнала об этом только вчера вечером. Случайно услышала разговор двух старых ведьм перед отъездом из клуба, а когда спросила их в лоб, они сказали ей правду. Так что угадай с трех раз, чем ты сегодня займешься. Желаю тебе хорошего утра!

Он послал мне воздушный поцелуй — и был таков.

Пока Агнес принимала душ и завтракала, я обшарила Интернет в поисках художников Нью-Йорка. Впрочем, с таким же успехом можно было искать собак с хвостами. Те немногие, которые имели свой сайт и потрудились взять трубку, ответили на мою просьбу так, будто я предложила им повальсировать голышом в ближайшем торговом центре: «Вы хотите, чтобы мистер Фишл нарисовал... *дудл*? Для *благотворительного обеда*?» Двое из них сразу бросили трубку. Художники, как оказалось, относились к себе весьма серьезно.

Я обзвонила буквально всех, кого смогла найти. Позвонила галеристам в Челси. Позвонила в Нью-Йоркскую академию искусств. При этом я усиленно старалась не думать о том, чем занимается Сэм. Наверное, он сейчас завтракает в чудесной закусочной, о которой мы говорили. А потом пройдется по Хай-Лайн, как мы и планировали. Я должна была, кровь из носу, вовремя вернуться в отель, чтобы мы успели прокатиться на пароме до его отъезда в Англию. В сумерках это очень романтично. Я представляла себе, как он, обнимая меня за талию и осыпая мои волосы поцелуями, будет любоваться статуей Свободы. Оставив пустые мечты, я снова вернулась на грешную землю. И, порывшись в мозгах, неожиданно вспомнила о своем единственном нью-йоркском знакомом, способном помочь.

— Джош?

— Кто говорит? — На заднем плане я услышала миллион мужских голосов.

— Это... Луиза Кларк. Мы познакомились на Желтом балу.

— Луиза! Рад тебя слышать! Как поживаешь? — Он говорил так непринужденно, словно незнакомые женщины звонили ему каждый божий день. Хотя, возможно, так оно и было. — Погоди. Сейчас отойду в сторонку... Что случилось?

Он умел располагать к себе собеседника, вы сразу чувствовали себя легко и свободно. Интересно, у всех американцев был этот особый дар?

— На самом деле у меня возникло небольшое затруднение. А так как я мало кого знаю в Нью-Йорке, то подумала: а вдруг ты сможешь помочь?

— Попробуй.

Я объяснила ситуацию, опустив подробности о нервозном состоянии Агнес и страхе, который нагнал на меня рынок искусств Нью-Йорка.

— Уверен, мы что-нибудь придумаем. А когда тебе нужна эта вещь?

— Вот в том-то и вся загвоздка. Сегодня вечером.

После чего я услышала долгий вздох:

— Хо-о-рошо. Да... Задача чуть-чуть усложняется.

Я пригладила волосы:

— Понимаю. Задача не для среднего ума. Если бы я узнала об этом раньше, то наверняка что-нибудь придумала бы. Прости, что побеспокоила.

— Нет-нет. Мы непременно это уладим. Могу я тебе перезвонить?

Агнес вышла покурить на балкон. Оказывается, не только я в этом доме пользовалась балконом. Было холодно, и Агнес завернулась в огромный кашемировый плед, у нее даже порозовели кончики пальцев.

— Я только что сделала несколько звонков. И теперь кое-кто должен мне перезвонить.

— Луиза, ты ведь знаешь, что они скажут? Если я принесу какой-нибудь жалкий дудл? — (Я терпеливо ждала продолжения.) — Они скажут, что я серая и необразованная. Впрочем, чего еще можно ожидать от глупой польской массажистки? Или скажут, что никто не захотел выполнить мой заказ.

— Сейчас только двадцать минут первого. У нас еще уйма времени.

— Сама не понимаю, почему это так заботит меня, — тихо произнесла Агнес.

Если честно, мне хотелось сказать ей, что если кого это сейчас и заботит, то только не ее. Поскольку в данный момент ее основной заботой было Курить С Мрачным Видом. Но я знала свое место. И тут зазвонил мой телефон.

— Луиза?

— Джош?

— Думаю, у меня есть кто-то, кто может помочь. Вы с Агнес готовы подъехать в Ист-Уильямсберг?

Двадцать минут спустя мы уже сидели в машине, направлявшейся к тоннелю Квинс-Мидтаун.

Пока мы стояли в пробке — Гарри безучастно молчал на водительском сиденье, — Агнес позвонила мистеру Гупнику узнать о его самочувствии:

— А Натан приедет в офис? А ты взял с собой болеутоляющие? Дорогой, ты и правда в порядке? Ты точно не хочешь, чтобы я тебе что-нибудь привезла? Нет... Я в машине. Мне нужно кое-что сделать к сегодняшнему вечеру. Да, я собираюсь пойти. Все прекрасно.

Мне удалось расслышать голос мистера Гупника. Глухой, успокаивающий.

Агнес закончила разговор и с тяжелым вздохом уставилась в окно. Выждав секунду-другую, я вернулась к своим записям.

— Итак, этот Стивен Липкотт, очевидно, восходящая звезда в мире изобразительного искусства. Выставлялся в престижных местах. И он... — я посмотрела на экран айпада, — фигуративист. Не абстракционист. Вам просто нужно сказать ему, что вы хотите, и он это сделает. Впрочем, я не знаю, сколько он может запросить.

— Не имеет значения, — бросила Агнес. — В любом случае это полная катастрофа.

Я набрала в айпаде имя художника и, к своему облегчению, обнаружила, что его рисунки были реально хорошими: волнистые изображения обнаженной натуры. Тогда я передала Агнес айпад, чтобы она могла сама убедиться, и у нее сразу поднялось настроение.

— И вправду хорошо, — удивленно произнесла она.

— Ага. Если вы сможете сформулировать, что вам хотелось бы получить, он все нарисует, и мы вернемся домой... быть может, к четырем?

«И потом я смогу свалить», — мысленно добавила я.

Пока Агнес прокручивала другие картинки, я послала Сэму сообщение.

Как дела?

Неплохо. Отлично прогулялся. Купил Джейку сувенирную пивную шляпу. Только не смейся.

Как бы мне хотелось сейчас быть рядом с тобой!

Пауза.

Как думаешь, когда тебе удастся освободиться? По моим расчетам, мне нужно выехать в аэропорт около семи.

Надеюсь освободиться к четырем. Оставайся на связи. xxxxx

Из-за вечных нью-йоркских пробок у нас ушел целый час, чтобы добраться до места, адрес которого дал мне Джош: обшарпанного, безликого бывшего офисного здания на задворках промышленного квартала. Гарри остановил машину, презрительно фыркнул и спросил, с трудом повернувшись на сиденье:

— А ты уверена, что это то самое место?

Я проверила адрес:

— По крайней мере, это именно тот, что мне указали.

— Луиза, я пока останусь в машине. Хочу еще раз позвонить Леонарду, — бросила Агнес.

В коридор верхнего этажа выходило множество дверей; некоторые из них были открыты, оттуда грохотала музыка. Я медленно шла вперед, пытаясь отыскать нужный номер. Кое-где стояли банки с белой эмульсионкой.

Наконец я увидела через распахнутую дверь женщину в мешковатых джинсах, натягивающую холст на гигантский деревянный подрамник.

— Привет, вы, случайно, не знаете, где Стивен?

Она выпустила из обойного пистолета очередь металлических скрепок, после чего ответила:

— Номер четырнадцать. Но похоже, он вышел за едой.

Номер четырнадцать был в дальнем конце коридора. Я постучалась, неуверенно толкнула дверь и вошла внутрь. Студия была заставлена полотнами, на двух огромных столах стояли липкие подносы с масляными красками и исписанными пастельными карандашами. На стенах висели крупногабаритные картины, на которых были изображены женщины различной степени обнаженности. В воздухе пахло краской, скипидаром и застарелым запахом табака.

— Здравствуйте.

Обернувшись, я увидела какого-то мужчину с белым пластиковым пакетом. Лет тридцати, черты лица правильные, хотя взгляд слишком пронзительный, подбородок небритый, одежда практичная, но мятая, словно ему было наплевать, что носить. Одним словом, он походил на модель из эзотерического модного журнала.

— Привет. Я Луиза Кларк. Мы с вами говорили по телефону. Ах нет, не говорили. Ваш друг Джош сказал, что я могу прийти.

— О да. Вы хотите купить рисунок.

— Не совсем так. Мне нужно, чтобы вы сделали рисунок. Совсем маленький.

Он сел на табурет, открыл картонку с лапшой и начал есть, стремительно забрасывая лапшу в рот чопстиками. Тогда я сделала новый заход:

— Это для благотворительности. Художники рисуют эти дудл... маленькие открытки, — поправилась я. —

И вероятно, многие известные художники Нью-Йорка рисуют их для других людей, так что...

— Известные художники, — повторил он.

— Ну да. Вероятно, это не тот случай, когда можно нарисовать картинку самому, и Агнес, моя хозяйка, хочет, чтобы ей нарисовали нечто выдающееся. — Мой голос звенел от волнения. — Я хочу сказать, это не займет много времени. Нам вовсе не нужно нечто затейливое... — Он смотрел на меня, и я начала запинаться и наконец неуверенно пискнула: — Мы... Мы можем заплатить. Хорошо заплатить. И это для благотворительности.

Пристально глядя на картонку, он закинул в рот очередную порцию лапши. Я стояла у окна в ожидании приговора.

— Ага, — прожевав, произнес он. — Я не тот, кто вам нужен.

— Но Джош говорил...

— Вы хотите, чтобы я создал нечто такое, что может потешить эго некой особы, которая не умеет рисовать, но не хочет потерять лицо перед другими дамами, которые обедают... — Он покачал головой. — Вы хотите, чтобы я нарисовал вам поздравительную открытку.

— Мистер Липкотт, пожалуйста. Я, наверное, плохо объяснила. Я...

— Вы все отлично объяснили.

— Но Джош говорил...

— Джош ничего не говорил насчет поздравительных открыток. Терпеть не могу все эти благотворительные обеды и прочее дерьмо.

— Я тоже. — В дверях стояла Агнес. Она осторожно вошла в студию, глядя себе под ноги, чтобы не наступить на тюбик с краской или валявшиеся на полу клочки бумаги. Затем протянула тонкую бледную руку: —

Агнес Гупник. Я тоже ненавижу все это благотворительное дерьмо.

Стивен Липкотт медленно встал, после чего, словно поддавшись порыву и вспомнив о благородных манерах куртуазного века, пожал ей руку. Он не сводил глаз с лица Агнес. Если честно, я уже успела забыть, какое глубокое впечатление Агнес производит на незнакомых людей.

— Мистер Липкотт... все верно? Липкотт? Я понимаю, это отнюдь не ваш жанр. Но мне предстоит принести эту картинку в зал, набитый мерзкими ведьмами. Представляете? Настоящими ведьмами. А сама я рисую как курица лапой. И если мне придется пойти туда и показать свой рисунок, они непременно выльют на меня дополнительную порцию говна.

Агнес села, достала из сумочки сигарету, нашарила на одном из его столов зажигалку, прикурила. Стивен Липкотт по-прежнему не сводил с нее глаз, чопстики безвольно повисли в его руке.

— Я не принадлежу к их кругу. Я польская массажистка. И в этом нет ничего позорного. Но я не желаю давать этим ведьмам шанс в очередной раз смотреть на меня свысока. Вы знаете, каково это, когда люди смотрят на тебя свысока?

Она выдохнула, наклонив голову, струйка дыма потянулась от нее к Стивену. Мне даже показалось, будто он вдохнул дым ее сигареты.

— Я... э-э-э... да.

— Поэтому я прошу вас о небольшом одолжении. Помочь мне. Я понимаю, что вы серьезный художник и такими мелочами не занимаетесь, но мне действительно нужна ваша помощь. И я заплачу вам хорошие деньги.

В студии стало тихо. И тут у меня в заднем кармане завибрировал телефон. Однако я постаралась не реагировать. Так как боялась пошевелиться. Мы все трое целую вечность стояли молча.

— Ладно, — наконец проронил Стивен, — но только при одном условии.

— Каком?

— Я вас нарисую.

В комнате повисла мертвая тишина. Агнес подняла бровь, медленно затянулась, глядя Стивену прямо в глаза:

— Меня?

— Не поверю, что вас об этом никогда не просили.

— Но почему я?

— Не стройте из себя святую невинность.

Стивен улыбнулся, Агнес же стояла с суровым видом, словно не могла решить, расценивать его слова как оскорбление или нет. Она потупилась, а когда подняла глаза, на ее губах появился намек на улыбку — приз, который он только что выиграл.

Она затушила сигарету о пол:

— Сколько времени это займет?

Отодвинув в сторону картонку с лапшой, Стивен потянулся за блоком плотной белой бумаги. Возможно, лишь я одна заметила, что его голос вдруг зазвучал более глухо.

— Все зависит от того, как долго вы сможете оставаться в одной позе.

Спустя несколько минут я уже вернулась к машине. Закрыла за собой дверь. Гарри, как всегда, слушал свои пленки.

— Por favor, habla más despacio[1].

— Пор фа-вор, А-бла мас дес-ПАС-и-О. — Он хлопнул пухлой ладонью по приборной доске. — Блин,

[1] Пожалуйста, говорите немного медленнее *(исп.)*.

придется попробовать снова! АбламасдесПАСиО. — Он попробовал повторить еще три строчки, после чего повернулся ко мне. — Она там надолго?

Я посмотрела на безликие окна второго этажа:

— Очень надеюсь, что нет.

Агнес появилась без четверти четыре: через час сорок пять минут после того, как мы с Гарри исчерпали и без того небогатые темы для разговора. Посмотрев в гордом одиночестве комедийное шоу, закачанное на айпад, Гарри задремал, его двойной подбородок, покоящийся на необъятной груди, слегка подрагивал от легкого храпа. Я сидела на заднем сиденье, с каждой прошедшей минутой дергаясь все сильнее, и посылала Сэму сообщение за сообщением с вариациями на тему:

Она пока не вернулась. Все еще не вернулась. Боже мой, чего она там застряла?!

Сэм перекусил в небольшом гастрономе в центре. По его словам, он был таким голодным, что вполне мог бы съесть слона. Сообщения Сэма были жизнерадостными, бодрыми, каждое слово, которым мы обменивались, буквально кричало, что я сейчас в неправильном месте, что мне следует быть возле него, прижаться к нему и слышать у себя над ухом его рокочущий голос. Я уже начала ненавидеть Агнес.

И тут она, словно по волшебству, возникла на пороге дома и, широко улыбаясь, размашисто зашагала к нам с маленьким белым пакетом под мышкой.

— Слава богу, — прошептала я.

Гарри, мгновенно проснувшись, выскочил из машины и поспешил открыть ей дверь. Агнес скользнула внутрь с таким видом, будто отсутствовала не целых два часа, а всего лишь две минуты. От нее исходил едва заметный запах сигаретного дыма и скипидара.

— На обратном пути нужно остановиться у «Макналли Джексон» — купить красивой оберточной бумаги.

— У нас ведь есть оберточная бумага в...

— Стивен говорил о специальной, сделанной вручную бумаге. Я хочу завернуть это в специальную бумагу. Гарри, ты знаешь магазин, о котором я говорю? Мы ведь можем на обратном пути заскочить в Сохо? — Она помахала рукой.

Я откинулась на спинку сиденья, чувствуя, что начинаю впадать в отчаяние. Гарри завел лимузин и, осторожно вырулив с этой парковки убитых машин, повез нас туда, что, по его мнению, было цивилизованным миром.

На Пятую авеню мы прибыли в шестнадцать сорок. Агнес вышла из машины, я поспешила за ней, сжимая пакет со специальной оберточной бумагой:

— Агнес, я... я вот тут думаю... а можно мне сегодня уйти пораньше...

— Прямо не знаю, какое платье лучше надеть, «Темперли» или «Бэдгли Мишка». Что скажешь?

Я попыталась вспомнить оба платья. И одновременно прикинуть, сколько времени займет дорога до Таймс-сквер, где меня уже ждал Сэм.

— Думаю, «Темперли». Нет, определенно. Это платье бесподобно. Агнес, вы помните, что разрешили мне сегодня уйти пораньше?

— Но ведь оно темно-синее. Не уверена, что это мой цвет. И туфли, которые к нему подходят, натирают пятку.

— Мы ведь говорили об этом на прошлой неделе. Так что, я могу идти? Просто мне ужасно хочется проводить Сэма в аэропорт. — Я изо всех сил старалась скрыть звенящие в голосе раздраженные нотки.

— Сэма? — Агнес кивком поздоровалась с Ашоком.

— Моего парня.

Агнес задумалась:

— Мм... Ладно. Ой, они все просто обалдеют от моего рисунка. Знаешь, Стивен просто гений. Настоящий гений.

— Так я могу идти?

— Конечно.

Из моей груди вырвался вздох облегчения. Если через десять минут я выйду из дому и поеду на метро, то уже в полшестого встречусь с Сэмом. А значит, мы еще час с небольшим сможем побыть вместе. Все лучше, чем ничего.

За нами закрылись двери лифта. Агнес достала компактную пудру и, надув губы, проверила, не размазалась ли губная помада.

— Может, все-таки подождешь, пока я не оденусь. Мне нужен свежий взгляд на «Темперли».

Агнес четыре раза меняла наряды. И я уже точно не успевала встретиться с Сэмом в Мидтауне, на Таймс-сквер или где бы то ни было. В результате я приехала в аэропорт имени Джона Кеннеди за пятнадцать минут до того, как ему уже было пора проходить через рамки секьюрити. Протиснувшись сквозь толпу пассажиров, я вбежала в терминал и бросилась к Сэму, топтавшемуся у табло отправления.

— Прости. Мне так жаль.

Минуту-другую мы сжимали друг друга в объятиях.

— Что стряслось?

— Агнес, вот что.

— А разве она не обещала сегодня отпустить тебя пораньше? Мне казалось, она стала твоей подружкой.

— Она зациклилась на этой картинке, и все пошло... Господи, это был форменный дурдом! — Я воздела руки к небу. — Сэм, ты даже не представляешь, какой ерундой я тут занимаюсь! Она заставила меня задержаться, потому что не могла решить, какое платье лучше надеть. По крайней мере, Уилл действительно во мне нуждался.

Наклонившись, Сэм прижался лбом к моей голове:

— Но зато у нас было сегодняшнее утро.

Я повисла у Сэма на шее и поцеловала, прильнув к нему всем телом. Время остановилось, мы стояли с закрытыми глазами, забыв о коловращении жизни вокруг.

И тут ожил мой телефон.

— Пусть себе звонит, я не буду отвечать, — проговорила я в грудь Сэма.

Но телефон не умолкал, упорно продолжая трезвонить.

— Это, должно быть, она. — Сэм мягко отстранил меня.

С тихим стоном я вытащила из заднего кармана телефон и прижала к уху:

— Агнес?

— Нет, это Джош. Я просто позвонил, чтобы узнать, как все прошло.

— Джош! Хм... о... Да, все отлично. Спасибо большое! — Я отвернулась в сторону, зажав другое ухо рукой.

Сэм явно напрягся.

— Значит, он сделал для вас рисунок?

— Да, сделал. Она просто счастлива. Спасибо большое, что помог. Послушай, сейчас я немного занята, но все равно спасибо. Это невероятно мило с твоей стороны.

— Рад, что все получилось. Послушай, позвони мне, хорошо? Давай как-нибудь пересечемся, попьем кофе.

— Конечно! — Выключив телефон, я обнаружила, что Сэм внимательно за мной наблюдает.

— Парень, с которым ты познакомилась на балу.

— Это длинная история.

— О'кей.

— Просто он помог мне решить сегодня проблему с этим дурацким рисунком для Агнес. Я была в полном отчаянии.

— Значит, у тебя был номер его телефона.

— Мы в Нью-Йорке. У всех есть номера телефонов друг друга. — (Сэм, демонстративно похлопав себя по голове, отвернулся.) — Это ничего не значит. Правда. — Я шагнула к Сэму, потянув его за пряжку ремня. Я чувствовала, как счастливый уик-энд снова ускользает от меня. — Сэм... Сэм...

Сэм немного оттаял и обнял меня, положив подбородок мне на макушку:

— Все не так, как...

— Я знаю. Знаю, что все не так. Но я люблю тебя, а ты любишь меня, и мы даже успели заголиться. И это было здорово, да? То, что мы делали голышом.

— Типа на пять минут.

— Лучшие пять минут за прошедшие четыре недели. Пять минут, которые помогут мне продержаться следующие четыре.

— Да, но только не четыре, а целых семь.

Я засунула руки в задние карманы его брюк:

— Давай не будем ссориться. Ну пожалуйста! Не хочу, чтобы ты уезжал с обидой в душе из-за какого-то дурацкого звонка от человека, который вообще для меня ничего не значит.

Его лицо смягчилось под моим умоляющим взглядом; впрочем, как всегда. Больше всего мне нравилось в Сэме то, что он, весь из себя такой мужественный, буквально таял, когда смотрел на меня.

— Просто я злюсь на тебя. Злюсь на себя. На еду, которой меня накормили в самолете, или на тот бурито, или на что там еще. И на эту твою дамочку, которая даже платья сама толком надеть не может.

— Я приеду на Рождество. На целую неделю.

Сэм нахмурился. Приподнял мое лицо за подбородок. Руки у него были теплыми, немного шершавыми. Мы поцеловались, потом, целую вечность спустя, он выпрямился и посмотрел на табло.

— А теперь ты должен идти, — вздохнула я.

— А теперь я должен идти.

Я проглотила ком в горле. Поцеловав меня на прощание, Сэм закинул сумку на плечо. И я еще долго смотрела ему вслед, пока он не исчез за рамками секьюрити.

В принципе, мне несвойственны резкие смены настроения. Я не умею хлопать дверьми, хмуриться, закатывать глаза. Но в тот вечер, возвращаясь домой на метро, я прокладывала себе дорогу локтями в толпе и огрызалась совсем как местная жительница. И при этом постоянно проверяла время. *Он сейчас в зале отправления. Садится на борт. И все, он... в самолете.* Когда его самолет уже был готов подняться в воздух, у меня оборвалось сердце, а на душе стало совсем паршиво. Купив суши навынос, я направилась от метро в сторону дома, где жили Гупники. Оказавшись в своей комнатушке, я села и уставилась на контейнер с суши, затем — в стенку, после чего поняла, что больше ни секунды не могу оставаться наедине со своими мыслями, и постучалась к Натану.

— Войдите.

Натан, в обтягивающих шортах и майке, смотрел, с пивом в руках, американский футбол. Он бросил на меня вопросительный взгляд, явно давая понять, что ему сейчас немножко не до того.

— Можно поесть у тебя?

Натан неохотно оторвал глаза от экрана:

— Плохой день? — (Я кивнула.) — Нуждаешься в дружеском объятии?

Я покачала головой:

— Чисто виртуально. Если начнешь меня жалеть, я точно разревусь.

— А-а... Твой парень уехал домой, да?

— Натан, это был полный облом. Он проболел бо́льшую часть времени, а потом Агнес меня задержала, хотя и обещала отпустить пораньше, так что у меня практически не осталось времени попрощаться, а потом... между нами случилась размолвка.

Со вздохом выключив звук, Натан похлопал по краю кровати. Я забралась на одеяло, поставила пакет с суши на колени, запачкав, как я обнаружила позже, соевым соусом форменные штаны, и положила голову на плечо Натана.

— Разлука для любви — что ветер для огня, — изрек Натан прописную истину. — Иногда разжигает, но иногда и гасит.

— Все верно.

— Все дело в сексе и вполне естественной ревности...

— Мы оба не ревнивые.

— Да, но ты не сможешь с ним делиться, рассказывая день за днем, что там у тебя происходит. А ведь такие вещи очень важны.

Он протянул мне пиво, я отхлебнула и вернула обратно Натану:

— Мы знали, что придется нелегко. Я хочу сказать, что мы тысячу раз обговаривали это до моего отъезда. Но знаешь, что меня реально достало?

Натан снова оторвал взгляд от экрана:

— Ну давай выкладывай.

— Агнес прекрасно знала, как мне хотелось побыть с Сэмом. Я рассказывала ей об этом. И она сама всю дорогу твердила, что мы должны быть вместе, что нам нельзя расставаться, бла-бла-бла... А потом заставила задержаться буквально до последней минуты.

— Лу, это работа. Работа прежде всего.

— Но она знала, как это важно для меня.

— Возможно.

— И она прикидывалась моей подругой.

Натан поднял бровь:

— Трейноры не были обычными работодателями. Уилл не был обычным работодателем. И Гупники тоже. Эти люди могут вести себя очень мило, но в конечном счете ты должна понимать, что у вас не равноправные отношения, а чисто деловые. — Натан глотнул пива. — Знаешь, что случилось с последней секретаршей Гупников? Агнес сказала своему старику, что его секретарша треплется за ее спиной, выбалтывая секреты. И они дали ей пинка под зад. После двадцати двух лет службы. Пинка под зад.

— А она и вправду?..

— Что вправду?

— Выбалтывала секреты?

— Не знаю. В сущности, не в этом дело, да?

Мне не хотелось спорить с Натаном, а объяснять, почему у нас с Агнес совсем другие отношения, означало бы предать Агнес. И я промолчала.

Натан вроде собрался было что-то сказать, но передумал.

— Ну что?

— Послушай, нельзя иметь все сразу.

— Ты это о чем?

— У тебя реально крутая работа, ведь так? Словом, сегодня ты, может, с этим и не согласишься, но ты живешь в крутом доме в самом центре Нью-Йорка, у тебя хорошая зарплата и приличный работодатель. Ты бываешь в разных крутых местах, и время от времени тебе даже кое-что перепадает. Они купили тебе бальное платье почти за три тысячи долларов, так? А я пару месяцев назад летал с мистером Гупником на Багамы. Пятизвездочный отель, номер с видом на океан, ну и вообще. И все это за пару часов работы в день. Так что нам еще крупно повезло. Но в долгосрочной перспективе это может стоить тебе отношений с кем-то, чья жизнь в корне отличается от твоей, причем за миллион миль от тебя. Но это твой выбор, а за все хорошее приходится расплачиваться. — (Я вытаращилась на Натана.) — Мне кажется, ты должна реально смотреть на вещи.

— Можно подумать, мне от этого легче!

— Ну, я просто говорю тебе правду. И вообще, все не так плохо. Я слышал, ты здорово проявила себя с тем рисунком для Агнес. Мистер Гупник сказал, что ты его впечатлила.

— Им на самом деле понравилось? — Я не смогла скрыть довольной улыбки.

— А то! Я серьезно. Они в восторге. Она сразит всех этих благотворительниц наповал.

Я прислонилась к Натану, и он снова прибавил звук телевизора.

— Спасибо, Натан. — Я открыла суши. — Ты настоящий друг.

Он едва заметно поморщился:

— Ага. Но вот эта твоя рыба... Как насчет того, чтобы поесть в своей комнате?

Я закрыла коробку. Он был прав. Нельзя иметь все сразу.

Глава 10

Кому: MrandMrsBernardClark@yahoo.com
От кого: BusyBee@gmail.com

Мама, привет!

Прости, что не сразу ответила. Куча дел! Ни секунды свободной!

Я рада, что тебе понравились фотки. Да, ковры из стопроцентной шерсти, некоторые из шелка, дерево определенно не шпон, и я спросила Иларию: они отдают шторы в химчистку раз в год, когда уезжают на месяц в Хэмптонс. Уборщики работают очень тщательно, но Илария каждый день сама моет пол в кухне, потому что не доверяет им.

Да, у миссис Гупник есть душевая кабина и туалет в гардеробной комнате. Она обожает свою гардеробную комнату и проводит там кучу времени, разговаривая по телефону со своей мамой в Польше. Я не успела сосчитать, по твоей просьбе, сколько у нее туфель, но, на вскидку, не меньше ста пар. Она хранит обувь в коробках с фотографиями, чтобы знать, где какие туфли. Когда она покупает новую пару, я должна сразу ее сфоткать. У нее для этого даже есть специальная камера!

Я рада, что художественные курсы тебе нравятся, да и совершенствование коммуникационных навыков для семейных пар тоже звучит грандиозно, но ты должна объяснить папе, что это не имеет никакого отношения к вашим постельным делам. На этой неделе он уже прислал мне три имейла с вопросом: можно ли прикинуться, будто у него шумы в сердце?

Мне жаль, что дедуле опять нездоровится. А он по-прежнему прячет под столом свои овощи? Ты уверена, что должна бросить вечерние занятия? Ужасно досадно!

Ладно, нужно бежать. Меня вызывает Агнес. Я сообщу тебе насчет Рождества. Но не волнуйся, я обязательно приеду.

Люблю тебя.

Луиза. ххх

P. S. Нет, я больше не видела Роберта Де Ниро, но если я его действительно встречу, то непременно скажу, что он тебе очень понравился в фильме «Миссия».

P. P. S. Нет, в Анголу я вообще не ездила, честное слово, и уж точно не нуждаюсь в срочных денежных переводах. Тебя банально пытаются развести. Так что не вздумай отвечать на эти имейлы.

Я не специалист по депрессиям. После смерти Уилла я и в своей-то толком не разобралась. А потому не могла понять резкой смены настроений Агнес. Мамины подруги, страдавшие от депрессии — а таких оказалось до ужаса много, — были пришиблены жизнью и пробивались сквозь туман серых безрадостных будней, не надеясь на внезапное счастье. И впереди им точно ничего не светило. По городу они ходили, понуро опустив плечи и скорбно поджав губы, буквально каждой порой источая уныние.

Но Агнес, изменчивая, как апрельская погода, была совсем другой: то шумной и болтливой, то слезливой и раздражительной. Она объяснила мне, что чувствует себя очень одинокой, что все ее осуждают и у нее нет друзей. Но это не вполне укладывалось в общую схему. Потому что чем ближе я узнавала ее, тем отчетливее понимала: она отнюдь не боится этих женщин, а, наоборот, глухо их ненавидит. Она бесилась из-за несправедливого к себе отношения, вымещая злость на мистере Гупнике; жестоко передразнивала соперниц у него за спиной и тихо костерила на чем свет стоит первую миссис Гупник или Иларию, с ее гнусными происками. Агнес была подвижной и изменчивой, как ртуть, языком яростного пламени, она бормотала сквозь зубы по-польски *cipa*, или *debil*, или *dziwka*. В свободное время я прогуглила эти слова, после чего у меня даже порозовели уши.

А потом, ни с того ни с сего, она резко менялась: исчезала в своей комнате и лила тихие слезы, а после звонка в Польшу ее лицо становилось напряженным, окаменевшим. Грустное настроение, как правило, проявлялось в виде мигрени, в которую я не слишком верила.

Я обсудила это с Триной в кофейне с бесплатным WiFi, которую обнаружила еще в свое первое утро в Нью-Йорке. Мы пользовались FaceTime Audio. Я предпочитала именно эту программу, поскольку она позволяла нам не видеть друг друга во время разговора: меня отвлекали мой огромный нос на экране или посторонние на заднем плане. А еще не слишком хотелось, чтобы Трина видела, какого размера кекс с маслом я в данный момент уплетаю.

— Возможно, у нее биполярное расстройство, — заявила Трина.

— Ага. Я посмотрела в Интернете, но симптомы другие. Собственно, у нее нет маниакального психоза, она просто... слишком энергичная.

— Лу, не уверена, что симптомы депрессии настолько универсальны, — ответила Трина. — А кроме того, в Америке у всех что-то не в порядке, верно? А иначе зачем им тогда принимать столько таблеток?

— Ну да, в отличие от Англии, где мама в таких случаях предлагает прогуляться по холодку.

— Чтобы отвлечься от тяжелых мыслей, — хихикнула Трина.

— И разгладить хмурые морщины на лбу.

— А еще хорошенько накрасить губы помадой. Лицо сразу прояснится. Вот так-то. И на кой черт нужны все эти дурацкие лекарства?!

После моего отъезда наши отношения с Триной резко изменились. Мы перезванивались по крайней мере раз в неделю, и впервые в жизни она перестала постоянно меня подкалывать. Она искренне интересовалась моей жизнью, расспрашивала о работе, о местах, где я бывала, о людях, с которыми встречалась. А когда я нуждалась в ее совете, она всегда давала взвешенный ответ, не обзывая при этом умственно отсталой и не интересуясь, знаю ли я, для чего существует «Гугл».

Ей кое-кто понравился, призналась она мне две недели назад. Они сходили в хипстерский бар в Шордиче, затем — в интерактивное кино в Клэптоне, после чего у Трины несколько дней голова шла кругом. Трина с головокружением — это было нечто из области фантастики.

— А какой он из себя? Уж *теперь-то* ты можешь сказать?

— Нет, я пока не собираюсь никому ничего рассказывать. Боюсь сглазить. Потому что каждый раз, как я начинаю рассказывать о своих ухажерах, у меня потом все идет наперекосяк.

— И даже мне?

— По крайней мере, не сейчас. Это... Ну, так или иначе, я счастлива.

— О-о... Теперь я понимаю, почему ты вдруг стала такой милой.

— Что?

— Ты с ним перепихнулась. А я-то думала, это потому, что ты наконец одобрила то, как я распорядилась своей жизнью.

Она рассмеялась. Моя сестра обычно не смеется, разве что надо мной.

— Просто, как мне кажется, все замечательно складывается. Ты получила шикарную работу в Соединенных Штатах. Мне нравится моя работа. А еще нам с Томом нравится жить в Лондоне. Наконец-то перед всеми нами открылись хоть какие-то перспективы.

Подобное заявление было настолько нетипично для моей сестры, что у меня не хватило духу рассказать ей о Сэме. Мы еще чуть-чуть поговорили о маме, которая собралась устроиться на неполный рабочий день в местную школу, и о дедушкином ухудшающемся здоровье, из-за чего маме пришлось отказаться от столь блестящей идеи. Я доела свой кекс, допила кофе и внезапно поняла, что, хотя и интересуюсь делами своей семьи, меня совершенно не мучает тоска по дому.

— Надеюсь, ты не начнешь говорить с этим реально жутким американским акцентом, да?

— Трин, я — это я. И это вряд ли изменится, — произнесла я с реально жутким американским акцентом.

— Нет, ты точно умственно отсталая, — сказала она.

— Боже правый, ты все еще здесь!

Я столкнулась в дверях с миссис Де Витт. Старуха натягивала под навесом перчатки, собираясь выйти на улицу. Осторожно попятившись, чтобы избежать острых зубов Дина Мартина, находящихся в опасной близости от моей ноги, я вежливо улыбнулась:

— Доброе утро, миссис Де Витт. А где еще мне быть?

— Странно, что эта эстонская стриптизерша тебя до сих пор не уволила. Неужели она не боится, что ты можешь увести у нее мужа, как она сама когда-то у бывшей мадам?

— Миссис Де Витт, это не в моем стиле, — жизнерадостно прощебетала я.

— Она опять вопила вечером в коридоре. Шум, гам, тарарам. Та, другая, по крайней мере, просто вечно дулась. Что для соседей куда удобнее.

— Я передам ей.

Миссис Де Витт осуждающе покачала головой и уже собралась было двинуться дальше, но тут ее внимание привлек мой наряд. Сегодня я надела гофрированную золотую юбку, жилетку из искусственного меха и вязаную шапочку клубничного цвета. Тому подарили эту шапочку на Рождество два года назад, но он категорически отказался ее носить, заявив, что она девчоночья. На ногах у меня были ярко-красные лакированные полуботинки. Я купила их на распродаже в магазине детской обуви, победно вскинув руку в толпе раздраженных мамаш и орущих малышей, когда поняла, что башмаки мне впору.

— Твоя юбка. — (Я опустила глаза, приготовившись к очередной колкости.) — У меня есть очень похожая. Из «Бибы».

— Это и есть «Биба»! — радостно воскликнула я. — Купила на интернет-аукционе два года назад. Четыре фунта пятьдесят! И только одна малюсенькая дырочка на поясе.

— Моя точно такая же. В шестидесятых я много путешествовала. И каждый раз, бывая в Лондоне, часами пропадала в этом магазине. А потом отправляла домой, на Манхэттен, сундуки, набитые платьями «Биба». У нас здесь ничего подобного днем с огнем не сыщешь.

— Это нечто божественное! Я видела фото, — произнесла я. — Какое счастье иметь такую возможность! А чем вы занимались? Я имею в виду, почему вы так много путешествовали?

— Занималась модой. Для женского журнала. Я была... — Но тут она согнулась пополам в приступе кашля, и мне оставалось лишь терпеливо ждать, когда она переведет дыхание. — Ну ладно. Как бы там ни было, ты выглядишь вполне сносно, — заявила она, опершись рукой о стенку.

После чего повернулась и заковыляла по улице, Дин Мартин, бросая злобные взгляды одновременно и на меня, и на тротуар позади него, потрусил за хозяйкой.

Оставшаяся часть недели прошла, как сказал бы Майкл, весьма *интересно*. Табита меняла интерьер в своей квартире в Сохо, в связи с чем наши апартаменты примерно на неделю превратились в поле битвы за сферы влияния, практически незаметной для мужского глаза, но вполне очевидной для Агнес, которая шипела на мистера Гупника, когда Табита была вне пределов досягаемости.

Илария наслаждалась своей ролью верного пехотинца Табиты. Она готовила исключительно любимые блюда Табиты — карри со специями и красное мясо, одним словом, именно то, что не ела Агнес, — а в ответ на жалобы Агнес строила из себя святую невинность. Илария заботилась о том, чтобы одежда Табиты была выстирана в первую очередь и аккуратно сложена у нее на постели, а тем временем Агнес носилась по квартире в банном халате в поисках блузки, которую собиралась сегодня надеть.

По вечерам, когда Агнес звонила своей матери в Польшу, Табита, прочно обосновавшаяся в гостиной, прокручивала экран айпада, громко мурлыча себе под нос, до тех пор, пока Агнес, кипевшая от холодной ярости, не вставала, чтобы ретироваться в гардеробную комнату. Время от времени Табита приглашала в папину квартиру подружек, оккупировав кухню или комнату отдыха, где они, образовав кружок из белокурых голов, галдели, сплетничали и хихикали, но тотчас же замолкали, если мимо случайно проходила Агнес.

— Дорогая, это и ее дом тоже, — мягко увещевал разъяренную жену мистер Гупник. — Она здесь выросла.

— Она обращается со мной так, будто я здесь всего лишь для мебели.

— Со временем она к тебе привыкнет. Ведь, в сущности, она всего-навсего большой ребенок.

— Ей двадцать четыре. — Агнес с утробным рычанием — звук, который, по моим представлениям, не способна произвести ни одна англичанка (лично я несколько раз пробовала), — в отчаянии всплескивала руками.

Во время этих словесных баталий Майкл, сохранявший непроницаемое выражение лица, украдкой бросал на меня взгляды молчаливой поддержки.

Агнес попросила меня отправить посылку в Польшу через FedEx. Она хотела, чтобы я заплатила налом, а квитанцию оставила у себя. Коробка была большой, квадратной, но не слишком тяжелой. Разговор состоялся в кабинете Агнес, который та, к явному неудовольствию Иларии, заперла на ключ.

— А что там такое?

— Подарок для моей мамы. — Агнес рассеянно помахала рукой. — Но Леонард считает, что я слишком много трачу на свою семью, поэтому не хочу, чтобы он знал обо всех посылках.

Я отволокла посылку в офис FedEx на Западной Пятьдесят седьмой улице и заняла очередь. Когда я заполнила бланк, служащий спросил:

— А что внутри коробки? Это необходимо для таможни.

Поскольку такой информации у меня не было, я отправила сообщение Агнес, на что она лаконично ответила:

Просто скажи, что это подарки для семьи.

— Мэм, уточните, пожалуйста, что за подарки, — устало произнес служащий.

Я отправила еще одно сообщение. Очередь за моей спиной уже начала проявлять нетерпение.

Баламбешки.

Я уставилась на сообщение. Потом протянула телефон служащему:

— Простите, не знаю такого слова.

Он посмотрел на экран:

— Да уж, мэм. Не могу сказать, чтобы это мне сильно помогло.

Я написала сообщение Агнес.

Скажи ему, чтобы не лез не в свое дело! Какая ему разница, что я посылаю своей маме?!

Я сунула телефон в карман:

— Она говорит, там косметика, свитер и парочка DVD.

— Стоимость?

— Сто восемьдесят пять долларов и пятьдесят два цента.

— Ну наконец-то! — пробормотал служащий FedEx.

Я протянула ему деньги, втайне надеясь, что никто не видит, как я скрестила пальцы на другой руке.

В пятницу вечером, когда у Агнес начался урок игры на фортепиано, я ушла в свою комнату и позвонила в Англию. Набрала номер Сэма и с привычным волнением в груди приготовилась услышать звуки родного голоса. Временами я так сильно тосковала по Сэму, что начинало щемить сердце. Итак, я сидела и ждала, чтобы он снял трубку.

Ответила какая-то девушка.

— Алло? — сказала она.

У нее был культурный, чуть хрипловатый голос курящей женщины.

— Ой, простите! Должно быть, я ошиблась номером. — Я бросила взгляд на экран телефона.

— А кто вам нужен?

— Сэм. Сэм Филдинг.

— Он в душе. Подождите, я сейчас его позову. — Прикрыв трубку рукой, она выкрикнула имя Сэма. Я оцепенела. В семье Сэма вроде бы не было молодых женщин. — Уже идет. А кто его спрашивает?

— Луиза.

— Ой!.. Ладно.

Когда вы звоните в другую страну, то волей-неволей прислушиваетесь к малейшим нюансам интонации на другом конце провода. И в этом ее «ой» было нечто такое, что меня здорово напрягло. Я уже собралась было спросить, кто со мной говорит, но тут трубку взял Сэм.

— Привет!

— Привет! — выдавила я, словно у меня внезапно пересохло во рту. Пришлось поздороваться еще раз.

— Что случилось?

— Ничего! То есть ничего срочного. Мне просто... просто захотелось услышать твой голос.

— Погоди. Я только закрою дверь. — И я сразу живо представила, как Сэм закрывает дверь спальни своего железнодорожного вагончика. А когда Сэм снова взял трубку, голос его звучал вполне жизнерадостно, не так, как в последний раз. — Итак, что случилось? У тебя все нормально? А который у вас там час?

— Начало третьего. Хм, а кто это был?

— О-о... Это Кэти.

— Кэти.

— Кэти Инграм. Моя новая напарница.

— Значит, Кэти. Ну ладно! А что она... э-э-э... делает в твоем доме?

— Она просто предложила отвезти меня к Донне. На отвальную. Мой мотоцикл сейчас в гараже. Проблема с глушителем.

— Похоже, она здорово о тебе заботится!

Интересно, а он завернулся в полотенце?

— Угу. Она живет неподалеку. Так что это вполне разумно. — Сэм сказал это нейтрально-небрежным тоном мужчины, отдающего себе отчет в том, что его слушают одновременно две женщины.

— А где будет ваша отвальная?

— В ресторанчике с тапас в Хакни. В бывшей церкви. Мы с тобой там еще не были.

— Значит, в церкви! Ха-ха-ха! Что ж, вам придется вести себя на редкость пристойно! — Я расхохоталась, пожалуй, слишком громко.

— Компания парамедиков на отдыхе. Что-то я сомневаюсь. — Возникла неловкая пауза, и я попыталась не обращать внимания на сосущее чувство под ложечкой, но тут Сэм нарушил молчание: — А ты точно в порядке? Ты как-то странно говоришь...

— Я ведь сказала, у меня все отлично! Просто супер! Мне только хотелось услышать твой голос.

— Детка, я всегда рад тебя слышать, но мне нужно бежать. Кэти и так оказала любезность, предложив подвезти, и мы уже опаздываем.

— Ладно! Желаю хорошего вечера! Только не делай ничего такого, что мне не понравилось бы! — Теперь я говорила исключительно восклицательными предложениями. — И предай Донне мои наилучшие пожелания!

— Непременно. До скорого.

— Люблю тебя. — Эти слова прозвучали более жалостливо, чем хотелось бы. — Пиши мне!

— Ах, Лу... — начал Сэм.

И все, он ушел. А я осталась тупо таращиться на телефон в звенящей тишине комнаты.

Я организовала частный просмотр нового фильма в домашнем кинотеатре для жен деловых партнеров мистера Гупника и заказала соответствующие закуски. Оспорила счет за цветы, которые не были доставлены, после чего сбегала в «Сефору» за двумя бутылочками лака для ногтей, который Агнес увидела в «Вог» и захотела взять с собой в загородный дом.

Буквально через две минуты после окончания моей смены и отъезда Гупников на уик-энд я, сказав «нет, спасибо» в ответ на предложение Иларии доесть оставшиеся после обеда котлеты, влетела в свою комнату.

И с ходу сделала колоссальную глупость. Принялась искать ее профиль в «Фейсбуке».

У меня ушло меньше сорока минут, чтобы найти нужную мне Кэти Инграм, отфильтровав ее из сотни однофамильцев. Ее профиль в «Фейсбуке» был открыт и содержал эмблему Национальной службы здравоохранения. В описании работы говорилось: «Парамедик. Люблю свою работу!!!» Ярко-рыжая, а может, золотисто-рыжая, по фотографии трудно было сказать, чуть меньше тридцати, хорошенькая, курносая. На первых тридцати запощенных ею фото, похожих на кадры из сериала «Хорошие времена, плохие времена», она смеялась с друзьями. Она выглядела до противного отпадно в бикини (Скиатос, 2014!! Вот умора!!!). У нее была маленькая пушистая собачка, слабость к высоченным каблукам и лучшая подруга с длинными темными волосами, которая, судя по фото, обожала целовать Кэти в щеку. У меня даже затеплилась надежда, что Кэти лесбиянка, но в «Фейсбуке» она состояла в группе, называвшейся «Поднимите руку, если вы счастливы, что Брэд Питт снова свободен!»

Ее статус «семейное положение» был определен как «одинокая».

Я еще раз прокрутила информацию о ней. В глубине души я презирала себя за это, но остановиться было выше моих сил. Я досконально изучила все ее фото в безуспешной попытке найти те, на которых она казалась толстой либо угрюмой или была покрыта струпьями в результате ужасного кожного заболевания. Я кликала и кликала по экрану. И уже собралась было закрыть лэптоп, как неожиданно увидела то, что искала. Она запостила это три недели назад. Кэти Инграм, в темно-зеленой форме, с гордо выставленной у ног сумкой-укладкой, стоит погожим осенним днем возле станции скорой помощи Восточного Лондона, а ее рука покоится на плече у Сэма, который, сложив руки на груди, улыбается в камеру. Подпись под фото гласила:

«Лучший напарник в МИРЕ. Обожаю свою новую работу!»

А еще ниже был помещен комментарий темноволосой подружки Кэти: «Интересно почему?!.» — и вставлена подмигивающая рожица.

Вот что самое неприятное в ревности. Дело отнюдь не во внешности. Причем умом ты это отлично понимаешь. И ты вовсе не ревнивая! Нет ничего отвратительнее ревнивых женщин! Да и вообще, ревновать просто глупо! Если кто-то тебя любит, он останется с тобой, а если он любит тебя недостаточно сильно, чтобы хранить верность, то в любом случае он тебе и на фиг не нужен. И ты это прекрасно знаешь. Ведь ты зрелая, разумная двадцативосьмилетняя женщина. Ты прочла кучу статей из серии «Помоги себе сам». И смотрела «Доктора Фила».

Но если в данный момент ты находишься за 3500 миль от своего красивого, доброго, сексуального бойфренда-парамедика и у него появляется новая напарница, похожая на Пусси Галор из «Голдфингера», женщина, работающая по крайней мере двенадцать часов в день бок о бок с мужчиной, которого ты любишь и который уже признался, как тяжело ему переносить отсутствие физической близости, то рациональная часть твоего «я» мигом расплющивается раскорячившейся гигантской жабой, а именно иррациональной частью твоего «я».

И как ни старалась, я не могла выкинуть из головы образ их двоих вместе. Самовольно поселившись у меня в мозгу, как негатив черно-белого фото, он постоянно преследовал меня: она обнимает его за талию, ее пальцы покоятся на поясе его формы. А что, если они сидят сейчас рядышком в ночном баре и она подталкивает его локтем в бок в ответ на только им одним понятную шутку? А что, если она из тех раскрепощенных женщин, которые способны многозначительно поглаживать мужчину по руке? А что, если от нее очень приятно пахнет и он при расставании теперь каждый раз неосознанно ощущает, будто ему чего-то не хватает?

Я понимала, что это чистой воды безумие, но ничего не могла с собой поделать. Меня так и подмывало позвонить ему. Но кому нужна бесхребетная, неуверенная в себе подружка, названивающая в четыре утра?! Мои мысли роились, кружились и путались, образуя огромное ядовитое облако. И я ненавидела себя за это. А они все продолжали жужжать, высверливая мозг.

— Господи, ну почему ты не мог взять себе в напарники какого-нибудь милого мужчину средних лет?! — глядя в потолок, прошептала я.

Заснула я уже на рассвете.

В понедельник мы, как всегда, бегали (я остановилась только раз), затем отправились в «Мейсис», где накупили целый ворох детского барахла для племянницы Агнес. Я отправила его в Краков через офис FedEx, на этот раз продемонстрировав полную осведомленность о содержании посылки.

За ланчем Агнес говорила о своей сестре. Бедняжка слишком рано выскочила замуж за управляющего местным пивоваренным заводом, который относился к ней без должного уважения, и теперь она чувствует себя настолько растоптанной и никчемной, что Агнес не может уговорить ее бросить мужа.

— Она каждый день со слезами рассказывает маме о том, как он ее оскорбляет. Он обзывает ее жирной и безобразной, а еще говорит, что вполне мог бы найти жену и получше. Вонючий тупоголовый кусок дерьма! Я с ним в одном поле даже срать не села бы.

И теперь ее основной задачей, призналась Агнес за тарелкой свекольного салата, было перевезти сестру в Нью-Йорк, подальше от этого ублюдка.

— Думаю, я могу уговорить Леонарда взять ее на работу. Возможно, секретарем в его офис. А еще лучше — домоправительницей в нашу квартиру! Тогда мы избавились бы от Иларии! Знаешь, моя сестра очень хорошая. Очень ответственная. Но она не хочет уезжать из Кракова.

— Может, ей не хочется срывать дочери учебный процесс? Моя сестра очень нервничала, когда пришлось переводить Тома в школу в Лондоне, — заметила я.

— Мм... — Агнес явно не считала это серьезным препятствием.

Похоже, для богатых людей вообще не существует препятствий.

А буквально через час после того, как мы вернулись домой, Агнес, проверив свой телефон, заявила, что мы едем в Ист-Уильямсберг.

— К художнику? Но я думала...

— Стивен учит меня рисовать. Уроки рисования.

— Хорошо, — растерянно заморгала я.

— Это сюрприз для Леонарда. Так что ничего ему не говори.

И всю дорогу до Ист-Уильямсберга Агнес прятала от меня глаза.

— Что-то ты припозднилась, — сказал Натан, когда я вернулась домой.

Натан собирался пойти поиграть в баскетбол с приятелями из тренажерного зала, на плече висел вещмешок, на голову накинут капюшон толстовки.

— Угу. — Я бросила сумку на пол, налила чайник, поставила на столешницу коробку с лапшой в пластиковом пакете.

— Ну и где ты была?

Я замялась.

— В общем... и тут, и там. Ты ведь знаешь, какая она. — Я включила чайник.

— Ты в порядке?

— Все отлично.

Спиной почувствовав пристальный взгляд Натана, я повернулась и выдавила улыбку. Он похлопал меня по плечу и уже на пороге сказал:

— Не самый удачный день, да?

И впрямь не самый удачный день. Я тупо уставилась на столешницу. Я не знала, что говорить. Я не знала, как объяснить тот факт, что нам с Гарри пришлось два с половиной часа ждать ее в машине, когда мой взгляд метался между черным квадратом окна и экраном телефона. Через час Гарри, уставший слушать пленки с уроками, отправил Агнес сообщение, что его просят освободить парковочное место и поэтому ему нужно знать, когда за ней подъехать, но она не ответила. Мы объехали дом кругом, Гарри заправил автомобиль, после чего предложил мне выпить кофе.

— Она не сказала, насколько задержится. Значит, проведет там пару часов, не меньше.

— А такое прежде случалось?

— Миссис Гупник делает все, что ей заблагорассудится.

Гарри купил мне кофе в полупустой закусочной, где в заламинированном меню красовались размытые фотографии каждого блюда. Мы практически не разговаривали: мониторили экран телефона на случай, если она позвонит, и смотрели, как сгущающиеся над Уильямсбергом сумерки постепенно переходят в пронизанную неоновыми огнями ночь. Да, я переехала в самый потрясающий город мира, но иногда мне начинало казаться, что моя жизнь резко скукожилась: в лимузине до апартаментов; из апартаментов — в лимузин.

— А как давно ты работаешь у Гупников?

Неторопливо размешав два кусочка сахара в кофе, Гарри смял обертку пухлой рукой:

— Полтора года.

— А где ты работал раньше?

— У других людей.

Я отхлебнула кофе, который оказался на удивление хорошим.

— И тебе не надоело? — (Он посмотрел на меня исподлобья.) — Постоянно ждать. Я хочу сказать... она часто так делает?

Гарри, уставившись в кружку, продолжал методично помешивать кофе.

— Детка, — начал он спустя минуту, — не хочу показаться грубым, ведь, насколько я понимаю, ты в этом бизнесе недавно. И если хочешь задержаться здесь подольше, то перестань задавать вопросы. — Он откинулся на спинку стула, внушительный живот лег ему на колени. — Я водитель. И всегда к их услугам. Говорю лишь тогда, когда ко мне обращаются. Ничего не вижу, ничего не слышу, ничего никому не скажу. Я в этой игре уже тридцать два года и благодаря ей смог выучить двух неблагодарных детей в колледже. Через два с половиной года я выйду на пенсию и перееду в Коста-Рику, в свой дом на побережье. Вот такие дела. — Он высморкался в бумажную салфетку, отчего у него затряслись щеки. — Ты меня поняла?

— Ничего не вижу, ничего не слышу...

— ...ничего никому не скажу. В общем, ты уловила. Хочешь пончик? У них здесь хорошие пончики. И всегда свежие.

Гарри грузно поднялся и направился к прилавку. Вернувшись, он больше не произнес ни слова, только довольно кивнул в ответ на мое замечание, что да, пончики тут действительно очень хорошие.

Когда Агнес наконец к нам присоединилась, то не стала объяснять столь долгое отсутствие.

— Леонард не звонил? — поинтересовалась она и добавила: — Я случайно выключила телефон.

— Нет.

— Он, должно быть, в офисе. Я ему позвоню. — Она поправила волосы и устроилась поудобнее. — Отличный урок. Я узнала много нового. Стивен очень хороший художник.

И только когда мы уже были на полпути к дому, я заметила, что у нее нет с собой никаких рисунков.

Глава 11

Дорогой Том!

Посылаю тебе бейсболку, так как мы с Натаном вчера ходили на стадион смотреть бейсбольный матч, и все игроки были в таких бейсболках (на самом деле они были в шлемах, но бейсболки — более традиционный вариант). Я купила одну для тебя и еще одну для знакомого. Попроси маму сфотографировать тебя в ней, я повешу фото на стенку!

Нет, боюсь, в этой части Америки ковбоев, к сожалению, нет, но сегодня я еду в загородный клуб и буду смотреть в оба: вдруг кто-нибудь да проедет мимо.

Спасибо за чудесную картинку, где ты изобразил мою попку и мою воображаемую собаку. Вот уж не знала, что филейная часть у меня под штанами такого жуткого фиолетового цвета, но теперь я буду иметь это в виду, если мне вдруг захочется пройтись голышом мимо статуи Свободы, как на твоей картинке.

Думаю, твоя версия Нью-Йорка, возможно, даже более впечатляющая, чем на самом деле.

Очень тебя люблю.

Твоя тетя Лу ххх

Загородный клуб «Гранд пайнс» занимал обширный участок земли в живописной сельской местности: леса плавно переходили в поля такого насыщенного зеленого цвета, словно они были плодом воображения семилетнего ребенка, вооруженного цветными карандашами.

И вот в холодный ясный день Гарри медленно провез нас по длинной подъездной дорожке к приземистому белому зданию. Когда лимузин остановился, возникший словно из-под земли молодой человек в голубой униформе помог Агнес выйти из машины.

— Доброе утро, миссис Гупник. Как поживаете?

— Спасибо, Рэнди, очень хорошо. А как ты?

— Лучше не бывает, мэм. Весь в трудах. Сегодня у нас большой день!

Мистера Гупника задерживали дела, а потому вручить подарок Мэри, старейшей служащей загородного клуба, по случаю выхода на пенсию предстояло Агнес. Почти целую неделю она пыталась продемонстрировать свое отношение к этой идее, поскольку ненавидела загородный клуб всеми фибрами души. Во-первых, там будут закадычные подружки бывшей миссис Гупник. Во-вторых, Агнес терпеть не могла выступать на публике. Это было выше ее сил, тем более в отсутствие Леонарда. Но тот, впервые за все время, был непреклонен. *Дорогая, это поможет тебе заявить о своем законном месте. И с тобой будет Луиза.*

Мы отрепетировали ее речь и составили план. Мы появимся в парадном зале как можно позже, в самый последний момент, перед тем как подадут закуски, сядем и извинимся, сославшись на манхэттенские пробки. Мэри Ландер, та самая пенсионерка, встанет сразу после того, как подадут кофе, а именно в два часа дня, и кое-кто из присутствующих произнесет несколько хороших слов о ней. После чего Агнес поднимется с места, выскажет сожаление по поводу отсутствия мистера Гупника, тоже произнесет несколько хороших слов о Мэри и вручит ей памятный подарок. Мы посидим для приличия еще полчаса, а потом быстренько свалим, сославшись на неотложные дела в городе.

— Ты считаешь, это платье подходит?

Агнес надела по такому случаю необычный для нее консервативный комплект: платье-шифт цвета фуксии, жакет с коротким рукавом на тон светлее и нитку жемчуга. Совершенно новый имидж, но я поняла, что она нуждалась в защитной броне.

— Идеально. — Агнес перевела дух, и я с улыбкой подтолкнула ее локтем, а она легонько сжала мою руку. — Мы быстро. Туда и обратно. И все дела.

— Лично я двумя руками «за», — прошептала она со слабой улыбкой.

Здание оказалось просторным и светлым, стены цвета магнолии, повсюду огромные вазы с цветами и антикварная мебель. Холлы, отделанные дубовыми панелями, на стенах портреты основателей, молчаливый персонал, бесшумно скользящий из комнаты в комнату, приглушенные разговоры, периодическое позвякивание кофейной чашки или бокала. Куда ни глянь — все на высшем уровне, любые желания заранее удовлетворены.

В парадном зале яблоку негде упасть — человек шестьдесят членов клуба, не меньше. Сидевшие вокруг красиво накрытых столов за бокалом минеральной воды или фруктового пунша хорошо одетые женщины непринужденно болтали. Идеально уложенные волосы, элегантные и явно дорогие наряды — прекрасно сшитые платья с жакетами из букле или тщательно подобранные отдельные предметы туалета. В воздухе стоял густой аромат одуряющей смеси духов. Кое-где за столами виднелись одинокие мужчины, обезличенные в этой преимущественно женской комнате.

Стороннему наблюдателю — или, возможно, обычному человеку — практически все могло бы показаться вполне нормальным. Но я замечала едва уловимые движения женских голов, мгновенное изменение уровня шума, когда мы проходили мимо, поджатые губы. Внезапно Агнес, за которой я шла следом, споткнулась, так что я едва не врезалась ей в спину. И тут я увидела рассадку за нашим столом. Нам предстояло сидеть в компании Табиты, какого-то юноши, старика, двух незнакомых мне женщин и, наконец, немолодой дамы, которая, воинственно вздернув голову, пригвоздила Агнес взглядом. И когда официант отодвинул для Агнес стул, она оказалась прямо напротив Фиолетовой Угрозы — Кэтрин Гупник.

— Добрый день, — произнесла Агнес, обращаясь ко всем сразу и стараясь не глядеть на первую миссис Гупник.

— Добрый день, миссис Гупник, — отозвался сидевший рядом со мной мужчина.

— Мистер Генри, — неуверенно улыбнулась Агнес. — Таб, ты вроде не говорила, что собираешься сегодня приехать.

— Сомневаюсь, что мы должны информировать тебя о каждом нашем шаге. Или нет, Агнес? — ответила Табита.

— А вы кто будете? — спросил пожилой джентльмен, сидевший справа от меня.

Я уже собралась было ответить, что я подруга Агнес из Лондона, но вовремя спохватилась. В сложившихся обстоятельствах это оказалось невозможно.

— Луиза. Луиза Кларк.

— Эммет Генри. — Он протянул мне узловатую руку. — Счастлив познакомиться. Неужели это английский акцент?

— Так точно. — Я подняла голову, чтобы поблагодарить официантку, наливавшую мне стакан воды.

— Какая прелесть! Вы здесь в гостях?

— Эммет, Луиза — помощница Агнес. — Голос Табиты разнесся над столом. — У Агнес появилась экстравагантная привычка брать с собой на светские мероприятия обслуживающий персонал.

Кровь бросилась мне в лицо. Я поймала на себе пристальный взгляд Кэтрин Гупник и всех остальных, кто сидел за нашим столом.

После некоторого размышления Эммет заметил:

— А знаешь, последние десять лет моя Дора таскала за собой свою няню Либби абсолютно везде. В рестораны, в театр, одним словом, куда бы мы ни пошли. Дора говорила, старушка Либби была гораздо лучшим собеседником, нежели я. — Он похлопал меня по руке и благодушно рассмеялся, кое-кто из сидящих за столом услужливо подхихикнул. — И осмелюсь сказать, она оказалась права.

И вот таким образом этот восьмидесятишестилетний старик спас меня от публичного унижения. Эммет Генри болтал со мной, пока мы закусывали креветками. Он рассказал о своем давнишнем членстве в загородном клубе, о своей работе адвокатом на Манхэттене, о своей жизни в доме престарелых неподалеку.

— Знаете, я прихожу сюда каждый день. Так я поддерживаю активность, и здесь всегда есть с кем поговорить. Мой второй дом.

— И это прекрасно. Теперь я понимаю, почему вас сюда так тянет. — Я украдкой оглянулась по сторонам, и несколько человек тотчас же отвернули головы.

Со стороны Агнес казалась совершенно невозмутимой, но я заметила, что у нее дрожат руки.

— Дорогая, это действительно историческое здание. — Эммет махнул рукой в сторону задней стены с именной доской. — Оно основано... — Тут он сделал театральную паузу, явно желая удостовериться, что произвел на меня должное впечатление, после чего торжественно произнес: — В тысяча девятьсот тридцать седьмом году.

Мне не хотелось ему говорить, что на нашей улице в Англии есть муниципальное жилье намного древнее, чем это. Думаю, у мамы найдется пара колготок куда старше. Я кивала, улыбалась, ела цыпленка с грибами, попутно ломая голову над тем, как бы пересесть поближе к Агнес, которая явно чувствовала себя не в своей тарелке.

Ланч затягивался. Эммет травил бесконечные байки об истории клуба, о забавных происшествиях с его членами, о которых я слыхом не слыхивала, и тут Агнес случайно подняла на меня глаза, и я улыбнулась ей, сразу поняв, что она начинает сникать. Дамы украдкой поглядывали на наш столик и шептались, наклонившись друг к другу. *Две миссис Гупник, сидящие буквально бок о бок! Нет, вы только представьте!* После основного блюда я, извинившись, поднялась с места:

— Агнес, не могли бы вы показать мне, где здесь дамская комната?

Но прежде чем Агнес успела открыть рот, Кэтрин Гупник положила салфетку на тарелку и повернулась ко мне:

— Дорогая, я вас провожу. Я как раз туда собиралась.

Она взяла сумочку и остановилась возле меня, выжидая. Я вопросительно посмотрела на Агнес, но она лишь пожала плечами:

— Ты иди. А я пока доем цыпленка.

Я проследовала за миссис Гупник мимо столиков парадного зала в холл. В голове у меня царил полный сумбур. Мы прошли по устланному ковром коридору, я держалась в нескольких шагах от миссис Гупник, и остановились у дамского туалета. Миссис Гупник открыла дверь из красного дерева и отошла в сторону, пропуская меня вперед.

— Спасибо. — Я направилась в кабинку, хотя, если честно, мне вообще не хотелось писать.

Я села на стульчак, лелея надежду, что, если просижу так достаточно долго, она, возможно, уйдет. Но когда я наконец вышла, миссис Гупник по-прежнему стояла у раковин и подкрашивала перед зеркалом губы. Я начала мыть руки, и она тотчас же перевела на меня взгляд:

— Итак, вы живете в моем бывшем доме.

— Да. — Мне не было смысла врать.

Она поджала губы и, довольная результатом, убрала помаду:

— Сложившаяся ситуация вас, должно быть, смущает.

— Я просто выполняю свою работу.

— Мм... — Она достала щетку для волос и поправила прическу.

Мне оставалось только гадать, удобно будет сразу уйти или правила приличия требуют, чтобы я вернулась к столу вместе с ней. Я вытерла руки и наклонилась к зеркалу проверить, не размазалась ли тушь под глазами, решив по возможности тянуть время.

— А как там мой муж? — (Я растерянно заморгала.) — Леонард. Как он поживает? Вы точно не выдадите никакой страшной тайны, если ответите мне.

— Я... я редко его вижу. Но, кажется, у него все прекрасно.

— Интересно, а почему его нет с нами? Может, у него опять обострился артрит?

— Ой, нет! По-моему, у него просто какие-то дела на работе.

— Значит, дела на работе. Что ж, полагаю, это хорошие новости. — Она аккуратно положила щетку в сумочку и вынула компактную пудру. Припудрив нос с двух сторон, закрыла пудреницу. А я тем временем уже исчерпала все варианты дальнейших действий. Я начала рыться в сумочке, пытаясь вспомнить, взяла ли с собой компактную пудру. И тут миссис Гупник снова повернулась ко мне лицом. — Он счастлив?

— Извините?

— Что тут непонятного? Вопрос очень простой. — От волнения у меня тревожно затрепыхалось сердце; ее голос был мелодичным, тон абсолютно ровным. — Таб категорически не желает разговаривать со мной о нем. Она все еще злится на отца, хотя и безумно его любит. Она всегда была папиной дочкой. Поэтому вряд ли она способна представить всеобъемлющую картину.

— Миссис Гупник, при всем моем уважении, не думаю, что я вправе...

Она резко отвернулась:

— Нет. Полагаю, что нет. — Она аккуратно убрала пудреницу в сумочку. — Могу себе представить, что вам обо мне наговорили, мисс?..

— Кларк.

— Мисс Кларк. Не сомневаюсь, вы знаете, что жизнь редко бывает исключительно черной или белой.

— Конечно. — Я нервно сглотнула. — Но я также знаю, что Агнес — хороший человек. Она умная. Добрая. Воспитанная. И уж точно не охотница за деньгами. Как говорится, такие вещи видны невооруженным взглядом.

Наши глаза встретились в зеркале. Несколько неловких секунд — и она, закрыв сумочку и внимательно посмотрев на свое отражение, наградила меня сухой улыбкой:

— Я рада, что у Леонарда все хорошо.

Мы вернулись к столу, когда уже убрали посуду. После нашего разговора миссис Гупник за весь день больше не сказала мне ни слова.

Наконец нам подали кофе с десертом, разговоры потихоньку угасли, ланч подходил к концу. Парочку пожилых женщин пришлось проводить в дамскую комнату, их ходунки деликатно постукивали при ходьбе. Какой-то слегка вспотевший мужчина в костюме, поднявшись на небольшой подиум, поблагодарил гостей за то, что пришли, затем сказал пару слов о предстоящих клубных мероприятиях, в том числе о благотворительном вечере через две недели, билеты на который уже были полностью проданы (эта новость была встречена бурными аплодисментами). И наконец он сказал, что кое-кто из присутствующих хочет сделать заявление, и кивнул на наш столик.

С тяжелым вздохом Агнес поднялась с места, тотчас же приковав к себе взгляды присутствующих. Она подошла к подиуму, управляющий передал ей микрофон и вывел в центр зала пожилую афроамериканку в темном костюме. Женщина взмахнула руками, словно призывая к тишине. Агнес улыбнулась, сделала глубокий вдох, как я научила ее, аккуратно положила на подставку две небольшие карточки и начала говорить — четко и размеренно:

— Добрый день, дамы и господа! Благодарю всех за то, что пришли сегодня, а также персонал за чудесный ланч. — Голос Агнес отличался идеальной модуляцией, а слова после недельной тренировки перекатывались во рту, точно отполированные камешки. По залу пробежал одобрительный шепот. Я посмотрела на первую миссис Гупник, но ее лицо оставалось абсолютно непроницаемым. — Как вам, наверное, известно, сегодня последний день работы Мэри Ландер в нашем клубе. Мы желаем ей хорошего заслуженного отдыха. Мэри, Леонард просил передать, он очень сожалеет, что не смог присутствовать и поблагодарить вас лично. Он высоко ценит ваш вклад в работу клуба, впрочем, как и всех остальных служащих. — На этом месте Агнес, как я ее и учила, сделала паузу; публика в зале притихла, лица женщин были сосредоточенными. — Мэри поступила на работу в «Гранд пайнс» в тысяча девятьсот шестьдесят седьмом году в качестве кухонной работницы и в результате дослужилась до помощницы управляющего. Мэри, все здесь присутствующие получали огромное удовольствие от общения с вами и ценили ваш многолетний самоотверженный труд, и нам будет вас очень не хватать. Мы — и остальные члены клуба — хотели бы вручить вам этот небольшой знак нашего внимания. Мы искренне надеемся, что выход на заслуженный отдых откроет для вас новые приятные возможности.

Вежливые аплодисменты — и Агнес передали стеклянный свиток с выгравированной на нем фамилией Мэри. Вручив свиток пожилой женщине, Агнес улыбнулась и застыла в красивой позе, чтобы остальные могли сделать фотографии. После чего она сошла с подиума и вернулась за наш стол. Ее лицо пылало от облегчения, что больше не нужно быть в центре внимания. Мэри осталась позировать для очередных снимков, на сей раз с управляющим. Я уже собралась было поздравить Агнес с удачным выступлением, но тут с места поднялась Кэтрин Гупник.

— Прошу минуту внимания! — громко сказала она, перекрывая шум в зале. — Я тоже хочу сказать несколько слов. — Она забрала у Мэри подарок, передала управляющему и сжала руки Мэри в своих ладонях. После чего повернула ее лицом к залу. — Мэри, Мэри, Мэри! Ты всегда была такой *душечкой*! — В зале раздался взрыв аплодисментов, и миссис Гупник кивнула, дожидаясь тишины. — Моя дочь выросла тут, и ты присматривала за ней — и за нами — сотни, нет *тысячи* чудесных часов, которые мы провели здесь. Счастливые, счастливые времена! Если у нас возникала хоть малейшая проблема, ты тут же приходила на помощь, наводила порядок, перевязывала разбитые коленки или прикладывала лед к разбитым головам. Думаю, все помнят об инциденте в лодочном сарае! — Ее слова были встречены дружным смехом. — Ты, как никто, любила наших детей, и этот клуб всегда казался нам с Леонардом прибежищем, ведь мы знали, что нашей семье здесь будет спокойно и хорошо. Эти прекрасные лужайки были свидетелями великих и счастливых времен. И пока мы играли в гольф или устраивали изумительные коктейли с друзьями, ты нянчилась с нашими детьми или подавала нам стаканы своего чудесного чая со льдом. Мы все любили несравненный чай со льдом, который готовила Мэри. Не так ли, друзья?

Зал радостно загудел. Я заметила, что Агнес напряглась и, точно робот, хлопала в ладоши, явно не зная, что еще делать.

Эммет наклонился ко мне:

— Чай со льдом, что готовила Мэри, — это вещь. Уж не знаю, что она туда кладет, но, Господь свидетель, он сражает наповал! — Он поднял глаза к небу.

— Мэри, Табита специально приехала из города, так же как многие из нас, потому что считает тебя не просто работником этого клуба, а членом *семьи*. А мы знаем, что ничто не может заменить *семью*! — В зале снова раздались аплодисменты, а я не решалась поднять глаза на Агнес. Когда аплодисменты стихли, Кэтрин Гупник продолжила: — Мэри, ты помогала сохранять истинные ценности этого места — ценности, которые кто-то может счесть старомодными, но благодаря которым наш загородный клуб стал именно таким, каким есть: это постоянство, совершенство и *преданность*. Ты была улыбающимся лицом и бьющимся сердцем нашего клуба. Я знаю, что выражу общее мнение, если скажу, что без тебя это место больше не будет прежним. — (Мэри сияла от счастья, в ее глазах блестели слезы.) — А теперь, друзья, давайте наполним бокалы и поднимем их в честь нашей чудесной *Мэри*!

Зал буквально взорвался. Все, кто был способен стоять, вскочили с места. Пока Эммет неуклюже вставал со стула, я огляделась по сторонам и, чувствуя себя предательницей, присоединилась к остальным. Агнес поднялась самой последней. Она продолжала хлопать, но улыбка застыла на ее лице, точно маска ужаса в древнегреческой трагедии.

Есть нечто успокаивающее в переполненном баре, в таком, где нужно тянуть руку через плечи трех стоящих впереди человек, чтобы привлечь внимание бармена, и где вам еще крупно повезет, если вы умудритесь донести свой стакан до столика, расплескав лишь треть его содержимого. «Бальтазар», сказал мне Натан, был вполне типичным для Сохо рестораном: всегда забитый народом, всегда бурлящий весельем — одним словом, он воплощал собой все лучшее, что мог предложить Нью-Йорк из имеющегося набора подобных заведений. Даже в воскресенье вечером здесь было не протолкнуться. Оглушающий шум, суетящийся бармен, яркие огни и звон стаканов помогли мне выкинуть из головы события сегодняшнего дня.

Мы пропустили по паре пива каждый у барной стойки. Натан представил меня парням из спортзала, чьи имена я тотчас же забыла. Ребята оказались вполне милыми, а общество одной-единственной женщины давало им достаточно драйва, чтобы беззлобно подкалывать друг друга. В конце концов мы пробились к столику, за которым я выпила еще пива и съела чизбургер, сразу почувствовав себя гораздо лучше. Примерно в десять часов вечера, когда парни принялись натужно изображать других завсегдатаев тренажерного зала, демонстрируя вздувшиеся вены и напряженные лица, я отправилась в туалет. В туалете я просидела минут десять, не меньше, наслаждаясь относительной тишиной. Подправила макияж, взбила волосы. При этом я усиленно старалась не думать, чем сейчас занимается Сэм. Хорошее настроение как рукой сняло, в животе возник странный ком. Тогда я поспешила обратно в зал.

— Ты что, меня преследуешь?

Я резко обернулась. Передо мной, удивленно подняв брови, стоял Джош Райан. На этот раз одет он был весьма демократично: в рубашку и джинсы.

— Что? Ой, привет! — Я инстинктивно пригладила волосы. — Нет-нет! Я здесь с друзьями.

— Я шучу. Как поживаешь, Луиза Кларк? Какими судьбами? Центральный парк довольно далеко отсюда. — Он поцеловал меня в щеку. От него восхитительно пахло: лаймом и чем-то неуловимо мускусным. — Ух ты! Как романтично!

— Вот, решила обойти все бары Манхэттена. Ну ты понимаешь.

— О да. «Попробовать что-то новое». Симпатично выглядишь. Мне нравится твой прикид. — Он обвел рукой мое платье-шифт и кардиган с коротким рукавом. — Ты похожа на школьницу.

— Пришлось сегодня поехать в загородный клуб.

— Тебе идет. Пиво будешь?

— Я не могу оставить своих друзей, — сказала я, но, увидев его вытянувшееся лицо, поспешно добавила: — Если хочешь, присоединяйся!

— Отлично! Только предупрежу пару, с которой пришел. Я там явно третий лишний. Они будут рады от меня избавиться. А где вы сидите?

Я начала пробираться обратно к Натану, внезапно почувствовав, что у меня пылает лицо и звенит в ушах. И не важно, что у Джоша другой акцент, что у него другие брови и уголки глаз скошены по-другому, — глядя на него, невозможно было не увидеть в нем Уилла. Интересно, я когда-нибудь смогу к этому привыкнуть?! Я невольно заметила, что неосознанно использовала слово «когда-нибудь».

— Вот, случайно встретила друга! — заявила я, когда у нашего столика появился Джош.

— Ага, друг, — произнес Натан.

— Натан, Дин, Эйран, а это Джош Райан.

— Ты забыла добавить «Третий», — улыбнулся Джош, словно нам одним известной шутке. Он протянул Натану руку: — Привет!

Я заметила, что Натан оглядел его с головы до ног, затем быстро перевел взгляд на меня. Я ответила ему широкой беспечной улыбкой, словно у меня навалом красивых друзей мужского пола, разбросанных по всему Манхэттену, и все они просто спят и видят, как бы присоединиться к нам в баре.

— Могу я угостить вас пивом? — спросил Джош. — Кстати, если кого-нибудь интересует, у них здесь классная кухня.

— Значит, друг, — прошептал Натан, когда Джош отошел к барной стойке.

— Ну да. Друг. Мы познакомились с ним на Желтом балу. Вместе с Агнес.

— Он похож на...

— Знаю.

Натан нахмурился. Посмотрел на меня, потом — на Джоша.

— Этот твой план говорить «да» всему новому... Ты не должна...

— Натан, я люблю Сэма.

— Конечно любишь, подруга. Это я так, на всякий случай.

Остаток вечера я то и дело ловила на себе скептический взгляд Натана. Мы с Джошем почему-то оказались за дальним концом стола, чуть в стороне от других. Он рассказывал о своей работе, о безумном количестве опиатов и антидепрессантов, которые его коллеги по работе потребляли горстями, чтобы справиться с работой в офисе; о том, какие титанические, но тщетные усилия ему приходится предпринимать, чтобы случайно не обидеть своего обидчивого босса; что у него вечно не хватает времени заняться отделкой своей квартиры и что случилось, когда его помешанная на чистоте мамаша неожиданно нагрянула из Бостона. Я кивала, и улыбалась, и слушала, и поспешно одергивала себя, когда замечала, что смотрю на лицо Джоша не с вежливой заинтересованностью, а скорее с тоской и маниакальной зацикленностью на его схожести с Уиллом.

— А как насчет тебя, Луиза Кларк? За весь вечер ты практически не сказала о себе ни слова. Как там твои каникулы? И когда возвращаешься домой?

Моя работа. Внезапно я поняла, что во время нашей последней встречи я нагородила ему бочку арестантов. А еще, что я сейчас слишком пьяная, чтобы выдать сколь-нибудь приличную ложь или почувствовать смущение от неизбежного признания.

— Джош, я должна тебе кое-что сказать.

Он наклонился ко мне поближе:

— А-а... Ты замужем.

— Нет.

— Ну это уже что-то. У тебя неизлечимое заболевание? И тебе жить осталось всего несколько недель? — (Я покачала головой.) — Я тебя утомил? Утомил. И ты предпочла бы поговорить с кем-нибудь еще. Понял. Не дурак. Все, постараюсь даже не дышать.

Я расхохоталась:

— Нет! Вовсе нет! Мне с тобой хорошо. — Я смущенно потупилась. — Ну, я вовсе не та, за кого себя выдавала. Я не подруга Агнес из Лондона. Мне пришлось так сказать, потому что Агнес нуждалась в союзнице на Желтом балу. Если честно, я ее помощница. Просто помощница.

Когда я подняла глаза, Джош вопросительно смотрел на меня:

— И?.. — (Я недоуменно уставилась на него. В его зрачках плясали крохотные золотистые искорки.) — Луиза, это Нью-Йорк. Все вечно стараются казаться значительнее, чем есть. Любой бармен говорит, будто у него продюсерская компания. Я сразу догадался, что ты работаешь на Агнес. Уж больно ты вокруг нее суетилась. Ни одна подруга на такое не способна. За исключением разве что реально тупых. Что к тебе явно не относится.

— И тебе все равно?

— Эй! Я рад, что ты, по крайней мере, не замужем. Если только ты все-таки *замужем*. Ты хотя бы в этом меня не обманула, а?

Он осторожно взял меня за руку. У меня замерло в груди дыхание и пересохло в горле.

— Нет. Но у меня есть парень.

Джош не сводил с меня глаз, возможно ожидая очередной шутки, после чего неохотно отпустил мою руку:

— Ах, как жаль! — Он откинулся на спинку стула и глотнул пива. — Тогда почему он не здесь?

— Потому что он в Англии.

— А он собирается приехать?

— Нет.

Джош сделал кислое лицо, словно давая понять, что я поступаю глупо, но не желая говорить об этом вслух. Потом небрежно пожал плечами:

— Тогда мы можем просто остаться друзьями. Ты ведь знаешь, что здесь все встречаются со всеми, да? Но не суть. Я буду твоим невероятно красивым спутником для прогулок.

— А что ты имеешь в виду, когда говоришь «встречаются»? Занимаются сексом?

— Надо же! Вы, англичанки, явно не привыкли выбирать слова!

— Не хочу парить тебе мозги.

— Одним словом, ты хочешь сказать, что секса по дружбе мне точно не обломится. Ладно, Луиза Кларк. Я понял. — (Я попыталась сдержать улыбку. Тщетно.) — Ты очень хорошенькая. И забавная. И прямолинейная. И я еще никогда не встречал такой девушки, как ты.

— Ты ужасно милый.

— Это потому что я тобой немного увлечен.

— А я немного пьяна.

— Ой, теперь я ранен в самое сердце. Действительно ранен. — Он схватился за сердце.

Именно в этот момент я повернула голову и увидела, что Натан наблюдает за нами. Он слегка поднял брови, потом постучал по запястью. Чего было достаточно, чтобы вернуть меня с небес на землю.

— Знаешь... мне и правда нужно идти. Завтра рано вставать.

— Наверное, я слишком далеко зашел. И тебя вспугнул.

— Да ладно, я не из пугливых. Но завтра у меня на работе тяжелый день. И несколько пинт пива, заполированных текилой, вряд ли пойдут мне на пользу во время утренней пробежки.

— Ты мне позвонишь? Чисто платонически выпить со мной пива? Чтобы я мог покайфовать, глядя на тебя.

— Должна предупредить, у нас в Англии «покайфовать» имеет совсем другой смысл.

— Ладно, обещаю так больше не говорить. Если, конечно, не предложишь мне это сделать.

— Я подумаю.

— Нет, я серьезно. Позвони.

Я вышла из зала, чувствуя спиной его взгляд.

Пока Натан ловил такси, я повернулась и увидела, что Джош по-прежнему на меня смотрит. И улыбается.

Я решила позвонить Сэму.

— Привет, — сказала я, когда он снял трубку.

— Лу? Впрочем, что за глупый вопрос? Кто еще будет звонить мне без четверти пять утра.

— Итак, что делаешь? — Я легла в постель, сбросив туфли на ковер.

— Только что вернулся с дежурства. Читаю. А как ты? Голос у тебя веселый.

— Ходила в бар. Тяжелый день. Но сейчас мне уже гораздо лучше. И захотелось услышать твой голос. Потому что я по тебе соскучилась. Ведь ты мой парень.

— Ты надралась, — рассмеялся Сэм.

— Возможно. Чуть-чуть. Я не ослышалась? Ты вроде сказал, что читаешь?

— Ага. Роман.

— Неужели? Вот уж не знала, что ты увлекаешься художественной литературой.

— Кэти дала почитать. Сказала, мне понравится. И если я не прочту книжку, она от меня просто так не отвяжется.

— Она покупает тебе книги? — Я резко села на кровати, хорошее настроение мигом улетучилось.

— Почему тебя это интересует? То, что она покупает мне книги, еще ни о чем не говорит. — Сэма явно забавлял наш разговор.

— Это говорит о том, что ты ей нравишься.

— Конечно нет.

— А вот и да. — Алкоголь окончательно освободил меня от сдерживающих центров. Я чувствовала, как слова помимо моей воли вылетают изо рта. — Если женщина уговаривает тебя что-то прочесть, значит ты ей нравишься. И она хочет залезть тебе в голову. Чтобы ты думал об этой чепухе.

— Ну а если это руководство по ремонту мотоциклов? — хмыкнул Сэм.

— Без разницы. Потому что в таком случае она постарается показать тебе, какая она крутая, сексуальная цыпочка, да к тому же любительница мотоциклов.

— Что ж, эта книжка вовсе не о мотоциклах. Какая-то французская вещь.

— Французская. Это плохо. А как называется?

— «Мадам де...»

— «Мадам де...» А дальше?

— Просто «Мадам де...» Это о генерале, подаренных серьгах и...

— И что?

— У его жены любовная интрижка.

— Значит, она заставляет тебя читать книги о любовных интрижках каких-то французов? Боже мой! Ты ей точно нравишься.

— Лу, ты ошибаешься.

— Сэм, уж кто-кто, а я в этом деле разбираюсь.

— Ну и что с того? — Его голос звучал устало.

— А то. Сегодня ко мне подкатывался мужчина, которому я нравлюсь. Но я сказала ему прямо в глаза, что у меня есть парень, тем самым положив конец его заигрываниям.

— Ой, да неужели? Интересно, и кто это был?

— Его зовут Джош.

— Значит, Джош. А это, случайно, не тот самый Джош, который звонил тебе, когда ты провожала меня в аэропорту?

Несмотря на алкогольный дурман, я начала понимать, что зря затеяла весь этот разговор.

— Да.

— И ты совершенно случайно столкнулась с ним в баре.

— Конечно случайно! Я была в баре с Натаном. И в прямом смысле столкнулась с ним, когда выходила из дамской комнаты.

— Ну и что он тебе сказал? — В голосе Сэма появились металлические нотки.

— Он... он сказал, что ему жаль.

— А это действительно так?

— Ты о чем?

— Что ему жаль.

В разговоре возникла короткая пауза. Внезапно я почувствовала себя до противного трезвой.

— Я просто передаю тебе его слова. Сэм, я твоя. И привела этот случай лишь как пример того, что всегда чувствую, когда нравлюсь парню, но спустила это дело на тормозах, чтобы не обнадеживать его. А ты решительно отказываешься понимать то, что я пытаюсь тебе втолковать.

— Нет. Ты звонишь посреди ночи, чтобы наехать на меня из-за моей напарницы, одолжившей мне книгу, а сама преспокойно идешь в бар, где ведешь пьяные разговоры с этим твоим Джошем насчет ваших отношений. Господи! В свое время ты даже не хотела признавать, что между *нами* существуют некие отношения, пока я буквально не припер тебя к стенке. А теперь ты весело треплешься об интимных вещах с парнем, которого случайно встретила в баре. Если, конечно, ты действительно случайно встретила его в баре.

— Сэм, мне понадобилось время! Я тогда думала, ты со мной просто флиртуешь.

— Тебе понадобилось время, потому что ты была все еще влюблена в память того, другого парня. Умершего парня. А теперь ты в Нью-Йорке, потому что он хотел, чтобы ты там побывала. Поэтому я категорически не понимаю, с чего это вдруг тебе взбрело в голову ревновать меня к Кэти. Тебе было абсолютно наплевать, сколько времени я проводил с Донной.

— Донна с тобой не заигрывала.

— Ты ведь даже не видела Кэти! Откуда тебе знать, нравлюсь я ей или нет?!

— Я видела фотографии!

— Какие еще фотографии?! — взорвался Сэм.

Нет, я точно форменная идиотка. Я закрыла глаза:

— На ее странице в «Фейсбуке». У нее там фотографии. Где она и ты. — Я сглотнула ком в горле. — Фотография.

В ответ мне было долгое молчание. Молчание, которое саркастически вопрошало: «Ты что, серьезно?!» Зловещее молчание, означающее, что твой собеседник явно изменил мнение о тебе. Когда Сэм снова заговорил, его голос звучал глухо и размеренно:

— Это совершенно бессмысленная дискуссия, а мне нужно немного поспать.

— Сэм, я...

— Лу, ложись спать. Поговорим позже. — И он положил трубку.

Глава 12

В ту ночь я практически не сомкнула глаз. В голове вихрем кружились слова, которые я хотела сказать, но не сказала. В конце концов я задремала и проснулась, одурманенная, с тяжелой головой, от стука в дверь. Я с трудом вылезла из постели и, открыв дверь, с удивлением обнаружила в коридоре миссис Де Витт в пеньюаре. Без макияжа и высокой прически она казалась совсем крошечной и хрупкой, черты ее лица исказило волнение.

— Ой, ты здесь! — (Как будто я могла быть где-то еще!) — Пошли! Пошли! Мне нужна твоя помощь.

— Что-о? Кто впустил вас в квартиру?

— Тот здоровяк. Австралиец. Пошли. Время не ждет. — (Я растерянно терла глаза, пытаясь понять, что происходит.) — Он уже помогал мне раньше, но сейчас не может оставить мистера Гупника. Да какая разница?! Сегодня утром я открыла дверь — выставить мусор, а Дин Мартин пулей выскочил в коридор, и сейчас он где-то в здании. И я понятия не имею где. Самой мне его не найти. — Ее голос дрожал, но оставался властным, руки нервно порхали над головой. — Пошевеливайся! Давай пошевеливайся! Я боюсь, что кто-нибудь откроет дверь внизу и он выскочит из дому. — Она всплеснула руками. — Он заблудится на улице. И вообще, его могут украсть. Ведь он страшно породистый.

Схватив ключ, я в одной футболке прошла вслед за ней в холл.

— А где вы уже искали?

— Нигде, дорогая. У меня ноги плохо слушаются. Вот потому-то и нужна твоя помощь. А я пока схожу за тростью. — Она смотрела на меня так, будто я сморозила жуткую глупость, а я тяжело вздохнула, пытаясь представить, как бы поступила, будь я маленьким пучеглазым мопсом, неожиданно почувствовавшим вкус свободы. — Он все, что у меня есть. Ты должна его найти. — Миссис Де Витт закашлялась, словно ее легкие не способны были справиться с напряжением.

— Пожалуй, начну с главного вестибюля, — сказала я.

Я сбежала по лестнице, так как Дин Мартин вряд ли мог вызвать лифт, и обшарила коридор в поисках маленькой злобной собачонки. Пусто. Я посмотрела на часы, отметив с некоторым неудовольствием, что еще нет и шести утра. Заглянула под стойку Ашока. Подошла к двери его офиса. Заперто. Все это время я тихонько звала Дина Мартина, чувствуя себя круглой дурой. Никаких следов. Тогда я вернулась на наши этажи, проверив кухню и внутренние коридоры. Пусто. Я повторила всю процедуру на четвертом этаже, сообразив наконец, что если уж я окончательно выбилась из сил, то шансы маленького жирного мопса пулей взлететь на несколько этажей равны нулю. Тем временем я услышала снаружи знакомый рев мусоровоза. И тут же вспомнила о нашей старой собаке, обладавшей уникальной способностью не только выдерживать самые отвратительные известные человечеству запахи, но и наслаждаться ими.

Я направилась к служебному входу. Там, словно зачарованный, стоял Дин Мартин и, пуская слюни, смотрел, как мусорщики выкатывают огромные вонючие контейнеры из нашего здания и грузят в мусоровоз. С максимальной осторожностью я подкралась к мопсу. Вокруг стоял такой грохот, а собачонка была так увлечена мусором, что мой маневр удался. Я нагнулась и схватила ее.

Вы когда-нибудь ловили разъяренного мопса? В последний раз я держала в руках столь отчаянно извивающееся существо, когда пригвоздила двухлетнего Тома к дивану, чтобы дать возможность сестре вынуть у него из левой ноздри неподатливый мраморный шарик. Пока я зажимала Дина Мартина под мышкой, он метался направо и налево, его глаза возмущенно вылезали из орбит, негодующее тявканье нарушало тишину спящего здания. Я ухватила песика обеими руками, стараясь максимально уклониться от его лязгающих зубов. Сверху донесся голос миссис Де Витт:

— Дин Мартин? Это он?

С трудом удерживая мопса, я одним махом преодолела последний лестничный пролет, чтобы поскорее вручить пса хозяйке.

— Он у меня! — выдохнула я.

Миссис Де Витт сделала шаг вперед, протягивая нам навстречу руки. И ловко ухватила собачку за ошейник, как только я поставила ее на пол. Но в этот момент с проворством, обратно пропорциональным его размеру и весу, мопс, стремительно развернувшись вокруг своей оси, цапнул меня за левую руку.

И если еще хоть кто-нибудь в нашем здании продолжал мирно спать, несмотря на пронзительное тявканье, то мой отчаянный вопль наверняка разбудил всех до единого. Как бы там ни было, обалдевший Дин Мартин выпустил мою руку. Я согнулась пополам, прижимая к груди окровавленную руку и вполголоса чертыхаясь:

— Ваш мопс меня укусил! Укусил до крови!

Миссис Де Витт перевела дух и чуть-чуть выпрямилась:

— Конечно укусил. Ты слишком крепко его держала. Ему, наверное, было страшно неудобно! — Она загнала песика на порог квартиры, откуда он, скаля зубы, продолжал рычать. — Вот видишь! Ты напугала бедняжку своими дикими воплями. И теперь он перевозбудился. Если хочешь правильно обращаться с собаками, тебе стоит узнать о них побольше.

Я лишилась дара речи. У меня даже отвисла челюсть, совсем как в мультике. Именно в этот момент в дверях появился мистер Гупник, в тренировочных штанах и футболке.

— Боже правый, что за ужасный шум?! — спросил он, выйдя в коридор, и меня неприятно удивил его свирепый тон. Он окинул взглядом всех участников разыгравшейся перед ним сцены: меня, в футболке и шортиках, прижимающую к груди окровавленную руку, старуху в пеньюаре, с собачонкой у ног. За спиной мистера Гупника я увидела Натана в униформе; он вытирал лицо полотенцем. — Какого черта здесь происходит?!

— Ой, спросите вашу дрянную девчонку. Она заварила всю эту кашу! — Подхватив Дина Мартина на руки, миссис Де Витт помахала перед носом мистера Гупника тощим пальцем. — И вообще, не вам, молодой человек, читать *мне* нотации по поводу шума! Ваша квартира — настоящее казино в Вегасе с беспрестанными хождениями взад и вперед. Странно, что до сих пор никто не пожаловался мистеру Овицу. — Она повернулась и с гордо поднятой головой захлопнула за собой дверь.

Мистер Гупник растерянно заморгал, посмотрел на меня, потом — на закрытую дверь. На мгновение в коридоре стало тихо. Но тут, совершенно неожиданно, мистер Гупник расхохотался:

— Молодой человек! Меня уже давно так никто не называл! — Он повернулся к стоявшему у него за спиной Натану. — Значит, ты все правильно делаешь.

В ответ из-за двери квартиры миссис Де Витт послышался приглушенный возглас:

— Гупник, вы себе льстите!

Мистер Гупник распорядился отвезти меня к своему личному врачу, чтобы тот ввел мне противостолбнячную сыворотку. Из приемной, похожей на гостиную шикарного отеля, я попала в кабинет доктора — иранца средних лет, внимательнее которого я, наверное, никого в жизни не видела. Но когда я посмотрела на счет, который должен был оплатить секретарь мистера Гупника, то сразу забыла про укус, чувствуя, что вот-вот потеряю сознание.

К тому моменту, как я вернулась домой, Агнес уже была в курсе происшедшего. Более того, я стала притчей во языцех всего нашего дома.

— Ты должна предъявить ей иск! — жизнерадостно заявила Агнес. — Она отвратительная зловредная старушенция. А ее собака просто опасна. Не уверена, что мы можем спокойно жить вместе с ней на одной лестничной площадке. Кстати, тебе нужен выходной? Если да, то я могу вчинить ей иск за недополученные услуги.

Я ничего не ответила, продолжая вынашивать в душе обиду на миссис Де Витт и Дина Мартина.

— Ни одно доброе дело не остается безнаказанным, — сказал Натан, когда я столкнулась с ним на кухне. Он проверил повязку на моей руке. — Блин! Эту собачонку нужно посадить на цепь.

Мне хотелось рвать и метать, но я не могла забыть то, что сказала миссис Де Витт, появившись у моей двери: «Он все, что у меня есть».

И хотя Табита на той неделе вернулась в свою квартиру, атмосфера в доме оставалась нервной, нездоровой, взрывоопасной. Мистер Гупник по-прежнему пропадал на работе, в то время как Агнес бóльшую часть времени вела бесконечные разговоры по телефону с матерью в Польше. У меня возникло ощущение, что у них с мистером Гупником происходит нечто вроде семейного кризиса. Илария спалила утюгом одну из любимых блузок Агнес (по-моему, неумышленно, поскольку она уже несколько недель жаловалась на регулятор контроля температуры нового утюга), но, когда Агнес наорала на домоправительницу, обозвав ее изменщицей, предательницей, сукой, и швырнула в нее испорченную блузку, Илария наконец не выдержала и взорвалась, заявив мистеру Гупнику, что увольняется, так как невозможно столько лет работать буквально на износ, не получая за это элементарной благодарности. Она больше не намерена терпеть подобное обращение, а потому подает заявление об уходе. Мистер Гупник, улестив Иларию ласковыми словами и выразительными кивками, уговорил ее остаться (возможно, подкрепив свои доводы приличной суммой налом). Столь явное предательство вынудило Агнес хлопнуть дверью, причем достаточно сильно, чтобы свалить со столика в холле очередную китайскую вазу, разбившуюся с музыкальным звоном, а затем провести остаток вечера в рыданиях в гардеробной комнате.

Когда я появилась на следующее утро, Агнес сидела возле мужа за накрытым для завтрака столом, ее голова лежала у него на плече, он что-то нашептывал ей на ухо, их пальцы были сплетены. Под добродушным взглядом улыбающегося мистера Гупника Агнес официально извинилась перед Иларией, но, когда муж уехал на работу, а мы отправились на пробежку по Центральному парку, Агнес всю дорогу яростно чертыхалась по-польски.

В тот вечер она объявила, что едет в Польшу на длинный уик-энд повидаться с семьей, и я почувствовала невероятное облегчение, поняв, что она не берет меня с собой. Агнес, с ее вечно меняющимся настроением и напряженными отношениями то с мистером Гупником, то с Иларией, то с Табитой, временами делала жизнь в этой квартире, пусть даже такой огромной, просто невыносимой, создавая ощущение клаустрофобии. И теперь меня согревала мысль, что я наконец смогу хотя бы несколько дней провести в одиночестве.

— Чем вы хотите, чтобы я занялась в ваше отсутствие? — спросила я.

— Отдохни пару деньков! — улыбнулась Агнес. — Думаю, ты сможешь чудесно провести время, пока меня не будет. Ой, ты даже не представляешь, как я счастлива, что наконец увижу семью! Так счастлива! — Она захлопала в ладоши. — Я еду в Польшу! И не нужно будет ходить на всякие там дурацкие благотворительные мероприятия! Я на седьмом небе от счастья!

Раньше Агнес не желала оставлять мужа даже на одну ночь, подумала я, но тотчас же отогнала от себя эту мысль.

Озадаченная столь странной метаморфозой, я вернулась на кухню и увидела, что Илария истово крестится.

— Илария, у тебя все хорошо?

— Я молюсь, — ответила она, не отрывая глаз от кастрюли.

— Так все в порядке?

— Отлично. Я молюсь о том, чтобы эта *puta* больше не вернулась сюда.

Я отправила имейл Сэму. У меня родилась блестящая идея, переполнявшая мое сердце восторгом. Конечно, удобнее было бы позвонить по телефону, но после нашего последнего разговора от Сэма не было ни слуху ни духу, и я опасалась, что он на меня до сих пор злится. Итак, я сообщила ему, что неожиданно получила трехдневный отпуск в конце недели и вполне могу раскошелиться на незапланированную поездку домой. Как он на это смотрит? Да и вообще, зарплата существует именно для того, чтобы ее тратить. Я поставила смайлик, эмодзи самолета, несколько сердечек и поцелуйчиков.

Ответ пришел через час.

Прости. Я всю неделю работаю, а в субботу обещал отвести Джейка в O2 послушать рок-группу. Хорошая идея, но неудачный уик-энд. С. х

Я уставилась на имейл, уговаривая себя не впадать в отчаяние. *Хорошая идея*. Словно я предложила ему прогуляться по парку.

— Он ко мне охладел?

Натан дважды прочитал письмо:

— Нет. Просто говорит, что занят и сейчас не самое подходящее время вот так, как снег на голову, приезжать домой.

— Он ко мне охладел. Письмо вообще никакое. Ни любви, ни... *желания*.

— А что, если он писал его по дороге на работу? Или на толчке. Или во время разговора с начальством. Ведь он живой человек.

Но меня так просто не проведешь. Я знала Сэма. Я снова и снова смотрела на эти короткие строчки, пытаясь уловить интонацию, скрытый смысл. После чего, ненавидя себя за это, залезла в «Фейсбук», чтобы проверить, не объявила ли Кэти Инграм о том, что запланировала нечто особенное на ближайший уик-энд. К моей величайшей досаде, она ничего не запостила. Впрочем, именно так вы и поступите, если запланировали соблазнить горячего парамедика, у которого уже есть девушка. Тогда я сделала глубокий вдох и написала ему ответ. Собственно, я написала несколько ответов, но этот был единственным, который я не стерла.

Нет проблем. Это было слишком смелое предложение. Надеюсь, ты хорошо проведешь время с Джейком. Л. х

Я нажала на «отправить», размышляя о том, насколько слова в электронном письме могут не соответствовать тому, что творится у тебя в душе.

Агнес уехала в четверг вечером, нагруженная подарками. Я помахала ей вслед рукой и рухнула перед телевизором.

В пятницу утром я отправилась в Метрополитен-музей на выставку китайских оперных костюмов, организованную Институтом костюма, где целый час восхищенно глазела на затейливо расшитые яркие одеяния и зеркальный блеск шелков. Из музея я отправилась на Западную Тридцать седьмую улицу — походить по магазинам тканей и галантерейных товаров, которые я нарыла в справочнике еще неделю назад. Стоял холодный октябрьский день — предвестник скорого наступления зимы, и я поехала на метро, наслаждаясь грязным, вонючим теплом. Примерно час я обследовала полки, потерявшись среди рулонов узорчатых тканей. У меня родилась идея создать к возвращению Агнес собственную доску настроений: обтянуть маленький шезлонг и подушки яркими, жизнерадостными тканями — изумрудно-зелеными и розовыми, с попугаями и ананасами, — по контрасту с камчатым полотном и драпировками, которые предлагали ей высокооплачиваемые дизайнеры интерьера. Ведь это цвета первой миссис Гупник. Агнес должна была привнести отпечаток своей индивидуальности — нечто смелое, живое и прекрасное. Я объяснила свою задумку женщине за прилавком, и она посоветовала мне зайти в другой магазин, комиссионку в Ист-Виллидже, где можно было найти и отрезы винтажной ткани.

Фасад магазинчика выглядел не слишком многообещающе — обшарпанное здание постройки 1970-х с вывеской: «Магазин винтажной одежды. Все десятилетия, все стили, низкие цены». Но когда я вошла внутрь, у меня буквально перехватило дыхание. Это был магазин-склад, оснащенный большими вешалками-каруселями под самопальными табличками: «1940-е», «1960-е», «Одежда, в которую облекаются мечты» и «Удачная покупка: нет ничего зазорного в разошедшемся шве». В воздухе пахло мускусными духами прошлых десятилетий, траченным молью мехом и давным-давно забытыми вечеринками. И я втягивала в себя этот запах, словно кислород, чувствуя, как ко мне возвращается некая часть меня, о потере которой я даже не подозревала. Я бродила по магазину, примеряя бесконечные наряды от неизвестных мне дизайнеров — их имена были эхом ушедших лет — Мишель, Фонсека из Нью-Джерси, Мисс Арамис, — щупала незаметные швы, прикладывала к лицу китайский шелк и шифон. Я готова была купить дюжину вещей, но в конце концов остановилась на лазорево-голубом коктейльном платье с широченными меховыми манжетами и круглым вырезом (я сумела себя убедить, что этот мех не в счет, поскольку ему уже шестьдесят лет), винтажном джинсовом полукомбинезоне и клетчатой рубашке, в которой мне сразу захотелось валить деревья или объезжать норовистую лошадь. Короче, я могла бы провести в этом магазине весь день.

— Я уже очень-очень давно положила глаз на это платье, — сказала девушка за кассой, когда я отдала ей покупки. Девушка была густо покрыта татуировками, крашеные темные волосы собраны в огромный шиньон, а глаза подведены черным карандашом. — Но у меня задница в него не влезает. А вы миленькая. — У нее был хриплый, прокуренный, невероятно крутой голос.

— Понятия не имею, когда его носить, но я просто обязана купить это платье!

— У меня точно такое же отношение к шмоткам. Они ведь с тобой разговаривают, да? А это платье буквально кричит: «Ну купи же меня, идиотка несчастная! Вот тогда, быть может, перестанешь жрать картофельные чипсы». — Она погладила платье. — Пока-пока, мой голубой дружочек! Прости, что подвела тебя.

— У вас потрясающий магазин!

— Ой, мы с трудом держимся на плаву. Стали жертвой безжалостных ветров растущей арендной платы и манхэттенцев, которые скорее пойдут в «Ти Джей Макс», нежели купят нечто оригинальное и красивое. — Она подняла подол платья, показав на крошечные стежки. — Разве можно ожидать подобного качества от потогонной фабрики в Индонезии? Ни у кого во всем штате Нью-Йорк нет и не будет такого платья. — Она выразительно подняла брови. — За исключением вас, английская леди. Откуда такая красота? — (На мне была зеленая шинель, от которой, как любил шутить папа, пахло так, словно ее в свое время носил участник Крымской войны, и красная вязаная шапочка. А еще бирюзовые ботинки «Доктор Мартенс», твидовые шорты и колготки.) — Мне нравится ваш прикид. Если захотите избавиться от этого пальто, продам как нефиг делать! — Она так громко щелкнула пальцами, что я невольно откинула голову. — Пальто в стиле «милитари». Обожаю! У меня есть красная пехотная шинель, которую моя бабушка, по ее словам, сперла у гвардейца Букингемского дворца. Я обрезала ее, превратив в полуперденчик. Вы ведь знаете, что такое полуперденчик? Хотите посмотреть фото?

Конечно, я очень хотела. Мы склонились над снимком короткого жакета, словно над фото с младенцами. Девушку звали Лидией, и она жила в Бруклине. Она и ее сестра Анжелика семь лет назад унаследовали магазин от родителей. У сестер была своя небольшая клиентура, но магазин пока худо-бедно держался в основном за счет художников по костюмам с кино- и телестудий, которые приобретали платья для дальнейшей переделки. Большинство вещей здесь, сказала Лидия, с распродаж, устраиваемых наследниками имущества.

— Самое лучшее место — это Флорида. У тамошних матрон шкафы забиты коктейльными платьями пятидесятых годов двадцатого века, с которыми им было не расстаться. Мы летаем на распродажи каждые несколько месяцев, пополняя запасы вещами, купленными у безутешных родственников. Но становится все труднее и труднее. Слишком большая конкуренция. — Она дала мне визитку с их веб-сайтом и электронной почтой. — Позвоните, если вдруг надумаете что-нибудь продать.

— Лидия, — сказала я, когда она завернула покупки в папиросную бумагу и положила в пакет. — Думаю, я скорее покупатель, а не продавец. Но все равно спасибо. Ваш магазин самый классный. И вы самая классная. Мне кажется... Мне кажется, будто я дома.

— Вы прелесть, — произнесла она без улыбки, после чего предостерегающе подняла вверх палец и, порывшись под прилавком, извлекла винтажные солнцезащитные очки в бледно-голубой пластмассовой оправе. — Кто-то оставил несколько месяцев назад. Я собиралась выставить их на продажу, но тут меня осенило, что на вас они должны смотреться просто сказочно, особенно с этим платьем.

— Нет, не могу, — промямлила я. — Я и так слишком много потратила...

— Тс! Подарок. Так что теперь вы у меня в неоплатном долгу и обязаны сюда вернуться. Вот. Правда стильно? — Она поднесла ко мне зеркало.

И я вынуждена была согласиться, что действительно выгляжу очень стильно. Я поправила очки на носу:

— Официально заявляю: это мой лучший день в Нью-Йорке. Лидия, увидимся на следующей неделе. И начиная с этого дня буду тратить все свои деньги исключительно в вашем магазине.

— Круто! Именно так, с помощью эмоционального шантажа клиентов, мы и держимся на плаву! — Она достала пачку «Собрания» и, прикурив, помахала мне вслед рукой.

Оставшуюся часть дня я провела за созданием доски настроений и примеркой новой одежды, но уже в шесть вечера обнаружила, что уныло сижу на кровати, тупо постукивая пальцами по коленкам. Поначалу меня приятно взволновала возможность получить дополнительное свободное время, но сейчас вечер тянулся и тянулся, словно печальный однообразный ландшафт. Я отправила сообщение Натану, который все еще был занят с мистером Гупником, с предложением сходить где-нибудь перекусить после работы, однако Натан ответил, что у него свидание, тем самым корректно давая понять, что ему не нужны прилипалы.

Мне захотелось позвонить Сэму, но я почему-то напрочь утратила веру в то, что в реальной жизни наши телефонные разговоры будут полностью соответствовать сценарию, сложившемуся в моей голове. И хотя я продолжала завороженно смотреть на телефон, пальцы так и не коснулись нужных цифр. Я вспомнила о Джоше, и у меня возник вопрос: если я предложу ему сходить куда-нибудь выпить, будет ли это расценено им как некий аванс и намек на Нечто Большее с моей стороны? После чего у меня невольно возник следующий вопрос: а может, тот факт, что я хочу с ним встретиться, действительно означает Нечто Большее? Я проверила страницу Кэти Инграм в «Фейсбуке». Никаких новых постов. И тогда, во избежание очередного дурацкого поступка, я отправилась на кухню и предложила Иларии помочь ей приготовить ужин. В ответ она секунд десять подозрительно смотрела на меня, раскачиваясь на каблуках своих черных шлепанцев:

— Ты хочешь помочь мне приготовить ужин?

— Да, — улыбнулась я.

— Нет! — отрезала она и отвернулась.

До этого вечера я полностью не отдавала себе отчета в том, как мало у меня знакомых в Нью-Йорке. Вся моя жизнь крутилась исключительно вокруг Агнес, я была всецело сосредоточена на ее потребностях и настолько загружена, что мне как-то не приходило в голову обзавестись здесь собственными друзьями. Но если в большом городе в пятницу вечером ты сидишь совершенно одна и тебе явно ничего не светит, то волей-неволей начинаешь чувствовать себя... почти неудачницей.

Я отправилась в хороший суши-бар, где заказала мисо-суп, сашими, которые еще не успела попробовать, отогнав о себя мысль: «Угорь! Я действительно ем угря!» — и выпила пива, затем вернулась домой, легла на кровать и принялась тупо переключать телевизор, стараясь вообще ни о чем не думать и, в частности, о том, чем занимается в данный момент Сэм. Я говорила себе, что я в Нью-Йорке — в центре Вселенной. И что плохого в том, чтобы провести один вечер дома? Ведь я просто отдыхаю после тяжелой трудовой недели. Да и вообще, если мне очень захочется, я вполне могу сходить куда-нибудь в любой другой вечер. Я даже мысленно повторила это несколько раз. И тут загудел мой телефон.

Ты продолжаешь обследовать лучшие нью-йоркские бары?

Даже не глядя на номер, я точно знала, от кого сообщение. У меня екнуло сердце. Поколебавшись секунду-другую, я все же ответила:

На самом деле решила остаться дома.

Как насчет дружеской кружки пива с измученной жертвой корпоративного рабства? В любом случае хотя бы проследишь, чтобы я не ушел домой с неподходящей женщиной.

Я улыбнулась. Затем написала:

С чего ты взял, что в моем лице найдешь защиту?

Неужели ты хочешь сказать, что нам не суждено быть вместе? О, это слишком жестоко.

Нет, я просто интересовалась, с чего ты взял, что я могу помешать тебе уйти домой с кем-то другим?

А с того, что ты хотя бы отвечаешь на мои сообщения. (Здесь он поставил смайлик.)

Я перестала печатать, внезапно почувствовав себя предательницей. И уставилась на нетерпеливо дергающийся курсор на экране телефона. В конце концов Джош написал:

Неужели я облажался? Я только что облажался, да? Черт побери, Луиза Кларк! Я просто хотел в пятницу вечером выпить пивка с красивой девушкой и даже приготовился впасть в легкое уныние после неизбежного осознания того факта, что она любит кого-то другого. Вот видишь, как я ценю твое общество! Может, все-таки сходим выпить пива? По кружечке?

Я откинулась на подушки, размышляя, закрыла глаза и тихонько застонала, затем села и напечатала:

Джош, мне реально жаль, но не могу. x

Он не ответил. Обиделся. Больше никогда не позвонит, не напишет.

И тут мой телефон снова загудел.

Ладно. Но если я попаду в беду, то завтра утром первым делом отправлю тебе сообщение с просьбой прийти, притворившись моей чокнутой ревнивой подружкой. Так что готовься поработать кулаками. Идет?

Я не выдержала и расхохоталась.

Что может быть проще. Спокойной ночи. x

Тебе тоже. Хотя для меня она точно не будет спокойной. Успокаивает лишь мысль о том, что где-то в глубине души ты наверняка жалеешь о своем отказе. x

Я и правда жалела, чуть-чуть. Конечно жалела. В «Теории большого взрыва» не так уж много смешных серий, которые можно смотреть. Я выключила телевизор, уставилась в потолок и подумала о своем парне на другом конце света, а еще об американце, который был похож на Уилла Трейнора и хотел провести время со мной, а не с всклокоченной блондинкой, выглядящей так, будто у нее под униформой стринги с блестками. Мне захотелось позвонить Трине, но я побоялась разбудить Тома.

И впервые со времени своего приезда в Америку я почти физически ощутила, что нахожусь не в том месте, словно меня привязали невидимыми веревками к чему-то, что находится за миллион миль отсюда. В какой-то момент на душе стало так паршиво, что, когда я вошла в ванную и увидела на раковине огромного рыжего таракана, не стала визжать, как обычно. Мне вдруг захотелось приручить его, сделать домашним питомцем, словно в романе для детей. Правда, я сразу же поняла, что это уже форменный бред сумасшедшего, и оперативно полила таракана «Рейдом».

В десять вечера, раздраженная и издерганная, я пошла на кухню для персонала, где стащила у Натана две банки пива и, оставив у него под дверью записку с извинениями, выпила их одну за другой, причем так быстро, что у меня началась отрыжка. Мне стало жаль треклятого таракана. Собственно говоря, что он такого сделал? Просто шел по своим тараканьим делам. Может, ему тоже было одиноко. Может, он хотел со мной подружиться. Я заглянула под раковину, куда потом его сбросила, но он определенно не подавал признаков жизни. Что привело меня в необъяснимую ярость. Я подумала, что рождена вовсе не для того, чтобы убивать тараканов. И вообще, мне буквально с самого детства врали насчет них. После чего я добавила это в список вещей, делать которые очень нехорошо.

Я надела наушники и принялась пьяным голосом напевать песни Бейонсе, от которых, как я точно знала, на душе станет еще поганее, но мне почему-то было наплевать. Потом я прокрутила в телефоне немногочисленные фото нас с Сэмом, силясь определить силу его чувств по тому, как он меня обнимает или склоняет свою голову к моей. Я смотрела на фото, пытаясь вспомнить, почему в его объятиях я чувствовала себя настолько уверенной и защищенной. В конце концов я взяла лэптоп и написала ему имейл:

Ты все еще скучаешь по мне?

И нажала на «отправить», отлично понимая, что, когда электронное письмо унесется в эфир, я обрекаю себя на бесконечные часы интернет-зависимости, связанной с ожиданием ответа.

Глава 13

Проснулась я с ощущением тошноты, но дело было отнюдь не в пиве. Потребовалось меньше десяти секунд, чтобы смутное ощущение тошноты просочилось через синапс, став связующей нитью с воспоминанием о том, что я сделала накануне вечером. Я медленно открыла лэптоп и потерла кулаками глаза, обнаружив, что да, я действительно отправила по электронной почте письмо, а вот он нет, не ответил. Даже когда я четырнадцать раз нажала на «обновить».

Какое-то время я лежала в позе эмбриона, стараясь унять сосущее чувство под ложечкой. После чего я уже начала было подумывать о том, чтобы позвонить ему и непринужденно сказать: *Ха! Я чуть-чуть перебрала и заскучала по дому, и мне просто захотелось услышать твой голос; в общем, ты понимаешь, так что прости...* — но в субботу он вроде бы дежурит, следовательно, прямо сейчас он в машине «скорой помощи» вместе с Кэти Инграм. А что-то внутри меня решительно противилось тому, чтобы я вела подобные разговоры в присутствии Кэти Инграм.

Впервые за все время моей работы у Гупников уикэнд представлялся мне нескончаемым путешествием по унылой местности.

Поэтому я сделала то, что делает любая девушка, когда она далеко от дома и ей немного грустно: съела половину упаковки шоколадного печенья и позвонила маме.

— Лу, это ты? Погоди, я как раз стираю дедушкины штаны. Сейчас выключу горячую воду. — (Я услышала мамины шаги по кухне, бормотание радио где-то на заднем фоне, сразу же стихшее, и моментально перенеслась в наш маленький дом на Ренфру-роуд.) — Алло? Я вернулась! У тебя все в порядке?

Мама явно запыхалась. Я представила себе, как она развязывает передник. Она всегда снимала передник во время важных звонков.

— Все замечательно! У меня просто раньше не было ни минуты свободной нормально поговорить, вот я и решила тебе позвонить.

— А это не безумно дорого? Мне казалось, ты предпочитаешь общаться по электронной почте. Тебе потом точно не придет один из этих жутких счетов на тысячу фунтов? Я смотрела передачу по телевизору о людях, имевших неосторожность говорить по телефону на каникулах. После возвращения они были вынуждены продать дом, чтобы расплатиться.

— Я проверила тарифы. Мама, так приятно слышать твой голос!

Мамины восторги по поводу моего звонка заставили меня слегка устыдиться, что я не звонила ей раньше. А мама уже вовсю тараторила. Она рассказала, как собиралась записаться на вечерние курсы поэзии, когда дедушке стало лучше, и о поселившихся в конце улицы сирийских беженцах, которым она давала уроки английского.

— Конечно, в основном я вообще не понимаю, что они говорят, но мы рисуем картинки. Прикинь? И Зейнах — это мать — всегда готовит мне что-нибудь вкусненькое, чтобы сказать спасибо. Ты не поверишь, какие чудеса она творит со слоеным тестом. Правда, они ужасно милые, вся их небольшая толпа.

Мама сообщила, что новый доктор велел папе сбросить вес; что дедушка совсем оглох и телевизор теперь орет так, что можно описаться от испуга; что Димпна, живущая от них через два дома, ждет ребенка и теперь постоянно блюет. Я сидела в кровати, слушала и чувствовала странное умиротворение оттого, что где-то в мире еще есть нормальная жизнь, которая идет своим чередом.

— Ты разговаривала с сестрой?

— Уже пару дней нет. А в чем дело?

Мама понизила голос, словно Трина была сейчас не за сорок миль от дома, а с мамой в одной комнате:

— У нее есть мужчина.

— Ну да, я знаю.

— Ты знаешь? А какой он из себя? Она ничего нам не рассказывает. Они ходят развлекаться два-три раза в неделю. Она улыбается и что-то бормочет всякий раз, как я завожу о нем речь. Это очень *странно*.

— Странно?

— Что твоя сестра так часто улыбается. Я нервничаю. Одним словом, это очень мило и все такое, но она сама на себя не похожа. Лу, я ночевала в Лондоне, чтобы посидеть с Томом и отпустить ее погулять. Вернувшись, она вдруг *запела*.

— Ух ты!

— Я знаю. Почти попадая в ноты. Я рассказала папе, а он обвинил меня в том, что я совсем не романтичная. Не романтичная! А я ответила, что только очень романтичная женщина может продолжать верить в институт брака, если ей приходится на протяжении тридцати лет стирать его подштанники.

— Мама!

— Боже мой! Совсем забыла. Но ты ведь еще пока не завтракала. Ну да ладно. Если будешь с ней говорить, постарайся выудить побольше информации. Кстати, как там твой дружок?

— Сэм? Ой... у него все прекрасно.

— Вот и отлично! После твоего отъезда он пару раз заходил в твою квартиру. Похоже, хотел быть поближе к тебе, да благослови его Господь! Трина сказала, он был очень грустным. Предлагал помочь ей по дому. Один раз приходил к нам на воскресный обед с ростбифом. Но сейчас уже что-то давно не показывался.

— Мама, он реально очень занят.

— Не сомневаюсь. Ну ладно. Все, я должна тебя отпустить, пока этот звонок нас обеих не разорил. Кстати, я тебе говорила, что на этой неделе встречаюсь с Марией? Той, что работает в туалете того чудного отеля, куда мы ходили в августе. В пятницу я собираюсь в Лондон навестить Трину с Томом, но сперва хочу перекусить вместе с Марией.

— В туалете?

— Не смеши меня. В сетевом итальянском ресторане возле Лестер-сквер. Там еще дают две пасты по цене одной. Забыла название. Мария очень привередлива и абы куда не ходит. Говорит, о ресторанной кухне можно судить по состоянию женского туалета. Очевидно, в том ресторане очень хороший режим уборки. Тик-в-тик. Кстати, а у тебя все хорошо? Как там гламурная жизнь Пятой улицы?

— Авеню. Мама, Пятой авеню. Грандиозно. Все... потрясающе.

— Не забудь прислать еще фотографий. Я показала миссис Эдвардс фото с Желтого бала, так она заявила, что ты у нас прямо кинозвезда. Правда, не сказала какая, но я знаю, у нее были самые добрые намерения. Вот я и говорю твоему папочке, что нам надо поскорее приехать тебя навестить, пока ты совсем не зазналась!

— Можно подумать, такое случится!

— Солнышко, мы тобой ужасно гордимся. Поверить не могу, что моя дочь в высшем нью-йоркском обществе, раскатывает на лимузинах и водит компанию с разными там щеголями.

Я оглядела свою комнатушку с обоями 1980-х годов и дохлым тараканом под раковиной.

— Да, — сказала я. — Мне действительно очень повезло.

Стараясь отогнать от себя мысли о том, почему Сэм больше не заходит в мою квартиру, чтобы быть ближе ко мне, я оделась, выпила кофе и спустилась вниз. Я собиралась снова посетить «Магазин винтажной одежды», поскольку внутренний голос подсказывал, что Лидия явно не будет возражать, если я просто поброжу по торговому залу.

Я очень серьезно подошла к выбору одежды, остановившись на бирюзовой блузке в китайском стиле, черной шерстяной юбке-брюках и красных балетках. Процесс создания образа, не требующего непременных футболки поло и нейлоновых слаксов, помог снова почувствовать себя человеком. Волосы я заплела в две косички, скрепленные сзади маленьким красным бантиком, а в качестве завершающего штриха надела подаренные Лидией солнцезащитные очки и сережки в виде статуи Свободы, против которых не смогла устоять, нарыв их в дешевом сувенирном ларьке.

Неожиданно я услышала в вестибюле какой-то шум. И у меня сразу возник вопрос: чем еще недовольна миссис Де Витт? Но, завернув за угол, я поняла, что громкий голос принадлежит молодой азиатке, которая совала Ашоку какого-то младенца:

— Ты сказал, это мой день. Ты обещал. Мне нужно идти на марш!

— Не могу, детка! Винсент взял выходной. А кто-то ведь должен отвечать за вестибюль.

— Тогда твои дети вполне могут посидеть здесь, пока ты будешь работать. Ашок, я пойду на этот марш. Я им нужна.

— Я не могу присматривать здесь за малышами!

— Детка, библиотеку собираются *закрыть*! Тебе понятно? Ты понимаешь, что это единственное место с кондиционером, куда я могу летом пойти? Единственное место, где я могу чувствовать себя нормальным человеком! Скажи, куда еще в Вашингтон-Хайтсе я могу сходить с детьми, если восемнадцать часов в день совершенно одна?

Заметив, что я топчусь рядом, Ашок поднял на меня глаза:

— Ой, здравствуйте, мисс Луиза.

Женщина обернулась. Уж не знаю, какой я представляла себе жену Ашока, но явно не энергичной молодой женщиной с длинными вьющимися волосами, в джинсах и бандане.

— Доброе утро.

— И вам того же. — Она снова повернулась к Ашоку. — Детка, я не собираюсь это больше обсуждать. Ты сказал, суббота моя. Я иду на марш протеста в защиту ценного социального объекта. И точка.

— На следующей неделе будет другой марш.

— Давление не должно ослабевать! Ведь муниципалы распределяют бюджет именно сейчас! Если мы не выйдем на улицу, в местных новостях о нас ничего не скажут и муниципалы решат, что всем наплевать. Детка, ты знаешь, как устроен механизм связей с общественностью? Знаешь, как устроен этот мир?

— Я *потеряю работу*, если мой босс спустится сюда и увидит троих малышей. Папочка любит тебя, Надия. Очень любит. Не плачь, солнышко. — Он поцеловал младенца, сидевшего у него на руках, в мокрую щеку. — Но папочке нужно сегодня работать.

— Все, детка. Я пошла. Вернусь сразу после полудня.

— Не уходи! Не смей... Эй!

Но она уже зашагала прочь с поднятой вверх раскрытой ладонью, пресекая все дальнейшие возражения, и остановилась лишь для того, чтобы поднять оставленный у дверей плакат. И словно по взмаху дирижерской палочки, все трое ребятишек дружно заревели. Ашок едва слышно выругался.

— Проклятье! И что мне теперь прикажешь с ними делать?!

— Я помогу, — произнесла я, прежде чем успела подумать, во что ввязываюсь.

— Что?

— Дома никого нет. Я возьму их наверх.

— Вы серьезно?

— По субботам Илария навещает сестру. Мистер Гупник в клубе. Усажу их перед телевизором. Разве это так трудно?

Ашок внимательно на меня посмотрел:

— Мисс Луиза, у вас ведь нет детей, да? — Опомнившись, он сказал: — Эх, вы меня здорово выручите! Если мистер Овиц увидит тут этих трех спиногрызов, то уволит меня, не дав и рта раскрыть... — Он задумался.

— Неужели уволит?

— Вот именно. Давайте я поднимусь с вами. Объясню, кто есть кто и кто что любит. А ну-ка, ребятня, вас ждет увлекательное приключение наверху с мисс Луизой! Правда, круто?

Дети подняли на меня мокрые, замурзанные мордашки. Я лучезарно улыбнулась. А они, не сговариваясь, снова пустились в рев. Если у вас вдруг случится приступ меланхолии, вы почувствуете себя оторванной от дома и вас будут терзать сомнения по поводу любимого человека, очень рекомендую вызваться присмотреть за тремя чужими детишками, причем двое из них еще не умеют самостоятельно ходить в туалет. Фраза «живи моментом» по-настоящему обрела смысл, когда мне пришлось отлавливать уползающего младенца в угрожающе мокром памперсе, который волочился по бесценному обюссонскому ковру, и одновременно пресекать попытки четырехлетнего малыша гоняться за перепуганным котом. Среднего ребенка, Абхика, удалось утихомирить печеньем, и я усадила его перед телевизором в комнате отдыха, где он смотрел мультики и, пока я пыталась загнать двух остальных на те же двадцать квадратных футов, самозабвенно засовывал крошки пухлыми ручонками в слюнявый рот. Детишки были занятными, и милыми, и подвижными, и утомительными; визжащими, и улепетывающими, и постоянно налетающими на мебель. Вазы опасно раскачивались, книги падали с полок и поспешно запихивались мной назад. Воздух был наполнен шумом и различными, не слишком приятными запахами. В какой-то момент я просто уселась на пол, схватив двух малышей за пояс, в то время как Рачана, старшенькая, тыкала мне в глаз липкими пальчиками и смеялась. Я тоже смеялась. Это казалось даже забавным, поскольку, слава богу, должно было скоро закончиться.

Спустя два часа к нам поднялся Ашок и сообщил, что его жену задержали во время марша протеста и он просит меня посидеть с детьми еще часок. Я согласилась. У него был загнанный взгляд человека в отчаянном положении, ну а мне, собственно, нечем было заняться.

Тем не менее я приняла определенные меры предосторожности: переместила детей в свою комнату, включила им телевизор с мультиками и где-то в глубине души смирилась с тем, что воздух в этой части здания никогда больше не будет пахнуть как прежде. Стук в дверь застал меня в тот момент, когда я пыталась помешать Абхику засунуть в рот баллон «Рейда».

— Погоди, Ашок! — крикнула я, отчаянно пытаясь отнять баллон у ребенка, пока нас не застукал его отец.

Но совершенно неожиданно в дверях появилась Илария. Она посмотрела на меня, потом на детей, потом снова на меня. Абхик на время перестал плакать, уставившись на домоправительницу огромными карими глазами.

— Хм. Привет, Илария! — (Она не ответила.) — Я просто выручила Ашока на пару часов. Я понимаю, это не положено, но, пожалуйста, никому ничего не говори. Они побудут здесь совсем недолго. — (Она оглядела комнату, принюхалась.) — Я потом все проветрю и побрызгаю освежителем воздуха. Пожалуйста, не говори мистеру Гупнику. Обещаю, такого больше не повторится. Конечно, мне сперва следовало спросить разрешения, но дома никого не было, а Ашок был в отчаянии. — Пока я говорила, Рачана с воем бросилась к Иларии, врезавшись, точно бейсбольный мяч, ей в живот. Я вздрогнула, когда Илария невольно попятилась. — Они с минуты на минуту уйдут. Могу прямо сейчас позвонить Ашоку. Правда-правда. Только никто не должен знать...

Но Илария лишь одернула блузку, после чего подхватила малышку на руки:

— Ты, наверное, пить хочешь, compañera?[1] — Прижав сосущую палец Рачану к своей необъятной груди,

[1] Подружка *(исп.)*.

Илария, не оглядываясь, зашаркала прочь. И уже из коридора я услышала ее раскатистый голос: — Тащи их всех на кухню!

Илария нажарила целую гору банановых фриттеров, между делом вручив детям по кусочку банана, чтобы не мешали ей стряпать, а я налила в чашки воды и постаралась не дать малышам упасть с кухонных стульев. Илария со мной не разговаривала. Она непрерывно ворковала с детишками, по ее лицу разлилась невероятная сладость, а голос стал низким и музыкальным. Малыши, в свою очередь, словно собаки в руках опытного инструктора, моментально притихнув, послушно протягивали пухлые ручки за очередным кусочком банана, причем те, что постарше, не забывали — под чутким руководством Иларии — говорить «спасибо» и «пожалуйста». Они уплетали за обе щеки, их круглые личики сделались улыбчивыми и умиротворенными, младенец, это была девочка, сонно тер кулачками глаза.

— Проголодались. — Илария кивнула на пустые тарелки.

Я попыталась вспомнить, говорил ли Ашок насчет еды в рюкзачке младенца, но безуспешно. Ну а сейчас я была просто счастлива, что в комнате, кроме меня, есть еще один взрослый.

— Ты блестяще обращаешься с детьми, — сказала я, жуя фриттер.

Илария лишь пожала плечами, хотя вид у нее был весьма довольный.

— Нужно переодеть младшенькую. Мы можем организовать ей постель в нижнем ящике твоего комода. — Заметив мой удивленный взгляд, Илария закатила глаза, словно удивляясь моей тупости. — Потому что с кровати она упадет.

— О да. Конечно.

Я отнесла Надию к себе в комнату и, сморщив нос, поменяла ей подгузник. Задернула шторы. Выдвинула нижний ящик комода, выстлала дно свитерами, уложила между ними девочку и стала ждать, когда та уснет. Сперва она боролась со сном, таращила на меня свои большие глазенки, тянула ко мне пухлые, в ямочках, ручки, но я могла точно сказать: эту битву она уже проиграла. Я попыталась по примеру Иларии нежно спеть колыбельную. Ну, строго говоря, это не было колыбельной: единственной вещью, слова которой я помнила, была «Песенка Абизьянки». Малышке она явно не понравилась, так как она сразу захныкала. Правда, я знала еще песенку про Гитлера с одним яичком, которую в детстве пел мне папа. И малышка, похоже, осталась довольна. У нее начали потихоньку закрываться глазки.

Я услышала в холле шаги Ашока, дверь в мою комнату тихонько открылась.

— Не входи, — прошептала я. — Она засыпает... *У Гиммлера был тот же размер...* — (Похоже, Ашок остановился на пороге.) — *А вот бедняга Геббельс яиц не имел.*

Ну все, Надия уснула. Я немножко подождала, накрыла ее бирюзовым кашемировым джемпером, чтобы не замерзла, и поднялась на ноги.

— Если хочешь, можешь оставить ее здесь, — прошептала я. — Илария на кухне с двумя другими. Мне кажется, она...

Я повернулась и завизжала от неожиданности. В дверях стоял Сэм, руки сложены на груди, уголки губ изогнуты в полуулыбке, у ног лежит дорожная сумка. Я растерянно заморгала. Неужели это не галлюцинация? Я закрыла лицо руками.

— Сюрприз! — едва слышно произнес Сэм.

Я, спотыкаясь, подбежала к нему и вытолкнула в холл, где могла спокойно его поцеловать.

Он все решил в тот вечер, когда я сообщила о незапланированных трех днях отдыха в конце недели. С Джейком вообще проблем не было — нашлась масса желающих получить бесплатный билет на концерт, — и Сэму, всеми правдами и неправдами, удалось поменять график дежурств. И наконец, купив в последний момент дешевый билет на самолет, он прилетел сюда, чтобы сделать мне сюрприз.

— Тебе еще крупно повезло, что я не решила сделать такой же сюрприз.

— Эта мысль и правда пришла мне в голову. На высоте тридцать тысяч футов. Я неожиданно представил, как ты сейчас летишь в противоположном направлении.

— А сколько у нас времени?

— Боюсь, не слишком много. Я уезжаю в понедельник рано утром. Но, Лу, я просто... я не хотел ждать еще несколько недель.

Сэм не стал продолжать, но я поняла, что он имел в виду.

— Я так счастлива. Спасибо. Спасибо. А кто впустил тебя в дом?

— Твой консьерж. Он предупредил меня насчет детей. А потом спросил, отошел ли я после пищевого отравления. — Сэм вопросительно поднял брови.

— Угу. В этом здании нет секретов.

— А еще он сказал, что ты куколка и самый приятный человек во всем доме. Что, конечно, мне было известно и раньше. Но потом на него наехала по поводу вывоза мусора какая-то миниатюрная старая дама с брехливой собачонкой, и я ушел.

Мы сидели и пили кофе, пока жена Ашока по имени Мина не пришла за детьми. Брызжа нерастраченной во время марша протеста энергией, Мина сердечно поблагодарила меня и рассказала о библиотеке в Вашингтон-Хайтсе, которую они пытались спасти. Иларии явно не хотелось отдавать Абхика, которого в данный момент она самозабвенно развлекала: смешила и щипала за толстые щечки. Пока мы, четверо взрослых, стояли и болтали, рука Сэма лежала на моей пояснице, в другой он держал кофейную чашку, а его крупное тело заполняло собой всю кухню. И у меня неожиданно возникло странное чувство, будто это место стало на несколько градусов ближе к дому, потому что теперь я могла представить в нем Сэма.

— Очень приятно познакомиться. — Сэм протянул Иларии руку, и та, к моему удивлению, не наградила его своим обычным недоверчивым взглядом, а ответила на рукопожатие и сдержанно улыбнулась.

Внезапно я поняла, как мало людей берут себе за труд нормально поздороваться. Бо́льшую часть времени мы с ней оставались невидимками, причем Илария — возможно, из-за возраста, а возможно, из-за национальности — даже больше, чем я.

— Ты уж постарайся, чтобы мистер Гупник его не увидел, — пробормотала она, когда Сэм вышел в туалет. — Принимать бойфрендов в этом доме строго запрещено. Пользуйся служебным входом. — Илария покачала головой, словно не могла поверить, что способна потворствовать подобной безнравственности.

— Илария, я этого никогда не забуду. Спасибо.

Я протянула руки, собираясь ее обнять, но она пригвоздила меня суровым взглядом. И я застыла на месте, ограничившись тем, что подняла вверх оба больших пальца.

Мы поели пиццы с безопасной вегетарианской начинкой, после чего зашли в темный, грязный бар, где по подвешенному над головой орущему телевизору транслировали бейсбол. Мы сели за крошечный столик, прижавшись коленками. Я то и дело теряла нить разговора, так как не могла поверить, что Сэм сидит, откинувшись на спинку стула, напротив меня, смеется над моими рассказами и периодически ерошит волосы. Словно по обоюдному согласию, мы избегали темы Кэти Инграм и Джоша, предпочитая говорить о своих семьях. У Джейка появилась новая девушка, и теперь он редко баловал Сэма вниманием. Сэм, по его словам, скучал, хотя и понимал, что ни один нормальный семнадцатилетний парень не захочет проводить свободное время с дядей.

— Он сейчас намного счастливее, а поскольку его отец так и не разобрался со своей жизнью, то, в принципе, я должен быть только рад за Джейка. Но все равно я чувствую себя чуть-чуть неприкаянно. Ведь я привык, что он постоянно со мной.

— Ты всегда можешь поехать навестить мою семью.

— Знаю.

— А могу я в пятьдесят восьмой раз сказать, как я счастлива, что ты тут?

— Луиза Кларк, ты можешь говорить все, что угодно. — Он поднес к губам мои пальцы.

Мы просидели в баре до одиннадцати вечера. И как ни странно, несмотря на лимит оставшегося до его отъезда времени, ни один из нас не чувствовал панической потребности использовать по максимуму каждую выпавшую нам минуту. Приезд Сэма стал столь неожиданным бонусом, что мы, не сговариваясь, решили просто наслаждаться обществом друг друга. Не нужно было осматривать достопримечательности, ставить галочки в графе «проделанное» или спешить в постель. Одним словом, как говорит молодежь, все было зашибись.

Из бара мы вышли в обнимку, пьяные от счастья. Я встала на поребрик, сунула два пальца в рот и свистнула, даже не вздрогнув, когда передо мной с визгом затормозило желтое такси.

— Ой, да. Ашок научил. Надо типа сунуть пальцы под язык. Вот так.

Я улыбнулась Сэму, но что-то в выражении его лица меня насторожило. Мне казалось, ему понравится моя выпендрежная манера ловить такси, но Сэм смотрел на меня так, будто видел впервые.

Мы вернулись в притихший дом. «Лавери», величественно смотревший на Центральный парк, был в стороне от шума и хаоса большого города, тем самым словно давая понять, что он выше подобных вещей. Сэм остановился у крытой дорожки, идущей от входной двери, и, задрав голову, принялся рассматривать тянущееся к небу здание с его монументальным кирпичным фасадом и венецианскими окнами. Наглядевшись, Сэм покачал головой в подтверждение каких-то своих мыслей, и мы вошли внутрь. В отделанном мрамором вестибюле было тихо, ночной консьерж дремал в каморке Ашока. Мы не стали вызывать грузовой лифт и поднялись по лестнице. Наши ноги утопали в толстом темно-синем ковре, руки скользили по блестящим латунным перилам, и вот наконец мы оказались в коридоре перед апартаментами Гупников. Где-то за дверью залаял Дин Мартин. Я впустила Сэма в квартиру, осторожно закрыв за собой массивную дверь.

У Натана свет не горел, из комнаты Иларии доносилось приглушенное бормотание телевизора. Мы с Сэмом прокрались на цыпочках через большой холл и прошли мимо кухни в мою комнату. Я надела футболку, на секунду пожалев, что не обзавелась более затейливой ночной одеждой, затем прошла в ванную, чтобы почистить зубы. Когда я вышла из ванной, по-прежнему с зубной щеткой во рту, Сэм сидел на кровати, уставившись в стенку. Я попыталась изобразить испытующий взгляд, но сделать это с полным ртом мятной зубной пасты оказалось не так-то легко.

— Что?

— Все очень... странно, — ответил Сэм.

— Ты о моей футболке?

— Нет. Странно оказаться здесь. В этом месте.

Я вернулась в ванную, сплюнула, прополоскала рот.

— Все прекрасно, — начала я, повернув кран. — Иларии все равно, а мистер Гупник вернется только в воскресенье вечером. А если тебе здесь некомфортно, завтра я сниму номер в маленьком отеле в двух кварталах отсюда, о котором мне говорил Натан, и мы сможем...

Сэм покачал головой:

— Я не о том. Ты. Здесь. В прошлый раз в отеле был я и была ты. Все как обычно. Только в другом месте. Но здесь я наконец понял, как изменилась твоя жизнь. Подумать только, ты живешь на Пятой авеню! На одной из самых дорогих улиц мира. Работаешь в невероятном здании. Где все реально пахнет деньгами. И для тебя это теперь совершенно нормально.

Я, как ни странно, почувствовала себя уязвленной:

— Но это все та же я.

— Конечно, — ответил Сэм. — Хотя теперь ты в другом месте. В буквальном смысле.

Он сказал это довольно спокойно, однако было в нашем разговоре нечто такое, отчего мне вдруг стало не по себе. Я босиком прошлепала к Сэму, положила руки ему на плечи и сказала, быть может, с излишней горячностью:

— Я по-прежнему просто Луиза Кларк, твоя слегка чокнутая девчонка из Стортфолда. — Не дождавшись ответа, я добавила: — Сэм, я здесь просто-напросто наемный работник.

Сэм заглянул мне в глаза, протянул руку и погладил по щеке:

— Ты не понимаешь. И не видишь, как сильно ты изменилась. Лу, ты стала другой. Ты ходишь по улицам этого города, как хозяйка. Ты ловишь такси свистом, и такси останавливается. У тебя даже походка изменилась. Будто... Ну, я не знаю. Ты расцвела. Расцвела или превратилась в кого-то другого.

— Послушай, ты вроде как хочешь сказать обо мне хорошо, но почему-то все это звучит очень плохо.

— Не плохо. Просто... по-другому.

Я села Сэму на колени, мои голые ноги терлись о грубые джинсы. Я наклонилась к нему, так что наши носы практически соприкасались, а мой рот был от губ Сэма всего в нескольких дюймах. Обвила шею Сэма руками, чтобы кожей почувствовать его мягкие каштановые волосы, ощутить на своей груди теплое мужское дыхание. В комнате было темно, узкий луч холодного неонового света падал на мою кровать. Я поцеловала Сэма, этим поцелуем мне хотелось передать, как много он для меня значит, объяснить, что, даже если я и ловлю такси свистом, он все равно единственный человек, с которым мне хотелось бы туда сесть. Я целовала Сэма, и мои поцелуи становились все более жаркими и страстными. Я продолжала все сильнее прижиматься к нему до тех пор, пока он не сдался, пока его руки не сомкнулись у меня на талии и не скользнули чуть выше, пока я не почувствовала, что в какой-то момент он наконец перестал думать. Он резко притянул меня к себе, его губы впились в мои, я судорожно вздохнула, когда он принялся ритмично двигаться вверх-вниз, забыв обо всем, кроме всепоглощающего желания.

В ту ночь я отдала Сэму всю себя. Я была раскованной, не похожей на себя прежнюю. Но исключительно потому, что мне отчаянно хотелось показать ему, как сильно я в нем нуждаюсь. То была настоящая битва, пусть он даже и не подозревал об этом. Я скрывала от него свою силу, сделав так, чтобы он был ослеплен своей. Не было ни нежности, ни ласковых слов. Когда наши глаза встретились, я почувствовала, как в моей груди закипает злость на него. «Это все та же я, — молча говорила я ему. — И не смей сомневаться во мне! Только не после такого». Он обладал мной. Я ему это позволила. Мне хотелось свести его с ума. Хотелось, чтобы он почувствовал, что взял все, ничего не оставил. Уж не знаю, какие звуки я издавала, но, когда мы кончили заниматься любовью, у меня продолжало звенеть в ушах.

— Это было... по-другому, — сказал Сэм, наконец переведя дух. Его рука скользнула по моему телу, теперь уже ласково; он поглаживал большим пальцем мое бедро. — Раньше ты такой не была.

— Возможно, раньше я никогда так сильно по тебе не скучала. — Наклонившись, я поцеловала его грудь и почувствовала на губах вкус соли.

Мы лежали в темноте, глядя на пересекающую потолок неоновую полосу.

— Все то же небо, — сказал он в никуда. — Вот то, что мы должны запомнить. Мы по-прежнему под тем же небом.

Где-то вдалеке завыла полицейская сирена, за ней — другая, не в унисон. В последнее время я перестала их замечать, звуки ночного Нью-Йорка стали привычными, ослабевая до неслышного белого шума.

Сэм повернулся ко мне, его лицо скрывалось в тени.

— Знаешь, я начал забывать какие-то вещи. Крохотные частички тебя, которые любил. Я не смог вспомнить запах твоих волос. — Он опустил голову, сделав глубокий вдох. — Линию твоего подбородка. Или мурашки на твоей коже, когда делаю вот так... — Он легонько пробежался пальцем вниз по моей груди, и я улыбнулась, почувствовав непроизвольную реакцию своего тела. — И твой чудный затуманенный взгляд после... Я приехал сюда, чтобы вспомнить.

— Сэм, перед тобой по-прежнему все та же я.

Он поцеловал меня, его губы несколько раз нежно коснулись моих, словно шепот ласкового ветерка.

— Что ж, кем бы ты ни была, Луиза Кларк, я люблю тебя, — сказал он и перекатился на спину.

Но именно в этот момент я поняла горькую правду. Я вела себя с ним по-другому. Причем не только потому, что стремилась показать, как сильно я его желаю, как сильно я его люблю, хотя и это тоже имело место.

Где-то на подсознательном уровне я стремилась доказать ему, что я лучше *ее*.

Глава 14

Мы спали до десяти утра, затем отправились в закусочную возле Коламбус-серкл, где ели, пока не заболели животы, пили галлонами обжигающий кофе и сидели, сцепившись коленями.

— Ну как, доволен, что приехал? — спросила я, заранее зная ответ.

Сэм нежно положил руку мне на шею и, не обращая внимания на других посетителей, потянулся через стол, чтобы поцеловать меня, тем самым дав ответ на мой вопрос. Вокруг нас сидели средних лет парочки с воскресными газетами в руках, компании нелепо одетых клабберов, пришедших после ночной тусовки, измученные семейные пары с орущими детьми.

С тяжелым вздохом Сэм откинулся на спинку стула:

— Знаешь, моя сестра всегда мечтала сюда приехать. Как глупо, что она так этого и не сделала.

— Правда? — Я потянулась к его руке, он сжал пальцами мою ладонь.

— Угу. У нее был целый список вещей, которые ей хотелось бы сделать. Например, пойти на бейсбольный матч. «Кикс»? «Никс»?[1] В общем, какая-то команда, ко-

[1] «Нью-Йорк никербокерс», более известный как «Нью-Йорк Никс» — профессиональный баскетбольный (а не бейсбольный!) клуб, базирующийся в Нью-Йорке.

торую она мечтала увидеть. А еще поесть в нью-йоркской закусочной. Но больше всего ей хотелось подняться на крышу Рокфеллеровского центра.

— Не Эмпайр-стейт-билдинг?

— Не-а. Она говорила, Рокфеллеровский центр лучше. Там есть такая стеклянная обзорная штуковина, через которую можно смотреть. Вроде бы оттуда даже видна статуя Свободы.

— Мы могли бы сегодня пойти.

— Могли бы, — произнес Сэм. — Что означает предположение, ведь так? — Он потянулся за кофе. — Никогда нельзя упускать имеющиеся у тебя шансы.

Сэм вдруг погрузился в легкую меланхолию. Но я не пыталась стряхнуть с него этот налет грусти. Как никто другой, я знала, что иногда человеку нужно позволить немного погрустить. После секундной паузы я сказала:

— Я чувствую это каждый день. — И, поймав его удивленный взгляд, добавила, точно предупреждая: — Я опять собираюсь говорить об Уилле Трейноре.

— Валяй!

— После моего приезда сюда не проходит и дня, чтобы я не думала о том, как он гордился бы мной.

Я сама немножко испугалась того, что сказала, поскольку в первые дни нашего знакомства с Сэмом буквально изводила его бесконечными разговорами о том, какое место Уилл занимает в моей душе, в которой после его смерти осталась незаживающая рана. Но сейчас Сэм просто кивнул:

— Думаю, гордился бы. — Он провел пальцем по моей ладони. — И я твердо знаю, что тоже горжусь. Я горжусь тобой. Да, я безумно по тебе скучаю. Но, черт возьми, Лу, ты потрясающая женщина! Ты приехала в незнакомый город и сумела сделать так, чтобы твоя работа со всякими там миллионерами и миллиардерами пошла тебе на пользу, и ты обзавелась друзьями, и все это твоя личная заслуга. Иногда люди просто коптят небо, не претворив в жизнь и десятой доли. — Он обвел руками обеденный зал.

— Но ты тоже можешь это сделать! — вырвалось у меня. — Я навела справки. Властям Нью-Йорка постоянно требуются хорошие парамедики. Уверена, мы могли бы как-нибудь утрясти этот вопрос. — И хотя я шутила, до меня вдруг дошло, как страстно я желаю, чтобы это случилось на самом деле. Я наклонилась поближе к Сэму. — Мы могли бы снять маленькую квартирку в Квинсе или где-нибудь еще, и тогда мы были бы вместе каждую ночь, конечно, в зависимости от нашего безумного рабочего графика, и могли бы делать это каждое воскресное утро. Мы могли бы быть *вместе*. Ну разве не потрясающе?

Просто живи хорошо. Просто живи. Эти слова снова звенели у меня в ушах. «Скажи „да“, — мысленно умоляла я Сэма. — Просто скажи „да“».

Он накрыл мою руку тяжелой ладонью, потом вздохнул:

— Не могу, Лу. Я еще не достроил дом. А если придется сдать его в аренду, необходимо все доделать. И я пока не могу оставить Джейка. Он должен знать, что я по-прежнему рядом. Придется чуть-чуть подождать.

Я изобразила безмятежную улыбку, говорившую о том, что я особо ни на что и не рассчитывала:

— Ну конечно! Это была дурацкая идея!

Он прижался губами к моей ладони:

— Не дурацкая. Просто в данный момент нереальная.

Придерживаясь нашего молчаливого соглашения, мы больше не затрагивали потенциально опасных тем, которых оказалось на удивление много: его работа, его жизнь в Лондоне, наше общее будущее. Итак, прогулявшись по Хай-Лайн, мы решили сделать крюк и заглянуть в «Магазин винтажной одежды». Поздоровавшись с Лидией, как со старой подругой, я примерила розовый с блестками комбинезон, сшитый в 1970-е, потом — меховое пальто 1950-х и матросскую шапочку. Сэм от души веселился.

— Вот *теперь*, — заявил он, когда я вышла из примерочной кабинки в розово-желтом нейлоновом психоделическом платье-шифт, — передо мной прежняя Луиза Кларк, которую я знаю и люблю.

— А она вам еще не показывала голубое коктейльное платье? С длинным рукавом?

— Прямо не знаю, что выбрать. То ли взять это, то ли все-таки мех.

— Дорогуша, — сказала Лидия, закуривая сигарету «Собрание», — ты не можешь носить мех на Пятой авеню. Люди не поймут, что ты просто прикалываешься.

Когда я наконец вышла из примерочной, Сэм уже стоял возле прилавка. Он протянул мне пакет.

— Платье шестидесятых, — подсказала Лидия.

— И ты купил его для меня? — Я забрала у Сэма пакет. — Неужели? А тебе не кажется, что оно слишком кричащее?

— Оно совершенно безумное, — невозмутимо ответил Сэм, — но в нем ты выглядела такой счастливой... и поэтому...

— Боже, он твой ангел-хранитель, — с сигаретой в зубах прошептала Лидия, когда мы направились к выходу. — В следующий раз заставь его купить тебе тот комбинезон. Ты выглядела в нем шикарно.

Мы вернулись на пару часов домой и, не раздеваясь, целомудренно прилегли подремать, перегруженные углеводами. В четыре мы, еще сонные, встали с кровати, решив напоследок сходить на экскурсию, поскольку на следующий день Сэм улетал утренним восьмичасовым рейсом из аэропорта имени Джона Кеннеди. И пока он укладывал в сумку свои немногочисленные пожитки, я отправилась заварить чай на кухню, где нашла Натана, который готовил нечто вроде протеинового коктейля.

— Слышал, твой парень здесь, — ухмыльнулся Натан.

— Неужели в этом коридоре все мгновенно становится достоянием общественности? — Я включила чайник.

— Естественно, подруга. При таких-то тонких стенах, — ответил Натан, но, заметив, что я покраснела до корней волос, поспешно добавил: — Шучу! Я не слышал ни звука. Хотя мне приятно, что ты, судя по цвету твоего лица, классно провела ночь!

Мне захотелось его стукнуть, но тут в дверях появился Сэм. Натан протянул ему руку:

— А-а... Тот знаменитый Сэм. Очень рад наконец-то познакомиться, приятель.

— И я тоже.

Я с беспокойством ждала, что эти двое альфа-самцов с ходу начнут выделываться друг перед другом. Но Натану явно было лениво, а Сэм находился в расслабленном состоянии после двадцати четырех часов секса и обжорства. Они просто пожали друг другу руки, поулыбались и обменялись любезностями.

— Ребята, вы вечером куда-нибудь собираетесь?

Натан потягивал свой микс, а Сэм пил заваренный мной чай.

— Мы собирались подняться на смотровую площадку «Верхушка Скалы» Рокфеллеровского центра. Это нечто вроде миссии.

— Ай да бросьте! Неужели вы хотите в последний вечер простоять в очереди с другими туристами? Лучше приходите в «Холидей коктейль лаунж» в Ист-Виллидж. Я там встречаюсь с друзьями. Лу, ты их уже видела, когда мы в прошлый раз вместе оттягивались. Они устраивают какую-то презентацию. Будет весело.

Я покосилась на Сэма. Он пожал плечами. Может, заскочим на полчаса, сказала я. А потом все-таки поднимемся на «Верхушку Скалы». Она открыта до двадцати трех пятнадцати.

Три часа спустя мы уже сидели в шумной компании, и у меня слегка поплыла голова от бесконечных коктейлей, которые один за другим появлялись на столе. Я специально надела свое психоделическое платье, чтобы показать Сэму, как сильно оно мне нравится. Между тем Сэм, в принципе любивший мужскую компанию, уже успел закорешиться с Натаном и его друзьями. Они громко обсуждали музыкальные предпочтения каждого и делились историями о жутких рейвах времен своей юности.

Я улыбалась, поддерживала разговор и одновременно прикидывала, какой финансовый вклад мне нужно внести, чтобы Сэм приезжал сюда в два раза чаще, чем мы изначально планировали. И тогда он, несомненно, понял бы, как здесь хорошо. Как нам вдвоем хорошо.

Сэм поднялся, чтобы пойти за очередными коктейлями.

— Заодно прихвачу парочку меню, — прошептал он.

Я кивнула, зная, что мне нужно было хоть немного поесть, дабы потом не опозориться.

И тут на мое плечо легла чья-то рука.

— Нет, ты реально меня преследуешь! — Джош улыбался широкой белозубой улыбкой.

Я резко встала с места, красная как рак. Оглянулась проверить, где Сэм. Он стоял спиной ко мне у бара.

— Джош! Привет!

— Тебе наверняка известно, что это еще один мой любимый бар, да?

На нем была полосатая синяя рубашка с закатанными рукавами.

— Нет, конечно! — Мой голос был слишком громким, а речь — слишком торопливой.

— Я тебе верю. Выпить хочешь? Они делают тут такой «Олд фэшн», что просто зашибись! — Он дотронулся до моего локтя.

Я отпрыгнула как ошпаренная:

— Да, знаю. Но нет. Спасибо. Я здесь с друзьями и... — Повернувшись, я увидела, что к нам подошел Сэм с полным подносом напитков и парочкой меню под мышкой.

— Привет! — Взглянув на Джоша, Сэм поставил поднос на стол, затем медленно выпрямился и посмотрел на Джоша более пристально.

Я стояла, беспомощно опустив руки:

— Джош, это Сэм, мой... мой парень. Сэм, это... это Джош.

Сэм вглядывался в лицо Джоша, словно силясь что-то понять.

— Да, — наконец произнес Сэм. — Полагаю, я и сам мог бы догадаться. — Он посмотрел на меня, затем перевел глаза обратно на Джоша.

— Ребята... может, хотите чего-нибудь выпить? Вижу, вы уже запаслись, но я был бы рад вас угостить. — Джош махнул рукой в сторону бара.

— Нет, спасибо, приятель. — Сэм продолжал стоять, он был на полголовы выше Джоша. — Думаю, нам уже достаточно.

Неловкое молчание затягивалось.

— Ну тогда ладно. — Посмотрев на меня, Джош кивнул. — Сэм, очень рад знакомству. Ты здесь еще долго?

— Достаточно долго. — Улыбка Сэма стала похожа на оскал; я еще никогда не видела его таким колючим.

— Ну что ж... Тогда я вас оставляю. Луиза... до встречи. Желаю хорошего вечера. — Он поднял вверх руки, явно примирительный жест.

Я открыла было рот, но не нашла нужных слов, поэтому просто вяло пошевелила дрожащими пальцами.

Сэм тяжело опустился на стул. Я покосилась на Натана, выражение его лица было безучастным. Он явно хотел сохранить нейтралитет. Остальные парни, которые, похоже, вообще ничего не заметили, продолжали обсуждать цены на билеты последнего рейва. Сэм, казалось, впал в глубокую задумчивость. Затем поднял голову. Я потянулась к его руке, но он не отреагировал.

Настроение было напрочь испорчено. Шум в баре не способствовал выяснению отношений, а я толком не знала, о чем говорить. Я потягивала коктейль и прокручивала в голове сотню аргументов. Сэм, залпом осушивший свой бокал, кивал и улыбался шуткам парней, но, судя по тому, как у него вдруг заходили желваки на скулах, мысленно он был далеко. В десять мы собрались и поймали такси до дому.

На сей раз я позволила это сделать Сэму.

Мы поднялись в грузовом лифте, как нам и было велено, после чего пробрались в мою комнату, удостоверившись сперва, что все спокойно. Но мистер Гупник, похоже, лег спать. Сэм всю дорогу молчал. Он пошел переодеться в ванную, закрыв за собой дверь. Спина у него была напряженной. Пока он чистил зубы и полоскал горло, я забралась в кровать, чувствуя себя немного виноватой и одновременно несправедливо обиженной. Сэм, казалось, пробыл в ванной целую вечность. Наконец он открыл дверь и замер на пороге в одних трусах. Шрамы у него на животе по-прежнему оставались ярко-красными.

— Я вел себя как придурок.

— Да. Что есть, то есть.

Сэм тяжело вздохнул. Посмотрел на фотографию Уилла, которую я поставила между снимками Сэма и Трины с Томом, засунувшим палец в нос.

— Извини. Меня буквально прошибло то, как он похож на...

— Знаю. Но тогда я имею полное право сделать определенные выводы из того, что ты проводишь время с моей сестрой, которая очень похожа на меня.

— За исключением того, что она на тебя совсем не похожа. — Он удивленно поднял брови. — Ты что-то хотела сказать?

— Нет. Наоборот, я жду, когда ты скажешь, что я в тысячу раз красивее.

— Ты в тысячу раз красивее. — Я откинула одеяло, и он лег рядом со мной. — Ты красивее своей сестры. Намного красивее. И вообще, ты почти топ-модель. — Сэм положил мне руку на бедро. Рука была теплой и тяжелой. — Правда, ноги у тебя короче. Ну как, довольна?

Я попыталась сдержать улыбку:

— Вполне. Но вот насчет моих коротких ног — это крайне неделикатно с твоей стороны.

— У тебя очень красивые ноги. Мои самые любимые ноги. Ноги топ-модели — это ведь так неинтересно.

Сэм придвинулся поближе и лег на меня. Я почувствовала, как что-то внутри постепенно пробуждается к жизни, и мне пришлось предпринять титанические усилия, чтобы не начать сладострастно извиваться. Сэм перенес тяжесть тела на локти, придавив меня к кровати и устремив взгляд на мое лицо — по-прежнему суровое, несмотря на отчаянно бьющееся сердце.

— Похоже, ты напугал беднягу до мокрых штанов, — сказала я. — У тебя был такой вид, будто ты вот-вот его ударишь.

— Именно это я и собирался сделать.

— Сэм Филдинг, ты идиот.

Я поцеловала его, и когда он вернул мне поцелуй, уколов отросшей за день щетиной, на лице его расцвела улыбка.

На этот раз он был нежен со мной. Возможно, потому, что помнил о тонких стенах и о том, что ему здесь не положено находиться. Хотя, скорее всего, мы стали более бережно относиться друг к другу, памятуя о событиях прошедшего вечера. Сэм прикасался к моему телу едва ли не благоговейно. Он говорил, что любит меня, глухим проникновенным голосом, а признаваясь в любви, смотрел мне прямо в глаза. И каждое признание отдавалось в моей душе, точно маленькое землетрясение.

Я люблю тебя.

Я люблю тебя.

Я тоже тебя люблю.

Мы поставили будильник на без четверти пять, и, разбуженная пронзительным звоном, я, чертыхаясь, открыла глаза. Сэм со стоном положил на голову подушку.

Сердито ворча, я выпихнула его в ванную комнату, включила душ и прошлепала на кухню сделать кофе. Когда я вернулась, Сэм уже выключил воду. Я сидела на краю кровати, прихлебывала кофе и невольно задавалась вопросом, в чьи гениальные мозги могла прийти блестящая идея пить крепкие коктейли в воскресенье вечером. Я бессильно откинулась на спину, и в этот момент дверь ванной открылась.

— Можно, я возложу на тебя вину за коктейли? Мне сейчас просто необходимо кого-нибудь обвинить. — Моя голова буквально раскалывалась. Я осторожно приподняла ее и снова положила на подушку. — Интересно, а что там было намешано? — Я прижала пальцы к вискам. — Они явно налили двойную дозу. Какая жуткая боль! Эх, лучше бы мы отправились в Рокфеллеровский центр!

Сэм продолжал упорно молчать. Я повернула голову в его сторону. Он остался стоять в дверях ванной комнаты.

— Ты хочешь поговорить со мной об этом?

— О чем? — Я с трудом заставила себя сесть.

Сэм, полуголый, в завязанном на талии полотенце, держал в руках какую-то маленькую белую прямоугольную коробочку. На секунду я подумала, что он хочет подарить мне ювелирное украшение, и едва сдержала смех. Но когда он протянул мне коробочку, улыбки на его лице не было.

Я послушно взяла ее. И не поверила своим глазам: это был тест на беременность. Коробка была вскрыта, внутри лежала белая пластиковая полоска. Я проверила ее и несколько отстраненно отметила, что на ней нет синих полосок, после чего, временно лишившись дара речи, подняла глаза на Сэма.

Он тяжело опустился на кровать:

— Мы ведь пользовались презервативом, так? В прошлый раз, когда я к тебе приезжал. Мы пользовались презервативом.

— Где... где ты это нашел?

— У тебя в мусорном ведре. Я собирался бросить туда бритву.

— Сэм, это не мое.

— Разве ты делишь эту комнату с кем-то еще?

— Нет.

— Тогда ты должна знать, чье это.

— Я не знаю! Но... но это точно не мое! Клянусь, я больше ни с кем не занималась сексом! — И тут я поняла одну страшную вещь. Все мои уверения, что я не занималась сексом ни с кем другим, были похожи на попытку скрыть тот факт, что я действительно занималась сексом с кем-то другим. — Да, я понимаю, как это выглядит со стороны, но понятия не имею, как эта штука оказалась в моей ванной!

— Так ты именно поэтому вечно наезжаешь на меня по поводу Кэти? Потому что чувствуешь себя виноватой из-за того, что встречаешься с другим, да? Как это называется в психологии? Перенесение? Ты поэтому была... не похожа на себя прошлой ночью, да?

Комната внезапно превратилась в безвоздушное пространство. Мне показалось, будто меня отхлестали по щекам. Я уставилась на Сэма:

— Ты действительно так думаешь? И это после всего, через что нам пришлось пройти?! — (Он не ответил.) — Ты действительно думаешь, что я тебе изменяю?

Сэм побледнел, потрясенный не меньше меня:

— Я просто думаю, если что-то выглядит как утка и крякает как утка, то, как правило, это действительно утка.

— Сэм, я тебе не какая-то сраная утка... Сэм... — (Он неохотно повернул ко мне голову.) — Я не стала бы тебе изменять. Это не мое. Ты должен мне верить. — (Он буквально впился в меня взглядом.) — Я уже устала повторять! Это не мое.

— Мы с тобой были вместе совсем недолго. Бóльшую часть времени каждый из нас был сам по себе. Я не могу...

— Не можешь — что?

— Понимаешь, это одна из тех самых ситуаций. Ведь если рассказать об этом приятелям в пабе, они на тебя посмотрят типа: ну ты попал, приятель...

— Тогда не говори со своими треклятыми приятелями в пабе! Лучше слушай, что *я* тебе говорю!

— Лу, хотел бы, да не могу!

— В чем твоя чертова проблема?

— *Он был похож на Уилла Трейнора!* — Сэм явно больше не мог держать это в себе. Он снова сел. Уронил голову на руки. А затем повторил, очень тихо: — Он был похож на Уилла Трейнора.

У меня в глазах закипели слезы. Я смахнула их ребром ладони, понимая, что наверняка размазала по щекам вчерашнюю тушь, но мне было наплевать. Когда я смогла говорить, мой голос стал низким, резким, совсем чужим.

— Повторяю еще раз. Я ни с кем, кроме тебя, не сплю. Если ты мне не веришь, я... Ну, тогда я не знаю, что ты вообще здесь делаешь.

Он не ответил. Но мне показалось, будто ответ уже витал в воздухе: *И я тоже.* Сэм встал и подошел к своей сумке. Вытащил оттуда какие-то штаны, надел, натянув порывистыми, сердитыми движениями.

— Ладно, я должен идти.

Мне больше нечего было ему сказать. Я сидела на кровати и наблюдала за ним, чувствуя себя совершенно опустошенной и одновременно взбешенной. Я молчала, пока он одевался и бросал оставшиеся пожитки в сумку. Он повесил сумку на плечо, подошел к двери и обернулся.

— Счастливо долететь, — сказала я без улыбки.

— Я позвоню, когда доберусь до дому.

— Хорошо.

Он подошел и поцеловал меня в щеку. Я даже не подняла глаза, когда он открыл дверь. Он еще немножко постоял на пороге и ушел, беззвучно закрыв за собой дверь.

Агнес вернулась домой в полдень. Гарри забрал ее в аэропорту, и она приехала странно подавленная, словно поездка оказалась неудачной. Поздоровалась со мной, не снимая солнцезащитных очков, небрежным «здравствуй» и заперлась в своей гардеробной комнате, где просидела следующие четыре часа. Она появилась, приняв душ и переодевшись, только к чаю и встретила меня вымученной улыбкой, когда я вошла в ее кабинет с законченной доской настроений. Я рассказала о цветах и тканях, она рассеянно кивала, явно не слушая, о чем речь. Дав ей спокойно выпить чая и подождав, когда Илария спустится вниз, я закрыла дверь кабинета. Агнес подняла на меня глаза.

— Агнес, — спокойно сказала я, — мне нужно задать вам странный вопрос. Это вы бросили тест на беременность в мусорное ведро в моей комнате?

Она растерянно заморгала. Затем поставила чашку обратно на блюдце и поморщилась:

— Ах это! Да, я как раз собиралась тебе сказать.

Я почувствовала, как злость, словно желчь, подкатывает к горлу.

— Вы собирались мне сказать? А вы знаете, что мой парень нашел этот чертов тест?!

— Твой парень приезжал на уик-энд? Как мило! Вы хорошо провели время?

— Да. Пока он не нашел в моей ванной использованный тест на беременность.

— Но ты ведь сказала ему, что тест не твой?

— Агнес, я все сказала. Но как ни смешно, мужчины почему-то всегда начинают говниться, когда находят в ванной своих подружек использованный тест на беременность. Особенно если подружка живет за три тысячи миль от них.

Она помахала рукой, будто желая развеять мои сомнения:

— Ой, ради всего святого! Если он тебе доверяет, все будет нормально. Ты ведь ему не изменяешь. Нельзя быть таким дураком!

— Но почему? Почему нужно было оставлять тест на беременность в моей комнате?

Агнес замерла. Потом огляделась по сторонам, точно желая удостовериться, что дверь кабинета плотно закрыта. Внезапно ее лицо стало серьезным.

— Потому что, если бы я оставила тест в своей ванной, Илария непременно его нашла бы, — призналась она. — А я не могу допустить, чтобы Илария видела подобные вещи. — Она всплеснула руками, словно удивляясь моей непроходимой тупости. — Леонард совершенно однозначно заявил, когда мы поженились: никаких детей. Основное условие нашего соглашения.

— Неужели? Но это неправильно... А вдруг вы захотите их иметь?

Она поджала губы:

— Исключено.

— Но вы ведь моя ровесница. Откуда такая уверенность? Лично я не всегда уверена, буду ли продолжать пользоваться бальзамом для волос своей любимой фирмы. Масса людей передумывает, когда...

— У меня не будет детей от Леонарда! — отрезала она. — Понятно? И хватит о детях!

Я поднялась не слишком охотно. Агнес резко повернула голову, выражение ее лица неожиданно стало агрессивным.

— Извини. Извини за причиненное неудобство. — Она ударила себя по лбу ребром ладони. — Хорошо? Мне очень жаль. А теперь я собираюсь на пробежку. Одна.

Когда минуту спустя я зашла на кухню, то увидела там Иларию. Она яростно, почти свирепо месила тесто. На меня она даже не взглянула.

— Ты думаешь, она тебе подруга.

Я замерла у кофеварки с кружкой в руках.

Она со злостью надавила на тесто:

— Чтобы спасти свою шкуру, эта *puta* продаст тебя и глазом не моргнет.

— Бесполезно, Илария. — Впервые за все время нашего знакомства у меня хватило духу возразить Иларии. Налив себе кофе, я остановилась у двери и добавила: — И вообще, хочешь верь, хочешь нет, но ты не можешь всего знать.

И уже в коридоре услышала, как она презрительно фыркнула мне вслед.

Я спустилась к стойке Ашока забрать доставленные из химчистки вещи Агнес и поболтала с ним пару минут, чтобы прогнать дурное настроение. Ашок отличался спокойствием и оптимизмом. Общаясь с ним, ты словно видишь мир с другой, гораздо более светлой стороны. Вернувшись в квартиру, я обнаружила перед входной дверью слегка измятый пластиковый пакет. Наклонилась поднять его и обнаружила, к своему удивлению, что пакет предназначен мне. Или, по крайней мере, *«Луизе, по-моему, ее зовут именно так»*.

Я открыла пакет в своей комнате. В нем лежал, завернутый в старую папиросную бумагу, винтажный шарф «Биба», украшенный принтом с павлиньими перьями. Я развернула шарф и надела его на шею, любуясь неуловимым блеском ткани, переливающейся даже при тусклом свете. От шарфа пахло гвоздикой и старыми духами. Пошарив в пакете, я вытащила маленькую визитную карточку. На ней было напечатано темно-синим витиеватым шрифтом: «Марго Де Витт», а ниже нацарапано дрожащим старческим почерком: «Спасибо, что спасла мою собаку».

Глава 15

Кому: MrandMrsBernardClark@yahoo.com
От кого: BusyBee@gmail.com

Привет, мам!

Да, Хеллоуин здесь важное событие. Я прошлась по городу, и все было очень мило. Куча маленьких привидений и ведьм с корзинками конфет и почетным эскортом из вооруженных фонариками родителей. Некоторые взрослые тоже в соответствующих костюмах. И люди, похоже, охотно принимают в этом участие. Не то что соседи на нашей улице, половина которых выключает свет или прячется в задних комнатах, чтобы дети, упаси Господи, не постучались в их двери. Во всех витринах пластиковые тыквы или игрушечные привидения, и всем жутко нравится переодеваться.

Но насколько я поняла, никто никого не подначивает.

Но в нашем здании — никаких таких шалостей. Дом находится не в том районе, где можно запросто постучать в соседскую дверь. Возможно, они общаются через личных водителей. Или просто боятся ночного консьержа, который сам по себе может быть очень страшным.

Следующий праздник — День благодарения. С витрин еще не убраны силуэты призраков, а уже начинается реклама индеек.

Если честно, я пока не врубилась, в чем суть Дня благодарения. Думаю, в обжорстве. Хотя это касается большинства здешних праздников.

У меня все отлично. Прости, что редко звоню. Передавай привет папе и дедуле.

Очень скучаю.

Лу х

Мистер Гупник, который с несвойственной ему ранее сентиментальностью стал с особым трепетом относиться к семейным сборищам, впрочем, как и большинство недавно разведенных мужчин, неожиданно захотел пригласить к себе на обед в честь Дня благодарения всех ближайших родственников, обосновав это тем, что бывшая миссис Гупник уехала с сестрой в Вермонт. Перспектива столь радостного события, особенно на фоне восемнадцатичасового рабочего дня мистера Гупника, вызвала у Агнес глубокую депрессию.

По возвращении, а на самом деле только через сутки, Сэм прислал текстовое сообщение, чтобы сказать, как он устал и как ему тяжело — тяжелее, чем он себе представлял. Я ответила лаконичным «да», потому что тоже устала.

По утрам я продолжала бегать с Агнес и Джорджем. Но когда я не бегала, то просыпалась в своей маленькой комнатке и в ушах стояли звуки большого города, а в голове — образ Сэма в дверях ванной комнаты. Тогда я ворочалась с боку на бок, пока не запутывалась в простынях, а настроение не портилось окончательно. И я понимала, что день, еще не начавшись, уже не задался. Но когда мне нужно было вставать и надевать кроссовки, я просыпалась уже в движении, вынужденная подстраиваться под ритм жизни других людей: бедра напряжены, в груди — холодный воздух, в ушах — звук собственного дыхания. Я чувствовала себя подтянутой, сильной, готовой справиться с любым дерьмом, которое приготовил для меня грядущий день.

А эта неделя реально выдалась дерьмовой. Дочка Гарри бросила колледж, отчего Гарри был в отвратительном настроении и всякий раз, когда Агнес выходила из машины, сетовал на неблагодарных детей, не ценящих принесенные жертвы и не представляющих, как тяжело дается рабочему человеку каждый заработанный им доллар. Илария пребывала в перманентном состоянии тихой ярости по поводу все более странных прихотей Агнес, которая заказывала какие-нибудь блюда, а потом отказывалась их есть или запирала в свое отсутствие гардеробную комнату, тем самым не давая Иларии возможности положить на место одежду.

— Мне что, теперь оставлять ее нижнее белье прямо в коридоре? На всеобщее обозрение? Чтобы бакалейщик видел ее экипировку для любовных утех? Да и вообще, что она может там прятать?

Майкл, с его измученным, озабоченным лицом человека, работающего на двух работах, проносился по квартире, точно призрак, и даже Натан частично утратил привычную невозмутимость и окрысился на японскую кошачью леди, заявившую, что некие отложения, неожиданно оказавшиеся в кроссовке Натана, — это результат его плохой энергии. «Блин, я покажу ей плохую энергию!» — ворчал Натан, выкидывая кроссовки на помойку. Миссис Де Витт дважды в неделю стучалась в нашу дверь пожаловаться на фортепиано. Агнес же в качестве возмездия врубала перед уходом на полную мощность запись музыкального произведения под названием «Лестница дьявола»[1].

[1] Дьёрдь Лигети. Этюд № 13.

— Лигети, — фыркала она, поправляя макияж, пока мы спускались в лифте, а тем временем над нашей головой резкие, атональные звуки взмывали вверх и резко обрушивались вниз.

После чего я втихаря посылала Иларии сообщение с просьбой выключить проигрыватель.

Температура воздуха понизилась, на тротуарах стало еще больше людей, в витринах начали потихоньку расползаться, подобно яркой блестящей сыпи, рождественские композиции. Я забронировала билеты домой, но уже без особого нетерпения, поскольку не знала, какой прием ждет меня по возвращении. Я позвонила сестре, надеясь, что она не будет задавать лишних вопросов. Впрочем, зря беспокоилась. Она была, как обычно, очень разговорчива, болтала о школьных проектах Тома, о его новых друзьях, о футбольных успехах. Я спросила Трину о ее бойфренде, и она вдруг непривычно притихла.

— Так ты собираешься хоть что-нибудь нам о нем рассказать? Мама уже писает крутым кипятком.

— А ты не передумала приехать домой на Рождество?

— Нет.

— Тогда я, возможно, вас познакомлю. Если, конечно, ты возьмешь себя в руки и хотя бы пару часов не будешь вести себя как круглая идиотка.

— А он уже познакомился с Томом?

— В ближайший уик-энд, — не слишком уверенно ответила Трина. — Я старалась, чтобы они пока не встречались. А что, если что-то пойдет не так? Эдди, конечно, любит детей, но вдруг они не найдут общего...

— Эдди!

Трина вздохнула:

— Да. Эдди.

— Эдди. Эдди и Трина. Тили-тили-тесто. Жених и невеста.

— Боже, ну что за ребячество!

Впервые за эту неделю я от души рассмеялась:

— Они непременно поладят. А после этого можно будет познакомить его с папой и мамой. И тогда мама именно тебя будет донимать свадебными колоколами, а я смогу взять отпуск, чтобы отдохнуть от проявлений ее материнской вины.

— Не отпуск, а каникулы. Ты же не американка. Да и вообще, еще рано говорить. Прикинь, она боится, что ты стала слишком важной, чтобы разговаривать с ними. А еще, что ты не захочешь, чтобы папа встречал тебя в аэропорту на своем минивэне, потому что ты, дескать, привыкла разъезжать на лимузинах.

— Я и правда привыкла.

— Нет, я серьезно. Что происходит? Ты ни слова не сказала, как тебе там живется.

— Мне нравится Нью-Йорк. — Это уже стало для меня привычной мантрой. — Много работаю.

— Вот дерьмо! Мне пора. Том проснулся.

— Сообщи, как все прошло.

— Непременно.

— Но если все пройдет плохо, мне придется срочно эмигрировать и больше никогда в жизни ни с кем из них не разговаривать.

— Узнаю члена нашей семьи. Всегда соответствующая реакция.

Суббота вновь предложила нам на завтрак холода с гарниром в виде порывистых ветров. Я даже не представляла себе, насколько лютыми могут быть ветры в Нью-Йорке. Высотные здания пропускали через воронку любой бриз, превращая его в нечто ледяное, и свирепое, и плотное. Мне казалось, будто я попала в аэродинамическую трубу, так что пришлось идти с низко опущенной головой, согнувшись под углом в сорок пять градусов и периодически хватаясь за пожарный гидрант или фонарный столб. Я доехала на метро до «Магазина винтажной одежды» и за то время, пока у меня оттаивал кофе, успела купить пальто с принтом «зебра» по скидочной цене в двенадцать долларов. По правде говоря, я просто тянула время. Мне не хотелось возвращаться в одиночество своей маленькой комнаты, слышать трескотню программы новостей, доносящуюся из-под двери Иларии, постоянно видеть призрак Сэма и проверять каждые пятнадцать минут электронную почту. Домой я вернулась уже затемно — достаточно усталая и продрогшая, чтобы успокоиться и не поддаться этому характерному для Нью-Йорка чувству, будто, оставаясь вечером дома, ты упускаешь нечто важное.

Я села смотреть телевизор у себя в комнате и даже начала подумывать о том, чтобы отправить Сэму имейл, однако в душе прочно засела обида, отрезавшая пути к примирению, да и вообще, то, что мне хотелось ему сказать, явно не улучшило бы ситуацию. Тогда я взяла с книжной полки мистера Гупника роман Джона Апдайка, но речь шла о сложностях современных отношений, и все там, казалось, или были несчастны, или безумно вожделели кого-то другого, так что в конце концов я просто выключила свет и уснула.

Спустившись вниз на следующее утро, я застала в вестибюле Мину. Без детей, но в компании Ашока, искавшего что-то под стойкой. Я даже слегка оторопела, увидев Ашока в непривычно цивильной одежде. И внезапно поняла, что богатым гораздо проще иметь дело не с личностями, а с людьми в униформе, о которых они ничего не знают и знать не хотят.

— Привет, мисс Луиза, — сказал Ашок. — Представляете, забыл шляпу. Так что пришлось по пути в библиотеку заскочить сюда.

— Ты о той библиотеке, что собираются закрыть?

— Ага. Хотите пойти с нами?

— Луиза, присоединяйся. Поможешь спасти нашу библиотеку! — Мина хлопнула меня по спине рукой в варежке. — Нам любая помощь пригодится!

Я собиралась пойти в кофейню, но других дел у меня, собственно, не было, да и вообще, мне предстояло пережить долгое унылое воскресенье, и я в конце концов согласилась. Они вручили мне плакат, где было написано: «БИБЛИОТЕКА — ЭТО БОЛЬШЕ, ЧЕМ КНИГИ», и проверили, что я не забыла надеть шапку и перчатки.

— Ладно, на час-два тебя хватит, но после этого ты реально окоченеешь, — сказала Мина, когда мы вышли из дому.

Мина была, как сказал бы мой папа, бабой с яйцами, да к тому же пышной, сексуальной женщиной с копной волос и острым языком, которая умела заткнуть мужа за пояс и постоянно прикалывалась по поводу его прически, умения обращаться с детьми и сексуальных способностей. Она раскатисто смеялась во все горло и могла за себя постоять. Ашок ее обожал. Они так часто называли друг друга «детка», что у меня невольно возник вопрос, а не забыли ли они, случайно, имена друг друга.

Мы поехали на метро до Вашингтон-Хайтса, и по дороге Ашок рассказал, что согласился на эту работу в качестве временной меры, так как Мина была беременна первым ребенком, а когда дети подросли, начал подыскивать себе работу с нормальным графиком, чтобы иметь возможность помогать жене. («Но здесь хорошая медицинская страховка, поэтому жаль было увольняться».) Они познакомились в колледже, и я вынуждена была, к своему стыду, признаться, что полагала, будто их сосватали родители.

Услышав мое признание, Мина от души рассмеялась. *Девочка, неужели ты думаешь, что я не нашла бы способ заставить родителей найти мне более подходящую партию?!*

Ашок: *Детка, прошлой ночью ты говорила совсем другое.*

Мина: *Потому что я слишком увлеклась телевизором.*

Когда мы наконец вышли из метро на Сто шестьдесят третью улицу, я оказалась совершенно в другом Нью-Йорке.

Здания в этой части Вашингтон-Хайтса имели потрепанный вид: магазины с заколоченными витринами и провисшими пожарными лестницами, винные лавки, ларьки с жареными цыплятами, салоны красоты с поблекшими, скрученными фотографиями причесок прошлых лет в витринах. Мимо нас прошел чертыхающийся мужчина с тележкой из супермаркета, забитой пластиковыми пакетами. На углах улиц тусовались улюлюкающие подростки, тротуар был усеян сваленными в кучу мешками для мусора, выплевывающими содержимое прямо на проезжую часть. Здесь не было гламурного лоска Нижнего Манхэттена и атмосферы, буквально заряженной честолюбивыми устремлениями, как в Мидтауне. Нет, в воздухе стоял запах жареной еды и разочарования.

Однако Мина с Ашоком, казалось, этого не замечали. Они, плечо к плечу, размашисто шагали рядом и, уткнувшись в мобильники, проверяли, нет ли у матери Мины проблем с детьми. Мина с улыбкой повернулась посмотреть на меня. Бросив опасливый взгляд назад, я засунула поглубже бумажник и поспешила за ними.

Мы услышали протестующие возгласы, еще не видя самих демонстрантов. По мере приближения вибрации в воздухе становились все явственнее, и уже можно было различить напевные интонации. Мы завернули за угол: перед фасадом здания из покрытого сажей красного кирпича стояло человек сто пятьдесят, они размахивали плакатами и пели; их аудиторией была небольшая съемочная бригада. Когда мы подошли, Мина подняла плакат как можно выше.

— Образование для всех! — закричала она. — Не лишайте наших детей безопасной среды!

Мы врезались в толпу, и она тотчас же поглотила нас. Я знала, что Нью-Йорк — он не везде одинаковый, но только сейчас поняла, что обращала внимание лишь на цвет кожи и манеру одеваться. Здесь же был представлен широчайший спектр самых разных людей. Старушки в вязаных беретах, хипстеры с младенцами в рюкзаках-кенгуру, молодые чернокожие парни с дредами на голове, пожилые индианки в сари. Людей объединяла общая цель, а именно: страстное желание донести до окружающих свою точку зрения. Я присоединилась к хору манифестантов, а Мина тем временем, сияя улыбками, на ходу обнимала соратников по борьбе и протискивалась вперед.

— Говорят, нас покажут в вечерних новостях, — удовлетворенно кивнула мне какая-то пожилая дама. — Это единственное, на что обращает хоть какое-то внимание городской совет. Все хотят, чтобы их показали в новостях. — (Я вежливо улыбнулась.) — И каждый год одно и то же, да? Каждый год нам приходится прикладывать чуть больше сил, чтобы сплотить общество. Каждый год приходится все крепче держаться за то, что принадлежит нам по праву.

— Я... Извините, но я не совсем в курсе. Я здесь с друзьями.

— Но вы ведь пришли нам помочь. И это главное. — Она положила руку мне на плечо. — Знаете, мой внук ведет здесь образовательную программу. Ему платят за то, чтобы он обучал других молодых ребят работе на компьютере. Действительно платят. Взрослых он тоже учит. Помогает составлять заявления для приема на работу. — Она похлопала руками в перчатках, пытаясь согреться. — Если городской совет закроет библиотеку, людям некуда будет пойти. И могу поспорить на что угодно, члены городского совета начнут первыми жаловаться, что молодежь бьет баклуши и слоняется по улице. Вы ведь понимаете. — Она улыбнулась мне с таким видом, будто совершенно в этом не сомневалась.

Тем временем Мина, встав в первых рядах, снова подняла плакат. Идущий рядом Ашок подхватил на руки сынишку какого-то своего знакомого, чтобы ребенку было лучше видно. В окружении единомышленников, без привычной униформы консьержа, Ашок казался совершенно другим человеком. Несмотря на наше тесное общение, я всегда смотрела на него через призму этой самой униформы. Не задумывалась о его жизни вне стойки консьержа, не задавалась вопросами, на что он кормит семью, сколько времени у него уходит на дорогу и хорошо ли ему платят. Я вгляделась в толпу, которая после отъезда съемочной бригады слегка притихла, и мне вдруг стало ужасно стыдно, что я до сих пор не потрудилась толком изучить Нью-Йорк. Ведь здесь был такой же город, как и Мидтаун с его гламурными башнями.

Мы пели еще примерно с час. Легковые автомобили и грузовики гудели в знак поддержки, а мы, в свою очередь, приветствовали их одобрительными возгласами. Из здания вышли два библиотекаря с подносами горячих напитков. Я не стала брать. К этому времени я успела заметить, что у старой леди на пальто разошлись швы, да и остальные были одеты не лучшим образом. К протестующим подошла индианка с сыном, они несли огромные подносы из фольги с пакорой[1], и мы радостно набросились на горячую еду, от души благодаря добрую женщину.

— Вы делаете очень важную работу, — ответила женщина. — И мы вам глубоко признательны.

Мне досталась пакора с горохом и картофелем, приправленная специями и бесподобно вкусная.

— Они раздают еду каждую неделю, да благослови их Господь! — сообщила старушка, стряхивая с шарфа крошки.

Мимо два, нет, три раза проехала патрульная машина, полицейский безучастно ощупывал взглядом толпу.

— Сэр, помогите нам спасти нашу библиотеку! — выкрикнула Мина.

Он отвернулся, но его напарник не смог сдержать улыбки.

Через некоторое время мы с Миной вошли внутрь библиотеки воспользоваться туалетом, и мне наконец удалось своими глазами увидеть, за что я, так сказать, бо-

[1] Обжаренные во фритюре овощи, национальное блюдо в Южной Азии.

ролась. Здание было старым, с высокими потолками, с проложенными по стенам трубами и неподвижным воздухом; на стендах висели объявления с информацией об обучении для взрослых, сеансах медитации, помощи в написании резюме и о наборе преподавателей на ставку шесть долларов в час. В библиотеке вовсю кипела жизнь, в детской секции было не протолкнуться от молодых семей, а в компьютерном зале, среди тихого гула компьютеров, взрослые люди неуверенно стучали по клавиатуре. В уголке устроилась группа подростков, кто-то читал, кто-то слушал музыку через наушники. У стола библиотекаря я с удивлением заметила двух охранников.

— Ну да. Иногда здесь случаются драки. Ведь в библиотеку может прийти кто угодно, представляешь? — прошептала Мина. — Обычно это наркотики. Всегда можно попасть в беду.

На обратном пути, уже спускаясь по лестнице, мы обогнали какую-то старуху в грязной шляпке, поношенном мятом нейлоновом пальто с похожими на эполеты симметричными дырами на плечах. Она поднималась с трудом, шаг за шагом, драные шлепанцы едва держались на ногах, из допотопной сумки торчала книжка в мягкой обложке.

Мы провели на улице еще час — достаточно для того, чтобы репортер и уже другая бригада программы новостей взяли у нас интервью, пообещав сделать все возможное, чтобы дать ход этой истории. После чего, словно по команде, толпа начала расходиться. Наша троица направилась обратно к метро, Ашок с Миной оживленно делились впечатлениями о том, кого сегодня видели, и обсуждали протестную акцию, запланированную на следующую неделю.

— Но что вы будете делать, если библиотеку все же закроют? — спросила я уже в поезде.

— Честно? — Мина поправила бандану. — Без понятия. Хотя рано или поздно библиотеку все равно закроют. В двух милях от нее есть другое здание, оборудованное гораздо лучше, и нам предлагают возить детей туда. Потому что у каждого здесь есть машина. А старикам полезно прогуляться две мили по девяностоградусной жаре. — Мина закатила глаза. — Но мы будем бороться до самого конца.

— Людям необходимы общественные места. — Ашок выразительно рубанул воздух рукой. — Людям необходимы места, где они могли бы встречаться, и разговаривать, и обмениваться мнениями, да и вообще, не все в этом мире измеряется в деньгах. Именно книги учат нас жизни. Книги учат состраданию. Но ты не можешь покупать книги, если едва-едва сводишь концы с концами. Поэтому библиотека для нас жизненно важная вещь! Луиза, уничтожая библиотеку, они не только сносят здание, но и уничтожают надежду.

На секунду мы притихли.

— Детка, я люблю тебя, — сказала Мина.

— Детка, я тоже люблю тебя.

Они смотрели друг на друга влюбленными глазами, а я принялась стряхивать воображаемые крошки с пальто, стараясь не думать о Сэме.

Ашок с Миной тепло обняли меня на прощание и отправились к матери Мины забрать детей, однако прежде заставили пообещать снова пойти с ними на следующей неделе. Я зашла в закусочную, где выпила кофе и съела кусок пирога. Но мысленно я постоянно возвращалась к событиям сегодняшней акции протеста, к людям в библиотеке, грязным улицам с разбитым асфальтом. Я вспоминала дыры на пальто той старухи, вспоминала стоявшую рядом со мной пожилую женщину, которая так гордилась теми грошами, что ее внук получал за преподавание. Я вспоминала, как круто изменили мою жизнь библиотека в родном городе и слова Уилла, что «знание — сила». И любой прочитанной мной книжкой — и, наверное, любым принятым мной решением — я была обязана зародившемуся тогда стремлению познавать мир.

Я думала о том, что каждый манифестант в этой толпе был связан с кем-то другим, или приносил протестующим еду и питье, или просто подбадривал их добрым словом, а еще о том, что энергия толпы заряжала меня, позволяя познать радость борьбы за общее дело.

Я думала о своем новом доме, о тихом здании с тридцатью жильцами, не больше, где люди вообще не общаются, а если и контактируют, то исключительно для того, чтобы пожаловаться на нарушение спокойствия их маленького замкнутого мирка; где никто никого не любит и никто не берет себе за труд познакомиться поближе, чтобы проверить свое оценочное суждение.

Я сидела, погруженная в грустные мысли, пока мой пирог совсем не остыл.

Вернувшись домой, я сделала две вещи. Во-первых, написала короткую записку миссис Де Витт и, поблагодарив ее за прекрасный шарф, сказала, что этот подарок был для меня единственным светлым пятном за всю неделю и что, если ей вдруг понадобится помощь с Дином Мартином, я буду счастлива расширить свои знания об уходе за собаками.

Во-вторых, постучалась к Иларии, стараясь не показывать своего страха, когда она, открыв дверь, уставилась на меня с явным подозрением.

— Проходила мимо кофейни, где продают твое любимое печенье с корицей, и купила немного для тебя. Вот, возьми.

Она настороженно посмотрела на пакет:

— Тебе что-то от меня нужно?

— Ничего! Просто... хотела поблагодарить тебя, что помогла мне тогда с детишками. Мы ведь работаем вместе и должны... — Я пожала плечами. — И вообще, это просто печенье.

Я сунула ей печенье буквально под нос, так что она не могла отказаться. Илария посмотрела на пакет, потом на меня, и мне показалось, что она сейчас вернет печенье, поэтому я, помахав рукой, поспешно ретировалась в свою комнату.

В тот вечер, зайдя в Интернет, я попыталась найти максимум сведений о библиотеке: новости о сокращении бюджетных расходов, об угрозе закрытия, а также об истории маленьких побед и успехов — *Местный подросток благодарит библиотеку за получение стипендии для учебы в колледже*, — после чего я распечатала самую важную информацию и положила эти странички в отдельную папку.

А без четверти девять я получила имейл. Тема: ПРОСТИ.

Лу,

у меня были ночные дежурства всю неделю, поэтому я решил дождаться, когда смогу выкроить больше пяти минут на это письмо и буду твердо знать, что больше не облажаюсь. Я не умею говорить красивых слов. И полагаю, есть только одно слово, которое сейчас действительно имеет значение. Прости. Я знаю, ты не стала бы мне изменять. Только форменному идиоту могла прийти в голову столь безумная мысль.

Вся штука в том, что очень трудно быть так далеко от тебя и не знать, что происходит в твоей жизни. И когда мы встречаемся, мы словно врубаем звук на полную мощность. И не можем расслабиться.

Знаю, нью-йоркский опыт очень важен для тебя, и я не хочу, чтобы из-за меня ты топталась на месте.

Еще раз прости.

Твой Сэм

ххх

Это его послание уже было почти похоже на настоящее письмо. Несколько секунд прошли в поисках подходящих слов, чтобы выразить все, что я чувствовала. Наконец я открыла электронную почту и написала:

Я знаю. Я люблю тебя. В Рождество, надеюсь, у нас будет достаточно времени расслабиться и получить удовольствие от общества друг друга.

Отправив письмо, я ответила на мамин имейл и написала еще один Трине. Печатала я на автопилоте, поскольку все мои мысли были заняты Сэмом.

Да, мама, я непременно посмотрю новые фото сада в «Фейсбуке». Да, я знаю, что дочка Бернис на всех фотографиях вытягивает рот, точно утка. Думает, это добавляет ей привлекательности.

Я вошла в свой интернет-банк, затем — в «Фейсбук», где посмеялась над бесконечными фотографиями дочки Бернис с ее резиновыми губами. Потом я посмотрела помещенные мамой фото нашего маленького садика с новыми стульями, купленными мамой в садовом центре. После чего я поймала себя на том, что, поддавшись искушению, просматриваю страничку Кэти Инграм. О чем немедленно пожалела. На ее страничку были недавно загружены семь отлично выполненных красочных фотографий с вечеринки парамедиков, вероятно с той, куда они направлялись в тот вечер, когда я звонила Сэму.

Или, что еще хуже, возможно, с другой.

На фото Кэти в темно-розовой блузке, похоже шелковой, широкая улыбка, призывный взгляд, перегибалась через бильярдный стол, чтобы загнать шар в лузу, или, смеясь, запрокидывала голову. А еще на фото был Сэм, в потертой куртке и серой футболке, на несколько дюймов выше всех остальных, в огромной руке — лимонный ликер. На каждом фото компания от души веселилась, шутила и смеялась. Сэм выглядел расслабленным, явно чувствуя себя как дома. И на каждом фото общего застолья в пабе Кэти Инграм прижималась к Сэму, уютно устроившись у него под мышкой, или заглядывала ему в глаза, небрежно положив руку на плечо.

Глава 16

— У меня для тебя задание.

В тот день я скромно сидела в уголке супермодной парикмахерской и терпеливо ждала, пока Агнес не покрасят волосы и не уложат их феном. Я смотрела местные новости о протестах в защиту библиотеки, но, увидев приближающуюся Агнес с аккуратно завернутыми в металлическую фольгу прядями, поспешно выключила телефон. Агнес присела возле меня, проигнорировав ожидавшую ее парикмахершу-колористку.

— Я хочу, чтобы ты нашла для меня очень маленькое фортепиано. Для отправки в Польшу. — Она сказала это с таким видом, будто просила купить упаковку жвачки в «Дьюан Рид».

— Очень маленькое фортепиано.

— Очень маленькое, но очень хорошее фортепиано для ребенка. Это для дочки моей сестры. Оно должно быть прекрасного качества.

— А разве в Польше нельзя купить маленькое фортепиано?

— Можно, но не такое хорошее. Мне нужно фортепиано производства «Хоссвайнер и Джексон». У них одни из лучших фортепиано в мире. И ты должна организовать специальную транспортировку с климат-контролем, чтобы холод и влажность не повлияли на звучание инструмента. Узнай, может ли это сделать магазин.

— А сколько лет дочке вашей сестры?

— Четыре годика.

— Хм... Ну ладно.

— И фортепиано должно быть самым лучшим, чтобы она почувствовала разницу. Видишь ли, звучание сильно зависит от качества. Это все равно что играть на скрипке Страдивари или на дешевом музыкальном инструменте.

— Конечно.

— Но тут вот какая штука. — Она отвернулась, напрочь игнорируя потерявшую терпение колористку, которая призывно размахивала руками и стучала по несуществующим часам. — Я не хочу пользоваться банковской картой. Лучше, чтобы этот платеж нигде не светился. Поэтому я попрошу тебя каждую неделю снимать деньги в банкомате, чтобы оплатить покупку. Понемножку. Договорились? У меня уже есть кое-какая наличность.

— Но... А вы уверены, что мистер Гупник не будет возражать?

— Он считает, я слишком много трачу на племянницу. Он этого не понимает. А если Табита прознает, то все вывернет наизнанку, чтобы выставить меня последней дрянью. Луиза, ты ведь ее знаешь! — Она напряженно смотрела на меня из-под всех этих слоев фольги.

— Хм... Ну ладно.

— Ты чудо! Какое счастье иметь такую подругу, как ты! — Она порывисто меня обняла, задев мое ухо фольгой, и к нам тотчас же со всех ног бросилась колористка проверить степень урона от столкновения с моим лицом.

Я позвонила в магазин и попросила прислать мне прайс-лист на миниатюрные фортепиано двух видов и транспортировку. Оправившись от первоначального шока, я распечатала ценник и показала его Агнес в туалетной комнате.

— Ничего себе подарочек, — заметила я, а когда Агнес беспечно махнула рукой, растерянно заморгала. — А транспортировка — еще две с половиной тысячи.

Агнес, в отличие от меня, даже глазом не моргнула. Она подошла к комоду и отперла его ключом, который прятала в кармане джинсов. На моих удивленных глазах она вытащила пухлую пачку пятидесятидолларовых банкнот толщиной с ее руку:

— Вот. Здесь восемь тысяч пятьсот. Мне нужно, чтобы остальное ты сняла в банкомате. Каждое утро по пятьсот долларов. Идет?

Меня не слишком прельщала идея снимать такую большую сумму без ведома мистера Гупника. Однако я понимала, как сильно Агнес привязана к своим польским родственникам, а кому, как не мне, было не знать, что такое разлука с близкими тебе людьми. Да и вообще, кто я такая, чтобы судить о том, как ей тратить свои деньги? Более того, я была уверена, что некоторые из ее нарядов стоили куда больше миниатюрного фортепиано.

Следующие десять дней я послушно шла в утренние часы к банкомату на Лексингтон-авеню и снимала деньги, которые тотчас же засовывала поглубже в бюстгальтер на случай встречи с грабителями, которые, впрочем, так и не материализовались. После чего я отдавала наличность Агнес, когда мы оставались наедине, а она добавляла ее к своей заначке и запирала ящик комода на ключ. И вот в один прекрасный день я отнесла деньги в магазин музыкальных инструментов, где выложила перед ошеломленным продавцом всю сумму налом. Фортепиано должны были доставить в Польшу к Рождеству.

Пожалуй, было еще кое-что, что доставляло Агнес радость. Каждую неделю она ездила в студию Стивена Липкотта на уроки живописи, а нам с Гарри оставалось лишь молча потреблять сверхнормативные дозы кофеина с сахаром в Закусочной с Хорошими Пончиками, а мне к тому же приходилось поддакивать в ответ на разглагольствования Гарри насчет неблагодарных детей или пончиков в карамельной глазури.

Неприятие Агнес череды утомительных благотворительных мероприятий в последнее время заметно усилилось. Она прекратила бесплодные попытки вести себя любезно с другими женщинами, шепотом сообщил Майкл, когда мы улучили момент выпить кофе на кухне. Агнес просто сидела, прекрасная и печальная, ожидая окончания мероприятия.

— Хотя кто ее осудит, учитывая, что они всегда обращались с ней по-сволочному. Но это сводит его с ума. Ему очень важно иметь престижную жену или хотя бы такую, которая умела бы время от времени улыбаться.

Мистер Гупник был похож на человека, уставшего не только от работы, но и от жизни. Майкл сказал мне, что дела в офисе сейчас не слишком хороши. Огромные вложения в поддержку банка в стране с развивающейся экономикой оказались под угрозой, и теперь они работали сутками напролет, чтобы спасти положение. И одновременно — а возможно, именно по этой причине — у мистера Гупника, по словам Натана, обострился артрит, и им пришлось устраивать дополнительные сеансы, чтобы держать мистера Гупника на ногах. Он горстями глотал таблетки. Частный доктор навещал его дважды в неделю.

— Ненавижу эту жизнь! — заявила Агнес, когда мы с ней шли через парк. — Он тратит чертову уйму денег, и, спрашивается, на что?! На то, чтобы мы могли сидеть четыре раза в неделю и есть засушенные канапе в обществе засушенных людей. И какое право имеют эти высохшие тетки третировать меня?! — Остановившись, Агнес оглянулась на наш дом, и я увидела слезы в ее глазах. Затем она понизила голос. — Луиза, иногда мне кажется, что я больше не выдержу.

— Он вас любит. — Самое умное, что я могла сказать.

Агнес вытерла слезы ладонью и покачала головой, словно пытаясь избавиться от захлестнувших ее эмоций.

— Знаю. — Она улыбнулась, но как-то не слишком убедительно.

Однако времена, когда я верила, что любовь решает все проблемы, давным-давно прошли.

Поддавшись импульсу, я сделала шаг вперед и обняла ее. А после так и не смогла понять, кого в тот момент больше жалела: ее или себя.

Эта идея пришла мне в голову незадолго до Дня благодарения. В тот день, в преддверии благотворительного вечера в пользу душевнобольных, Агнес решительно отказалась вставать с постели. Она заявила, что слишком подавлена, чтобы присутствовать, явно не улавливая кроющейся здесь иронии.

Я успела обдумать сложившуюся ситуацию за кружкой чая и поняла, что мне, собственно, нечего терять.

— Мистер Гупник? — Постучавшись в дверь кабинета, я стала ждать разрешения войти.

Мистер Гупник поднял на меня глаза. На нем была безупречная голубая рубашка, но веки набрякли от усталости.

Я всегда очень жалела его, подобно тому как жалеешь медведя в клетке, испытывая при этом здоровое уважение, слегка смешанное со страхом.

— В чем дело?

— Простите, что беспокою. Но у меня есть идея. Нечто такое, что, полагаю, поможет Агнес.

Он откинулся на спинку кожаного кресла и знаком приказал закрыть дверь. Я заметила у него на столе хрустальный бокал с бренди. Чуть раньше обычного.

— Могу я с вами говорить откровенно? — Меня немного подташнивало от волнения.

— Пожалуйста.

— Тогда ладно. Ну, я не могу не видеть, что Агнес не так счастлива, как... э-э-э... могла бы.

— И это еще мягко сказано, — тихо произнес мистер Гупник.

— Мне кажется, корень проблемы в том, что ее выдернули из старой жизни, лишив возможности толком интегрироваться в новую. Она сказала, что не может проводить время со старыми друзьями, потому что они толком не понимают ее новой жизни, но, насколько я успела заметить, и новые знакомые отнюдь не горят желанием с ней подружиться. Полагаю, они считают, это будет... не слишком лояльно.

— По отношению к моей бывшей жене.

— Да. Итак, у нее нет ни работы, ни круга общения. Да и соседи в этом доме тоже не слишком дружные. У вас есть работа и масса старых знакомых, которые вас любят и уважают. Но Агнес всего этого лишена. Я знаю, эти благотворительные мероприятия для нее что нож острый. Однако филантропия имеет для вас большое значение. Поэтому у меня возникла идея.

— Продолжай.

— Ну, есть одна библиотека в районе Вашингтон-Хайтс, которую грозят закрыть. У меня здесь вся имеющаяся информация. — Я положила на письменный стол свою папку. — Это действительно публичная библиотека, куда ходят люди всех национальностей, возрастов и социальных групп, и для местного населения сохранить ее — вопрос жизни и смерти.

— Подобные вещи — прерогатива городского совета.

— Вполне вероятно. Но я беседовала с одним библиотекарем, и он сказал, что в прошлом они получали частные пожертвования и это помогало им продержаться на плаву. — Я подалась вперед. — Если бы вы просто сходили туда, мистер Гупник, то увидели бы, что у них есть образовательные программы, а у матерей — безопасная среда для своих детей, да и вообще, люди там стремятся к чему-то лучшему. Я понимаю, это не так гламурно, как те мероприятия, которые вы посещаете, — никаких там тебе балов и фуршетов, но ведь это тоже благотворительность, да? Вот я и подумала, а вдруг... вы захотите поучаствовать. Или, что еще лучше, если Агнес приняла бы участие в судьбе библиотеки, то стала бы членом сообщества. Ее личный проект. Вы вдвоем могли бы сделать нечто потрясающее.

— Вашингтон-Хайтс?

— Вы непременно должны туда поехать. В том районе живут люди разных национальностей. И он совсем не похож на... этот. Я хочу сказать, некоторые ветхие дома реконструированы, но именно эта часть...

— Луиза, я знаю, что такое Вашингтон-Хайтс. — Мистер Гупник побарабанил пальцами по столу. — А ты уже говорила с Агнес?

— Мне казалось, что сперва следует обсудить этот вопрос с вами. — (Он открыл папку, нахмурился, увидев первую страницу — газетные статьи, посвященные первым протестам; на второй странице был взятый мной с сайта городского совета отчет о бюджете с данными за последний финансовый год.) — Мистер Гупник, я верю, что вы можете переломить ситуацию, причем не только для Агнес, но и для всего сообщества.

Именно в этот момент я вдруг поняла, что моя пламенная речь его не только не трогает, но и вызывает некое отторжение. Выражение лица мистера Гупника, собственно, не слишком изменилось, но взгляд стал ускользающим и более твердым. И до меня неожиданно дошло, что такие богатые люди, как он, должно быть, получают в день сотни аналогичных просьб выделить деньги, сотни различных инвестиционных предложений, относительно которых им приходится принимать решения. И в данном случае, будучи его служащей, я, возможно, переступила невидимую черту, разделяющую работодателя и наемного работника.

— Так или иначе, это была просто идея. Некая возможность, и, наверное, не самая лучшая. Простите, что обрушила на вас столько лишней информации. Пожалуй, мне пора возвращаться к работе. Да и вообще, если вы слишком заняты, давайте закроем тему. Я могу забрать это с собой, если вы...

— Луиза, все нормально. — Он устало закрыл глаза, прижав пальцы к вискам.

Я осталась стоять, толком не понимая, можно ли мне уйти.

Наконец он обратил на меня свой взгляд:

— Будь добра, не могла бы ты поговорить с Агнес? Я должен знать, пойдет она со мной на обед или мне идти одному?

— Да-да. Конечно. — И я бочком вышла из кабинета.

Она пошла на обед в пользу душевнобольных. И мы не слышали никаких ссор в коридоре, но на следующий день я обнаружила, что Агнес ночевала в своей гардеробной комнате.

За две недели до отъезда домой на Рождество у меня неожиданно выработалась маниакальная привычка проверять «Фейсбук». Я поймала себя на том, что смотрю страничку Кэти Инграм утром и вечером, читаю ее разговоры с друзьями, выискиваю последние запощенные фото. Одна из подруг спросила ее, нравится ли ей новая работа, и Кэти написала: «ОБОЖАЮ ее!» — и вставила подмигивающую рожицу (она явно питала идиотскую слабость к подмигивающим рожицам). В другой раз она поместила такой пост: «Сегодня был тяжелый день. Спасибо Господу за такого потрясающего напарника! # подарок судьбы».

Она запостила еще одно фото Сэма, за рулем машины «скорой помощи». Сэм смеялся, подняв руку, словно пытаясь остановить ее, и у меня внезапно перехватило дыхание от интимности снимка, создающего полное ощущение, будто я сейчас сижу с ними в кабине.

Мы должны были созвониться накануне вечером, в удобное для него время, но, когда я позвонила, он не взял трубку. Я попробовала еще раз, потом еще — безуспешно. Два часа спустя, когда я уже места себе не находила, мне пришло текстовое сообщение:

Прости, ты еще там?

— У тебя все в порядке? Задержался на работе? — спросила я, услышав голос Сэма.

Он ответил не сразу, явно замявшись:

— Не совсем.

— Что ты имеешь в виду? — Мы с Гарри ждали в машине, пока Агнес сделает педикюр, и я понимала, что Гарри наверняка прислушивается к разговору, независимо от того, насколько он в данный момент погружен в спортивную страницу «Нью-Йорк пост».

— Да так, кое с чем помогал Кэти.

При упоминании ее имени у меня внутри все оборвалось.

— И с чем именно? — Я старалась, чтобы мой голос звучал беззаботно.

— Собрать шкаф. Из «Икеи». Она купила его, а собрать не смогла, вот я и помог.

Меня затошнило.

— Ты что, ходил к ней домой?

— На квартиру. Лу, я просто помог собрать предмет обстановки. У нее больше никого нет. А я живу неподалеку.

— И ты взял с собой ящик с инструментами. — Я вспомнила, как он приходил в мою квартиру и все чинил. Именно это мне в первую очередь и понравилось в нем.

— Да, я взял ящик с инструментами. Но все, что я сделал, — это помог ей со шкафом из «Икеи», — устало ответил Сэм.

— Сэм?

— Ну что?

— Ты сам предложил ей помочь? Или она попросила?

— Да какая, в сущности, разница?

Мне хотелось сказать, что разница очень большая, ведь и ежу понятно, что Кэти пыталась украсть его у меня. Она поочередно играла роль то беспомощной дамочки, то компанейской девицы, то лучшего друга, то товарища по работе. А Сэм или был слеп, или, что еще хуже, все прекрасно видел. На ее странице не было ни единого снимка, где бы она не присасывалась к нему, будто пиявка. Иногда я задавалась вопросом, догадывается ли она, что я видела эти фото, приятно ли ей знать, что я переживаю, и не является ли все это частью ее плана сделать меня несчастной и таким образом свести с ума. Мужчины вряд ли способны понять те хитроумные методы ведения тайной войны, которые женщины используют друг против друга.

Напряженная тишина в трубке превращалась в сливную трубу, в которую мы мало-помалу спускали наши отношения. Я знала, что эту партию мне не выиграть. Если я попытаюсь предупредить Сэма насчет происходящего, то превращусь в ревнивую гарпию. Если же нет, он продолжит бродить впотьмах, не замечая расставленной ловушки, пока в один прекрасный день неожиданно не поймет, что нуждается в ней, как в свое время нуждался во мне. Возможно, в пабе после тяжелого рабочего дня он почувствует в своей ладони ее нежные пальцы и она прислонится к его широкому плечу. Возможно, их сблизит некий общий выброс адреналина в ходе смертельно опасной нештатной ситуации и они неожиданно для себя поцелуются и...

Я закрыла глаза.

— Так, когда ты приезжаешь?

— В рождественский сочельник.

— Отлично. Лу, я постараюсь поменять некоторые дежурства. Хотя в какие-то дни мне придется выйти. Ты же знаешь мою работу. У нас не бывает выходных. — Он вздохнул и после короткой паузы продолжил: — Послушай, мне вот какая мысль пришла в голову. Может, вам с Кэти стоит познакомиться? Увидишь, она нормальная. И вовсе не стремится стать для меня чем-то бóльшим, чем просто хороший друг.

Хрена с два, не стремится!

— Чудненько! Звучит заманчиво.

— Думаю, она тебе понравится.

— Ну, раз ты так думаешь, тогда непременно понравится.

Примерно так, как мне может понравиться подхватить вирус Эбола. Или грызть себе локти. Или есть тот сыр с живыми личинками мух.

Сэм продолжил разговор уже с явным облегчением:

— Ужасно хочу тебя увидеть. Ты ведь приедешь на неделю, да?

Я опустила голову, чтобы чуть-чуть заглушить голос:

— Сэм, а Кэти действительно собирается со мной познакомиться? Вы с ней это уже обсуждали?

— Ага. — Не дождавшись моей реплики, Сэм поспешно добавил: — Я хочу сказать, естественно, без... Одним словом, мы не говорили о наших с тобой делах, и вообще. Но она догадывается, что нам сейчас нелегко.

— Понимаю. — У меня окаменело лицо.

— Она считает тебя крутой. На самом деле я объяснил, что она не совсем правильно все поняла. — (Я рассмеялась. Пожалуй, даже худший актер в мире сделал бы это куда убедительнее.) — Ты увидишь, когда вы встретитесь. Жду не дождусь.

Когда он отключился, я подняла голову и поймала взгляд Гарри в зеркале заднего вида. Наши глаза встретились, он отвернулся.

Поскольку я жила в крупнейшей мировой метрополии, то начала понимать, что знакомый мне мир был очень маленьким и ограничивался исключительно потребностями семьи Гупник, удовлетворением которых я занималась с шести утра и порой до позднего вечера. Моя жизнь полностью сплелась с их. Совсем как в свое время с Уиллом, я чутко реагировала на смену настроений Агнес и по практически неуловимым признакам научилась определять, была она подавлена, сердита или просто голодна. Теперь я знала точные даты месячных Агнес, которые отмечала в своем персональном календаре, чтобы морально подготовиться к повышенному эмоциональному фону и чрезмерно экспрессивной игре на фортепиано. Я знала, как быть невидимой во время семейных конфликтов или, наоборот, вездесущей. Я стала тенью, причем настолько, что иногда чувствовала себя почти бестелесной, существующей исключительно в качестве приложения к кому-то другому.

Моя жизнь в семье Гупник скукожилась, сделавшись призрачной и эфемерной, ограниченной редкими телефонными звонками (если позволяло расписание Гупников) или спорадическими имейлами. За две недели я так и не собралась позвонить сестре и даже расплакалась, получив от мамы написанное от руки письмо с фотографиями ее и Тома на театральном утреннике, вложенными в конверт «просто на случай, если ты забыла, как мы выглядим».

Одним словом, все это меня порядком достало. И поэтому для равновесия я, несмотря на усталость, каждую неделю ездила с Ашоком и Миной в библиотеку, а когда у них заболели дети, даже сподобилась на самостоятельную вылазку. Я научилась теплее одеваться и сделала собственный плакат «Знание — сила!», тем самым отдав дань памяти Уилла. Из библиотеки я возвращалась на метро, заезжая в Ист-Виллидж, чтобы выпить кофе в «Магазине винтажной одежды» и посмотреть новые поступления товара, закупленного Лидией с сестрой.

Мистер Гупник больше не возвращался к теме библиотеки. И я с легким разочарованием поняла, что здесь благотворительность означает нечто совсем иное. Мало просто давать, нужно это делать так, чтобы видели другие. Больницы носили имена своих спонсоров, написанные шестифутовыми буквами над центральным входом. Балы назывались в честь тех, кто их субсидировал. Даже на заднем окне автобусов красовался список имен. Мистер и миссис Гупник слыли щедрыми филантропами, поскольку демонстрировали эту самую щедрость во время светских мероприятий. А что с этой точки зрения могла дать им заштатная библиотека в депрессивном районе?! Ровным счетом ничего.

Ашок с Миной, с ужасом узнав, что у меня нет никаких планов на День благодарения, пригласили меня на обед к себе домой в Вашингтон-Хайтс.

— Вы не можете провести День благодарения в одиночестве! — заявил Ашок, и я решила не говорить ему, как мало людей в Англии вообще что-либо слышало о Дне благодарения.

— Моя мать готовит индейку, но можешь не рассчитывать, что она будет приготовлена в лучших американских традициях. Мы терпеть не можем такую пресятину. Нет, это будет настоящая индейка, приготовленная в тандыре.

И здесь от меня не требовалось особых усилий, чтобы сказать «да» чему-то новому. Конечно, я была в полном восторге. Я купила бутылку шампанского, дорогие шоколадные конфеты и цветы для матери Мины, надела голубое коктейльное платье с меховыми манжетами, решив, что День благодарения в честь совместной трапезы отцов-основателей с индейцами — отличный повод обновить платье, тем более что можно было не придерживаться строгого дресс-кода. Илария, вся в мыле, готовила обед для семейства Гупник, и я решила ее не беспокоить. Я вышла из квартиры, предварительно проверив, что не забыла взять инструкцию, которой меня снабдил Ашок.

Уже идя по коридору, я неожиданно заметила, что дверь в квартиру миссис Де Витт открыта. Из квартиры доносилось бормотание телевизора. Стоявший в холле, неподалеку от входной двери, Дин Мартин пристально смотрел на меня. Испугавшись, что он может в очередной раз рвануть на свободу, я нажала на кнопку звонка.

В коридоре возникла миссис Де Витт.

— Миссис Де Витт, боюсь, Дин Мартин снова собрался на прогулку.

Собака тотчас же прижалась к ногам хозяйки, которая бессильно прислонилась к стене. Миссис Де Витт выглядела больной и усталой.

— Дорогая, не могла бы ты захлопнуть дверь? Должно быть, я плохо закрыла ее.

— Будет сделано. С Днем благодарения вас, миссис Де Витт!

— Правда? А я и забыла.

Она исчезла в недрах квартиры, собачка побежала следом, и я захлопнула дверь. Я никогда не видела у миссис Де Витт даже случайных посетителей, и мне вдруг стало грустно, что она проведет День благодарения в полном одиночестве.

Я уже свернула к лифту, когда в коридор неожиданно вышла Агнес в спортивном костюме. Она явно удивилась, увидев меня:

— Куда это ты собралась?

— На обед. — Мне не хотелось говорить куда, поскольку я не знала, как отнесутся здешние работодатели к тому, что служащие в их отсутствие собираются вместе.

Она в ужасе посмотрела на меня:

— Луиза, но ты не можешь уйти. К нам приходит в гости семья Леонарда. И мне самой не справиться. Я сказала им, что ты будешь со мной.

— Вы так сказали? Но...

— Ты должна остаться.

Я с тоской посмотрела на дверь. У меня упало сердце.

Голос Агнес внезапно дрогнул.

— Луиза, пожалуйста! Ты моя подруга. И ты нужна мне.

Я позвонила Ашоку и все рассказала. Единственным утешением было то, что Ашок, собаку съевший на своей работе, моментально оценил ситуацию.

— Мне ужасно жаль, — прошептала я по телефону. — Я очень хотела прийти.

— Пустяки! Вы должны остаться. Эй, Мина кричит, что отложит вам немного индейки. А я завтра прихвачу ее с собой... Детка, скажи ей сама! Я уже это сказал. Она говорит, чтобы вы выпили все их дорогое вино. Понятно?

Внезапно я почувствовала, что вот-вот разревусь. Мне хотелось провести вечер в теплой семейной атмосфере: поиграть с прелестными карапузами, вдоволь посмеяться и отведать вкусной домашней стряпни. Вместо этого мне снова предстояло стать безмолвной тенью, предметом обстановки в холодной комнате.

И мои страхи были не напрасны.

На обед в честь Дня благодарения прибыли три других члена семьи Гупник: брат, более старая, седая и анемичная версия мистера Гупника, который, очевидно, работал в сфере юстиции. Кажется, руководил Министерством юстиции США. Он привез с собой их мать, сидевшую в инвалидном кресле; она весь вечер категорически отказывалась снимать меховое манто и громко жаловалась, что не может понять, кто о чем говорит. Их сопровождала жена брата мистера Гупника, бывшая скрипачка, очевидно знаменитая. Она оказалась единственной из всех, кто потрудился поинтересоваться, как я поживаю. Она расцеловала Агнес в обе щеки, поприветствовав ее ничего не значившей профессиональной улыбкой.

Завершала список гостей Табита. Она прибыла последней с видом человека, всю дорогу обсуждавшего по телефону, как ей не хочется сюда ехать. Сразу же после ее появления нас усадили в столовой, расположенной за основной гостиной, где доминантой служил длинный овальный стол из красного дерева.

Можно смело сказать, что разговор за столом шел ни шатко ни валко. Мистер Гупник с братом тотчас же углубились в обсуждение законодательных ограничений в стране, где мистер Гупник в данный момент вел бизнес, а жены задавали друг другу вымученные вопросы, словно люди, осваивающие навыки светской беседы на иностранном языке.

— Агнес, как поживаешь?

— Прекрасно, спасибо. А ты, Вероника?

— Очень хорошо. Ты выглядишь очень хорошо. Очень красивое платье.

— Спасибо. Ты тоже очень хорошо выглядишь.

— Если не ошибаюсь, ты была в Польше? Леонард точно говорил, ты ездила навестить свою мать.

— Ну, я была там две недели назад. Мне было очень приятно повидать ее, спасибо.

Итак, я сидела между Агнес и Таб. Агнес пила белое вино, а Таб не отрывалась от экрана телефона, периодически закатывая глаза. Я ела тыквенный суп с шалфеем, кивала, улыбалась и старалась не думать о квартире Ашока с царящим там сейчас радостным хаосом. Я собралась было спросить Таб о том, как прошла неделя, о чем угодно, лишь бы сдвинуть с места спотыкающийся разговор, но не рискнула, памятуя о ее едких замечаниях по поводу новой моды приглашать персонал за стол.

Илария подавала одно блюдо за другим. «Эта польская *puta* не умеет готовить. Поэтому кому-то приходится обеспечивать им День благодарения», — уже после бормотала она себе под нос. Илария поставила на стол индейку, жареный картофель и еще кучу всякой всячины, которую в мою бытность здесь еще ни разу не подавали на гарнир, но от которой, по моим понятиям, у меня непременно разовьется хронический диабет второго типа. Мы ели засахаренный картофель, запеканку с топпингом из маршмэллоу, зеленую фасоль с медом и беконом, жареную желудевую тыкву с беконом в кленовом сиропе, кукурузный хлеб с маслом и морковь в меду со специями. А еще там были поповеры — нечто вроде йоркширского пудинга, — на которые я смотрела с некоторым недоверием, пытаясь определить, нет ли там тоже сиропа.

Естественно, на еду налегали в основном мужчины. Таб рассеянно гоняла свою порцию по тарелке. Агнес съела лишь кусочек индейки. Я попробовала всего понемножку, довольная тем, что могу хоть чем-то заняться и что Илария больше не швыряет тарелки передо мной на стол. На самом деле она даже несколько раз посмотрела на меня с жалостью, словно выражая молчаливое сочувствие по поводу моего затруднительного положения. Мужчины продолжали говорить о делах, не подозревая о вечной мерзлоте, сковавшей другой конец стола, или не желая признавать сей факт.

Время от времени тишину нарушала старая миссис Гупник, требовавшая, чтобы ей положили картофеля, или вопрошающая, уже в четвертый раз, что, ради всего святого, эта женщина сотворила с морковью. Ей одновременно отвечали сразу несколько человек, радуясь теме для разговора, пусть даже такой нелепой.

— Луиза, какое необычное платье, — нарушила Вероника затянувшееся молчание. — Потрясающее! Вы купили его на Манхэттене? В наши дни не часто встретишь меховые манжеты.

— Благодарю. Я купила его в Ист-Виллидже.

— Это Марк Джейкобс?

— Хм, нет. Это винтаж.

— Винтаж! — фыркнула Таб.

— Что она сказала? — громко спросила старая миссис Гупник.

— Мама, она говорит о платье этой девушки, — ответил брат мистера Гупника. — Она говорит, это винтаж.

— А что такое винтаж?

— Таб, интересно, и чем тебе не угодил винтаж? — ледяным тоном поинтересовалась Агнес.

Я вжалась в спинку стула.

— Совершенно бессмысленный термин, разве нет? Просто красивое название для секонд-хенда. Манера одеваться с претензией на нечто особенное, что на самом деле таковым не является.

Мне хотелось сказать ей, что винтаж — понятие куда более всеобъемлющее, но я не знала, как выразить свою мысль, да и к тому же подозревала, что мне не положено встревать в разговор. Поэтому оставалось только ждать, когда они сменят тему.

— А по-моему, винтажные наряды сейчас опять в тренде, — обратилась ко мне Вероника, проявив явные дипломатические способности. — Хотя, конечно, я слишком старая, чтобы разбираться в современной молодежной моде.

— Но достаточно хорошо воспитанная, чтобы не говорить подобных вещей, — пробормотала Агнес.

— Прошу прощения?! — вспыхнула Таб.

— Ага, значит, теперь ты просишь прощения?

— Нет, я только хотела уточнить, что ты имела в виду.

Мистер Гупник поднял голову, осторожно переводя взгляд с жены на дочь.

— А я имела в виду, что ты была груба с Луизой. Луиза — мой гость, хотя и является обслуживающим персоналом. А ты грубо высказалась по поводу ее одежды.

— Я отнюдь не была грубой. Просто констатировала факт.

— В наши дни это и есть грубость. *Что вижу, то говорю. Я просто очень честная.* Язык откровенного хамства. Мы все прекрасно знаем, как это делается.

— Как ты меня назвала?

— Агнес... Дорогая... — Мистер Гупник перегнулся через стол, накрыв ее руку своей.

— Что они говорят? — спросила старая миссис Гупник. — Попросите их говорить громче.

— Я сказала, что Таб нахамила моей подруге.

— Начнем с того, что она вовсе не твоя подруга. Она твоя *платная помощница*. Впрочем, я сильно подозреваю, что в плане друзей ничего лучшего тебе и не светит.

— Таб! — одернул ее отец. — Ты говоришь отвратительные вещи.

— Но это чистая правда. Никто не хочет иметь с ней дело. И ты не можешь продолжать делать вид, будто не замечаешь, что это так. Куда бы вы ни пошли. Папочка, ты в курсе, что ваша семья — объект для насмешек. Вы оба стали клише. Она ходячее клише. И ради чего? Мы все знаем, какой у нее план!

Агнес сорвала с коленей салфетку и скатала в комок:

— Мой план?! Так ты хочешь сказать, какой у меня план?

— Такой же, как и у всех остальных хитрожопых иммигрантов. Ты каким-то чудом сумела уговорить папу жениться на тебе. А теперь делаешь все возможное и невозможное, чтобы забеременеть, родить ему ребеночка или даже двух, а затем через пять лет развестись. И ты обеспечена на всю оставшуюся жизнь. Оба-на! Никаких тебе больше массажей. Только «Бергдорф Гудман», личный водитель и постоянные ланчи с твоей польской шоблой.

Мистер Гупник наклонился над столом:

— Табита, я запрещаю тебе произносить в этом доме слово «иммигрант» в столь уничижительной манере! Твои прадеды были иммигрантами. И ты сама потомок иммигрантов.

— Но не *таких* иммигрантов.

— Что ты этим хочешь сказать? — побагровела Агнес.

— Мне что, по буквам тебе повторить? Есть те, кто добивается цели тяжелым трудом, а есть те, кто добивается этого, лежа на своей...

— Чья бы корова мычала! — взвилась Агнес. — Ты в свои двадцать пять живешь исключительно на средства траст-фонда! Ты хоть когда-нибудь в жизни палец о палец ударила? И не тебе меня учить. По крайней мере, я знаю, что такое работа...

— Да-да. Сидеть верхом на голых мужиках. *Отличная* профессия!

— Довольно! — Мистер Гупник вскочил с места. — Табита, ты очень не права и должна извиниться.

— С какой стати? Потому что не смотрю на нее через розовые очки? Папочка, мне неприятно это говорить, но ты совершенно ослеп и не видишь, что на самом деле представляет собой эта женщина.

— Нет! Это ты ошибаешься!

— Неужели ты думаешь, она никогда не захочет иметь детей?! Папа, ей двадцать восемь! Ау, очнись!

— О чем они говорят? — сварливо спросила у невестки старая миссис Гупник, и Вероника что-то шепнула ей на ухо. — Но она упоминала о голых мужчинах. Я сама слышала.

— Табита, это, конечно, не твое дело, но в нашем доме больше не будет детей. Мы с Агнес договорились об этом еще до того, как я на ней женился.

Таб скорчила презрительную физиономию:

— Ну надо же! Она *договорилась*. Словно это хоть что-то значит. Такие, как она, соврут — недорого возьмут, лишь бы выйти замуж. Папочка, мне неприятно это говорить, но ты ужасно наивный. Через год-два случится маленький такой инцидент, и она уговорит тебя...

— Никаких инцидентов! — Мистер Гупник хлопнул рукой по столу с такой силой, что зазвенело стекло.

— Откуда тебе знать?

— Потому что я сделал чертову вазэктомию! — Мистер Гупник сел на место. У него тряслись руки. — За два месяца до свадьбы. На горе Синай. С согласия Агнес. Ну что, теперь ты довольна?

В комнате стало тихо. Таб сидела с открытым ртом.

Старуха огляделась по сторонам и спросила, уставившись на мистера Гупника:

— Леонард сделал аппендэктомию?

У меня вдруг зазвенело в голове, где-то в районе затылка. Я, словно с большого расстояния, слышала, как мистер Гупник требовал, чтобы дочь извинилась, видела, как та отодвинула стул и выскочила из-за стола, так и не извинившись. Видела, как Вероника переглянулась с мужем и приложилась к стакану.

А потом я посмотрела на Агнес, которая молча уставилась в тарелку, где в меду и беконном жиру потихоньку застывала нетронутая еда. Кровь бросилась мне в голову, когда мистер Гупник, протянув руку, нежно сжал пальцы жены.

На меня она даже не взглянула.

Глава 17

Я улетала домой 22 декабря, нагруженная подарками, в новом пальто с принтом «зебра», которое, как я обнаружила позже, обладало странной и непредсказуемой реакцией на рециркуляцию воздуха в салоне «Боинга-767» и от которого к тому времени, как я оказалась в Хитроу, воняло, точно от дохлой лошади.

Вообще-то, я собиралась вылететь в сочельник, но Агнес настояла на том, чтобы я уехала раньше, поскольку сама она неожиданно собралась съездить в Польшу навестить больную мать, в связи с чем у меня не было никакого резона торчать без дела в Нью-Йорке, если можно было провести время с семьей. Мистер Гупник оплатил замену билета. После обеда в честь Дня благодарения Агнес была со мной чрезвычайно милой, но отдалилась от меня. А я, в свою очередь, вела себя профессионально и сдержанно. Хотя иногда у меня голова шла кругом от хранившейся там информации. Но я зарубила себе на носу слова Гарри, сказанные им осенью, когда я еще только осваивалась на новой работе: *Ничего не вижу, ничего не слышу, ничего никому не скажу.*

Во время подготовки к Рождеству со мной что-то произошло, и у меня улучшилось настроение. Быть может, я испытывала облегчение оттого, что на время покидаю этот дом с его явной дисфункцией. А быть может, процесс покупки рождественских подарков воскресил притупившееся чувство радости в моих отношениях с Сэмом. Да и вообще, когда у меня в последний раз был мужчина, которому я покупала подарки на Рождество? Когда я встречалась с Патриком, он просто присылал мне по электронной почте ссылки на специфические предметы экипировки, которые ему хотелось иметь. *Детка, только не вздумай ничего заворачивать на случай, если ты неправильно поняла и мне придется отослать все назад*. Все, что мне нужно было, — это нажать на кнопку. Я никогда не проводила Рождество с Уиллом. А теперь, стоя плечом к плечу с другими покупателями в «Саксе», я прикладывала к лицу шерстяные изделия и пыталась представить своего парня в кашемировых джемперах, в мягких клетчатых рубашках, которые он любил носить в саду, в толстых уличных носках фирмы «REI». Я купила игрушки для Тома, а от запахов в магазине «M&M» на Таймс-сквер у меня даже поднялся сахар в крови. Я купила Трине канцелярские принадлежности в «Макналли Джексон» и красивый халат для дедушки в «Мейсис». Чувствуя себя неприлично богатой, поскольку в предыдущие месяцы практически ничего не тратила, я купила маме браслет от «Тиффани», а папе — портативный радиоприемник для его сарая.

И уже в последний момент я купила Сэму рождественский чулок, который набила маленькими подарочками. Я положила лосьон после бритья, жевательную резинку новых сортов, носки и держатель для пива в форме женщины в джинсовых шортиках. После чего я вернулась в магазин игрушек, где покупала подарки для Тома, и подобрала комплект мебели для кукольного дома: кровать, стол, стулья, диван и все для ванной комнаты. Завернула в подарочную бумагу и написала: *Пока ты не закончишь настоящий*. Нашла игрушечную медицинскую сумку-укладку с дивными крошечными медицинскими инструментами внутри и добавила к общей горе подарков. И неожиданно Рождество стало реальным и волнующим, а возможность провести десять дней вдали от Гупников — лучшим подарком.

Я прибыла в аэропорт, молясь про себя, чтобы у меня не было перевеса багажа из-за переизбытка подарков. Женщина за стойкой регистрации билетов взяла мой паспорт, попросила поставить чемодан на весы... и нахмурилась, посмотрев на экран.

— Какая-то проблема? — спросила я, когда она взглянула на мой паспорт и отвела взгляд в сторону.

Я начала судорожно прикидывать, сколько придется платить за перевес.

— Нет, мэм. Просто вы встали не в ту очередь.

— Вы что, издеваетесь? — У меня упало сердце, когда я увидела змеящуюся за мной толпу. — Ну и куда я должна была встать?

— Вы летите бизнес-классом.

— Бизнес-классом?!

— Да, мэм. У вас билет другого класса. Вам следует пройти регистрацию вон там. Впрочем, никаких проблем. Я могу сделать это для вас прямо здесь.

Я покачала головой:

— Тут какая-то ошибка. Я...

И тут загудел мой телефон. Я посмотрела на экран.

Сейчас ты уже наверняка в аэропорту. Надеюсь, это сделает твою поездку домой более приятной. Маленький подарок от Агнес. До встречи в Нью-Йорке, подруга! Майкл х

Я растерянно заморгала:

— Отлично. Спасибо большое.

Проводив глазами свой распухший чемодан, исчезающий на конвейерной ленте, я убрала телефон.

В аэропорту было не протолкнуться, но зал ожидания для пассажиров бизнес-класса показался мне неким оазисом тишины и спокойствия вдали от предпраздничной суеты и сутолоки вокруг. Уже на борту самолета я обследовала косметичку с подарочными ночными принадлежностями, с удовольствием натянула бесплатные носки и постаралась не вступать в беседу с сидящим рядом мужчиной, который в конце концов надел на глаза маску и откинул спинку кресла. У меня случилась лишь одна небольшая загвоздка, когда туфля застряла в подножке, но очень любезный стюард помог мне вызволить ногу. Я поела утку в хересе и лимонный торт, поблагодарив предупредительных бортпроводников. После просмотра двух фильмов я наконец решила попытаться немного поспать. Но полет был настолько восхитительным, что жалко было тратить время на сон. Именно о таких вещах и следовало писать домой, но сейчас, подумала я, и у меня в животе внезапно запорхали бабочки, я смогу доложить им об этом в устной форме.

Луиза Кларк возвращалась домой совершенно другим человеком. По крайней мере, так сказал Сэм, и я решила ему поверить. Я стала более уверенной в себе, более профессиональной, ну а та печальная, взбалмошная, психически неустойчивая личность, какой я была шесть месяцев назад, — все это в далеком прошлом. Я представила лицо Сэма, когда неожиданно нагряну и скажу: «Сюрприз!» — совсем как он тогда. Сэм послал мне копию расписания дежурств на ближайшие две недели, чтобы я спланировала визиты к родителям, и я прикинула, что могу закинуть вещи к себе на квартиру, пообщаться пару часов с сестрой, а затем отправиться к нему домой и встретить его после дежурства.

Теперь, думала я, мы все сделаем правильно. Так как у нас будет достаточно времени побыть вместе. И на этот раз мы займемся вполне обычными делами — лучший способ избежать душевных травм и двусмысленных ситуаций. Первые три месяца всегда самые трудные. Я накрылась одеялом, которое, впрочем, теперь было без надобности, поскольку мы уже давно летели над Атлантикой, и попыталась, но не смогла уснуть: я следила, как маленький дрожащий самолетик медленно прокладывает путь на жидкокристаллическом экране, в голове роились и путались мысли, а в животе от волнения образовался тугой узел.

Я приехала к себе где-то после полудня и, повозившись с ключами, вошла в подъезд. Трина находилась на работе, Том — в школе. Серый лондонский воздух был пронизан сверкающими рождественскими огнями и звуками рождественских хоралов, которые я, наверное, миллион раз слышала раньше. Я поднялась по лестнице своего бывшего дома, полной грудью вдыхая знакомый запах дешевого освежителя воздуха и лондонской сырости, открыла дверь в квартиру, бросила чемодан прямо у входа и облегченно вздохнула.

Дом. Милый дом. Или что-то типа того.

Стащив в коридоре пальто, я вошла в гостиную. Я немного боялась возвращаться сюда: в памяти еще были свежи воспоминания о бесконечных месяцах моей затянувшейся депрессии, когда я слишком много пила, а эти пустые неуютные комнаты служили вечным укором, напоминая о том, что я не смогла спасти мужчину, который мне все это дал. Но сейчас я словно оказалась в другой квартире, почувствовав это буквально с порога: за три месяца все изменилось до неузнаваемости. Некогда безликий интерьер стал красочным, все стены были украшены рисунками Тома. На диване лежали вышитые подушки, рядом стояло новое мягкое кресло, на окнах висели новые шторы, а полка ломилась от DVD-дисков. На кухне новая фаянсовая посуда и пакеты с продуктами. Миска с овсяными хлопьями и шоколадные шарики «Коко попс» на радужной салфетке говорили о том, что хозяева завтракали второпях.

Я открыла дверь гостевой комнаты, теперь комнаты Тома, и улыбнулась при виде постеров на футбольную тему и пухового одеяла с мультяшными героями. Новый шкаф был забит его одеждой. Потом я вошла в свою спальню, теперь здесь спала Трина, и обнаружила мятое лоскутное одеяло, новую книжную полку и жалюзи. Одежды по-прежнему было немного, но Трина обзавелась креслом и зеркалом, а маленький туалетный столик оказался завален увлажняющими кремами, щетками для волос и косметикой. Явное свидетельство того, что за несколько месяцев моего отсутствия сестра стала другим человеком. Единственная вещь, которая заставила меня поверить, что здесь все-таки живет Трина, — книги на прикроватном столике: «Налоговый вычет на капиталовложения» Толли и «Основы расчета заработной платы».

Я чувствовала себя ужасно усталой и одновременно обескураженной. Интересно, Сэм испытывал нечто подобное, когда во второй раз прилетал повидаться со мной? Неужели я тоже казалась ему прежней, но при этом немного чужой?

От усталости глаза были словно засыпаны песком, мои внутренние часы сбились. До возвращения Трины с Томом оставалось три часа. Я умыла лицо, сняла туфли, со вздохом легла на диван, звуки Лондона за окном потихоньку стихали.

Проснулась я оттого, что липкая рука гладила меня по щеке. Я заморгала, пытаясь скинуть чужую руку, но тотчас же почувствовала, как что-то давит на грудную клетку. И это что-то двигалось. Липкая рука снова погладила меня по щеке. Тогда я подняла отяжелевшие веки и увидела распахнутые глаза Тома.

— Тетя Лу! Тетя Лу!

— Привет, Том, — простонала я.

— А что ты мне привезла?

— Том, дай ей хотя бы проснуться!

— Том, ты расплющил мне одну грудь. Ой-ей-ей!

Освободившись, я рывком села и, сонно моргая, уставилась на своего племянника, который теперь раскачивался вверх-вниз.

— Так что ты мне привезла?

Трина наклонилась и поцеловала меня в щеку. От сестры пахло дорогими духами, и я немного отстранилась, чтобы получше ее разглядеть. Она сделала макияж. Настоящий макияж, хорошо наложенный, а не просто подвела глаза полученным бесплатно вместе с журналом в 1994 году синим карандашом, который валялся без дела в ящике ее письменного стола лет десять и извлекался лишь по случаю торжественных выходов в свет.

— Ты сделала это! Не перепутала самолет и не улетела в Каракас. Мы с папой даже заключили пари.

— Нахалка! — Я задержала ее руку в своей чуть дольше, чем мы обе рассчитывали. — Ого! Ты здорово похорошела.

Действительно похорошела. Она больше не носила дурацкий хвост, а подстриглась до плеч, и теперь волосы лежали красивыми волнами. Прическа, хорошо сшитая блузка и тушь полностью преобразили Трину, сделав настоящей красавицей.

— Ну, это работает. Реально работает. Нам в Сити приходится держать марку. — При этих словах она поспешно отвернулась, поэтому я не слишком поверила ей.

— Думаю, я должна познакомиться с твоим Эдди, — сказала я. — Лично мне никогда не удавалось столь кардинально влиять на твой выбор одежды.

Трина включила чайник:

— А все потому, что ты всегда одевалась так, будто тебе на распродаже дали ваучер на два фунта и ты решила ни в чем себе не отказывать.

За окном постепенно темнело. Мой утомленный перелетом мозг внезапно переработал эту информацию.

— Ой! А который час?

— Время дарить мне подарки? — Том улыбался беззубой улыбкой, молитвенно сложив руки.

— Ты все успеешь, — сказала Трина. — До окончания дежурства Сэма еще целый час. Так что у тебя полно времени. Том, Лу отдаст тебе, что там она привезла, лишь после того, как выпьет чая и найдет свой дезодорант. Кстати, какого черта ты бросила на пол свое полосатое пальто? От него несет тухлой рыбой.

Вот теперь я точно была дома.

— Ну ладно, Том, — сказала я. — В синем пакете есть для тебя кое-какие предрождественские подарки. Тащи его сюда.

Мне потребовалось принять душ и наложить свежий макияж, чтобы снова почувствовать себя человеком. Я надела серебряную мини-юбку, черную водолазку, замшевые туфли на танкетке из «Магазина винтажной одежды», подаренный миссис Де Витт шарф «Биба» и подушилась «La Chasse aux Papillons»[1] — духами, которые в свое время посоветовал мне купить Уилл и которые всегда придавали мне уверенности. Когда я наконец собралась уходить, Том с Триной уже обедали на

[1] «Охота на бабочек» *(фр.)*.

кухне. Трина предложила мне пасты с сыром в томатном соусе, но у меня от страха скрутило живот, а мои внутренние часы пошли вразнос.

— Мне нравится, как ты теперь красишь глаза. Очень соблазнительно, — сказала я Трине.

Она скривилась:

— А ты сможешь нормально вести машину? По-моему, у тебя что-то со зрением.

— Это недалеко. И я отлично вздремнула.

— И когда нам теперь ждать тебя домой? Новый диван просто потрясающий, если, конечно, тебя это интересует. Настоящий пружинный матрас. И ни кусочка твоего пенополиуретанового дерьма.

— Надеюсь, ближайшие два дня мне твой диван не понадобится. — Я широко улыбнулась.

— А это что такое? — Том показал на пакет у меня под мышкой.

— Ах это. Рождественский чулок. Сэм работает в Рождество, я до вечера его не увижу, вот и решила положить подарок ему под подушку.

— Том, только не вздумай спрашивать, что там внутри!

— Ничего такого, чего я не могла бы подарить даже дедуле. Просто кое-что для прикола.

В ответ Трина реально мне подмигнула. И я в очередной раз мысленно поблагодарила Эдди за чудесное преображение моей сестры.

— Пришлешь мне потом сообщение? Чтобы знать, запирать дверь на цепочку или нет.

Я поцеловала обоих и направилась к выходу.

— Только не отпугни его своим жутким американским акцентом, как из жопы! — (Я показала ей средний палец.) — И не забывай ехать по левой стороне! И не надевай пальто, которое воняет, точно макрель, — расхохоталась Трина.

Я захлопнула за собой дверь.

Последние три месяца я или ходила пешком, или ловила такси, или ездила в большом черном лимузине. Поэтому, чтобы сеть за руль своего маленького хэтчбека, с его хилым сцеплением и бисквитными крошками на переднем сиденье, мне потребовалось максимально сконцентрироваться. Я тронулась в путь, когда интенсивность транспортного потока уже пошла на спад. Включила радио и постаралась не обращать внимания на барабанную дробь в груди, вызванную то ли страхом вести автомобиль, то ли предстоящей встречей с Сэмом.

Небо окончательно потемнело, на улицах, сверкающих рождественскими огнями, было не протолкнуться от покупателей, а я, втянув голову в плечи, жала на тормоза и пыталась вывернуть в сторону городской окраины.

Тротуары закончились, толпа поредела и окончательно рассосалась, и теперь разве что случайный человек в ярком квадрате окна безучастно провожал меня глазами. И вот, вскоре после восьми, я оказалась на неосвещенной проселочной дороге, где пришлось буквально ползти, чтобы не пропустить нужный поворот.

Железнодорожный вагон приветливо сиял огнями посреди темного поля, из окон лился теплый золотистый свет. Я увидела мотоцикл Сэма, приткнувшийся в маленьком сарайчике возле изгороди. Сэм даже украсил кусты боярышника перед входом рождественской подсветкой. Значит, он действительно был дома. Я припарковала машину на широком месте разъезда, выключила фары и посмотрела на железнодорожный вагон. После чего, будто по наитию, достала телефон.

С нетерпением жду встречи. Теперь уже недолго. xxx

Ответ я получила не сразу. После короткой заминки. Но вот мой телефон глухо звякнул.

Я тоже. Счастливого полета. хх

Я улыбнулась. Вылезла из машины, к сожалению слишком поздно осознав, что припарковалась прямо в луже. Холодная грязная вода насквозь промочила туфли.

— Спасибо большое, — прошептала я. — Только этого мне и не хватало!

Я натянула на голову заранее купленный колпак Санты, взяла с пассажирского сиденья чулок с подарками, тихонько закрыла дверь и заперла машину вручную, чтобы она случайно не загудела, тем самым известив Сэма о моем присутствии.

Хлюпая мокрыми туфлями, я на цыпочках начала пробираться вперед. Я вспомнила свое первое появление здесь, когда внезапно попала под дождь и мне пришлось надеть вещи Сэма, поскольку моя одежда сохла в маленькой душной ванной. То была невероятная ночь. Сэм будто мало-помалу содрал с меня все защитные слои, образовавшиеся после смерти Уилла. Я вспомнила наш первый поцелуй, его огромные носки на моих озябших ногах, и меня невольно бросило в жар.

Я открыла ворота, с облегчением отметив, что за время моего отсутствия он успел вымостить дорожку к вагончику бетонными плитами. Мимо проехала машина, и в свете ее фар я успела разглядеть впереди строящийся дом Сэма, уже под крышей и с вставленными окнами. Там, где окно пока отсутствовало, проем был затянут хлопающим на ветру синим тарпаулином, и внезапно этот незавершенный дом показался мне удивительно реальным: местом, где в один прекрасный день мы сможем жить.

Я прокралась на цыпочках чуть поближе и остановилась возле двери. Из открытого окна доносились аппетитные ароматы — запеканки, что ли? — густые и пряные, с примесью чеснока. Я внезапно почувствовала приступ голода. Сэм никогда не ел готовую лапшу или консервированную фасоль: он все, от и до, готовил сам, явно получая удовольствие от методичной работы. Затем я увидела Сэма — по-прежнему в униформе, с посудным полотенцем через плечо, — который колдовал над кастрюлей. Я стояла так, скрытая темнотой, на душе было благостно и спокойно. Знакомые звуки приятно ласкали слух: шепот ветвей, квохтанье кур в курятнике, монотонный гул проезжающих мимо машин. Холод пощипывал кожу, воздух был наполнен предчувствием Рождества.

Для человека нет ничего невозможного. Я твердо усвоила это за последние несколько месяцев. И пусть жизнь порой подкидывает нам сложные задачи, сейчас были только я и только он, мужчина, которого я любила, а еще его железнодорожный вагон и чудесный вечер впереди. Я сделала глубокий вдох, чтобы насладиться этой минутой, шагнула вперед и взялась за дверную ручку.

А потом я увидела ее.

Она шла по вагону и что-то говорила, через стекло было не слышно. Волосы она заколола на затылке, мягкие локоны обрамляли лицо. На ней была мужская футболка — его? — в руках она держала бутылку вина, и я увидела, как он покачал головой. Он наклонился над плитой, она подошла сзади, положила руки ему на шею, прильнула к его широкой спине и принялась массировать мышцы сильными круговыми движениями больших пальцев — фамильярный жест, говоривший о близости. Ногти на ее руках были покрыты темно-розовым лаком. У меня перехватило дыхание. Он откинул голову и закрыл глаза, капитулируя под яростным напором этих требовательных рук.

После чего с улыбкой повернулся к ней лицом, склонив голову набок, она рассмеялась и, отойдя назад, подняла бокал.

Больше я ничего не видела. Сердце так громко стучало в ушах, что я боялась потерять сознание. Я неуклюже попятилась и, развернувшись, помчалась назад по дорожке, дыхание с шумом вырывалось из груди, окоченевшие ноги в мокрых туфлях не слушались. И хотя машина была припаркована в пятидесяти ярдах от дома, до меня отчетливо донесся взрыв ее смеха из открытого окна. Точно дребезжание стекла.

Итак, я сидела в машине на парковке возле моего дома и ждала, когда Том пойдет спать. Я не могла прятать своих чувств, но и не хотела объясняться с Триной в присутствии Тома. Время от времени я бросала взгляд на окно спальни Тома: свет в его комнате зажегся, а через полчаса снова погас. Я выключила зажигание, мотор заглох. А вместе с ним и все мои мечты, что я так долго лелеяла.

Впрочем, мне не следовало удивляться. С какой стати? Кэти Инграм с самого начала выложила карты на стол. Нет, меня больше всего потрясло то, что Сэм был ее соучастником. Сэм не проигнорировал заигрывания Кэти. Наоборот, он ответил на мое сообщение, а потом приготовил ей ужин и позволил массировать себе шею, и это было прелюдией... к чему?

И всякий раз, как я представляла их вдвоем, мне приходилось хвататься за живот, согнувшись пополам, словно от удара под дых. Мне никак не удавалось избавиться от навязчивой картинки, стоявшей перед глазами. Я по-прежнему видела, как он откидывал голову под нажимом ее умелых пальцев. Слышала ее смех — призывный и очень интимный, словно она предлагала разделить с ней шутку, известную только им двоим.

Странно, но я не могла плакать. То, что я чувствовала, было больше, чем печаль. Я оцепенела, в голове звенели вопросы — *Как долго? Как далеко все зашло? Почему?* — и я снова сгибалась пополам, отчаянно желая выплеснуть наружу это новое знание, облегчить этот страшный удар, эту боль, эту боль, эту боль...

Не знаю, как долго я так сидела, но в районе десяти вечера я медленно поднялась по лестнице и тихонько вошла в квартиру. Я надеялась, что Трина легла спать, но она, в пижаме, с открытым лэптопом на коленях, смотрела по телевизору новости и улыбалась чему-то своему на экране лэптопа. Когда я открыла дверь, Трина подпрыгнула от неожиданности.

— Господи, ты напугала меня до мокрых штанов... Лу? — Она поспешно отодвинула лэптоп. — Лу? Ой, нет...

Именно это ее сочувствие и доконало меня окончательно. Моя сестра, считавшая физические контакты между взрослыми даже более неудобными, чем санация полости рта у дантиста, обвила меня руками, и внезапно внутри меня, где-то очень глубоко, открылся невидимый клапан, и я начала плакать, размазывая сопли, всхлипывая и захлебываясь от слез. Я рыдала так, как не рыдала с тех пор, как умер Уилл, оплакивая свои растоптанные мечты и свое разбитое сердце, с которым мне теперь предстояло жить. Я опустилась на диван, уткнулась Трине в плечо, обняла ее, и на этот раз Трина прижалась щекой к моей щеке, и держала меня обеими руками, и ни за что не хотела отпускать.

Глава 18

Родители и Сэм ждали меня только через два дня, и мне было нетрудно прятаться в своей бывшей квартире, делая вид, будто я еще не приехала. Я пока была не готова никого видеть. На сообщения Сэма я не отвечала. Пусть думает, будто я сломя голову ношусь по Нью-Йорку. Я поймала себя на том, что читаю и перечитываю его сообщения и не перестаю удивляться, каким образом этот мужчина, честнейший и благороднейший из людей, научился так нагло врать мне.

Что ты собираешься делать в рождественский сочельник? Пойти на службу в церковь? Или слишком устанешь? Мы увидимся в День подарков?

Все эти два дня я приклеивала на лицо улыбку, когда Том был дома, поспешно складывала диван, пока он завтракал, и исчезала в ванной. И как только Том уходил, снова возвращалась на диван. Я лежала, пялясь в потолок, по щекам струились беззвучные слезы, и уже в который раз я пыталась привести в порядок мысли, чтобы понять, почему все пошло наперекосяк.

Неужели я кинулась в объятия Сэма, точно в омут головой, потому что продолжала оплакивать Уилла? Знала ли я Сэма так хорошо, как мне казалось? Как правило, мы видим лишь то, что хотим видеть, особенно если физическое влечение затуманивает зрение. А может, он мстит мне за Джоша? За тест Агнес на беременность? И стоит ли вообще искать причину? Я больше не верила ни своей интуиции, ни своим суждениям.

Впервые в жизни Трина не изводила меня требованиями оторвать задницу от дивана и сделать что-нибудь конструктивное. Она сокрушенно качала головой и на чем свет стоит костерила Сэма, когда Том не слышал. И даже сейчас, погрузившись в бездну отчаяния, я не могла не удивляться способности Эдди привить моей сестре нечто похожее на сострадание.

Она ни разу не сказала, что для нее это не стало таким уж большим сюрпризом, поскольку я теперь живу за много миль от него, или что я сама толкнула его в объятия Кэти Инграм, или что этого следовало ожидать. Трина терпеливо выслушивала мои излияния о событиях, приведших к той ночи, а еще следила за тем, чтобы я ела, умывалась и одевалась. И хотя Трина не была особой любительницей выпить, она принесла домой две бутылки вина, заявив, что, так и быть, я могу пару дней предаваться алкоголизму, добавив при этом, что если меня стошнит, то тогда уж, извини, придется самой за собой убирать.

И вот к наступлению рождественского сочельника я уже обросла толстым защитным слоем, наподобие черепашьего панциря. Я чувствовала себя ледяным изваянием. В глубине души я понимала, что должна поговорить с Сэмом, но пока была не готова. И похоже, вряд ли когда-нибудь буду.

— Что будешь делать? — спросила Трина, которая сидела на унитазе, пока я принимала ванну.

Трина должна была встретиться в Рождество с Эдди и сейчас красила ногти на ногах пастельным лаком, явно заранее готовясь к встрече, хотя ни за что в этом не призналась бы. В гостиной Том, врубив на полную мощность телевизор, неистово подпрыгивал вверх-вниз на диване в предрождественской лихорадке.

— Наверное, скажу ему, что опоздала на рейс. Поговорим после Рождества.

Трина саркастически усмехнулась:

— А ты не хочешь просто взять и объясниться с ним? Он тебе наверняка не поверит.

— На самом деле меня как-то мало волнует, поверит он или нет. Я просто хочу провести Рождество с семьей и никаких трагедий. — Я опустилась с головой под воду, чтобы не слышать, как Трина орет на Тома, требуя приглушить звук.

И Сэм действительно мне не поверил. Прислал сообщение:

Что? Как можно было опоздать на рейс?

А вот я опоздала. Увидимся в День подарков.

Я слишком поздно заметила, что забыла добавить «целую». Сэм долго молчал, после чего лаконично ответил:

Ладно.

Трина отвезла нас в Стортфолд, и всю дорогу до родительского дома, которая заняла часа полтора, Том подскакивал на заднем сиденье. Мы слушали по радио рождественские хоралы и практически не разговаривали. Примерно в миле от города я нарушила молчание, поблагодарив ее за понимание. На это Трина ответила, что я здесь ни при чем, но поскольку родители пока еще не встречались с Эдди, то ей, Трине, становится дурно от одной только мысли об их предстоящей встрече.

— Ничего, все будет хорошо, — успокоила я сестру, на что она не слишком уверенно улыбнулась в ответ. — Кончай дергаться! Им ведь понравился тот бухгалтер, с которым ты встречалась в начале года. Да и вообще, ты так долго была одна, что они будут искренне рады любому мужчине, если, конечно, он не Аттила, предводитель гуннов.

— Ладно, поживем — увидим.

Ответить я не успела, поскольку мы уже приехали. С тоской посмотрев в зеркальце на свои глаза, превратившиеся от бесконечных рыданий в щелочки, я вышла из машины. Выскочившая во двор мама рванула к нам, точно спринтер с линии старта. Она бросилась мне на шею и обняла так крепко, что я почувствовала, как бьется ее сердце.

— Дай посмотреть на тебя! — вскричала она, снова прижав меня к себе, после чего откинула с моего лба прядь волос и повернулась к папе, который, тихо сияя от счастья, стоял на крыльце. — Как она чудесно выглядит! Бернард! Посмотри, как она шикарно выглядит! Ой, мы так по тебе скучали! Ты что, похудела? Нет, ты точно похудела. И у тебя усталый вид. Тебе нужно срочно поесть. Заходи в дом. Спорим, тебя вообще не кормили в самолете. Я слышала, там дают один яичный порошок.

Мама обняла Тома, подхватила мои чемоданы, не успел папа и шагу ступить, и решительно зашагала по дорожке в сторону дома, махнув нам, чтобы следовали за ней.

— Привет, милая, — тихо сказал папа.

Я бросилась в его объятия. И только когда почувствовала на своих плечах его руки, позволила себе выдохнуть.

Дедуля не смог выйти на крыльцо. У него был еще один микроинсульт, шепотом сообщила мама, ему трудно стоять или ходить, поэтому теперь он в основном сидит в кресле с высокой спинкой в гостиной. («Мы просто не хотели тебя расстраивать».) Когда я вошла в комнату, дедуля, на котором по случаю праздника была рубашка с пуловером, встретил меня перекошенной улыбкой. Он приветственно поднял трясущуюся руку, я обняла его, невольно отметив, что за время моего отсутствия он как будто уменьшился в размерах.

Впрочем, здесь все уменьшилось в размерах. Родительский дом, с обоями двадцатилетней давности и предметами декоративного искусства, выбранными отнюдь не из эстетических соображений, а скорее потому, что их подарил какой-нибудь милый человек или они удачно прикрывали дырки в стене; с потертым комплектом из продавленного дивана и двух кресел; с крошечной обеденной зоной, где стулья сразу упирались в стену, стоило их отодвинуть, а люстра висела так низко, что папа буквально задевал ее головой. И я поймала себя на том, что невольно сравниваю эти далеко не роскошные апартаменты с нью-йоркской квартирой, с ее лакированными полами, огромными лепными потолками и гламурным шиком Манхэттена за окном.

Честно говоря, я надеялась, что стены родного дома подействуют успокаивающе, но эффект получился совершенно противоположным: у меня словно выбили почву из-под ног, и я внезапно поняла, что теперь я везде лишняя.

Легкий ужин состоял из ростбифа, картофеля, йоркширского пудинга и бисквитов — одним словом, из всего того, что мама успела, по ее словам, собрать на скорую руку в преддверии завтрашнего праздничного ужина. Индюшку папа спрятал в сарай, поскольку в холодильник она не влезала, и теперь каждые полчаса ходил проверять, не стащил ли ее соседский кот Гудини. Мама специально для нас подготовила краткий обзор различных напастей, обрушившихся на наших соседей.

— Ну конечно, это было еще до опоясывающего лишая у Эндрю. Он показал свой живот — меня чуть не стошнило. И я сказала Димпне, что ей нужно до самых родов держать ноги кверху. Нет, я серьезно, ее варикозные вены напоминают автомобильный атлас Чилтерн-Хилс. Кстати, я говорила, что отец миссис Кемп умер? В свое время он напрасно отсидел четыре года за вооруженное ограбление, так как в результате по образцам волос удалось выяснить, что это сделал парень из почтового отделения, — тараторила мама.

Но когда она ушла мыть посуду, папа наклонился ко мне и спросил:

— Ты заметила, как она нервничает?

— Нервничает?! И с чего вдруг?

— Из-за тебя. Из-за твоих успехов. У нее даже возникли некоторые опасения, что ты не захочешь к нам приезжать. Типа проведешь Рождество со своим парнем и укатишь обратно в Нью-Йорк.

— И откуда такая бредовая идея?

Папа пожал плечами:

— Ну, я не знаю. Она считает, ты теперь, возможно, нас переросла. Я сказал ей, чтобы перестала глупить. Дорогая, только не пойми превратно. Она чертовски гордится тобой! Она распечатывает все твои фото, вставляет их в альбом, а потом напрягает всем этим соседей. Честно говоря, она и меня порядком напрягает, а ведь я тебе не чужой человек. — Папа с широкой ухмылкой стиснул мою руку.

И мне вдруг стало стыдно. Ведь я действительно собиралась провести Рождество у Сэма, как обычно скинув на маму все предрождественские хлопоты и заботы о семье.

Оставив Трину и Тома с дедушкой, я отнесла оставшиеся грязные тарелки на кухню, и некоторое время мы с мамой мыли посуду в приятной тишине. К сожалению, маму хватило очень ненадолго.

— У тебя и правда усталый вид, дорогая. Сказывается разница во времени, да?

— Есть немного.

— Ладно, возвращайся за стол. Я отлично сама управлюсь.

— Нет, мама, — через силу улыбнулась я. — Ведь я уже тысячу лет тебя не видела. Почему бы тебе не рассказать, как вы тут без меня живете? Как там твои вечерние курсы? И что говорит доктор о здоровье дедушки?

Вечер шел своим чередом, в углу уютно бормотал телевизор, температура в комнате медленно, но верно повышалась, и мы все, уже практически в полукоматозном состоянии, бережно держались за животы, словно на последних месяцах беременности, впрочем, как всегда после маминых так называемых легких ужинов. Когда я подумала, что завтра предстоит повторение пройденного, мой желудок протестующе заурчал. Затем, оставив дедулю дремать в кресле, мы отправились на полночную мессу. Я сидела в церкви в окружении знакомых мне с детства людей, они улыбались мне, дружески пихая в бок, а я пела хоралы, которые помнила, или просто шевелила губами, если забыла слова, и старалась не думать о том, где сейчас Сэм, как делала это примерно 118 раз на дню. Время от времени я ловила едва заметную ободряющую улыбку Трины и улыбалась в ответ, словно желая сказать: «У меня все отлично, все хорошо», хотя у меня все было плохо, ну и вообще ничего хорошего не было. А когда мы вернулись домой, я поспешила уединиться в своей каморке. Конечно, дома и стены помогали, да эмоциональное перенапряжение последних трех дней не могло не сказаться, но впервые после возвращения в Англию я спала как убитая.

Я слышала сквозь сон, как Том разбудил Трину в пять часов, слышала звук шлепков, а еще папины истошные вопли: сейчас еще только чертова полночь, и если Том не ляжет обратно в кровать, то он, папа, скажет чертову Санта-Клаусу, чтобы пришел и забрал свои чертовы подарки! В следующий раз я проснулась, когда мама, поставив на мой прикроватный столик кружку чая, сообщила, что если я наконец оденусь, то можно будет начать открывать подарки. Сейчас уже четверть двенадцатого.

Я взяла со столика маленькие часики, прищурилась, недоверчиво потрясла их.

— Тебе необходимо было выспаться. — Мама погладила меня по голове и ушла проверить, как там мои родственники.

Буквально через двадцать минут я спустилась вниз. На мне был купленный в «Мейсис» потешный свитер с оленем со светящимся носом, который, как я знала, наверняка понравится Тому. Мои родственники, уже полностью одетые, сидели за завтраком. Я поцеловала их всех по очереди, пожелала счастливого Рождества, включила, а потом выключила светящийся олений нос, раздала привезенные подарки, стараясь не думать о мужчине, которому предназначались кашемировый джемпер и невероятно мягкая фланелевая клетчатая рубашка, валявшиеся теперь без дела на дне моего чемодана.

«Сегодня я не стану о нем думать, — твердо сказала я себе. — И не позволю унынию испортить бесценные часы, проведенные с семьей».

Родственники встретили мои подарки с энтузиазмом, особую ценность им придавало то, что они прибыли из Нью-Йорка, хотя точно такие же вещи наверняка можно было без проблем купить через интернет-магазин «Аргос».

— Прямо из Нью-Йорка! — восхищенно ахала мама при виде каждой мелочи, замолчав лишь, когда Трина выразительно закатила глаза, а Том начал ее передразнивать.

Естественно, в глазах Тома самым ценным подарком оказался самый дешевый: пластиковый снежный шар, купленный в сувенирном киоске на Таймс-сквер, который уже до конца недели наверняка упокоится с миром в нижнем ящике комода Тома.

Я в свою очередь получила:

носки от дедули (с девяностопроцентной вероятностью их купила мама);

набор мыла от папы (то же);

серебряную рамочку с уже вставленной фотографией нашей семьи (мама: «Чтобы ты могла всегда и везде брать ее с собой», папа: «А на хрена ей это нужно? Она уехала в свой чертов Нью-Йорк, чтобы быть подальше от всех нас!»);

машинку для удаления волос из ноздрей от Трины («И нечего на меня так смотреть. Ты уже приближаешься к критическому возрасту»);

рисунок рождественской елки со стишком от Тома. После допроса с пристрастием оказалось, что это не собственноручное творение Тома («Наша учительница говорит, что мы все равно не можем правильно приклеить елочные украшения, поэтому она все сделала сама, а мы просто написали свои имена»).

А еще я получила подарок от Лили, который она закинула к нам домой накануне их отъезда с миссис Трейнор на горнолыжный курорт («Лу, Лили хорошо выглядит. Хотя, судя по тому, что я слышала, она совсем загоняла миссис Трейнор»). Лили подарила мне винтажное кольцо — огромный зеленый камень в серебряной оправе, — идеально севшее на мизинец. Я послала ей похожие на наручники серебряные сережки, которые, как заверила меня продавщица из ультрамодного магазина в Сохо, были именно тем, что нужно для девочки-подростка. Особенно для тех, кто имеет определенную склонность делать пирсинг в самых неожиданных местах.

Я поблагодарила родственников и даже дождалась кивка от дедушки. В общем, я улыбалась, искренне надеясь, что произвожу впечатление человека, вполне довольного жизнью. Однако мама оказалась не так проста.

— Милая, у тебя все в порядке? Ты какая-то унылая. — Мама поливала картофель гусиным жиром, повисшим в воздухе горячим туманом. — Вот посмотри, какая хрустящая вкусная корочка получается!

— У меня все отлично.

— Может, дело все-таки в джетлаге? Ронни — он живет через три дома от нашего — сказал, что когда он вернулся из Флориды, то целых три недели натыкался на стены.

— Скорее всего, так оно и есть.

— Поверить не могу, что у меня есть дочь, страдающая от джетлага. Знаешь, в нашем клубе мне все жутко завидуют.

Я удивленно вскинула голову:

— Ты снова ходишь в клуб?

После того как Уилл решился на эвтаназию, члены клуба, в котором родители состояли много лет, дружно подвергли их остракизму, возложив на меня субститутивную ответственность[1] за то, что ему удалось реали-

[1] Ответственность за небрежность других лиц.

зовать свой план. И из-за этого я тоже чувствовала себя виноватой.

— Ну, эта стерва Марджори, распускавшая о нас сплетни, переехала в Сайренсестер. А потом Стюарт из гаража сказал папе, чтобы тот как-нибудь пришел сыграть в бильярд. Как само собой разумеющееся. И все вышло замечательно. — Она пожала плечами. — И вообще, это было пару лет назад. А у людей короткая память.

У людей короткая память. Уж не знаю, почему от этого утверждения у меня перехватило дыхание, но так оно и было. Пока я пыталась справиться с очередным приступом отчаяния, мама поставила противень с картофелем обратно в духовку, с шумом захлопнула дверцу плиты и, стягивая кухонные рукавицы-прихватки, повернулась ко мне:

— Ой, совсем забыла... Очень странная вещь. Звонил твой молодой человек. Хотел узнать, собираемся ли мы тебя встречать в День подарков и может ли он тебя встретить?

— Что? — Я оцепенела.

Она подняла крышку с кастрюли и, выпустив облако пара, снова накрыла кастрюлю.

— Ну, я ответила ему, что он, наверное, ошибся и ты уже здесь. Он сказал, что тогда заскочит попозже. Честно говоря, у него от этих дежурств в голове полная каша. Я слышала, по радио говорили, ночная работа очень плохо влияет на мозг. Тебе, наверное, стоит ему об этом сказать.

— Что... И когда он приедет?

Мама посмотрела на часы:

— Хм... Он, кажется, говорил, что заканчивает после полудня. Приедет сразу после работы. Проделает такой путь в Рождество! Кстати, ты уже встречалась с парнем Трины? Заметила, как она в последнее время стала одеваться? — Мама оглянулась на дверь и продолжила восторженным голосом: — Кажется, она становится нормальным человеком.

Я сидела за рождественским ланчем в состоянии полной боевой готовности. Внешне я была совершенно спокойна, но всякий раз вздрагивала, когда кто-нибудь проходил мимо нашей двери. И каждый кусочек маминой выпечки во рту превращался в порошковую массу. Каждая шутка, которую папа зачитывал, взорвав хлопушку, проходила мимо меня. Я не могла есть, не могла слушать, не могла чувствовать. Я оказалась запертой в стеклянном колпаке тревожного ожидания. Я покосилась на Трину, но она явно была занята своими мыслями, и я поняла, что сестра ждет приезда Эдди. Хотя ей-то чего волноваться?! По крайней мере, ее парень ей не изменял. По крайней мере, он *хотел* быть с ней.

Тем временем начался дождь, капли сердито стучали в окно, небо потемнело — под стать моему настроению. Наш маленький домик, украшенный мишурой и блестящими поздравительными открытками, съежился вокруг нас, и я вдруг почувствовала, что мне стало трудно дышать, однако выйти за пределы этих стен было почему-то очень страшно. Время от времени я ловила на себе тревожный мамин взгляд. Она явно не понимала, что со мной происходит, но не заводила ненужных разговоров, а я не поощряла ее.

Я помогала ей мыть посуду и болтала — по-моему, вполне убедительно — о прелестях доставки продуктов на дом в Нью-Йорке, и тут позвонили в дверь. У меня подкосились ноги.

Мама повернулась ко мне:

— Луиза, с тобой все нормально? Ты жутко побледнела.

— Мама, я потом расскажу.

Она окинула меня внимательным взглядом, ее лицо сразу смягчилось.

— Я буду здесь. — Мама протянула руку, чтобы заправить мне за ухо выбившую прядь. — Уж не знаю, что там у тебя стряслось, но я буду здесь.

Перед входной дверью стоял Сэм в мягком зеленовато-синем джемпере, который я раньше у него не видела. Интересно, кто ему подарил? Он сухо улыбнулся мне, но почему-то не наклонился, чтобы поцеловать или обнять, как в нашу последнюю встречу. Мы настороженно смотрели друг на друга.

— Хочешь зайти в дом? — Мой голос звучал на удивление официально.

— Спасибо.

Я провела Сэма по узкому коридору в гостиную, чтобы он мог поздороваться с моими родственниками, а оттуда — на кухню и притворила дверь. Атмосфера в кухне тотчас же наэлектризовалась, будто через нас обоих пропустили электрический ток.

— Чая хочешь?

— Конечно... Милый свитер.

— А-а... Спасибо.

— Ты забыла... отключить нос.

— Верно. — Я поспешно отключила нос, поскольку категорически не желала облегчать Сэму жизнь.

Сэм, слишком громоздкий для наших кухонных стульев, сел за стол и, по-прежнему не сводя с меня глаз, аккуратно сложил руки, словно во время собеседования для поступления на работу. Из гостиной доносились папин смех и пронзительный голос Тома: папа смеялся над каким-то фильмом, а Том требовал объяснить, что смешного. Я принялась заваривать чай, чувствуя спиной обжигающий взгляд Сэма.

— Итак, — произнес Сэм, когда я, поставив перед ним кружку чая, наконец села, — ты уже здесь.

В этот момент я едва не пошла на попятную. Я смотрела на его красивое лицо, широкие плечи, сильные руки, обхватившие кружку, и в голове вдруг мелькнула мысль: «Я не переживу, если он меня бросит».

Но тут я снова оказалась на холодной ступеньке вагончика Сэма — ее тонкие пальцы ласкали его шею, мои ноги мерзли в мокрых туфлях, — и ко мне сразу же вернулось ледяное спокойствие.

— Я приехала два дня назад, — сказала я.

Секундная пауза.

— Понятно.

— Хотела сделать тебе сюрприз. В четверг вечером. — Я царапала ногтем пятно на скатерти. — Но вышло так, что сюрприз сделали мне.

Я смотрела, как на лице Сэма появляется проблеск понимания: он нахмурился, взгляд стал задумчивым, веки слегка опустились. До него вдруг дошло, свидетельницей чего я могла стать.

— Лу, уж не знаю, что ты там видела, но это...

— Что? Не то, что я думаю?

— И да, и нет.

Меня словно ударили под дых.

— Сэм, давай не будем. — (Он поднял голову.) — Я не слепая и отлично все видела. И если ты попытаешься убедить меня, будто это совсем не то, о чем я подумала, мне наверняка захочется тебе поверить, что я, возможно, и сделаю. Однако за прошедшие два дня я отчетливо поняла, что это... не есть хорошо для меня. Это не есть хорошо для нас обоих.

Сэм поставил кружку. Устало провел рукой по лицу и отвел глаза:

— Я не люблю ее, Лу.

— Меня не волнует, что ты к ней чувствуешь.

— Но я хочу, чтобы ты знала. Да, ты была права насчет Кэти. Я действительно ей нравлюсь.

У меня вырвался горький смешок.

— А она нравится тебе.

— Я сам толком не знаю, что к ней испытываю. Потому что думаю лишь о тебе. Засыпаю и просыпаюсь с мыслями о тебе. Но вся штука в том, что ты...

— Брось! Только не надо все валить с больной головы на здоровую. *Не смей* меня в этом обвинять! Ты сам тогда сказал, чтобы я ехала в Нью-Йорк. *Ты сказал, чтобы я ехала.*

Несколько минут мы сидели молча. Поймав себя на том, что смотрю на его руки с разбитыми костяшками — такие сильные и крепкие, но при этом удивительно нежные и ласковые, — я поспешно перевела взгляд на пятно на скатерти.

— Понимаешь, Лу, мне казалось, что я смогу быть один. Ведь до знакомства с тобой я много лет как-то обходился. Но ты сумела задеть меня за живое.

— Ага, значит, это я во всем виновата!

— Да нет же! Я этого не говорю! — взорвался Сэм. — Я только пытаюсь объяснить. Я лишь хочу сказать... хочу сказать, что мне теперь не так легко быть одному, как раньше. После смерти сестры я твердо решил избегать сильных привязанностей. Понятно? В моей душе хватало места лишь для Джейка, и ни для кого больше. У меня была моя работа, мой недостроенный дом, мои цыплята, и этого было достаточно. В общем, я был вполне доволен жизнью. А потом появилась ты. Ты свалилась буквально с неба прямо мне на руки, и вот именно тогда что-то отозвалось в моей душе. Появился человек, с которым мне хотелось поговорить. Кто-то, кто понимал, что́ я действительно чувствую. Реально, без дураков, понимал. Я проезжал мимо твоего дома в конце поганого трудового дня и знал, что всегда могу позвонить тебе или заскочить в гости, и от этой мысли на душе сразу становилось легче. И да, конечно, у нас были кое-какие разногласия, но я просто знал — знал в глубине души, — что наши отношения... они *настоящие*. Понимаешь? — Сэм, заскрежетав зубами, склонился над кружкой. — А потом, когда мы сошлись и я понял, что ближе тебя у меня нет никого на свете, ты... взяла и уехала. И мне показалось, будто человек, протянувший мне одной рукой этот бесценный дар, эти ключи от счастья, другой — отнял его у меня.

— Тогда почему ты меня отпустил?

Голос Сэма внезапно заполнил собой все тесное пространство кухни.

— Потому что... потому что это не в моих правилах, Лу! Не в моих правилах предъявлять тебе какие-либо требования. Я не тот человек, который будет вставлять тебе палки в колеса и мешать твоему личностному росту.

— Нет, ты именно тот человек! Тот, кто спутался с другой, стоило мне уехать! С той, у кого такой же zip-код!

— *Почтовый индекс!* Боже правый, ты теперь в Англии!

— Вот именно. И ты даже представить себе не можешь, как я об этом жалею!

Сэм отвернулся, явно пытаясь держать себя в руках. Телевизор за кухонной дверью смолк, в гостиной повисла странная тишина.

Подождав несколько минут, я сказала:

— Сэм, я больше не могу.

— Больше не можешь — что?

— Я больше не могу переживать из-за Кэти Инграм и ее попыток тебя соблазнить. Что бы там между вами ни произошло той ночью, я прекрасно видела, чего она хочет, а вот ответил ты ей взаимностью или нет, меня уже не колышет. Это бесит меня, и убивает меня, и, что еще хуже... — я нервно сглотнула, — заставляет меня тебя ненавидеть. Ума не приложу, как всего за три месяца я дошла до такого.

— Луиза...

В дверь тихо постучали. Я увидела мамино лицо.

— Прошу прощения, что помешала, но можно я быстренько вскипячу чайник? Дедуля умирает хочет чая.

— Конечно. — Я поспешно отвернулась.

Мама, спиной к нам, суетливо налила воды в маленький чайник.

— Они там смотрят какой-то фильм о пришельцах. Не слишком-то соответствует рождественскому настроению. Помню, раньше в рождественские дни показывали «Волшебник из страны Оз», или «Звуки музыки», или что-то такое для семейного просмотра. А теперь они смотрят эту чепуху типа пиф-паф-ой-ей-ей, а мы с дедушкой вообще ни слова не понимаем. — Мама продолжала болтать, барабанила пальцами по столешнице, явно чувствуя себя не в своей тарелке, и ждала, когда вскипит чайник. — Представляете, мы даже пропустили речь королевы! Папа просто взял и записал ее на старом видеомагнитофоне. Но это совсем не то что слушать вживую, да? Лично я люблю смотреть такие вещи вместе со всей страной. Нет, вы только подумайте, засунуть бедную старушку в видик, чтобы досмотреть своих идиотских пришельцев и мультики! И это после шестидесяти лет службы! Сколько она там уже сидит на троне? По-моему, самое меньшее, что мы можем для нее сделать, — хотя бы посмотреть, как она исполняет свои обязанности. И заметь, твой папочка сказал, чтобы я не смешила людей, так как королева записала свою речь уже несколько недель назад. Сэм, может, кусочек торта?

— Нет, я пас. Спасибо, Джози.

— Лу?

— Нет. Спасибо, мама.

— Тогда я вас оставляю. — Мама смущенно улыбнулась и, водрузив на поднос фруктовый торт размером с колесо, поспешно покинула кухню.

Сэм встал закрыть за ней дверь.

Мы остались сидеть в гнетущей тишине, прислушиваясь к тиканью кухонных часов. Я остро чувствовала, как давит на меня тяжесть не высказанных друг другу слов.

Сэм сделал большой глоток чая. Я хотела, чтобы он ушел. Но сразу поняла, что умру, если он это сделает.

— Прости, — нарушил тишину Сэм. — За ту ночь. Я не хотел... И вообще, это чудовищное недоразумение. — (Я покачала головой; у меня больше не было сил говорить.) — Я не спал с ней. Если ты не желаешь ничего знать, то выслушай, по крайней мере, это. Я хочу, чтобы ты знала.

— Ты говорил... — (Сэм поднял на меня глаза.) — Ты говорил... никто больше не сделает мне больно. Ты так сказал. Когда приезжал в Нью-Йорк. — Мой голос, казалось, рвался из глубины души. — И я даже на секунду не могла подумать, что этим человеком будешь ты.

— Луиза...

— А теперь я хочу, чтобы ты ушел.

Сэм тяжело понялся и замер, упершись руками в край стола. Я не могла заставить себя на него посмотреть. Я не могла видеть, как любимое лицо вот-вот навеки исчезнет из моей жизни. Сэм выпрямился и отвернулся, тяжело вздохнув. Достал из внутреннего кармана какой-то сверток, положил на стол.

— Счастливого Рождества, — сказал Сэм и направился к двери.

Я проводила его до крыльца — одиннадцать бесконечных шагов по нашему крошечному коридору. Я не решалась поднять на Сэма глаза, так как знала, что иначе пропаду. Буду умолять его остаться, пообещаю бросить работу или начну уговаривать его бросить работу, чтобы никогда больше не видеться с Кэти Инграм. И тогда я стану до противного жалкой, подобно тем женщинам, которых глубоко презираю. Подобно тем женщинам, которые ему никогда не нравились.

Я гордо расправила плечи, упрямо уставившись на его дурацкие огромные ноги. Тем временем рядом с домом затормозил автомобиль. Где-то вдалеке хлопнула дверь. Запели птицы. А я стояла, завернувшись в кокон своих страданий, и одно мгновение растянулось на целую вечность.

И тут он решительно шагнул ко мне, я оказалась в тисках его сильных рук. Он прижал меня к себе, и в этом объятии я вдруг почувствовала и нашу любовь, и боль разлуки, и всю невозможность происходящего. Мое лицо, которое я усиленно отворачивала от Сэма, внезапно некрасиво скривилось и сморщилось.

Не знаю, как долго мы стояли обнявшись. Возможно, лишь несколько секунд. Но время остановилось, замерло, растворившись в бесконечности. Были только он и я, а еще отвратительное ощущение, будто мое тело постепенно превращается в холодный камень.

— Не смей! Не смей прикасаться ко мне! — Мой сдавленный голос казался чужим. Я не могла больше терпеть эту крестную муку, а потому резко оттолкнула от себя Сэма.

— Лу...

Только это сказал уже не Сэм, а моя сестра.

— Лу, извини, ради бога, но не могла бы ты чуть-чуть посторониться. Мне необходимо пройти. — Я растерянно заморгала и обернулась. Трина, подняв руки, пыталась протиснуться в узкий дверной проем, чтобы пройти к подъездной дорожке. — Извини еще раз, мне просто нужно...

Сэм тотчас же меня выпустил, неожиданно резко, и размашисто зашагал прочь, ссутулив плечи и остановившись лишь для того, чтобы открыть калитку. Он так ни разу и не оглянулся.

— Неужели новый кавалер Трины наконец прибыл? — Позади меня вдруг появилась мама. Она поспешно стаскивала передник и одновременно неуловимым движением приглаживала волосы. — А я ждала его только к четырем. Я даже не успела подкрасить губы... Ты в порядке?

Трина повернулась к нам, и сквозь застилавшие глаза слезы я увидела ее лицо и неуверенную улыбку.

— Мама, папа, это Эдди, — сказала Трина.

Стройная чернокожая женщина в цветастом платье смущенно помахала нам рукой.

Глава 19

Оказывается, лучшее лекарство от страданий после потери второй самой большой любви всей твоей жизни, которое я всем настоятельно рекомендую, — это рождественский каминг-аут твоей сестры, особенно если ее избранницей является цветная молодая женщина по имени Эдвина.

Мама скрыла свой первоначальный шок за бурным потоком слишком экспансивных приветствий и обещанием приготовить чай, после чего отправила Эдди с Триной в гостиную, остановившись лишь на мгновение, чтобы кинуть на меня взгляд, означавший, если бы мама умела сквернословить: КАКОГО ХРЕНА?! — и исчезла на кухне. Появившийся из гостиной Том радостно завопил: «Эдди!» — крепко обнял гостью, дождался, нетерпеливо переминаясь с ноги на ногу, положенного ему подарка, развернул его и умчался прочь с новым набором лего.

Между тем папа, напрочь потерявший дар речи, смотрел на разворачивающееся перед ним действо так, словно у него вдруг начались галлюцинации. Я заметила на лице Трины несвойственное ей тревожное выражение, почувствовала сгущающуюся атмосферу паники и решила, что пора действовать. Для начала я шепнула папе на ухо, чтобы закрыл рот, затем выступила вперед и протянула Эдди руку:

— Привет, Эдди! Я Луиза. Моя сестра наверняка уже поделилась с тобой всем плохим, что она обо мне знает.

— На самом деле, — ответила Эдди, — она говорила о тебе лишь хорошее. Ты ведь живешь в Нью-Йорке, да?

— По большей части. — Я надеялась, что моя улыбка не выглядит чересчур вымученной.

— После колледжа я два года жила в Бруклине. И до сих пор скучаю по нему.

Эдди сняла золотистое пальто и теперь ждала, когда Трина повесит его на один из наших перегруженных одеждой крючков. Эдди оказалась этакой миниатюрной фарфоровой куклой с тонкими, удивительно симметричными чертами лица, каких мне доселе не приходилось видеть, и выразительными глазами, экстравагантно подведенными черными тенями. С веселым щебетом она прошла за нами в гостиную, интеллигентно сделав вид, что не замечает неприкрытого шока, в котором пребывали родители, и остановилась пожать руку дедушке, который, улыбнувшись ей перекошенным ртом, снова вперился в телевизор.

Я еще никогда не видела свою сестру такой. Как будто нам представили не одного незнакомца, а сразу двух. Итак, перед нами была Эдди, безупречно воспитанная, оживленная, умело ведущая наш корабль по бурным водам общего разговора, и была Трина: выражение лица слегка неуверенное, улыбка немного бледная, рука в поисках поддержки постоянно тянется к руке подруги. Когда папа это увидел, у него челюсть отвисла чуть ли не на три дюйма, в связи с чем маме пришлось пихнуть его локтем в бок, чтобы оперативно привести в чувство.

— Итак! Эдвина! — Мама налила ей чая. — Трина так... хм... мало о вас рассказывала. Как вы... с ней познакомились?

Эдди улыбнулась:

— У меня есть небольшой интерьерный салон неподалеку от квартиры Катрины, и она несколько раз заскакивала ко мне, чтобы купить подушки, ткани и прочее... Вот мы с ней и разговорились. Сходили выпить, потом — в кино... Оказалось, у нас много общего.

Я охотно кивала, одновременно пытаясь понять, что может быть общего у моей сестры с этим холеным, элегантным неземным созданием, сидевшим напротив меня.

— Значит, много общего. Надо же, как мило! Общие интересы — это замечательно! Да. А откуда ты приехала... Боже мой! Я вовсе не хотела сказать, что...

— Откуда я приехала? Из Блэкхита. Да, я знаю: люди редко переезжают из южной части Лондона в северную. Мои родители перебрались в Борхамвуд, когда три года назад вышли на пенсию. Так что я представляю собой весьма редкий экземпляр жителя Северного и Южного Лондона одновременно. — Эдди улыбнулась Трине, словно это была только им одним понятная шутка, после чего повернулась к маме. — А вы всегда жили в Стортфолде?

— Маму с папой вынесут из этого дома разве что ногами вперед, — заявила Трина.

— Что, надеюсь, случится еще не скоро, — добавила я.

— С виду очень красивый город. Понимаю, почему вам не хочется отсюда уезжать, — заметила Эдди, подняв тарелку. — Миссис Кларк, торт потрясающий! Вы сами его испекли? Моя мама готовит такой с ромом. Она утверждает, будто фрукты нужно вымачивать целых три месяца, чтобы получился нужный аромат.

— Катрина — лесбиянка? — спросил папа.

— Мама, и впрямь очень вкусно, — сказала Трина. — Кишмиш... действительно... отлично пропитался.

Папа по очереди оглядел каждую из нас:

— Нашей Трине нравятся девушки? И все молчат? И как ни в чем не бывало треплются о каких-то сраных подушках и торте?!

— Бернард! — одернула его мама.

— Я, пожалуй, оставлю вас ненадолго, — бросила Эдди.

— Нет, Эдди, останься. — Трина бросила взгляд в сторону Тома, всецело поглощенного телевизором, и твердо сказала: — Да, папа. Мне нравятся женщины. Или по крайней мере мне нравится Эдди.

— У Трины, возможно, имеет место гендерная флюидность, — нервно заметила мама. — Это ведь так называется? Молодые люди на вечерних курсах постоянно рассказывают о том, что в наши дни многие не относят себя к определенному полу. Гендер — это спектр. Или рефлектор. Не помню, как правильно.

Папа растерянно заморгал.

Мама поперхнулась чаем, причем так громко, что нам всем стало неловко.

— Что ж, — начала я, когда Трина перестала хлопать маму по спине, — лично я считаю, что это здорово, если кому-то нравится наша Трина. И не важно, кому именно. В общем, тому, у кого есть глаза, и уши, и сердце, и все прочее.

В ответ Трина наградила меня благодарным взглядом.

— Ты постоянно носила джинсы, когда росла, — задумчиво произнесла мама. — Наверное, мне следовало заставлять тебя почаще надевать платья.

— Мама, платья тут совершенно ни при чем. Возможно, все дело в генах.

— Ну, тогда к нашей семье это точно не относится, — заявил папа. — Без обид, Эдвина.

— А я и не обижаюсь, мистер Кларк.

— Папа, я лесбиянка. Да, я лесбиянка, и я еще никогда не чувствовала себя более счастливой. И никого не касается, как именно я обрела свое счастье. Хотя я была бы чрезвычайно признательна, если бы вы с мамой порадовались за меня. Поскольку я действительно счастлива и очень надеюсь, что Эдди надолго войдет в нашу с Томом жизнь, — торжествующе закончила свою речь Трина, и Эдди одобрительно улыбнулась.

В разговоре повисла длинная пауза.

Наконец папа нарушил молчание.

— Но ты ничего нам не говорила, — осуждающе произнес он. — И никогда не вела себя как лесбиянка.

— И как, по-твоему, должны вести себя лесбиянки? — поинтересовалась Трина.

— Ну... лесбиянки... они... Одним словом, ты никогда раньше не приводила домой девушек.

— Раньше я вообще никого не приводила домой. За исключением Сандипа. Того бухгалтера. И кстати, тебе он не понравился, потому что не любит футбол.

— А вот я люблю футбол, — подала голос Эдди.

Папа сел, уставившись в тарелку. Вздохнул, устало потер глаза ладонями. Когда он убрал руки, его лицо было каким-то растерянным, будто он внезапно очнулся от глубокого сна. Мама не сводила с папы глаз, явно готовая пресечь любые противоправные действия с его стороны.

— Эдди... Эдвина, простите, если показался вам занудным старым пердуном. Я вовсе не гомофоб, честное слово, но...

— Боже мой! — вскликнула Трина. — А нельзя ли обойтись без этого твоего «но»?

Папа покачал головой:

— Но я, возможно, скажу что-то не так и, возможно, снова кого-нибудь обижу, ведь я уже давно вышел в тираж и не понимаю вашего новомодного жаргона или как там у вас дела делаются. Моя жена охотно подтвердит. Пусть так. Но даже я понимаю: единственное, что, в конце концов, имеет значение, — это чтобы мои две девочки были счастливы. И если ты, Эдди, сделаешь Трину счастливой, совсем как Сэм — нашу Лу, тогда прими мои искренние поздравления. Я весьма рад знакомству.

Папа встал с места, протянул через кофейный столик руку, и Эдди ответила на его рукопожатие.

— Очень хорошо. А теперь давайте есть торт. — Мама вздохнула с облегчением и потянулась за ножом.

Я улыбнулась из последних сил и вышла из комнаты.

Существует определенная иерархия глубоких переживаний. Я сама ее разработала. Первым пунктом идет смерть любимого человека. Никакая другая ситуация не вызывает такого откровенного шока и сочувствия: лица печально вытягиваются, заботливая рука сжимает твое плечо. *Боже мой, мне так жаль!* Затем идут вещи несколько иного порядка: измена и необходимость красиво обосновать предательство любимого человека, чтобы услышать в ответ: *Ой, это, наверное, стало для тебя таким ударом!* Ты можешь сослаться на непредвиденные обстоятельства, религиозные разногласия, тяжелую болезнь. Но фраза: *Мы расстались, потому что жили на разных континентах*, хотя и является чистой правдой, навряд ли вызовет какую-либо иную реакцию, нежели понимающий кивок и прагматичное пожатие плеч: *Да, такое случается.*

Я видела нечто подобное, пусть даже облаченное в отеческую заботу, в маминой реакции на мои невеселые новости, а потом — и в папиной. *Боже, какой стыд и позор! Но, полагаю, это не стало для тебя особым сюрпризом?* И я чувствовала себя слегка задетой, хотя почему именно, толком не могла сформулировать. Что значит: *не стало особым сюрпризом?* Я ЛЮБИЛА ЕГО.

День подарков шел своим чередом, ленивые часы, наполненные печалью. Я спала беспокойным сном и была благодарна Эдди за то, что переключила на себя внимание родителей. Я лежала в ванной, валялась в постели в своей комнатушке, периодически смахивала непрошеную слезу в надежде, что никто не заметит. Мама приносила мне чай, стараясь особо не распространяться по поводу безграничного счастья моей сестры.

И действительно, на Трину было приятно смотреть. Или было бы приятно смотреть, если бы не мое разбитое сердце. Я наблюдала за тем, как они с Эдди незаметно держались за руки, пока мама подавала ужин, склоняли друг к другу головы, обсуждая статью в журнале, или соприкасались ногами, сидя перед телевизором, а Том вклинивался между ними с уверенностью заласканного ребенка, которому абсолютно без разницы, кто его ласкает. И когда мы с родителями оправились от первоначального шока, все сразу встало на свои места: Трина была такой счастливой, такой естественной в обществе Эдвины, какой я еще никогда не видела свою сестру. Время от времени я ловила на себе ее мимолетный взгляд — застенчивый и в то же время торжествующий — и отвечала ей улыбкой, надеясь, что улыбка эта не выглядела столь же фальшивой, как и те чувства, которые я демонстрировала.

Поскольку единственное, что я действительно чувствовала, — это еще одну гигантскую дыру там, где некогда было сердце. Без холодной ярости, подпитывавшей меня последние сорок восемь часов, я стала пустой оболочкой. Сэм ушел, и это, собственно, было самым большим, чего я добилась. Для кого-то другого подобное завершение отношений, возможно, и имело бы смысл, но только не для меня.

В День подарков, пока моя семья дремала на диване перед телевизором (я уже успела забыть, сколько времени мои домашние тратили на обсуждение, прием и переваривание пищи), я встала с кровати и направилась к замку Стортфолд. В парке никого не было, за исключением выгуливавшей собаку энергичной женщины в ветровке. Женщина сдержанно кивнула, давая понять, что особо не жаждет общения, и я, поднявшись на крепостной вал, села на скамью, откуда открывался вид на лабиринт и южную часть Стортфолда. Холодный ветер покалывал мочки ушей, у меня начали мерзнуть ноги, и я твердо решила, что моя печаль не будет длиться вечно. Я вспомнила об Уилле, о всех тех днях, что мы провели в окрестностях замка, о том, как я пережила его смерть, после чего твердо сказала себе, что эта новая боль гораздо слабее той, прежней: не было долгих месяцев щемящей тоски, от которой даже начинало подташнивать. Я не стану думать о Сэме. Не стану думать о нем и той женщине. Не стану проверять «Фейсбук». Вернусь к своей волнующей, насыщенной жизни в Нью-Йорке, и, как только я окажусь вдали от Сэма, выжженные, вытоптанные кусочки моей души начнут постепенно зарастать. Наверное, я глубоко заблуждалась, и мы не созданы друг для друга. Наверное, сила страсти во время нашей первой встречи — в конце концов, разве можно устоять против чар парамедика? — заставила нас поверить, что это сила любви. Вероятно, мне просто нужен был кто-то, кто помог бы забыть боль утраты. Вероятно, наши отношения были всего-навсего лекарством от депрессии, и я оправлюсь раньше, чем мне кажется.

Я внушала себе это снова и снова, но упрямое сердце меня не слышало. И наконец, устав бесконечно твердить, что все будет хорошо, я закрыла глаза, положила голову на руки и разрыдалась. В пустом замке в день, когда все нормальные люди сидят по домам, я дала волю скорби и рыдала, рыдала, не опасаясь, что меня увидят. Я плакала так, как не могла позволить себе в нашем домике на Ренфру-роуд и тем более в квартире у Гупников, плакала с яростью и грустью, чтобы выпустить накопившиеся эмоции. Это было нечто вроде кровопускания.

— Ты, сукин сын! — рыдала я, уткнувшись носом в колени. — Меня не было всего три месяца... — Я не узнавала свой голос, глухой и сдавленный. И совсем как Том, любивший во время истерики смотреться в зеркало, чтобы посильнее накручивать себя, при звуке этих горьких слов, в которых явно слышалась обреченность и неотвратимость конца, я разрыдалась еще отчаяннее. — Будь ты проклят, Сэм! Будь ты проклят, что заставил меня поверить, что я могу рискнуть еще раз!

— Итак, можно мне присесть или это сугубо приватное торжество скорби?

Я машинально вскинула голову. Передо мной стояла Лили в огромной темной парке, с красным шарфом на шее. Ее руки были сложены на груди; она явно стояла так и смотрела на меня довольно долго. Лили ухмыльнулась, словно ее забавляли мои страдания в эти черные часы отчаяния.

— Похоже, я могу не спрашивать, что происходит в твоей жизни, — сказала она, больно стукнув меня по руке.

— Откуда ты узнала, что я здесь?

— Я заходила к тебе домой поздороваться, так как приехала два дня назад, а ты даже не потрудилась мне позвонить.

— Прости, — пробормотала я. — Мне было...

— Тебе было очень тяжело, потому что тебя кинул твой Сексуальный Сэм, да? Эта та блондинистая стерва? — (Я высморкалась и удивленно вытаращилась на нее.) — Я провела несколько дней в Лондоне перед Рождеством и решила заскочить на станцию скорой помощи сказать «привет». А там была она. Облепила его всего, словно плесень.

— Ты будешь мне говорить! — фыркнула я.

— Вот именно. Я хотела тебя предупредить, но потом подумала: «А какой смысл?» И что ты могла сделать из своего Нью-Йорка? Фу! Мужики такие тупые. Ничего дальше своего носа не видят.

— Ох, Лили! Как же я по тебе соскучилась! — И действительно, только сейчас я поняла, как мне не хватало дочери Уилла, с ее подростковой неугомонностью и великолепной безбашенностью.

Лили села возле меня, я прислонилась к ее плечу. Мы обе смотрели куда-то вдаль. Я даже смогла разглядеть дом Уилла — Гранта-хаус.

— Я хочу сказать, просто потому, что она смазливая, и у нее огромные сиськи, и рот как у порнозвезды, будто специально предназначенный для того, чтобы отсасывать у мужиков...

— Ладно, пожалуй, здесь ты можешь остановиться.

— Так или иначе, на твоем месте я не стала бы лить слезы, — глубокомысленно заявила Лили. — Ни один мужчина этого не стоит. Тебе это даже Кэти Перри может сказать. Да и вообще, когда ты плачешь, у тебя глаза становятся реально малюсенькими. Совсем как две точечки.

Тут я не выдержала и расхохоталась.

— Ладно, кончай реветь! — заявила Лили. — Пошли к тебе. В День подарков все закрыто, а дедушка, Делла и их идеальный младенец реально выносят мозг. А мне нужно убить еще целых двадцать четыре часа до приезда бабули, которая заберет меня отсюда. Фу! Ты что, обсопливила мою куртку? И впрямь обсопливила! Вот сама и будешь вытирать.

За чаем у нас дома Лили ознакомила меня с новостями, о которых не писала в имейлах: что ей нравится новая школа, но она пока не смогла как следует впрячься в учебу. («Выходит, если ты пропустил кучу занятий в школе, то это затем трудно наверстать, поэтому меня реально достают эти их взрослые разговоры типа „Я же тебе говорила“».) Лили была довольна жизнью с бабушкой, причем настолько, что уже начала жаловаться на миссис Трейнор, как жаловалась на всех, кого действительно любила, — с юмором и добродушным сарказмом. Бабуля не слишком адекватно отреагировала на то, что она, Лили, перекрасила стены у себя в комнате в черный цвет. Бабуля не разрешает ей водить машину, хотя она, Лили, прекрасно умеет водить и просто хочет немного подучиться до начала занятий.

Но вот когда речь зашла о матери, у Лили моментально пропал весь природный оптимизм. Ее мать наконец оставила отчима — «чего и следовало ожидать», — однако с архитектором, живущим неподалеку, которого она планировала сделать своим вторым мужем, — вышел облом, поскольку он наотрез отказался разводиться с женой. Теперь мать Лили ведет жизнь истеричной страдалицы в съемной квартире в Холланд-Парке, куда переехала вместе с близнецами, и в основном занимается тем, что бесконечно меняет нянь-филиппинок, которые, при всей своей легендарной терпеливости, не способны выдержать Таню Хотон-Миллер более пары недель.

— Вот уж не думала, что буду жалеть мальчиков, но это так, — заявила Лили. — Фу! Мне срочно нужна сигарета. Как только разговор заходит о маме, меня тут же тянет закурить. И не нужно быть доктором Фрейдом, чтобы понять почему.

— Мне очень жаль, Лили.

— Да ладно, не стоит. Я в порядке. Теперь у меня есть бабуля, и я хожу в школу. А личные драмы моей матери меня не слишком-то трогают. Ну, она оставляет мне длинные слезливые голосовые сообщения. Говорит, я эгоистка, потому что не хочу с ней жить, но мне наплевать. — Лили вздрогнула. — Иногда мне кажется, если бы я с ней осталась, то наверняка рано или поздно свихнулась бы.

Я вспомнила о девчонке, в свое время появившейся у меня на пороге — пьяной, несчастной, одинокой, — и внезапно почувствовала прилив тихой гордости за то, что, взяв под свое крыло дочку Уилла, помогла ей наладить отношения с бабушкой.

Мама сновала туда-сюда с подносом нарезанной ветчины, сыра и теплых сладких пирожков. Появление Лили явно стало для моей мамы бальзамом на раны, тем более что Лили, не переставая жевать, дала нам полный отчет о том, как обстоят дела в большом доме. По мнению Лили, мистер Трейнор был не слишком счастлив. Делла, его новая жена, буквально растворилась в новорожденной дочке и носилась с ней точно курица с яйцом, реагируя как ненормальная на каждый ее вопль, а вопила малышка постоянно.

— Дедушка теперь не выходит из кабинета, отчего Делла только еще больше звереет. А когда он хочет ей помочь, она орет на него и говорит, что он все делает через одно место. Стивен, не держи ее так! Стивен, ты надел ей распашонку задом наперед! Я бы на его месте точно послала бы ее, но он слишком добрый.

— Он из того поколения мужчин, кому никогда не приходилось возиться с младенцами, — вступилась за мистера Трейнора мама. — Сомневаюсь, Лу, что твой отец хотя бы раз в жизни поменял вам подгузник.

— И он всегда расспрашивает меня о бабушке. Я сказала ему, будто у нее новый ухажер.

— У миссис Трейнор появился ухажер? — У мамы глаза стали как блюдца.

— Нет. Конечно нет. Бабуля говорит, что наслаждается свободой. Но ему ведь не обязательно об этом знать. Ведь так? Я сказала дедушке, что привлекательный пожилой джентльмен на «астон мартине» приезжает за ней дважды в неделю. Я, правда, не знаю его имени, но очень рада, что бабуля снова счастлива. Дедушке явно хочется расспросить меня подробнее, но, так как Делла постоянно крутится рядом, он не решается, а потому только кивает, улыбается фальшивой улыбкой и говорит: «Очень хорошо», после чего снова уходит к себе в кабинет.

— Лили! — укоризненно сказала мама. — Ты не можешь кормить дедушку подобными россказнями!

— А почему нет?

— Потому что это неправда!

— В жизни все сплошь и рядом неправда. Санта-Клауса не существует. Но спорим, вы так или иначе рассказываете о нем Тому. А мой дедушка ушел к другой женщине. Поэтому пусть себе думает — и это очень хорошо для бабушки, — что бабуля проводит чудесные мини-брейки в Париже с крутым богатым пенсионером. А так как они друг с другом не общаются, кому от этого хуже?

Железная логика Лили явно произвела на маму впечатление. У нее вдруг заходил ходуном рот, словно она пыталась нащупать языком шатающийся зуб, но нужных аргументов против так и не нашла. Тем временем Лили поднялась с места:

— Ну ладно, мне, пожалуй, пора. Семейный обед. Хо-хо!

И в этот момент в гостиную вошли Трина с Эдди, только что вернувшиеся из парка аттракционов, куда они водили Тома. Увидев на мамином лице плохо скрытую озабоченность, я подумала: «Боже мой, Лили, только не вздумай сказать какую-нибудь гадость!»

— Эдди, это Лили. Лили, познакомься с Эдди. Лили — дочь Уилла, человека, на которого я когда-то работала. А Эдди — это...

— Моя девушка, — перебила меня Трина.

— А-а... Очень приятно. — Лили пожала Эдди руку и повернулась ко мне. — Итак, я по-прежнему собираюсь заставить бабушку свозить меня в Нью-Йорк. Она говорит, что зимой не поедет ни за какие коврижки, а вот весной — ради бога. Так что готовься взять несколько выходных дней. Апрель уже вполне может считаться весной, да? Ну как, готова?

— Жду не дождусь, — ответила я и тут же услышала, как мама облегченно вздохнула.

Лили крепко меня обняла. Я посмотрела ей вслед и позавидовала непрошибаемости молодых.

Глава 20

Кому: KatrinaClark@scottsherwinbarker.com
От кого: BusyBee@gmail.com

Трин, отличная фотография! Правда милая. Мне она понравилась не меньше, чем четыре вчерашние. Нет, моя любимая по-прежнему та, что ты прислала во вторник. Где вы втроем в парке. Да, у Эдди действительно очень красивые глаза. И ты явно выглядишь счастливой. Я очень рада за вас.

Относительно второго вопроса: по-моему, еще рано посылать родителям фото в рамочке, хотя, впрочем, тебе видней.

Большой привет Тому.

Л. x

P. S. У меня все хорошо. Спасибо, что спросила.

Я вернулась в Нью-Йорк в разгар снежной бури типа тех, что показывают в новостях, когда из снега торчат лишь крыши автомобилей, а детишки катаются на санках по улицам, обычно запруженным транспортом, и даже комментаторы-метеорологи, передающие сводки погоды, не могут скрыть своей детской радости. Правда, основные проспекты были расчищены, приведены в должный вид по приказанию мэра, огромные снегоочистительные машины послушно ходили взад и вперед по главным магистралям, словно гигантские вьючные животные.

В обычном состоянии я наверняка была бы приятно взволнована при виде такого обилия снега, но мои персональные погодные условия были серыми и слякотными, они нависали надо мной тяжелым, ледяным грузом, высасывая радость из любой, даже самой волнующей ситуации.

Если прежде мне и было известно, что такое разбитое сердце, то я скорбела об усопшем, не о живом. Расставшись в свое время с Патриком, я в глубине души понимала: наши отношения продолжались исключительно в силу привычки. Это как носить старые надоевшие туфли, потому что лень купить новые. И после смерти Уилла я решила, что до дна выпила чашу страданий и подобное больше не повторится.

Но, как оказалось, мысль о том, что человек, которого ты любила, но потеряла, до сих пор ходит по этой земле, как-то не слишком утешала. Весь день мой чертов мозг с садистским наслаждением вновь и вновь возвращал меня к Сэму. Интересно, а чем он сейчас занимается? О чем думает? Он с ней или нет? Жалеет ли о нашем разрыве? Вспоминает ли обо мне? В течение дня я бесконечно вступала с ним в молчаливые споры, иногда даже одерживая победу. Мое рациональное «я» постоянно встревало в наш мысленный диалог, говоря мне, что нет смысла о нем думать. Что сделано, то сделано. Я вернулась на другой континент. И между нашими судьбами пролегли тысячи миль.

Время от времени подавало голос еще одно мое «я», на сей раз маниакальное, твердившее с натужным оптимизмом: «Я могу стать, кем пожелаю! Я ни к кому не привязана! Я могу поехать в любую страну без лишних угрызений совести!» Эти три «я» боролись за жизненное пространство в моем мозгу, причем даже без перерыва на обед. Я находилась на грани шизофрении, что невероятно изматывало.

Я отчаянно пыталась заглушить свои внутренние голоса. Бегала по утрам с Джорджем и Агнес, не останавливаясь, когда начинало сжимать грудь, а икры болели так, будто их ковыряли раскаленной кочергой. Я вихрем носилась по квартире, предупреждая малейшие желания Агнес, подставляя плечо перегруженному работой Майклу, даже помогая презрительно фыркавшей Иларии чистить картошку. Более того, я предложила Ашоку убрать от снега дорожку перед домом. Одним словом, я была готова на что угодно, лишь бы не думать о том, как жить дальше. Ашок скривился и велел перестать валять дурака. Я ведь не хочу, чтобы он из-за меня лишился работы, да?

Сообщение от Джоша я получила на третий день после возвращения в Нью-Йорк. Агнес в этот момент выбирала дизайнерские туфли в детском магазине и разговаривала по-польски по телефону с матерью, явно пытаясь понять, какой размер взять и одобрит ли покупку сестра.

Привет, Луиза Кларк Первая. Давненько от тебя не было вестей. Надеюсь, ты хорошо провела Рождество. Может, как-нибудь сходим выпить по чашечке кофе?

Я уставилась на сообщение. Теперь у меня не было причин для отказа, но пока это было как-то неуместно. Душевные раны еще не зарубцевались, да и все мои мысли были лишь о мужчине, находившемся за три тысячи миль от меня.

Привет, Джош. Сейчас я немного занята (Агнес вконец меня загоняла!), но в принципе я не против. Может, как-нибудь и встретимся в ближайшее время. Надеюсь, у тебя все хорошо. Л. х

Он не ответил, что меня, как ни странно, расстроило.

Гарри погрузил покупки Агнес в багажник, и тут у нее загудел телефон. Она бросила взгляд на экран, рассеянно посмотрела в окно, затем — на меня:

— Совсем забыла, что у меня сегодня урок рисования. Едем в Ист-Уильямсберг.

Это была явная ложь. Внезапно я вспомнила тот жуткий ужин в честь Дня благодарения со всеми имевшими место разоблачениями и попыталась сделать невозмутимое лицо:

— Тогда я отменю ваш урок музыки.

— Да, Гарри, у меня сейчас урок рисования. Я совсем забыла.

Гарри, ни слова не говоря, развернул лимузин.

Мы с Гарри молча сидели в припаркованном лимузине с работающим, чтобы мы не замерзли, двигателем. В глубине души я дико злилась на Агнес за то, что она так неудачно выбрала день для «урока рисования», тем самым снова оставив меня наедине со своими мыслями — толпой незваных гостей, наотрез отказывающихся уходить. Тогда я надела наушники послушать жизнерадостную музыку. После чего, взяв айпад, составила график Агнес до конца недели. Сыграла с мамой три партии в скребл онлайн. Ответила на имейл от Трины, которая спрашивала моего совета, можно ли взять Эдди с собой на корпоратив или еще не время. Я подумала, что рано или поздно Трина привыкнет и все само собой образуется. Потом поглядела на хмурое небо. Интересно, сколько еще выпадет снега? Гарри смотрел на планшете какое-то комедийное шоу и хохотал одновременно со зрителями за кадром, опустив на грудь колышущийся двойной подбородок.

— Может, выпьем кофе? — предложила я, когда догрызла последний ноготь.

— Не-а. Доктор говорит, я должен завязывать с пончиками. А ты сама знаешь, что будет, если мы пойдем туда, где дают хорошие пончики.

Я принялась теребить нитку на штанах:

— Ладно, давай поиграем в «Я шпион».

— Ты что, издеваешься?

Тогда, откинувшись на спинку сиденья, я начала слушать комедийное шоу вместе с Гарри, тяжелое дыхание которого постепенно перешло в легкое похрапывание. Между тем угрюмое небо начало темнеть, мало-помалу приобретая неприветливый свинцово-серый оттенок. Похоже, с учетом пробок на обратную дорогу уйдет несколько часов. И тут зазвонил мой телефон.

— Луиза? Вы сейчас с Агнес? Кажется, у нее отключен телефон. Не могли бы вы передать ей трубку?

Я посмотрела на окно студии Стивена Липкотта, отбрасывающее золотистый прямоугольник света на серый снег.

— Мистер Гупник, э-э-э... она сейчас... примеряет кое-какие вещи. Я заскочу к ней в примерочную и попрошу вам перезвонить.

Входная дверь в здание, подпертая двумя банками краски, оставалась открытой — кому-то доставляли товар. Я взбежала по бетонным ступенькам, промчалась по коридору и, тяжело дыша, остановилась у закрытой двери студии. Посмотрела на экран телефона, потом возвела глаза к небесам. Мне ужасно не хотелось входить, поскольку я отнюдь не горела желанием получить неоспоримые доказательства своих подозрений, возникших в День благодарения. Я прижалась ухом к двери, раздумывая, удобно ли постучать. Не знаю почему, но я чувствовала себя виноватой — соглядатаем, воровато влезающим в чужую жизнь. За дверью играла музыка, слышались приглушенные голоса.

Набравшись смелости, я постучала. А через пару секунд, потянув на себя дверь, я застыла на пороге. Стивен Липкотт и Агнес, спиной ко мне, рассматривали прислоненные к стене картины. Одна рука Стивена лежала на плече у Агнес, а другой, с зажатой в ней сигаретой, он показывал на какое-то небольшое полотно. В комнате пахло табачным дымом, скипидаром и духами.

— Почему бы тебе не принести мне побольше ее фотографий? — спрашивал Стивен. — Если ты считаешь, что портрет не до конца передает оригинал, тогда давай...

— Луиза! — Агнес резко развернулась и вскинула раскрытую ладонь, словно желая меня остановить.

— Простите! — Я показала на свой телефон. — Это... это мистер Гупник. Он пытается до вас дозвониться.

— Ты не должна была сюда входить! И почему ты не постучалась?

— Я стучалась. Простите... У меня не было другого выхода... — Я начала пятиться к двери, и тут мой взгляд случайно упал на картину.

Маленькая девочка с золотистыми волосами, широко раскрытыми глазами стояла вполоборота, будто готовая вот-вот убежать. И внезапно на меня снизошло озарение, и все стало на свои места: депрессия Агнес, бесконечные разговоры с матерью, бесконечные покупки игрушек и туфелек...

Стивен наклонился поднять картину:

— Послушай, если хочешь, возьми эту. А дома посмотришь, подумаешь...

— Заткнись, Стивен!

Он вздрогнул, явно удивляясь столь неадекватной реакции, хотя для меня это стало решающим доказательством.

— Я подожду вас внизу, — сказала я, осторожно прикрыв за собой дверь.

В Верхний Ист-Сайд мы ехали молча. Агнес позвонила мистеру Гупнику и извинилась: она не заметила, что телефон отключен, наверняка неудачная модель — эта штука вечно глючит, — и ей нужен другой телефон. *Да, дорогой. Мы уже возвращаемся. Да, я знаю...*

На меня она не смотрела. По правде говоря, мне тоже было неприятно на нее смотреть. Мой мозг буквально кипел в попытке соотнести события последних месяцев с тем, что я только что поняла.

Когда мы наконец добрались до дому, по вестибюлю я шла чуть позади Агнес, но уже у лифта Агнес отвернулась, уставившись в пол, затем посмотрела на меня:

— Ладно. Пойдем поговорим.

Мы с Агнес вошли в темный, покрытый позолотой бар отеля вроде тех, где, по моим представлениям, богатые бизнесмены с Ближнего Востока развлекают своих клиентов, и, не глядя, отмахнулись от желающих угостить нас кавалеров. В баре было практически пусто. Устроившись в тускло освещенной угловой кабинке, мы стали ждать, когда официант, безуспешно пытающийся поймать взгляд Агнес, залихватски поставит на стол две водки с тоником и мисочку блестящих зеленых оливок.

— Она моя дочь, — проронила Агнес, когда официант удалился. Я сделала глоток водки. Напиток оказался невыносимо крепким, но я была даже рада. Мне необходимо было на чем-то сосредоточиться. Голос Агнес звучал напряженно, непривычно страстно. — Моя дочь. Она живет у сестры в Польше. С девочкой все хорошо. Она была совсем крошкой, когда я уехала, и почти не помнит, что когда-то жила с мамой. Сестра тоже счастлива, так как не может иметь детей, а вот мама ужасно на меня сердится.

— Но...

— Да, я не сказала ему, когда мы познакомились. Я была на седьмом небе от счастья, что понравилась такому человеку, как он. Однако мне и в голову не могло прийти, что мы будем вместе. Все было похоже на сказочный сон, понимаешь? Я думала, это просто небольшая интрижка, а потом моя рабочая виза истечет, я вернусь в Польшу и навсегда запомню эту встречу. Но все завертелось так стремительно, и он ради меня бросает жену. Я не знала, как сказать ему о ребенке. Каждый раз, как мы встречаемся, я думаю: «Вот сейчас, вот сейчас...» А потом он вдруг заявляет, что больше не хочет иметь детей. «С меня хватит», — говорит он. Так как понимает, что разрушил свою семью, а потому не хочет еще больше осложнять ситуацию усыновлением, братьями и сестрами лишь с одним общим родителем и все такое прочее. Он любит меня, но отказ от детей — непреложное условие сделки. И как я могу ему все рассказать?!

Я наклонилась к Агнес поближе, чтобы нас никто не услышал:

— Агнес, но это... чистой воды безумие! У вас уже есть дочь!

— И как мне сказать ему теперь, спустя два года? Думаешь, он не сочтет меня дурной женщиной? Думаешь, не сочтет это подлым обманом? Луиза, я сама себе создала чудовищную проблему. И я это знаю. — Она отхлебнула водки. — Я постоянно думаю — постоянно! — как исправить положение. Но невозможно ничего исправить. Я солгала ему. Для него доверие — это самое главное. Он меня не простит. Не простит — и точка. Поэтому пока он счастлив, я тоже счастлива и могу достойно обеспечить свою семью. Я пытаюсь уговорить сестру переехать в Нью-Йорк. Тогда бы я могла каждый день видеть Зофью.

— Вы, наверное, ужасно по ней скучаете.

У Агнес окаменело лицо.

— Я обеспечиваю ее будущее. — Она говорила так, будто произносила заученный текст. — До этого моя семья жила довольно скромно. А теперь у сестры очень хороший дом — четыре спальни, все новенькое, с иголочки. Очень хороший район. Зофья пойдет в самую лучшую школу во всей Польше, будет играть на самом лучшем фортепиано, у нее будет все, о чем только можно мечтать.

— Но не будет матери.

Глаза Агнес внезапно наполнились слезами.

— Да. Мне придется или бросить Леонарда, или бросить ее. Значит, наложенная на меня... ой, забыла слово... епитимья — это жить без нее, — закончила она дрогнувшим голосом.

Я сидела и потягивала водку. А что мне еще оставалось делать? Мы с Агнес, не сговариваясь, уставились в наши стаканы.

— Луиза, я не плохой человек. И люблю Леонарда. Очень сильно.

— Знаю.

— Понимаешь, я надеялась, что, когда мы поженимся и немного поживем вместе, я смогу ему во всем признаться. Он, конечно, сначала расстроился бы, но потом, возможно, смирился бы. Я могла бы чаще ездить в Польшу. Или Зофья могла бы у нас погостить. Но все так запуталось. Его семья меня ненавидит. Представляешь, что будет, если они все узнают? Представляешь, что будет, если Табита обнаружит, что у меня есть дочь? — (Что ж, догадаться было нетрудно.) — Я люблю его. Знаю, ты всякое обо мне думаешь. Но я люблю его. Он хороший человек. Да, иногда мне становится очень тяжело, потому что он слишком много работает... и потому что всем в этом мире на меня наплевать... и я чувствую себя такой одинокой... и я действительно не всегда веду себя должным образом, но мне даже страшно подумать, что я могу его потерять. Ведь он моя вторая половинка. Родственная душа. Я увидела это еще при первой встрече. — Она рассеянно водила тонким пальцем по столу. — Но когда я думаю, что моя дочь ближайшие десять, пятнадцать лет будет расти без меня, я... я... — Она прерывисто вздохнула, причем так громко, что привлекла внимание бармена. Я порылась в сумке, но, не найдя носового платка, протянула ей салфетку. Она подняла на меня глаза, и я увидела, что выражение ее лица странно смягчилось. Еще ни разу я не видела Агнес такой — она словно излучала любовь и нежность. — Луиза, она такая красивая! Ей сейчас почти четыре годика, а она уже очень умная. И очень талантливая. Знает все дни недели и может провести на карте линию между Краковом и Нью-Йорком, хотя никто ее этому не учил. И каждый раз, как я к ним приезжаю, она бросается мне на шею и говорит: «Мама, почему тебе нужно уезжать? Я не хочу, чтобы ты уезжала». А у меня разрывается сердце... Боже мой, разрывается... И теперь иногда я даже не хочу ее видеть, потому что боль, которую я чувствую при расставании... Она такая... такая... — Агнес сгорбилась над стаканом, механически смахивая рукой слезы, капавшие на блестящую столешницу.

Я протянула ей еще одну салфетку:

— Агнес, сомневаюсь, что вам удастся долго продолжать эту игру.

Она промокнула слезы, скорбно опустив голову. А когда посмотрела на меня, я не увидела в ее глазах ни малейших следов слез.

— Мы ведь с тобой друзья, да? Близкие друзья.

— Конечно.

Оглянувшись, она легла грудью на стол:

— Ты и я. Мы обе иммигранты. И мы обе знаем, как трудно найти свое место в этом мире. Ты хочешь подняться по социальной лестнице, работаешь не покладая рук в чужой стране: строишь новую жизнь, заводишь новых друзей, находишь новую любовь. В общем, становишься совершенно другим человеком! Но это очень нелегко, и ничего даром не дается. — (Я судорожно сглотнула и сердито отогнала от себя образ Сэма в его железнодорожном вагоне.) — Поверь мне, нельзя получить все и сразу. Кому, как не нам, иммигрантам, этого не знать! Ведь ты словно пытаешься усидеть на двух стульях. И не можешь быть по-настоящему счастлив, потому что, когда ты уезжаешь, твоя душа тотчас же разрывается на две части, и, где бы ты ни был, одна половинка начинает тянуться к другой. Такова цена, Луиза. В этой жизни за все приходится платить. — Агнес глотнула водки, потом еще. Сделала глубокий вдох, всплеснула руками, словно желая выпустить избыточные эмоции через кончики пальцев. Когда она заговорила снова, в ее голосе вдруг послышались стальные нотки. — Ты не должна ему говорить. Ты не должна говорить о том, что сегодня видела.

— Агнес, сомневаюсь, что вы сможете скрывать это вечно. Все слишком серьезно. Это...

Она положила руку мне на предплечье. Ее пальцы впились в мое запястье.

— Ну пожалуйста. Мы же друзья, да?

Я поперхнулась.

Оказывается, богатым еще труднее, чем нам, простым смертным, сохранить что-либо в секрете. Поэтому они платят другим, чтобы держали язык за зубами. Я поднялась по лестнице. Тайна, которой поделилась со мной Агнес, давила на сердце неожиданно тяжелым грузом. Я думала о маленькой девочке на другом конце света, имевшей все, кроме того, чего она желала больше всего, а еще о женщине, которая, наверное, чувствовала то же самое, хотя только сейчас начала это осознавать. Я даже начала подумывать о том, чтобы позвонить сестре — единственному человеку, с кем я могла это обсудить. Хотя уже заранее знала, какой вердикт вынесет Трина. Так как она скорее отрежет себе руку, чем оставит Тома в другой стране.

Я подумала о Сэме и о том, что нам обоим пришлось торговаться с собственной совестью, чтобы оправдать свой выбор. В тот вечер я сидела в своей комнате, тяжелые, черные мысли давили на голову, и я, не выдержав, достала телефон.

Привет, Джош! Твое предложение еще в силе? Только давай встретимся не за чашечкой кофе, а за стаканчиком чего-нибудь покрепче.

Через тридцать секунд пришел ответ:

Луиза, только скажи, где и когда.

Глава 21

В результате мы встретились в занюханном баре, который Джош откопал недалеко от Таймс-сквер. Помещение бара было длинным и узким, с липким полом и фотографиями боксеров на стенах. Я надела черные джинсы, волосы затянула в конский хвост. И пока я пробиралась мимо немолодых мужчин, парней с шеей шире головы, подписанных фотографий боксеров в весе «мухи», никто даже не поднял на меня глаз.

Джош, одетый в вощеную темно-коричневую куртку и явно косящий под парня из пригорода, сидел за крошечным столиком в дальнем конце бара. Когда он меня увидел, на его губах тотчас же появилась заразительная улыбка, и я обрадовалась, что в этом грязном, ужасном мире нашелся хоть один не обремененный проблемами человек, который искренне рад встрече со мной.

— Как поживаешь? — Он явно хотел меня обнять, но что-то — быть может, не слишком удачные обстоятельства нашей последней встречи — помешало ему это сделать.

— У меня был еще тот денек. Впрочем, как и вся неделя. И я реально нуждаюсь в дружеском лице, чтобы пропустить по стаканчику, а может, и не по одному. Ты не поверишь, твое имя было первым, которое я вытащила из своей нью-йоркской шляпы!

— А что будешь пить? Только учти, здесь подают лишь шесть видов алкогольных напитков.

— Водку с тоником?

— Ну уж это у них точно найдется.

Джош вернулся буквально через несколько минут с бутылочным пивом для себя и водкой с тоником для меня. Я сняла куртку и внезапно поймала себя на том, что нервничаю.

— Итак... тяжелая неделя. А что случилось?

Я сделала глоток водки с тоником. Она очень удачно легла на выпитый днем алкоголь.

— Понимаешь, сегодня я... я кое-что узнала. И это буквально повергло меня в шок. Я не могу поделиться с тобой подробностями, и не потому, что не доверяю тебе, а потому, что дело очень серьезное и может затронуть большой круг людей. Но теперь я не знаю, как мне быть. — Я беспокойно заерзала на месте. — Полагаю, пока нужно просто все это проглотить и попытаться избежать несварения желудка. Ну что, разумно? Вот я и решила повидаться с тобой, пропустить по паре стаканчиков, услышать про твою жизнь — чудесную жизнь, без скелетов в шкафу, если, конечно, допустить, что у тебя нет скелетов в шкафу, — и напомнить себе, что жизнь действительно может быть хорошей и нормальной, но при этом я категорически не желаю, чтобы ты пытался хоть что-то выяснить о моей.

Джош приложил руку к сердцу:

— Луиза, я не хочу ничего знать о том, что ты обнаружила. Я просто счастлив видеть тебя.

— Честное слово, если бы я могла, то непременно сказала бы.

— В любом случае твоя страшная тайна меня совершенно не интересует. Со мной ты в полной безопасности. — Отхлебнув пива, Джош улыбнулся своей безупречной улыбкой, и впервые за две недели мне стало пусть на самую малость, но не так одиноко.

Два часа спустя в перегретом баре народу набилось как сельдей в бочке: измученные туристы, отдыхавшие за трехдолларовым пивом, и завсегдатаи буквально заполонили узкое помещение, и все как один смотрели бокс по висящему в углу телевизору. Они встретили дружным криком стремительный апперкот и заревели в унисон, когда их фаворит с разбитым, изуродованным лицом повалился на канаты. Джош, пожалуй, был единственным мужчиной во всем зале, который не следил за ходом поединка. Он потягивал пиво и не сводил с меня глаз.

Ну а я, уже успев лечь грудью на стол, рассказала ему рождественскую сказку о Трине и Эдвине, поскольку это была одна из немногих историй, которой я имела законное право поделиться, а еще о дедушкином инсульте, о великолепном фортепиано (я сказала, что это для племянницы Агнес) и наконец, чтобы разрядить обстановку, о своем шикарном перелете в бизнес-классе из Нью-Йорка в Лондон. Не знаю, сколько водки я выпила, поскольку Джош, точно фокусник, ставил передо мной новый стаканчик, стоило мне опорожнить предыдущий, но я вдруг неотчетливо осознала, что мой голос приобрел непривычную напевность, поднимаясь и опускаясь в соответствии с тем, что я говорила.

— Вот это круто! — восхитился Джош, когда я дошла до папиной речи о счастье. Правда, я представила произошедшее несколько более кинематографичным, чем было на самом деле. Сделав в своей последней версии папу этаким Аттикусом Финчем из «Убить пересмешника», произносящим заключительную речь в суде. — И реально хорошо. Значит, он просто хочет, чтобы она была счастлива. Когда мой кузен Тим признался своему отцу в нетрадиционной ориентации, тот почти год не разговаривал с Тимом.

— Да, они очень счастливы. — Чтобы немного охладить кожу, я положила руки на стол, стараясь не обращать внимания на липкую поверхность, и сделала очередной глоток водки. — Да, это здорово. Конечно здорово! Я смотрю на них и радуюсь, потому что у Трины уже тысячу лет никого не было, но, если честно, лучше бы они чуть меньше сияли от счастья и не носились бы так с этой своей любовью. И чуть пореже смотрели бы друг другу в глаза, а то они все смотрят и смотрят, наглядеться не могут. И не обменивались бы втихаря загадочными улыбочками, словно делясь только им одним известными шутками. Или намекая на реально, реально классный секс. И может, Трине все-таки не стоит без конца слать мне фотографии, где они вместе. Или эсэмэски о том, что еще такого гениального сказала или сделала Эдди. Тем более что она абсолютно все делает и говорит гениально.

— Ой да брось! Они же совсем недавно влюбились друг в друга. А это очень характерно для влюбленных.

— Лично я никогда так себя не вела. А ты? Нет, я серьезно. Никогда не рассылала фотки, где я целуюсь. Если бы я в свое время послала Трине снимок, на котором лижусь с парнем, она отреагировала бы так, будто получила фотографию мужского члена. Я хочу сказать, раньше моя сестра считала любую демонстрацию нормальных человеческих эмоций отвратительной.

— Значит, она влюбилась впервые в жизни. И теперь будет счастлива получить приторно-сладкую фотографию тебя с твоим парнем. — Джош явно подтрунивал надо мной. — И вовсе не обязательно фотографию члена.

— Ты, наверное, считаешь меня ужасным человеком.

— Я не считаю тебя ужасным человеком. Ну разве что чуть-чуть... поддатой.

— Нет, я действительно ужасный человек. Я точно знаю, — застонала я, — хотя вовсе не прошу их отказаться от своего счастья, а только вести себя потактичнее и отнестись с пониманием к тем из нас, кому, возможно, сейчас... не так... — Я осеклась, не в силах найти нужные слова. Джош, поудобнее устроившись на стуле, внимательно за мной наблюдал. После чего я, запинаясь, произнесла: — Бывший парень. Теперь он уже бывший парень.

Джош удивленно поднял брови:

— Ну и дела! Всего-то за пару недель.

— Вот именно! — Я уперлась лбом в стол. — Ты даже и не представляешь.

За нашим столиком стало очень тихо. Мне вдруг пришла в голову идея прямо здесь немножко поспать. Тут так хорошо. Звуки боксерского поединка растаяли где-то вдали. Правда, лоб стал немного влажным. А потом я почувствовала у себя на плече руку Джоша.

— Ладно, Луиза, думаю сейчас самое время тебя отсюда эвакуировать.

Я говорила «до свидания» всем этим милым людям, что попадались мне на пути к выходу, и стукалась со всеми подряд растопыренной пятерней (некоторые промахивались, идиоты). По какой-то непонятной мне причине Джош постоянно громко извинялся. Должно быть, то и дело натыкался на гостей заведения, пока мы шли. Уже у дверей он стал надевать на меня куртку, но не смог вдеть мои руки в рукава, а когда ему все-таки удалось это сделать, куртка оказалась надета задом наперед, словно смирительная рубашка. Смех, да и только!

— Все, я сдаюсь, — наконец сказал Джош. — Иди так.

И тут кто-то выкрикнул из зала:

— Леди, и еще немножко холодной водички!

— Да, я леди! — воскликнула я. — Английская леди! Я Луиза Кларк Первая. Правда, Джошуа? — Я повернулась лицом к посетителям, выбросив вперед сжатый кулак.

А поскольку я стояла, прислонившись к стене с фотографиями, некоторые из них с грохотом обрушились мне на голову.

— Мы уходим. Уходим, — сказал бармену Джош, подняв руки вверх.

Кто-то возмущенно закричал. А Джош все продолжал извиняться. Тогда я сказала, что извиняться — это самое последнее дело. Уилл учил меня, что уходить нужно с высоко поднятой головой.

Неожиданно мы оказались на промозглой, холодной улице. И тут я поскользнулась, шлепнулась на обледенелый тротуар, стукнулась коленками об асфальт и чертыхнулась.

— Боже мой! — Обхватив за талию, Джош попытался меня поднять. — Тебе срочно нужно выпить кофе.

От него очень приятно пахло. Совсем как в свое время от Уилла: чем-то дорогим и изысканным. Так пахнет в мужском отделе роскошного универмага. И пока мы ковыляли по тротуару, я зарылась лицом в шею Джоша и с наслаждением вдыхала этот запах.

— Ты чудесно пахнешь.

— Спасибо большое.

— Очень классно!

— Приятно узнать.

— Мне хочется тебя полизать.

— На здоровье, если тебе от этого полегчает.

Я лизнула Джоша в шею. На вкус его лосьон после бритья оказался не столь приятным, но сам процесс мне понравился.

— И впрямь полегчало, — удивилась я. — Реально полегчало!

— Ну ладно. Если ловить такси, то лучше всего прямо здесь.

Он развернул меня к себе лицом и положил руки мне на плечи. Таймс-сквер сверкала и ослепляла огнями — мерцающий неоновый круг. От гигантских светящихся рекламных щитов, буквально нависающих надо мной, резало глаза. Я медленно повернулась вокруг своей оси, таращась на ослепительные огни и чувствуя, что вот-вот упаду. Я все кружилась и кружилась, пока Таймс-сквер не поплыла перед глазами, после чего я слегка споткнулась, но Джош меня подхватил.

— Я могу отправить тебя на такси домой. По-моему, тебе сейчас необходимо поспать, чтобы протрезветь. Или можно пойти ко мне выпить кофе. Выбирай.

Шел второй час ночи, и тем не менее на площади толпилось столько народу, что Джошу приходилось буквально орать. Джош был таким красивым в этой своей рубашке и вощеной куртке. Аккуратно подстриженный и вообще классный. Он мне ужасно нравился! Я повернулась к нему лицом и заморгала. Черт, зачем он так сильно раскачивается?!

— Очень любезно с твоей стороны, — заметил он.

— Неужели я сказала это вслух?

— Ага.

— Прости. Хотя это чистая правда. Ты потрясающе красивый! Красота по-американски. Совсем как настоящая кинозвезда. Джош?

— Да?

— Думаю, мне нужно срочно присесть. У меня какой-то туман в голове. — Я чуть было снова не навернулась, но Джош вовремя меня подхватил.

— Ну вот опять!

— Я очень хочу открыть тебе этот секрет. Но не могу.

— И не надо.

— Ты понял бы. Не сомневаюсь, что понял бы. А знаешь... ты похож на одного человека, которого я любила. Действительно любила. Ты в курсе? Как две капли воды.

— Что ж... рад это слышать. Очень мило.

— И правда мило. Он был обалденно красивым. Совсем как ты. Точно кинозвезда... Я это уже говорила? Он умер. Я говорила тебе, что он умер?

— Сочувствую твоему горю. Но пожалуй, нам пора выбираться отсюда.

Он протащил меня за собой два квартала, поймал такси и не без труда усадил на заднее сиденье. Но поскольку я продолжала упрямо цепляться за Джоша, он оказался наполовину в салоне, наполовину — на улице.

— Вам куда, леди? — оглянулся на меня водитель.

Я умоляюще посмотрела на Джоша:

— А ты можешь остаться со мной?

— Конечно. Куда едем?

Водитель настороженно посмотрел на меня в зеркало заднего вида. У него работал телевизор, и зрители в студии разразились бурными аплодисментами. Автомобили за нашей спиной дружно загудели. Огни были слишком яркими. Нью-Йорк внезапно сделался чересчур шумным, его вдруг стало больше, чем нужно.

— Не знаю. Может, к тебе домой? Я не могу вернуться назад. Пока еще нет. — Я посмотрела на Джоша, и мне вдруг стало жалко себя до слез. — А ты знаешь, что я пытаюсь одновременно усидеть на двух стульях?

— Луиза Кларк, почему-то меня это не сильно удивляет, — наклонившись ко мне, нежно произнес Джош.

Я положила голову ему на плечо и позволила себя обнять.

Проснулась я от телефонного звонка, пронзительного и настойчивого. Затем наступила блаженная тишина, после чего я услышала тихий мужской голос. И почувствовала приветливый запах кофе. Я беспокойно заворочалась, пытаясь отодрать голову от подушки. Боль в висках оказалась настолько пронзительной, что я заскулила, словно собачонка, которой прищемили дверью хвост. Я закрыла глаза и, сделав глубокий вдох, открыла их снова.

Я лежала в чужой кровати.

Открыв глаза в третий раз, я обнаружила, что попрежнему лежу в чужой кровати.

Этого непреложного факта оказалось вполне достаточно, чтобы я заставила себя снова поднять голову и, не обращая внимания на пульсирующую боль в висках, попыталась сосредоточиться. Нет, это определенно была не моя кровать. Спальня тоже была не моей. На самом деле я этой спальни раньше в глаза не видела. Я посмотрела на одежду — мужскую одежду, аккуратно повешенную на спинку стула, — на телевизор в углу, письменный стол и платяной шкаф, после чего поняла, что мужской голос звучит совсем близко. А потом открылась дверь, и в комнату вошел Джош, уже полностью одетый. В одной руке он держал кружку, другой прижимал к уху телефон. Наши глаза встретились. Джош иронично поднял бровь и, не прерывая разговора, поставил кружку на прикроватный столик:

— Да, проблемы с метро. Сейчас вызываю такси, буду там минут через двадцать... Конечно. Не вопрос...

Нет, она уже этим занимается... — (Я заставила себя сесть, с удивлением обнаружив, что на мне мужская футболка. Минут через пять до меня наконец дошло, что бы это могло значить, и я вдруг почувствовала, как медленно, но верно начинаю краснеть.) — Нет, мы вчера об этом говорили. Он должен был подготовить всю документацию. — (Джош отвернулся, и я юркнула под одеяло, натянув его до самого подбородка; впрочем, трусики на мне были, а это уже кое-что.) — Ага. Это было бы здорово. Да, ланч — именно то, что нужно. — Джош отключил телефон, засунув его в карман. — С добрым утром! Я как раз собирался дать тебе адвила. Ну что, поискать пару таблеток? А сейчас, боюсь, мне нужно бежать.

— Бежать? — У меня во рту будто кошки написали и в горле совсем пересохло. Я открыла и закрыла рот пару раз, услышав отвратительный чмокающий звук.

— Ну да, на работу. Сегодня ведь пятница.

— Боже мой! А который час?

— Четверть седьмого. Мне пора! Дико опаздываю. Сможешь захлопнуть за собой дверь? — Порывшись в ящике письменного стола, Джош нашел блистер с таблетками, которые положил возле меня. — Вот. Должно помочь.

Я откинула волосы с лица. Они были влажными от пота и странно тусклыми.

— Что... что случилось?

— Поговорим позже. А сейчас пей кофе.

Я послушно сделала глоток. Кофе оказался крепким и очень бодрящим. Похоже, мне понадобится не меньше шести чашек.

— А почему я в твоей футболке?

— Ты устроила небольшой стриптиз, — ухмыльнулся Джош.

— Стриптиз? — Я похолодела.

Джош наклонился и поцеловал меня в щеку. От него пахло мылом, чистотой, цитрусовыми и полезными для здоровья вещами. В то время как от меня исходили горячие волны застарелого пота, алкоголя и жуткого стыда.

— Веселенькая ночка! Эй, когда будешь уходить, проверь, что нормально захлопнула дверь. Хорошо? Иногда замок плохо срабатывает. Позвоню тебе позже.

Он помахал рукой, похлопал себя по карманам проверить, что ничего не забыл, а затем повернулся и исчез.

— Погоди! А где это я?! — минуту спустя крикнула я, но его уже и след простыл.

Как оказалось, я была в Сохо. И от того места, где мне следовало сейчас быть, меня отделяла гигантская, злобная транспортная пробка. Я села на метро от Спринг-стрит до Пятьдесят девятой улицы, стараясь не слишком сильно потеть в своей вчерашней жеваной блузке и мысленно благодаря Бога за то, что не вырядилась в любимые блестящие вечерние шмотки. Если честно, я только сегодня утром до конца поняла, что означает слово «нечистый». События вчерашнего вечера я помнила смутно. И теперь воспоминания накатывали на меня горячей волной флэшбэков.

О том, как я сажусь на тротуар посреди Таймс-сквер.

Как лижу шею Джоша. Я реально лизала его шею.

А что там он говорил насчет танцев?

Если бы мне не нужно было цепляться за поручень в вагоне метро, то я бы схватилась за голову. В результате я просто зажмурилась и принялась прокладывать себе дорогу по вестибюлю метро, увертываясь от чужих рюкзаков и раздраженных жителей пригородов, оградившихся от толпы наушниками, при этом мне приходилось принимать титанические усилия, чтобы не сблевать.

Только бы пережить сегодняшний день. Если я что и усвоила за свою короткую жизнь, так это то, что ответ рано или поздно обязательно найдется.

В коридоре я столкнулась с мистером Гупником. Он был в спортивном костюме, хотя после семи утра обычно выходил уже полностью одетый. Увидев, как я открываю дверь своей комнаты, он поднял руку, словно только меня и ждал:

— А-а, Луиза!

— Простите, я...

— Я хотел бы поговорить с вами в своем кабинете. Прямо сейчас.

«Еще бы не хотел, — подумала я. — Само собой». Он повернулся и пошел прочь. Я с отчаянием посмотрела на дверь, за которой лежали чистая одежда, дезодорант и зубная паста. И с тоской подумала о второй чашечке кофе. Но мистер Гупник был не из тех людей, кого можно было заставлять ждать.

Я бросила взгляд на экран телефона и потрусила за ним.

Когда я вошла в кабинет, мистер Гупник уже сидел за письменным столом.

— Мне ужасно жаль, что я на десять минут опоздала, — начала я. — Обычно я не опаздываю. Мне пришлось...

Выражение лица мистера Гупника было непроницаемым. Я заметила сидевшую у кофейного столика Агнес, тоже в спортивном костюме. Ни один из них не предложил мне сесть. И нечто неуловимо зловещее в атмосфере комнаты заставило меня мгновенно протрезветь.

— У нас что-то... случилось?

— Я надеюсь, вы мне об этом скажете. Сегодня утром позвонил мой аккаунт-менеджер.

— Ваш — кто?

— Человек, который следит за моими банковскими операциями. И я хотел бы знать, как вы можете объяснить вот это.

Он подтолкнул в мою сторону лист бумаги. Это была выписка с банковского счета, с подчеркнутыми итоговыми суммами. У меня до сих пор все плыло перед глазами, но я четко увидела ряд цифр, пятьсот долларов в день, в графе «Снятие наличных денег со счета».

И в этот самый момент я обратила внимание на выражение лица Агнес, которая упорно разглядывала свои руки, плотно сжатые губы превратились в тонкую полоску. Она бросила на меня мимолетный взгляд и снова опустила глаза. Я превратилась в соляной столб, по спине струился ручеек пота.

— Аккаунт-менеджер сообщил нечто весьма любопытное. Очевидно, незадолго до Рождества с нашего совместного банковского счета была снята значительная сумма денег. Наличные снимались каждый день в ближайшем от нас банкомате небольшими суммами, на которые, как предполагалось, никто не обратит внимания. Менеджер заметил это лишь благодаря наличию программы антифрод для отслеживания мошеннических действий при использовании любой из наших банковских карт, операции по ежедневному снятию пятисот долларов были отнесены в разряд нетипичных. Обеспокоенный полученной информацией, я, естественно, в первую очередь поинтересовался у Агнес, но она сказала, что ничего не знает. Тогда я попросил Ашока предоставить записи системы видеонаблюдения за интересующие меня дни. Люди из моей службы безопасности сравнили время на этих записях со временем снятия наличных в банкомате, и получилось так, Луиза, — мистер Гупник посмотрел мне прямо в глаза, — что единственным человеком, который в эти часы выходил из здания и входил обратно, были вы. — У меня глаза полезли на лоб, а мистер Гупник тем временем продолжил сеанс разоблачения: — Конечно, я мог бы запросить у соответствующих банков записи видеонаблюдения их банкоматов за те часы, когда снимались пресловутые пятьсот долларов наличными, но не хотел втягивать их в эту неприятную историю. Поэтому я был бы счастлив получить у вас объяснение того, что здесь происходит. И каким образом почти десять тысяч долларов были сняты с нашего общего счета.

Я посмотрела на Агнес, но она поспешно отвела глаза.

Во рту еще больше пересохло.

— Мне нужно было сделать кое-какие рождественские покупки. Для Агнес.

— Для этого у вас есть карточка. Где четко отражено, какие магазины вы посещали. Более того, вы должны были предъявить чеки за все покупки. Что, как подтвердил Майкл, вы и сделали. Однако наличные деньги... С ними не все так прозрачно. У вас остались чеки за покупки?

— Нет.

— А вы можете сказать, что именно вы покупали?

— Я... нет.

— В таком случае, Луиза, куда делись эти деньги?

У меня язык присох к гортани. Я судорожно сглотнула, после чего сказала:

— Не знаю.

— Вы не знаете?

— Я ничего... у вас не крала. — Кровь бросилась мне в лицо.

— Получается, Агнес лжет?

— Нет.

— Луиза, Агнес знает, что я дам ей все, чего бы она ни попросила. Откровенно говоря, если она за день потратит в десять раз больше названной суммы, то я и глазом не моргну. Поэтому у нее нет абсолютно никаких причин тайком снимать деньги в ближайшем банкомате. Итак, я в очередной раз спрашиваю вас, Луиза: куда делись деньги? — (Я запаниковала. И внезапно поймала взгляд Агнес. На ее лице была написана немая мольба.) — Луиза?

— Вероятно, я... Возможно, я их взяла.

— Вы, *возможно*, их взяли?

— На шопинг. Не для себя. Можете обыскать мою комнату. И проверить мой банковский счет.

— Вы истратили десять тысяч долларов на «шопинг»? И что же, интересно, вы покупали?

— Да так... по мелочам.

Мистер Гупник резко опустил голову, явно пытаясь обуздать гнев.

— Значит, по мелочам, — медленно повторил он. — Луиза, а вы отдаете себе отчет, что ваше пребывание в нашем доме — это вопрос доверия?

— Полностью отдаю, мистер Гупник. И отношусь к этому очень серьезно.

— У вас есть доступ практически ко всем внутренним механизмам этого дома. У вас есть ключи, кредитные карты, и вы до мельчайших подробностей знаете наш распорядок. И за это вы получаете достойное вознаграждение. Поскольку мы понимаем степень ответственности, которая ложится на ваши плечи, и рассчитываем, что вы оправдаете наше доверие.

— Мистер Гупник, мне нравится моя работа. И я никогда не стала бы... — Я умоляюще посмотрела на Агнес, но она продолжала понуро сидеть, вонзив ноготь в подушечку большого пальца.

— Вы действительно не можете объяснить, что случилось с деньгами?

— Я... я их не крала.

Он окинул меня долгим взглядом, словно чего-то ждал. Но не дождался. Его лицо окаменело.

— Вы меня сильно разочаровали, Луиза. Я знаю, Агнес вас нежно любит и вы ей очень нужны. Но я не могу держать в своем доме человека, которому не доверяю.

— Леонард... — не выдержала Агнес.

Мистер Гупник остановил ее взмахом руки:

— Нет, дорогая. Мы это уже проходили. Прошу прощения, Луиза, но я немедленно разрываю наше трудовое соглашение.

— Что-что?

— У вас будет час на то, чтобы освободить комнату. Вы оставите Майклу контактный адрес, Майкл будет на связи, чтобы вернуть все, что вам причитается. И, пользуясь возможностью, хочу напомнить вам насчет пункта о неразглашении, содержащегося в вашем контракте. Детали этого разговора не должны выйти из стен этой комнаты. Надеюсь, вы поймете, что это для вашего же блага.

Агнес побледнела как полотно:

— Нет, Леонард. Ты этого не сделаешь.

— Все, вопрос закрыт. Мне пора на работу. Луиза, время пошло.

Он встал из-за стола, ожидая, когда я уйду.

Я вышла из кабинета на дрожащих ногах. Майкл уже ждал под дверью. И он был здесь явно не для того, чтобы узнать, все ли со мной в порядке, а для того, чтобы препроводить меня в мою комнату. Похоже, начиная с этого момента я полностью лишилась доверия.

Я молча шла по коридору, не обращая внимания на ошеломленное лицо Иларии и разговор на повышенных тонах, доносящийся с хозяйской половины квартиры. А вот Натана нигде не было видно. Майкл застыл в дверях, и я, вытащив из-под кровати чемодан, начала лихорадочно открывать ящики и кое-как упаковывать вещи, так как время уже работало против меня. В голове звенело — шок и ярость мешали сосредоточиться, чтобы ничего не забыть. *Я оставляла белье в помещении для стирки? Где мои тренировочные?* И вот наконец, двадцать минут спустя, я была готова. Все мои пожитки сложены в чемодан, вещевой мешок и большую клетчатую хозяйственную сумку.

— Давай помогу. — Увидев, что я, нагруженная как верблюд, пытаюсь вытащить багаж из своей бывшей комнаты, Майкл взял у меня чемодан на колесиках. Что скорее было не жестом доброты, а проявлением деловых навыков. — Айпад? Рабочий телефон? Кредитка?

Получив от меня перечисленные вещи плюс ключи от дома, Майкл рассовал все по карманам.

Я шла по коридору, не в силах поверить, что это не страшный сон. Илария стояла в дверях кухни, сложив пухлые руки на перетянутом передником животе. Я отвернулась в ожидании потока брани на испанском или презрительного взгляда, специально приберегаемого для гнусных воровок. Но она просто шагнула ко мне, коснувшись моей руки. Майкл сделал вид, будто не заметил этого молчаливого проявления моральной поддержки. И вот мы уже оказались у входной двери.

— Прощай, Луиза, — отдав мне чемодан, произнес Майкл с каменным лицом. — Удачи тебе.

Я сделала шаг вперед. Тяжелая дверь красного дерева захлопнулась за моей спиной.

Я два часа просидела в закусочной. Я была в шоке. Я не могла плакать. Не могла злиться. Меня будто парализовало. Поначалу я надеялась, что Агнес как-нибудь все уладит. Найдет способ объяснить мужу, что он глубоко заблуждается. Ведь, как ни крути, мы были подругами. Поэтому я просто сидела и ждала, что с минуты на минуту здесь появится Майкл и, немного смущаясь, оттащит мои вещи обратно в «Лавери». Я то и дело поглядывала на экран мобильника и ждала сообщения: *Луиза, произошло ужасное недоразумение*. Но, увы, так и не дождалась.

Оставив наконец пустые надежды, я решила, что самое простое — это вернуться в Соединенное Королевство. Но мое возращение определенно внесет хаос в жизнь Трины, поскольку тогда им с Томом придется покинуть мою квартиру. К родителям я тоже не могла вернуться — и не только потому, что возвращение в Стортфолд было для меня словно нож в сердце. Уж лучше умереть, чем вернуться туда, потерпев двойное фиаско: в первый раз, упав в пьяном виде с крыши собственного дома, а во второй — потеряв любимую работу.

Ну и конечно, о том, чтобы пожить у Сэма, не могло быть и речи. Я грела руки о кружку с кофе, сокрушаясь, что сама отрезала себе все пути к отступлению. Можно было, конечно, попросить Джоша приютить меня. Но как-то неудобно обращаться с подобной просьбой к человеку, с которым у нас даже не было настоящего первого свидания.

А вдруг я не найду себе жилья, и что тогда мне делать? Я оказалась безработной и не знала, аннулировал ли мистер Гупник мое разрешение на работу, которое, по идее, действовало лишь до тех пор, пока был в силе мой контракт.

И что хуже того, меня неотступно преследовало воспоминание о том, как он на меня смотрел. Когда я не смогла найти нужного ответа, на его лице появилось выражение разочарования и легкого презрения. А ведь его молчаливое одобрение стало одним из маленьких плюсов моей жизни в Нью-Йорке. Мне было лестно, что такой великий человек высоко ценил меня как работника: это давало уверенность в себе, позволяя чувствовать себя настоящим профессионалом, совсем как в мою бытность с Уиллом. Я хотела объясниться с мистером Гупником, вернуть его расположение, но как?! Перед моим мысленным взором стояло лицо Агнес — умоляющее, с круглыми от ужаса глазами. Она непременно позвонит мне, разве нет? Но тогда почему она так и не позвонила?

— Дорогуша, налить еще? — С кофейником в руках ко мне подошла немолодая рыжеволосая официантка. Она покосилась на мои пожитки. Ей явно было не привыкать видеть одиноких девушек с чемоданом. — Только что приехала, да?

— Не совсем. — Я попыталась улыбнуться, но вместо улыбки получилась дурацкая гримаса.

Она налила мне кофе и, понизив голос, сказала:

— Если тебе негде остановиться, то у моей двоюродной сестры есть хостел в Бенсонхерсте. У меня за кассой лежат ее визитки. Там, конечно, не слишком шикарно, но зато дешево и сердито. Лучше позвонить раньше, чем позже. Понимаешь, о чем я? Свободных мест там не слишком много. — И, похлопав меня по плечу, она поспешила к очередному клиенту.

Неожиданное проявление доброты растрогало до глубины души. Ведь впервые за все это время я чувствовала себя раздавленной, потерянной и одинокой в городе, где мне были не рады. Я не знала, что теперь делать: мосты, соединяющие мои два континента, заволокло черными клубами дыма. Я попыталась представить, как буду объяснять родителям произошедшее, но в очередной раз уперлась в толстую стену, воздвигнутую тайной Агнес. Ведь если рассказать все хотя бы одному человеку, правда рано или поздно откроется. Родителей наверняка разозлит эта история, и я вряд ли смогу помешать папе позвонить мистеру Гупнику, чтобы открыть ему глаза на эту сучку Агнес. А что, если Агнес станет все отрицать? Я вспомнила слова Натана о том, что мы для них лишь обслуживающий персонал, но отнюдь не друзья. Что, если Агнес солгала и обвинила меня в краже денег? Тогда я точно пропала.

Впервые за все время пребывания в Нью-Йорке я горько пожалела о том, что приехала. На мне по-прежнему была вчерашняя одежда — мятая и несвежая, отчего на душе стало еще паршивее. Я тихонько всхлипнула и, уставившись на кружку, вытерла нос бумажной салфеткой. А за окном Манхэттен продолжал жить своей обычной кипучей жизнью, не обращая внимания на выброшенный на обочину мусор. *Уилл, что мне теперь делать?* Ком в горле становился все больше.

И словно в ответ на мой немой вопрос, загудел телефон. Сообщение от Натана:

Какого черта у тебя происходит? Позвони мне, Кларк.

И несмотря на свое безвыходное положение, я улыбнулась.

Натан сказал, что черта с два я остановлюсь в чертовом хостеле у черта на рогах, с насильниками, наркоторговцами и еще черт знает с кем! Поэтому я должна была дождаться половины восьмого вечера, когда чертовы Гупники отбудут на чертов обед, а затем встретиться с

Натаном у служебного входа, чтобы решить, что, черт возьми, делать дальше. Что ж, в своих трех сообщениях Натан явно переборщил с бранными словами.

Когда мы встретились, Натан дал волю гневу, что, в принципе, было не слишком характерно для него.

— Ничего не понимаю. Они делают вид, словно тебя вообще не существовало. Прямо-таки кодекс молчания у мафиози. Майкл будто воды в рот набрал. Говорит, дело в «бесчестном поведении». Я сказал ему, что в жизни не встречал более порядочного человека и им следует разуть глаза. Что, черт возьми, произошло?!

Натан проводил меня через служебный коридор в свою комнату и закрыл за нами дверь. Видеть его было таким облегчением, что мне захотелось его обнять. Но я сдержалась. За последние двадцать четыре часа я и так слегка переусердствовала с объятиями.

— Господи, ну и люди! Пива хочешь?

— Конечно.

Натан открыл две банки и, протянув одну мне, сел в кресло. Я пристроилась на краешке кровати и сделала глоток.

— Итак... что произошло?

Я нахмурилась:

— Натан, я не могу тебе сказать.

Он удивленно поднял брови:

— И ты тоже? Ну и дела! Неужели ты хочешь сказать, что ты...

— Конечно нет. Я не стала бы красть у Гупников даже чайный пакетик. Но если я расскажу, что случилось на самом деле, то это будет катастрофой... для других людей в этом доме... Все очень запутано.

Натан нахмурился:

— Что? Неужели ты взяла на себя вину за то, что не делала?

— Типа того.

Натан уперся локтями в колени, покачав головой:

— Это неправильно.

— Знаю.

— Кто-то должен хоть что-то сказать. Ты в курсе, что он собирался вызвать копов? — (От удивления у меня отвисла челюсть.) — Вот именно. Она уговорила его этого не делать. Но Майкл сказал, что он настолько разозлился, что был готов зайти очень далеко. Что-то связанное с банкоматами?

— Натан, я этого не делала.

— Знаю, Кларк. Преступник из тебя никакой. У тебя все на лице написано. Проклятье! Ты знаешь, я люблю свою работу. Мне нравится работать на эту семью. Нравится старина Гупник. Но время от времени они будто дают тебе понять, что ты для них всего-навсего расходный материал. Одноразового использования. И они могут сколь угодно уверять тебя, будто они твои лучшие друзья, и ты самый лучший, и они без тебя как без рук, в общем, бла-бла-бла, но как только ты становишься им не нужен или сделаешь что-то не так, и тогда — бац! — тебя выставляют за дверь. Такое понятие, как справедливость, им неведомо.

Пожалуй, это была самая длинная речь из уст Натана со времени его приезда в Нью-Йорк.

— Лу, мне все это ужасно противно. Тут и ежу понятно, что тебя просто-напросто поимели. И вообще, эта история дурно пахнет.

— Все очень сложно.

— Сложно? — Натан посмотрел на меня в упор и снова покачал головой. — Подруга, ты очень хороший человек. Гораздо лучше меня.

Мы решили купить еды навынос, но не успел Натан надеть куртку, чтобы отправиться в китайский ресторан, как в дверь постучали. Мы в ужасе переглянулись, Натан жестом показал мне на ванную. Я поспешно запрыгнула туда, плотно закрыла за собой дверь, прижалась к вешалке для полотенец, но неожиданно услышала знакомый голос.

— Кларк, ложная тревога. Это Илария, — минуту спустя сказал Натан.

Илария, по-прежнему в переднике, держала в руках накрытую крышкой кастрюлю:

— Это для тебя. Я слышала, как вы разговаривали. Приготовила специально для тебя. Тебе нужно поесть. Цыпленок в остром соусе. Как ты любишь.

— Ты настоящий друг. — Натан похлопал Иларию по спине.

Илария покачнулась, но устояла на ногах. После чего осторожно поставила кастрюлю на письменный стол.

— Ты приготовила это для меня?

Илария ткнула Натана пальцем в грудь:

— Я знаю, она не делала того, о чем они говорят. Я вообще много чего знаю. О том, что происходит в этом доме. — Она шумно высморкалась. — Вот именно.

Я приподняла крышку. В нос ударили аппетитные ароматы. Я вспомнила, что за весь день так толком и не поела.

— Спасибо, Илария. У меня просто нет слов.

— Ну и куда ты теперь пойдешь?

— Без понятия.

— Но только не в хостел в чертовом Бенсонхерсте, — решительно заявил Натан. — День-два перекантуешься у меня, пока не определишься. Я запру дверь. Илария, ведь ты нас не выдашь? — (Илария насупилась, давая понять, что на глупые вопросы не отвечает.) — Ты не поверишь, Илария весь день на чем свет костерит твою бывшую хозяйку. Говорит, она продала тебя с потрохами. А на обед подала им рыбное блюдо, которое они оба терпеть не могут. Прикинь, подруга, я набрался от нее таких бранных слов, каких в жизни не слышал.

В ответ Илария что-то невнятно пробормотала себе под нос. Мне удалось разобрать лишь слово *puta*.

Кресло было слишком маленьким для Натана, чтобы нормально спать. Но Натан оказался слишком хорошо воспитан, чтобы предложить мне перебраться туда, поэтому мы пришли к согласию, что ляжем вместе на двуспальную кровать Натана, водрузив посередине подушки во избежание нежелательных прикосновений. Трудно сказать, кто из нас чувствовал себя более неловко. Натан устроил целое представление, пропустив меня в ванную, заставив запереть дверь, а потом лечь в кровать до того, как он совершит омовение. Натан надел футболку и полосатые пижамные штаны, и тем не менее я не знала, куда девать глаза.

— Как-то странно, — прошептал он, залезая в кровать.

— Да уж, что есть, то есть.

Не знаю, в чем было дело — в шоке, усталости или в сюрреалистическом повороте событий, — но я вдруг начала истерически хихикать, а потом, не успев опомниться, уже отчаянно рыдала, скрючившись на чужой кровати.

— Ой-ей-ей, подруга! — Натану было явно неловко меня обнимать, лежа со мной в одной постели. Осторожно придвинувшись, он похлопывал меня по плечу. — Ничего, как-нибудь обойдется.

— Но как? Я потеряла работу, дом и любимого человека. И не получила рекомендаций, потому что мистер Гупник считает меня воровкой. Да и вообще, я теперь не знаю, где моя родина. — Я вытерла нос рукавом. — Блин, я снова облажалась и не понимаю, зачем мне пытаться достичь чего-то большего, потому что каждый раз это кончается для меня полным обломом.

— Ты просто устала. Все будет хорошо. Непременно будет.

— Как с Уиллом?

— Ох... Там была совершенно другая история. Ладно, брось... — Натан обнял меня своей здоровущей рукой.

Я рыдала, пока не иссякли слезы, после чего, измученная событиями сегодняшнего дня и прошлой ночи, наконец уснула.

Проснулась я восемь часов спустя одна в чужой комнате. Только через пару минут я поняла, где нахожусь, и на меня лавиной обрушились события предыдущего дня. Я скрючилась под пуховым одеялом в позе эмбриона, мне хотелось остаться лежать вот так еще год, а лучше — два, пока все как-нибудь само собой не рассосется.

Я проверила телефон: два пропущенных звонка и куча сообщений от Джоша, которые, похоже, пришли все разом накануне вечером.

Эй, Луиза! Надеюсь, ты чувствуешь себя хорошо. Весь день на работе вспоминал, как ты танцевала, и давился от смеха! Ну и ночь! Дж. х

Ты в порядке? Просто хочу проверить, что ты нормально добралась домой, а не заснула на Таймс-сквер ;-) Дж. х

О'кей. Сейчас уже десять тридцать. Полагаю, в данный момент ты ложишься в постель, чтобы окончательно протрезветь. Надеюсь, я тебя ничем не обидел. Я ведь только прикалывался. Позвони мне. х

События предыдущей ночи, с боксом по телевизору в грязном баре и мерцающими огнями Таймс-сквер, казалось, произошли целую вечность назад. Я вылезла из постели, приняла душ, оделась, пристроив свои пожитки в уголке ванной комнаты, тем самым еще больше уменьшив жизненное пространство. Однако я решила, что так будет спокойнее, если мистеру Гупнику, не дай бог, придет в голову шальная мысль заглянуть к Натану.

Я отправила Натану сообщение узнать, когда можно будет незаметно выскочить из дому, на что он ответил:

СЕЙЧАС. Оба в кабинете.

Я выскользнула из квартиры, спустилась к служебному входу и, низко опустив голову, быстро прошла мимо Ашока. Ашок разговаривал с рассыльным. Я увидела, как он, резко повернув мне вслед голову, крикнул: «Эй, Луиза!» — но я уже успела выскочить на улицу.

Манхэттен встретил меня промозглой серой мглой. Был один из тех тусклых дней, когда частички льда, казалось, висели в воздухе, холод пронизывал до костей, а прохожие шли, завернувшись в шарфы до самого носа. Я брела куда глаза глядят, низко опустив голову и натянув шапку на лоб. Ноги сами привели меня в закусочную. После сытного завтрака жизнь наверняка станет чуть веселей. Я устроилась в кабинке и, глядя на приехавших на работу из пригорода людей, которым явно было куда идти, заставила себя съесть маффин — самое сытное и дешевое блюдо в меню, — сегодня показавшийся мне липким и безвкусным.

В девять сорок я получила новое сообщение:

Привет, Луиза! Мистер Гупник заплатит тебе до конца месяца в качестве компенсации за увольнение без предварительного предупреждения. Выплаты по твоей медицинской страховке с этого момента прекращаются. Но твоя грин-карта остается в силе. Уверен, ты понимаешь, все эти меры гораздо мягче, чем могли бы быть с учетом досрочного прекращения твоего контракта, но за тебя заступилась Агнес.

С наилучшими пожеланиями,

Майкл.

— Очень мило с ее стороны, — пробормотала я.

Спасибо за информацию.

Но Майкл не ответил.

Потом мой телефон загудел снова.

О'кей, Луиза. Вот теперь я реально волнуюсь, что чем-то всерьез обидел тебя. А может, ты и вправду потерялась, когда возвращалась к себе в Центральный парк. Пожалуйста, позвони мне. Дж. х

Мы встретились с Джошем возле его офиса в Мидтауне — одного из тех высоченных зданий, что если посмотреть на них, задрав голову, то может возникнуть стойкое ощущение, будто еще немного — и ты полетишь вверх тормашками. Джош, в красивом мягком сером шарфе на шее, размашисто шагая, направился ко мне. Я поспешно слезла с низкой стенки, на которой пристроилась, как на жердочке, Джош нежно меня обнял:

— Поверить не могу. Пойдем. Черт, ты совсем окоченела! Нужно срочно накормить тебя чем-нибудь горячим.

Мы устроились в душном, шумном тако-баре в двух кварталах от его работы, с непрерывным потоком офисных служащих и официантами, рявкающими команды. Я изложила в общих чертах Джошу, как до того Натану, свою печальную историю:

— Это все, что я могу сказать. Честное слово. Но я ничего не крала. Никогда бы на такое не пошла.

Я в жизни не брала чужого. Ну разве что один раз в восьмилетнем возрасте. Мама до сих пор вспоминает, как я едва не пошла по неверной дорожке. — Я попыталась улыбнуться.

Джош нахмурился:

— Значит, тебе придется покинуть Нью-Йорк, да?

— Я пока сама еще толком не знаю, что буду делать дальше. Но Гупники вряд ли дадут мне рекомендации, так что я без понятия, как буду жить дальше. Короче, я безработная, а отели на Манхэттене для меня явно не по карману...

Сидя в закусочной, я просмотрела местные предложения по аренде жилья, и меня едва не стошнило прямо в кофе. Снять крошечную комнатушку вроде той, что я в свое время явно недооценила, поселившись у Гупников, можно было исключительно на зарплату топ-менеджера. Неудивительно, что даже тараканы не хотели оттуда уходить.

— А что, если тебе переехать ко мне? — (Я удивленно оторвала глаза от тарелки с тако.) — Хотя бы на время. Что вовсе не обязательно будет означать всякие там шуры-муры. Кстати, у меня есть диван-кровать в гостиной. Но ты наверняка не помнишь. — Джош сдержанно улыбнулся.

Я совсем забыла, насколько легко американцы приглашали к себе в гости. В отличие от англичан, которые, возможно, тебя и пригласят, но тотчас же поспешат эмигрировать, если поймать их на слове.

— Очень любезно с твоей стороны. Но пожалуй, это лишь еще больше все усложнит. Думаю, мне стоит вернуться домой, по крайней мере на время. Пока не подвернется новое предложение.

Джош мрачно уставился в тарелку:

— Сроки поджимают, да?

— Угу.

— А я-то, дурак, надеялся увидеть новые танцы.

— Боже мой! Кстати, о танцах. Я... В общем, я давно хотела спросить у тебя, а что было той ночью...

— Неужели ты действительно не помнишь?

— Если только Таймс-сквер. И то, как садились в такси.

Джош иронично поднял брови:

— Ну ты даешь! Ох, Луиза Кларк! Мне, конечно, хочется продолжать тебя дразнить, но, если честно, ничего не было. В общем, ничего *такого*. Правда, ты лизала мою шею. И это у тебя хорошо получалось.

— Но я проснулась без одежды. В твоей футболке.

— Потому что тебе приспичило раздеться во время танца. Как только мы приехали ко мне домой, ты объявила, что тебе необходимо выплеснуть накопившиеся эмоции посредством танца в свободной форме. Одним словом, я шел за тобой сзади, и ты слой за слоем срывала с себя одежду. Начала в вестибюле, а закончила в моей гостиной.

— Я что, сама сняла с себя одежду?

— Это было очаровательно. Очень... вызывающие телодвижения.

И перед моим мысленным взором внезапно возникла моя высовывающаяся из-за занавески игриво согнутая нога и голая спина, прижимающаяся к холодному стеклу. И смех и грех. Щеки предательски покраснели, я закрыла лицо руками.

— Должен сказать, в пьяном виде ты ужасно забавная.

— А когда... мы добрались до твоей спальни?

— Ой, ну на этом этапе ты уже перешла к нижнему белью. А потом ты запела дурацкую песенку... про обезьянку, или про абизьянку, или типа того. После чего ты моментально вырубилась и заснула этакой кучкой прямо на полу. Тогда я надел на тебя футболку и уложил в постель. Ну а сам лег на диван-кровать.

— Прости. И спасибо тебе большое.

— Всегда к твоим услугам. — Джош улыбнулся, в его глазах заблестели озорные искорки. — Большинству девушек, с которыми я встречался, до тебя как до луны. Они и вполовину не такие забавные.

— Знаешь, последние несколько дней я постоянно на грани то слез, то истерического смеха, а сейчас мне хочется делать все сразу.

— Ты сегодня ночуешь у Натана?

— Думаю, да.

— Ладно. Только не горячись. Прежде чем будешь брать билет, позволь мне сделать несколько звонков. Хочу посмотреть, есть ли какие-нибудь вакансии.

— Неужели ты и вправду в это веришь?

Джош обладал непрошибаемой уверенностью. И в этом он тоже походил на Уилла.

— Всегда что-нибудь да найдется. Позвоню тебе позже.

А потом Джош меня поцеловал. Причем настолько легко и непринужденно, что поначалу я вообще не поняла, в чем дело. Он наклонился вперед и по-хозяйски поцеловал меня в губы, словно это вполне естественное завершение нашего свидания за ланчем. А затем, прежде чем я успела сориентироваться, отпустил мою руку и снова обмотал шею шарфом.

— Ладно, мне пора бежать. Парочка важных встреч сегодня днем. Держи хвост пистолетом! — Джош улыбнулся своей неотразимой, идеальной улыбкой и поспешил обратно в офис, оставив меня сидеть с открытым ртом на высоком пластиковом стуле.

Я не стала рассказывать Натану о сегодняшней встрече. Только отправила ему сообщение — узнать, когда можно вернуться домой, и он ответил, что Гупники уходят куда-то в семь вечера, поэтому я смогу вернуться не раньше четверти восьмого. Я прошлась по холоду, посидела в закусочной, а вернувшись домой, обнаружила, что Илария оставила мне немного супа в термосе и две лепешки, которые она называла бисквитами. У Натана в тот вечер было свидание, и, когда я утром проснулась, он уже ушел. Правда, оставив мне записку. Натан надеялся, что у меня все хорошо, и заверял, что я его нисколько не беспокою. Разве что чуть-чуть похрапываю.

Многие месяцы я мечтала иметь побольше свободного времени. Но, получив его, поняла, что без денег в этом городе делать нечего. Я покинула «Лавери», когда дома никого не было, бродила по улицам, пока не окоченела, после чего зашла в «Старбакс» выпить чая, растянув удовольствие на два часа, чтобы воспользоваться бесплатным Wi-Fi для поиска работы. Однако человеку без рекомендаций или без опыта работы в пищевой промышленности абсолютно ничего не светило.

Теперь, когда моя жизнь больше не протекала в нагретых холлах шикарных заведений и теплом салоне лимузина, я решила основательно утеплиться. Надела синий свитер, джинсовый комбинезон, колготки и носки, тяжелые ботинки. Не слишком элегантно, но в данный момент элегантность волновала меня в последнюю очередь.

В обед я направилась в заведение быстрого питания с дешевыми бургерами, где никому не было дела до одинокой посетительницы, растягивающей булочку на час или два. В универмагах, несмотря на бесплатный Wi-Fi и чистые туалеты, без денег ловить было абсолютно нечего. Я дважды заходила в «Магазин винтажной одежды», где обе сестры искренне посочувствовали мне, но при этом многозначительно переглянулись, явно опасаясь, что я буду просить их об одолжении.

— Если вдруг услышите о какой-нибудь вакансии, особенно в магазине вроде вашего, сообщите мне, хорошо? — попросила я, устав бесцельно разглядывать вешалки с одеждой.

— Дорогуша, нам едва хватает средств заплатить за аренду. А иначе мы с радостью взяли бы тебя к себе. — Лидия сочувственно пустила в потолок колечко сигаретного дыма и посмотрела на сестру.

— Ты провоняешь нам своими сигаретами всю одежду. Ладно, мы непременно поспрашиваем, — разгоняя сигаретным дым, ответила Анжелика, и по ее тону я сразу поняла, что таких просителей у них вагон и маленькая тележка.

Я вышла из магазина с горьким чувством отчаяния. Мне некуда было приткнуться. Не было такого места, где я могла бы посидеть в тишине и спокойно пораскинуть мозгами, чтобы понять, как жить дальше. В Нью-Йорке без денег ты никому не нужен и тебе нигде не рады. Что ж, возможно, настало время признать свое поражение и купить билет на самолет. И тут меня осенило.

Я доехала на метро до Вашингтон-Хайтса и дошла пешком до библиотеки. И впервые за все эти дни я оказалась в знакомом месте, где тепло и уютно. Вот оно! Библиотека станет моим убежищем, моим трамплином в светлое будущее. Я поднялась по каменной лестнице. На первом этаже сразу же нашла свободный компьютерный терминал. Устало опустилась на стул, перевела дух и впервые после своего фиаско у Гупников закрыла глаза, попытавшись привести мысли в порядок.

И, почувствовав, как потихоньку спадает напряжение последних дней, я позволила себе плыть по волнам шепота людей вокруг в этом замкнутом мире, далеком от хаоса и суеты большого города. Быть может, дело было в тихом счастье оказаться в окружении книг, но я вдруг почувствовала себя здесь человеком на своем месте — неприметной девушкой за компьютерной клавиатурой в поисках информации.

И впервые за все это время я задала себе вопрос: какого черта я вообще влипла в эту историю? Агнес меня предала. И месяцы, проведенные с Гупниками, внезапно показались мне дурным сном, параллельной реальностью, расплывчатым пятном лимузинов и раззолоченных интерьеров, чужим и враждебным миром, над которым на секунду приподняли занавес, чтобы затем поспешно его опустить.

А тихие библиотечные залы, наоборот, были вполне реальными. Сюда я смогу приходить каждый день, пока не выработаю план действий. Здесь я смогу найти лестницу, которая выведет меня наверх, на новую, светлую дорогу.

Знание — сила, Кларк.

— Мэм! — Я отрыла глаза и увидела прямо перед собой охранника. Он пристально смотрел мне прямо в лицо. — Здесь нельзя спать.

— Что?

— Вы не можете здесь спать.

— Да я вовсе не спала! — возмутилась я. — Я думала.

— Или думайте с открытыми глазами, или вам придется уйти. — Повернувшись ко мне спиной, охранник что-то сказал в уоки-токи.

Если честно, я даже не сразу поняла, чего он от меня хотел. Люди за соседними столами поглядели в мою сторону, но тотчас же отвернулись. Я залилась краской, увидев любопытные взгляды посетителей библиотеки. И посмотрела на свой джинсовый комбинезон, тяжелые ботинки на флисовой подкладке, вязаную шапку. Да уж, явно не «Бергдорф Гудман», а скорее, благотворительный магазин для бомжей.

— Эй! Я вовсе не бездомная! — крикнула я в спину охраннику. — И я участвовала в протестах в защиту библиотеки. Мистер! Я НЕ БЕЗДОМНАЯ!

Какие-то две женщины, прервав разговор, удивленно подняли брови.

И тут до меня дошло: я действительно была бездомной.

Глава 22

Дорогая мама!

Прости, что давно не давал о себе знать. Мы от зари до зари работаем над этой сделкой с китайцами, и мне нередко приходится бодрствовать по ночам, поскольку я имею дело с различными временными зонами. Если мое письмо может показаться тебе немного вымученным, это потому, что я действительно смертельно устал. Правда, я получил бонус, весьма солидный (посылаю Джорджине приличную сумму денег, чтобы она могла купить себе ту машину, какую хочет), но за последние несколько недель я полностью осознал, что чувствую себя здесь не слишком уютно.

И не то чтобы мне не нравился здешний ритм жизни — ты ведь знаешь, я никогда не боялся тяжелой работы. Мне просто не хватает старой доброй Англии. Не хватает английского юмора. Не хватает воскресных ланчей. Не хватает английского акцента, причем не фальшивого, а настоящего (ты не поверишь, как много людей пытается говорить с еще более аристократическим акцентом, чем у ее величества). Не хватает возможности проводить уик-энды в Париже, или в Барселоне, или в Риме. И вообще, быть экспатом весьма утомительно.

В здешнем финансовом садке с золотыми рыбками ты постоянно встречаешь одни и те же лица, причем независимо от того, находишься ты на Манхэттене или в Нантакете. Я знаю, ты считаешь, будто мне нравится определенный тип женщин, но здесь это доходит до смешного: белокурые волосы, нулевой размер, однотипный гардероб, одни и те же занятия пилатесом...

Так вот, ты помнишь Руперта? Моего старого приятеля из Черчилля? Он говорит, у них на фирме есть вакансия. Его босс прилетает сюда через пару недель, и он хочет со мной встретиться. Если все пойдет хорошо, я могу вернуться в Англию раньше, чем ты думаешь.

Я полюбил Нью-Йорк. Но всему свое время. И полагаю, мое уже вышло.

С любовью.

У. х

В течение следующих нескольких дней я обзвонила кучу номеров, представленных на Крейгслист[1], однако подыскивавшая няню милая женщина, узнав, что у меня нет рекомендаций, тотчас же положила трубку, а пока я дозванивалась, официантки уже не требовались. Правда, вакансия продавца в обувном магазине оставалась свободной, но мужчина, который со мной беседовал, сообщил, что я буду получать на два доллара в час меньше, чем указано в объявлении, поскольку у меня нет опыта работы в розничной торговле, и я прикинула, что такой зарплаты мне едва хватит оплатить проезд. Утро я проводила в закусочной, день — в библиотеке в Вашингтон-Хайтсе, где было тихо, уютно, тепло и, если не считать того вредного охранника, никто не смотрел на меня так, словно ожидал, что я вот-вот начну орать пьяные песни или мочиться в уголке.

[1] Популярный в США сайт электронных объявлений.

Каждые два дня мы встречались с Джошем в заведении, где готовили вкусную лапшу, рядом с его офисом. Я информировала его о состоянии дел с поиском работы, стараясь не обращать внимания на то, что на фоне этого безукоризненно одетого, преуспевающего молодого человека я выглядела жалкой оборванкой, рохлей и неудачницей.

— Луиза, все образуется. Главное, не сдавайся. — Джош целовал меня на прощание, по праву считая себя моим парнем.

Но сейчас мне не хотелось думать о статусе своих отношений с Джошем, голова была забита совершенно другими вещами, и я решила, что на данном этапе поцелуи Джоша — отнюдь не самое худшее, что бывает в жизни, а значит, я подумаю об этом позже. Тем более что от него всегда очень приятно пахло мятой.

А вот в комнате Натана я больше оставаться не могла. Предыдущим утром я проснулась от тяжести его огромной руки, что-то твердое упиралось мне в крестец. Заградительный вал из подушек, разъехавшись бесформенной грудой, оказался у нас в ногах. Похолодев, я попыталась вывернуться из его сонных объятий. Натан открыл глаза, посмотрел на меня и, как ужаленный, вскочил с кровати, прикрыв низ живота подушкой.

— Извини, подруга. Я не хотел... Я не собирался тебя...

— Не понимаю, о чем ты! — Я поспешно натянула фуфайку, не решаясь поднять глаза.

Натан смущенно переминался с ноги на ногу:

— Я просто... Я не понимал, что... Ах, подруга, подруга! Вот блин!

— Ничего страшного! Я все равно собиралась вставать!

Пулей выскочив из постели, я минут десять отсиживалась, с пылающими щеками, в крохотной ванной, прислушиваясь, как Натан лихорадочно одевается. Из ванной я вышла, когда Натан уже ушел.

Собственно говоря, какой смысл цепляться за Нью-Йорк?! У Натана я смогу перекантоваться максимум еще день-два, не больше. И похоже, самое большее, на что я могу рассчитывать, даже если мне повезет найти другую работу, — это минимальная оплата труда и гнусный клоповник, где придется делить комнату не только с тараканами, но и с соседями. А вот если я вернусь домой, то по крайней мере буду спать на собственном диване. Возможно, Трина с Эдди окончательно поладят и решат съехаться, тогда я получу свою квартиру назад. Я старалась не думать о том, каково это — возвращаться в пустую квартиру, словно совершив временнóй скачок в прошлое, тем более что квартира эта находилась в опасной близости от места работы Сэма, а значит, каждая сирена «скорой» станет горьким напоминанием о том, что я потеряла.

Начался дождь, но у самого дома я замедлила шаг и посмотрела из-под шерстяной шапки на окна апартаментов Гупников: свет еще горел, хотя Натан сообщил мне, что они должны были уехать на какой-то гала-вечер. Как ни обидно, я оказалась чужой на их празднике жизни. Возможно, Илария сейчас пылесосила квартиру и, недовольно ворча, убирала с дивана разбросанные Агнес журналы. Гупники, как, впрочем, и этот город, проглотили меня, а затем выплюнули, не подавившись. Агнес, несмотря на все свои ласковые слова, избавилась от меня, как ящерица от старой кожи, и даже не оглянулась.

Если бы я не приехала сюда, сердито думала я, у меня был бы дом. И работа.

Если бы я не приехала сюда, то не потеряла бы Сэма.

От этой мысли на душе стало еще паршивее, я ссутулила плечи и засунула озябшие руки в карманы, приготовившись тайком проскользнуть в свое временное жилище, в чужую комнату, в чужую постель, которую приходилось делить с человеком, боявшимся до меня дотронуться. Вся моя жизнь вдруг показалась затянувшейся неудачной шуткой. Я потерла глаза, холодный дождь стегал лицо. С меня довольно! Прямо сейчас заказываю билет и улетаю домой ближайшим рейсом. Я как-нибудь это переживу и попробую начать все сначала. Другого выбора не было.

Всему свое время.

И именно в этот момент я вдруг увидела Дина Мартина. Дрожа от холода и растерянно озираясь по сторонам, мопс стоял на ковровой дорожке перед входом в «Лавери». Я осторожно заглянула через стекло в вестибюль, но ночной консьерж был занят разборкой каких-то пакетов и не замечал песика. Миссис Де Витт почему-то нигде не было видно. Тогда я стремительно сгребла Дина Мартина в охапку, не дав ему сообразить, что к чему. Держа извивающегося пса на вытянутых руках, я вошла в вестибюль, кивком поздоровалась с консьержем и вихрем взлетела по черной лестнице.

В данном случае у меня имелась веская причина находиться в здании, но перед дверью квартиры Гупников я вдруг почувствовала дрожь в коленях. А что, если они вернутся раньше? А вдруг мистер Гупник решит, будто я рецидивистка? И тогда обвинит меня в нарушении границ частной собственности? Общий коридор входит в эти границы? Все эти вопросы роились у меня в голове, а тем временем Дин Мартин отчаянно вырывался, норовя укусить меня за руки.

— Миссис Де Витт? — Дверь в ее квартиру была приоткрыта, и я, осторожно войдя внутрь, позвала чуть громче: — Миссис Де Витт? Ваша собака опять убежала! — Услышав орущий телевизор, я прошла дальше по коридору. — Миссис Де Витт! — Не дождавшись ответа, я прикрыла дверь и с облегчением опустила Дина Мартина на пол; мопс радостно потрусил в гостиную. — Миссис Де Витт?

Сперва я увидела ее ногу, торчащую из-за кресла с высокой спинкой, и только секунду спустя поняла, в чем дело. Я подбежала к креслу и, бросившись на пол, прижалась ухом к ее груди.

— Миссис Де Витт?! Вы меня слышите?

Она дышала, но лицо ее было цвета сине-белого мрамора. И у меня сразу же возник вопрос, как долго она пролежала в таком положении.

— Миссис Де Витт! Очнитесь! Боже мой... очнитесь!

Я бросилась на поиски телефона. Телефон стоял на столике в холле, рядом лежало несколько телефонных книг. Набрав «911», я объяснила, что случилось.

— Мэм, бригада уже выезжает, — ответили мне. — Вы можете остаться с пациенткой и открыть дверь?

— Да-да, конечно. Но она очень старая и хрупкая. И похоже, она без сознания. Пожалуйста, приезжайте скорей!

Взяв в спальне лоскутное одеяло, я накрыла миссис Де Витт и попыталась вспомнить, что говорил Сэм насчет оказания первой помощи упавшим пожилым пациентам. Самый большой риск состоял в том, что одинокие старики иногда оставались лежать на полу в течение многих часов. А миссис Де Витт была совсем холодной, несмотря на то что центральное отопление шпарило вовсю. Я села возле миссис Де Витт, взяла ее ледяную руку в свою и принялась осторожно гладить, чтобы дать ей понять, что она не одна. И тут меня внезапно стукнуло: а если она вдруг умрет, не обвинят ли в этом меня? Тем более что Гупник непременно подтвердит, что я преступница. В голове промелькнула трусливая мысль дать деру, пока не поздно. Но как можно было оставить миссис Де Витт в таком состоянии?

И тут, в самый драматический момент моих мучительных раздумий, миссис Де Витт неожиданно открыла глаза.

— Миссис Де Витт? — (Она растерянно заморгала, явно пытаясь понять, что произошло.) — Я Луиза. Из квартиры напротив. Вам очень больно?

— Я не... знаю. Мое... запястье, — отозвалась миссис Де Витт слабым голосом.

— «Скорая» уже едет. С вами все будет хорошо. Все будет хорошо.

Она окинула меня мутным взором, словно пытаясь понять, кто я такая и есть ли в моих словах хоть какой-то смысл, и внезапно нахмурилась:

— Где он? Дин Мартин? Где моя собака?

Я обвела глазами комнату. Дин Мартин, забившись в угол, лежал на боку и шумно обследовал свои гениталии. Услышав свое имя, мопс тотчас же вскочил на ноги.

— Он здесь. С ним все в порядке.

Миссис Де Витт облегченно закрыла глаза:

— Ты присмотришь за ним? Если мне придется ехать в больницу? Ведь меня отвезут в больницу, да?

— Да. И конечно, присмотрю.

— У меня в спальне лежит папка, которую нужно отдать врачам. На прикроватном столике.

— Нет проблем. Я все передам.

Я снова взяла ее за руку. Дин Мартин, лежа в дверях, настороженно косился на меня, а точнее, и на меня, и на камин, пока мы в полной тишине ждали бригаду парамедиков.

Я поехала в больницу вместе с миссис Де Витт, оставив Дина Мартина в квартире, поскольку в карету «скорой помощи» его не пустили. Когда все нужные бумаги были заполнены и миссис Де Витт положили в палату, я собралась уходить, предварительно заверив старую даму, что не брошу ее пса, а утром непременно приеду в больницу рассказать, как у него дела. Крошечные голубые глазки миссис Де Витт наполнились слезами. Надтреснутым голосом она принялась давать инструкции относительно его кормежки, прогулок, симпатий и антипатий, пока парамедики не остановили этот словесный поток, заявив, что больной необходим полный покой.

Смертельно уставшая и одновременно взбудораженная переизбытком адреналина, я вернулась в «Лавери», добравшись до Пятой авеню на метро. Вошла в квартиру миссис Де Витт, воспользовавшись ключами, которые она мне дала. Дин Мартин уже стоял в боевой стойке в коридоре, всем своим видом демонстрируя настороженность.

— Добрый вечер, молодой человек! Не желаете ли отужинать? — предложила я, совсем как его добрая знакомая, которой нечего опасаться, что у нее сейчас вырвут кусок мяса из щиколотки.

С деланой уверенностью я прошла мимо Дина Мартина на кухню, где, пытаясь расшифровать полученные инструкции, отмерила нужное количество вареного цыпленка и собачьего корма, уместившегося на тыльной стороне ладони, после чего положила корм в собачью миску, придвинув ее ногой поближе к псу:

— На! Ни в чем себе не отказывай! — (Мопс, озабоченно наморщив лоб, угрюмо уставился на меня выпученными глазами.) — Кушай! Ам! — (Он продолжал мрачно таращиться.) — Не хочешь есть, да? Ну и не надо.

Я вышла из кухни. Мне еще предстояло определиться со спальным местом.

Квартира миссис Де Витт была вполовину меньше апартаментов Гупников, но и маленькой ее точно не назовешь. Просторная гостиная с окнами от пола до потолка, выходящими на Центральный парк, была декорирована бронзой и дымчатым стеклом, совсем как некогда культовый ночной клуб «Студия 54». В столовой, обставленной более традиционно, стояла покрытая пылью веков антикварная мебель — свидетельство того, что помещением давным-давно не пользовались. Дальше шли кухня — сплошной меламин и пластик, — подсобное помещение и четыре спальни, включая хозяйскую с примыкающими к ней отдельной ванной комнатой и просторной гардеробной. Краны в туалетах и ванных, еще более допотопных, чем моя у Гупников, извергали неконтролируемые потоки брызжущей во все стороны воды. Я обошла квартиру с молчаливым почтением, которое невольно испытываешь, впервые оказавшись дома у малознакомого человека.

В хозяйской спальне у меня невольно перехватило дыхание. Вдоль трех стен на мягких вешалках аккуратно висела одежда в пластиковых чехлах. В гардеробной — в этом буйстве красок и тканей — полки на стенах были сплошь заставлены сумками, шляпными картонками и обувными коробками. Я медленно обошла гардеробную по периметру, осторожно трогая пальцем изысканные ткани, время от времени отодвигая вешалку, чтобы получше рассмотреть какой-нибудь наряд.

Причем одежда была не только в этих двух комнатах. В сопровождении недоверчиво трусившего следом мопса я обошла еще две спальни, обнаружив в длинных шкафах с системой кондиционирования воздуха очередные запасы одежды: развешанные рядами в два яруса платья, брючные костюмы, пальто и боа. На фирменных этикетках значилось: «Живанши», «Биба», «Хэрродс» и «Мейсис», а на обувных коробках — «Сакс Пятая авеню» и «Шанель». А еще там были вещи с этикетками незнакомых мне фирм — французских, итальянских и даже русских, — относящиеся к различным временны́м периодам: аккуратные деловые костюмы а-ля Жаклин Кеннеди, струящиеся туники, жакеты с накладными плечами. Я заглянула в шляпные коробки, где обнаружила не только шляпки-таблетки и тюрбаны, но и огромные солнцезащитные очки в нефритовой оправе и изящные нитки жемчуга. Поскольку вещи не были сложены в каком-то определенном порядке, я просто запускала руку в коробку и вытаскивала наугад первое попавшееся, разворачивала папиросную бумагу, щупала ткань, вдыхала густой кисловатый запах старомодных духов, восхищалась старинным кроем и рисунком.

Свободные пространства над полками были увешаны вставленными в рамки эскизами одежды, обложками журналов за 1950–1960-е годы с сияющими угловатыми моделями в психоделических платьях-шифт или в совершенно невероятных платьях спортивного покроя. Забыв обо всем на свете, я только через час сообразила, что так и не подыскала себе кровати. И в результате остановила свой выбор на четвертой спальне, где стояла односпальная кровать 1950-х годов с резным ореховым изголовьем, заваленная разрозненными предметами одежды, и шкаф с комодом из того же мебельного гарнитура. Здесь я обнаружила еще четыре вешалки для одежды, более стандартные, типа тех, что можно увидеть в примерочных, а также бесчисленные коробки с аксессуарами: с бижутерией, ремнями и шарфами. Убрав все лишнее с кровати, я легла, и матрас тотчас же провалился подо мной, как все продавленные матрасы, но мне было все равно. Я словно лежала в платяном шкафу. И впервые за все эти дни забыла про свою депрессию.

По крайней мере на одну ночь я оказалась в Стране чудес.

На следующее утро я покормила и выгуляла Дина Мартина, стараясь не обращать внимания на то, что он трусил по Пятой авеню под странным углом, непрерывно косясь на меня, словно в ожидании какой-нибудь засады. Затем я поехала в больницу к миссис Де Витт, чтобы заверить старушку, что с ее деточкой все в порядке, если не считать того, что он постоянно настороже и готовится к худшему. Поэтому я решила не говорить, что единственный способ заставить его хоть немного поесть — это натереть ему в еду пармезана.

Я с облегчением увидела, что к миссис Де Витт вернулся более-менее человеческий цвет лица, хотя странно было видеть ее без макияжа и прически. Миссис Де Витт действительно сломала запястье и теперь ждала операцию, после которой ей предстояло остаться в больнице еще на неделю вследствие, как они это назвали, «осложняющих факторов». Поскольку я не была членом семьи миссис Де Витт, в более подробной информации мне наотрез отказали.

— Ты сможешь присмотреть за Дином Мартином? — Лицо миссис Де Витт сморщилось от волнения. Похоже, благополучие мопса было единственным, что ее заботило в мое отсутствие. — Может, они разрешат тебе заглядывать ко мне в течение дня, чтобы проверить, в порядке ли он? Как думаешь, Ашок сможет его выгуливать? Дину Мартину ведь так одиноко. Он не привык быть без меня.

Я засомневалась, стоит ли говорить ей правду. Но в нашем доме все тайное рано или поздно становится явным, и я решила действовать в открытую:

— Миссис Де Витт, мне нужно кое-что сказать вам. Я... я больше не работаю у Гупников. Они меня уволили.

Она удивленно приподняла голову. И произнесла одними губами, словно впервые слышала это слово:

— *Уволили?*

Я нервно сглотнула:

— Они думают, я украла у них деньги. Честное слово, я этого не делала. Но я просто обязана вам сказать. Потому что теперь вы можете не захотеть, чтобы я вам помогала.

— Ну и дела, — слабым голосом прошептала миссис Де Витт. И снова: — Ну и дела. — Мы обе замолчали, после чего она спросила, прищурившись: — Но ты ведь не брала денег?

— Нет, мэм.

— А у тебя есть другая работа?

— Нет, мэм. Я сейчас как раз подыскиваю себе что-нибудь подходящее.

Она покачала головой:

— Гупник — дурак. А где ты живешь?

Я потупилась:

— Э-э-э... Я... Ну... на самом деле я пока живу в комнате Натана. Но это ужасно неудобно. Понимаете, между нами нет романтических отношений. Да и Гупники об этом не знают...

— Что ж, тогда у меня есть предложение, которое может устроить нас обеих. Ты не присмотришь за моей собакой? И продолжишь поиски работы уже из моего конца коридора? Пока я не вернусь домой?

— Миссис Де Витт, я буду просто счастлива! — Я не смогла сдержать улыбки.

— Но конечно, ты должна присматривать за ним лучше, чем делала это раньше. Я тебе все напишу. Представляю, как ему, бедняжке, сейчас одиноко!

— Я сделаю все, что вы скажете.

— И я хочу, чтобы ты каждый день приезжала ко мне рассказать, как у него дела. Это очень важно.

— Конечно.

У миссис Де Витт явно отлегло от сердца. Она облегченно закрыла глаза.

— Старый дурак. Седина в бороду, а бес в ребро, — прошептала она, намекая то ли на мистера Гупника, то ли на кого-то из своих знакомых.

Дождавшись, когда она уснула, я поспешила домой.

Всю эту неделю я посвятила уходу за пучеглазым, подозрительным, капризным шестилетним мопсом. Мы гуляли четыре раза в день, я терла ему в еду пармезан, и уже через несколько дней он прекратил замирать в боевой стойке в той комнате, где я в данный момент находилась, и пристально смотреть на меня исподлобья, словно в ожидании какой-нибудь пакости. Теперь песик просто лежал, тихо посапывая, в нескольких футах от меня. Я по-прежнему слегка побаивалась его, но одновременно и безумно жалела, ведь единственный человек, которого он любил, внезапно исчез, а я не могла объяснить ему, что хозяйка скоро вернется.

Ну и помимо всего прочего, было приятно находиться в доме, не чувствуя себя при этом преступницей. Ашок, пару дней отсутствовавший на работе, выслушал рассказ о драматических поворотах моей судьбы сперва с возмущением, а затем с восторгом.

— Ох, какое счастье, что тебе удалось его найти! Пес ведь мог убежать, и тогда никто не узнал бы, что старуха лежит на полу! — Ашок театрально содрогнулся. — Когда она вернется, буду каждый день к ней заходить. Проверять, все ли в порядке.

Мы, не сговариваясь, посмотрели друг на друга.

— Она наверняка рассвирепеет, — заметила я.

— Твоя правда. Она терпеть не может вмешательства в свою жизнь, — сказал Ашок, возвращаясь к своим делам.

Натан сделал вид, будто расстроился, что снова стал единоличным хозяином своей комнаты, после чего с плохо скрытой поспешностью перенес мои пожитки в квартиру напротив, чтобы я могла сберечь силы, хотя идти-то было всего ничего: шесть ярдов. Думаю, он просто хотел убедиться, что я действительно съезжаю от него. Поставив мои вещи, Натан с удивлением обвел глазами увешанные одеждой стены:

— Ни фига себе, сколько барахла! Словно самый большой в мире благотворительный магазин Оксфам[1]. Блин, не хотел бы я работать в той клининговой компании, которой придется разбирать весь этот хлам, когда старая дама даст дуба!

Мне ничего не оставалось, как сдержанно улыбнуться.

Натан рассказал обо всем Иларии, и уже на следующий день та пришла справиться о здоровье миссис Де Витт, попросив передать ей только что испеченные маффины.

— От еды в этих больницах только еще пуще заболеешь. — Илария погладила меня по руке и бодрой рыс-

[1] Международное объединение из 17 организаций, направленное на решение проблем бедности и связанной с ней несправедливостью во всем мире.

цой направилась к двери, подальше от зубов Дина Мартина.

Я слышала через коридор, как Агнес играла на фортепиано: сначала что-то прекрасное, расслабленно-меланхоличное, затем — нечто страстное, пронизанное мучительной болью. И я сразу вспомнила, как часто миссис Де Витт ковыляла через коридор с требованием сейчас же прекратить шум. На сей раз Агнес и без постороннего вмешательства резко оборвала игру, с силой хлопнув ладонями по клавишам. Время от времени до меня доносились разговоры на повышенных тонах, и мне потребовалось несколько дней, чтобы уговорить свое тело не реагировать на Гупников резким выбросом адреналина, поскольку теперь я не имела к ним никакого отношения.

С мистером Гупником я столкнулась лишь однажды в вестибюле. Сперва он меня не заметил, а заметив, собрался было возмутиться. Но я опередила его. Вздернула подбородок и крепко сжала поводок Дина Мартина.

— Я помогаю миссис Де Витт ухаживать за собакой, — заявила я, собрав в кулак все свое мужество.

Мистер Гупник мазнул взглядом Дина Мартина и отвернулся, поджав губы. Шедший рядом Майкл на секунду поднял на меня глаза и снова уткнулся в телефон.

Джош пришел в пятницу вечером после работы с бутылкой вина и едой навынос. Он был в деловом костюме, объяснив это тем, что всю неделю работал допоздна. Он соревнуется с одним из своих коллег за более высокую должность, а потому трудится по четырнадцать часов в день и даже собирается выйти на работу в субботу. Джош оглядел квартиру, удивленно подняв брови при виде причудливого внутреннего убранства.

— Похоже, я упустил из виду работу по выгуливанию собак, — заметил он, когда Дин Мартин принялся обнюхивать его пятки.

Джош медленно обошел гостиную, взяв в руки пепельницу из оникса и извилистую скульптуру африканской женщины, после чего осторожно поставил все на место и принялся рассматривать висевшие на стене картины в позолоченных рамах.

— Ну, в моем списке ее тоже не было. — Я проложила к хозяйской спальне дорожку из собачьих лакомств и, не обращая внимания на протестующий лай, закрыла там мопса. — Но мне нравится.

— Итак, как поживаешь?

— Теперь уже намного лучше! — ответила я, направившись на кухню.

Мне хотелось показать Джошу, что я больше не та полупьяная безработная голодранка, с которой он встречался на прошлой неделе, поэтому я надела черное платье в стиле Шанель с белым воротничком и белыми манжетами, изумрудные туфли Мэри Джейн[1] из искусственной крокодиловой кожи и тщательно уложила волосы гладким каре.

— Ну, ты действительно очаровательно выглядишь. — Поставив бутылку и пакет на столешницу, Джош подошел поближе, так чтобы я видела его лицо. — И ты уже вовсе не похожа на бездомную. Что тебя, несомненно, очень красит.

— В любом случае все это временно.

— Значит, ты все-таки надолго не задержишься?

— Кто знает?

Теперь он придвинулся ко мне почти вплотную. И на меня внезапно нахлынуло чувственное воспоми-

[1] Туфли без каблука, с круглым носом и ремешком на подъеме.

нание о том, как буквально неделю назад я зарывалась лицом ему в шею.

— Луиза Кларк, ты покраснела.

— Потому что ты подошел слишком близко.

— Да неужели? — Джош понизил голос и выразительно поднял брови, затем приблизился еще на шаг и уперся руками в столешницу, зажав мои бедра.

— Совершенно точно, — закашлявшись, ответила я.

И в этот самый момент Джош поцеловал меня, а я закрыла глаза, чтобы вобрать в себя мятный вкус мужских губ, тяжесть чужого тела, прикосновение чужих рук. У меня невольно возник вопрос: если бы с Уиллом не случилось того страшного несчастья, его поцелуи были бы похожи на эти? А потом я вдруг вспомнила, что мне больше не суждено целовать Сэма. И я подумала: наверное, неправильно вспоминать о поцелуях других мужчин в тот самый момент, когда меня целует почти идеальный поклонник. Когда я слегка отстранилась, Джош остановился и удивленно заглянул мне в глаза.

— Извини, — сказала я. — Просто еще слишком рано. Ты мне действительно нравишься, но...

— Ты только что порвала со своим бывшим...

— С Сэмом.

— Который, по-моему, форменный идиот. И явно тебя недостоин.

— Джош... — (Он прижался лбом к моему лбу, продолжая держать меня за руку; впрочем, я и не пыталась вырваться.) — Сейчас все так запуталось. Извини.

Джош на секунду прикрыл глаза.

— Обещаешь, что скажешь мне, если я зря трачу свое время? — спросил он.

— Ты не зря тратишь свое время. Но я рассталась с Сэмом всего две недели назад.

— За эти две недели много чего произошло.

— Кто знает, что с нами будет еще через две недели?

— Ты сказала «с нами».

— Полагаю, что так.

Джош кивнул, вполне довольный ответом.

— А знаешь, Луиза Кларк, — произнес он, обращаясь скорее к себе, чем ко мне. — Я чувствую, у нас все получится. А я никогда не ошибаюсь в подобных вещах.

И, не дожидаясь ответа, Джош отпустил мою руку и подошел к буфету за тарелками. Когда он повернулся ко мне, его улыбка была по-прежнему сияющей.

— Ну как, тогда давай поедим?

В тот вечер я много узнала о Джоше. Родился он в Бостоне, и его занимавшийся бизнесом отец, наполовину ирландец, прервал бейсбольную карьеру сына, считая, что этот вид спорта не обеспечит устойчивого дохода. Мать Джоша работала прокурором — весьма нетипичное занятие для женщин ее круга. Она не оставила работу, даже когда Джош был совсем маленьким, а теперь оба родителя вышли на пенсию и постоянно находились вдвоем дома, что довело обоих до белого каления.

— Понимаешь, у нас семья людей дела. Поэтому папа уже согласился на какую-то руководящую должность в своем гольф-клубе, а мама начала учить детей в местной средней школе. Короче, они готовы заниматься чем угодно, лишь бы не сидеть дома, глядя друг на друга.

У Джоша были еще два старших брата: один руководил дилерским центром компании «Мерседес» в окрестностях Уэймута, Массачусетс, а другой работал бухгалтером, как моя сестра. Все члены семьи были очень близки между собой, причем все они отличались сильным соревновательным духом. В детстве Джош ненавидел братьев, испытывая бессильную злобу младшего ребенка в семье, угнетаемого старшими братьями, но, когда те уехали из дому, с удивлением обнаружил, что тоскует по ним, как по ампутированной конечности.

— Мама объясняет это тем, что мне стало не на кого равняться.

Оба брата уже успели благополучно жениться, и у них теперь по двое детей. Вся семья собирается вместе на каникулы, каждое лето они снимают один и тот же дом в Нантакете. В подростковом возрасте Джош ненавидел туда ездить, но теперь с удовольствием предвкушает эту неделю отдыха с семьей.

— Там так здорово! И детишки, и совместные тусовки, и лодка... Ты обязательно должна поехать со мной, — заявил Джош, налегая на китайские пирожки со свининой.

Джош говорил очень уверенно, как человек, привыкший к тому, чтобы все всегда шло по его плану.

— Значит, ты приглашаешь меня на семейное сборище? А мне почему-то казалось, будто мужчины в Нью-Йорке избегают серьезных отношений, предпочитая необременительные связи.

— Ну да. Но я с этим уже завязал. К тому же я не из Нью-Йорка.

Джош явно был из тех парней, которые целиком и полностью отдавались любому делу. Работал миллион часов в неделю, мечтал сделать карьеру, каждый день к шести утра ходил в тренажерный зал. Играл в бейсбол с командой из офиса и даже подумывал о том, чтобы, подобно матери, начать преподавать в местной средней школе, но опасался, что рабочий график не позволит ему строго соблюдать школьные часы. Он свято верил в американскую мечту: ты много работаешь, делаешь успехи, и в конце концов твой труд вознаграждается. Я усиленно старалась не проводить параллели с Уиллом. И поэтому просто слушала Джоша, который одновременно и восхищал, и слегка утомлял меня.

Он нарисовал мне картину своего будущего: квартира в Гринвич-Виллидже, а возможно, и дачный дом в Хэмптонсе, если, конечно, удастся добиться достойных бонусов. Он хотел катер. И детей. Рано выйти на пенсию. Заработать миллион долларов к тридцати годам. Свою речь Джош сопровождал энергичными взмахами рукой с чопстиками и фразами: «Ты обязательно должна поехать!» или «Тебе бы понравилось!». Я была весьма польщена, но еще больше благодарна Джошу, ведь тем самым он давал понять, что его ничуть не обидело мое нежелание с ходу ответить на его чувства.

Он собрался уходить в половине одиннадцатого, поскольку ему нужно было вставать в пять утра, и мы остановились в коридоре у входной двери, Дин Мартин стоял на страже в нескольких футах от нас.

— Итак, мы сможем увидеться за ланчем? Только вот как насчет собаки и посещения больницы?

— Что ж, мы могли бы встретиться как-нибудь вечером.

— Мы могли бы встретиться как-нибудь вечером, — беззлобно передразнил меня Джош. — Обожаю твой английский акцент.

— Нет у меня никакого акцента, — ответила я. — А вот у тебя он точно есть.

— А ты постоянно меня смешишь. Мало кому из девушек это удается.

— Брось! Просто ты еще не встретил подходящую девушку.

— Полагаю, что встретил.

Джош замолчал и возвел глаза к небесам, словно пытаясь подавить душевный порыв. А потом улыбнулся, понимая всю нелепость ситуации, когда двое взрослых, почти тридцатилетних, людей топчутся в дверях и не решаются поцеловаться. И эта его улыбка меня сломала.

Я легонько обняла его за шею. Поднялась на цыпочки и поцеловала. Я сказала себе, что нечего ворошить прошлое. Сказала себе, что две недели — достаточно большой срок, чтобы принять решение, особенно если учесть, что с Сэмом я была в разлуке несколько месяцев и почти привыкла к статусу одинокой женщины. Я сказала себе, что нужно двигаться дальше.

Джош ни секунды не колебался. Он ответил на поцелуй, после чего обхватил мою спину руками и прижал к стене, навалившись всей тяжестью своего тела, что, впрочем, оказалось даже приятно. Он страстно поцеловал меня, и я заставила себя отбросить ненужные мысли и отдаться чувственному наслаждению от близости мужского тела, более стройного и крепкого, чем у того, кого я когда-то любила, от прикосновения властных мужских губ к своему рту. Такой красивый американец. Мы оторвались друг от друга, чтобы глотнуть воздуха. Мы оба были словно в тумане.

— Если я сейчас не уйду... — Джош попятился, растерянно моргая, и потрогал себя за шею.

Я улыбнулась. Черт, помада наверняка размазалась по всему лицу!

— Тебе рано вставать. Поговорим завтра. — Я открыла дверь и, чмокнув Джоша в щеку, выпустила его в общий коридор.

Когда я закрыла дверь, Дин Мартин с отвращением уставился на меня выпученными глазами.

— Ну что еще? — спросила я. — Ну что? Вот видишь, я одна.

Он недовольно опустил голову, повернулся и потрусил в сторону кухни.

Глава 23

Кому: MrandMrsBernardClark@yahoo.com
От кого: BusyBee@gmail.com

Мама, привет!

Было приятно узнать, что вы с Марией замечательно посидели за чаем в «Фортнум энд Мейсон» на день рождения Марии. И да, я совершенно согласна, что это явная обдираловка за пакет печенья. Не сомневаюсь, дома вы с Марией могли бы испечь печенье ничуть не хуже. У тебя оно получается особенно воздушным. И я охотно верю, что туалет в кинотеатре никуда не годился. У Марии, как у работницы этой сферы, наверняка наметанный глаз на подобные вещи. Я рада, что кто-то следит за удовлетворением твоих... гигиенических нужд.

У меня все замечательно. В Нью-Йорке сейчас довольно прохладно, но ты ведь меня знаешь. Одежда на все случаи жизни! У меня есть кое-какие проблемы с работой, но, надеюсь, к тому времени, как мы сможем поговорить по телефону, все образуется. И да, я совершенно не переживаю насчет Сэма. Просто кое-какие трудности.

Сожалею, что дедушке стало хуже. Надеюсь, когда он поправится, ты снова сможешь ходить на вечерние курсы.

Я скучаю по всем вам. Очень, очень.

И очень люблю.

Лу хх

P. S. Лучше писать мне или посылать имейлы через Натана. У нас сейчас некоторые сложности с почтой.

Миссис Де Витт вышла из больницы через десять дней после поступления туда. Маленькая старушка, щурившаяся от непривычного дневного света, правая рука в гипсе, слишком тяжелом для ее хрупкой фигурки. Я привезла ее домой на такси. Ашок встретил миссис Де Витт на тротуаре и помог ей подняться по лестнице. И впервые за все это время старая дама не цеплялась к нему и не прогоняла прочь, а послушно шла рядом, словно утратив чувство равновесия. Я привезла наряд, который она потребовала: бледно-голубой брючный костюм 1970-х годов французского модного дома «Селин», бледно-желтую шелковую блузку и бледно-розовый шерстяной берет, а также кое-какую косметику с туалетного столика, которую я, сев на край больничной койки, помогла ей нанести. По словам миссис Де Витт, когда она попыталась самостоятельно наложить макияж левой рукой, то стала похожа на алкоголичку, за завтраком принявшую на грудь три «сайдкара»[1].

Дин Мартин в полном восторге ходил за хозяйкой по пятам, заглядывал ей в лицо и время от времени бросал на меня выразительные взгляды, типа пожила и хватит, пора бы и честь знать. На самом деле между Дином Мартином и мной уже установилось нечто вроде хрупкого перемирия. Он покорно ел собачью еду, по вечерам сворачивался клубком у меня на коленях и, похоже, даже стал получать удовольствие от быстрой ходьбы и длинных прогулок, потому что всякий раз, как я брала в руки поводок, он начинал как сумасшедший вилять похожим на закорючку хвостиком.

[1] Коктейль из коньяка, апельсинового ликера и лимонного сока.

Миссис Де Витт была безумно рада снова видеть своего ненаглядного песика, правда, радость эта выражалась у нее в виде бесконечных сетований по поводу моего явного неумения ухаживать за ним — за полдня она успела попенять мне на то, что он похудел и что набрал лишний вес, — и слезливых причитаний:

— Мой бедный малыш! Как я могла оставить тебя с чужим человеком?! Неужели я это сделала?! А она за тобой плохо ухаживала! Но ничего, мамочка уже дома. И все будет хорошо.

И если миссис Де Витт была явно счастлива снова оказаться дома, то я, в свою очередь, не могла скрыть своего беспокойства. Похоже, ей требовалось огромное количество таблеток, даже по американским меркам, и у меня закралось подозрение, а нет ли у нее синдрома ломких костей: слишком уж много лекарств для сломанного запястья. Я поделилась своими опасениями с Триной, но она, от души посмеявшись, ответила, что в Англии в таком случае прописали бы болеутоляющее и запретили бы поднимать тяжести.

Однако в больнице миссис Де Витт, похоже, еще больше сдала. Она стала очень бледной, то и дело кашляла, одежда висела на ней мешком. Когда я приготовила ей макароны с сыром, она поклевала как птичка и со словами, что все очень вкусно, демонстративно отодвинула тарелку:

— Полагаю, мой желудок просто-напросто съежился в этом ужасном заведении. Наверное, чтобы защититься от их отвратительной еды.

У миссис Де Витт ушло целых полдня на то, чтобы снова привыкнуть к своей квартире. Старушка, ковыляя, переходила из комнаты в комнату удостовериться, что все именно так, как должно быть, ну а я старалась не расценивать это как желание проверить мою порядочность.

Наконец она села в мягкое кресло с высокой спинкой и облегченно вздохнула:

— Какое счастье снова оказаться дома! Невозможно передать словами.

Она произнесла это с таким видом, будто уже и не надеялась вернуться сюда. После чего сразу задремала. И я подумала о том, что моему дедушке здорово повезло с дочерью, которая обеспечивает ему такой прекрасный уход.

Миссис Де Витт была слишком слаба, чтобы оставаться одной, и она явно не спешила со мной распрощаться. В результате мы пришли к молчаливому соглашению, что я остаюсь. Я помогала ей умываться и одеваться, готовила еду и, по крайней мере первую неделю, несколько раз в день выгуливала Дина Мартина. А к концу этой недели я обнаружила, что миссис Де Витт освободила мне немного жизненного пространства в четвертой спальне, убрав книги и предметы одежды с прикроватного столика и полки, на которую я теперь могла сложить свое барахло. Я реквизировала гостевую ванную, хорошенько ее отдраила и открыла краны, чтобы пропустить воду. А затем незаметно отмыла всю грязь на кухне и в ванной комнате миссис Де Витт, которую та в силу слабого зрения не замечала.

Я возила миссис Де Витт в больницу на консультации с врачом; мы с Дином Мартином ждали снаружи, пока мне не разрешали забрать миссис Де Витт. Я отвела миссис Де Витт к парикмахеру, уложившему ее тонкие седые волосы привычными аккуратными волнами, что преобразило старую даму гораздо сильнее, чем все медицинские процедуры. Еще я помогала ей накладывать косметику и отыскивала для нее бесчисленные пары очков. А она прочувствованно благодарила меня за помощь, словно самого дорогого гостя.

Понимая, что, как человеку, долго жившему в одиночестве, ей необходимо личное пространство, днем я нередко уходила на пару часов, сидела в библиотеке, занималась поисками работы, но уже не так лихорадочно, как раньше, да и вообще, положа руку на сердце, мне пока не слишком хотелось что-то менять. Вернувшись, я, как правило, заставала миссис Де Витт в кресле перед телевизором.

— Итак, Луиза, — выпрямляясь, обычно говорила она, словно в продолжение начатого разговора, — а я уже сломала голову, куда это ты запропастилась. Не могла бы ты сделать мне одолжение и выгулять Дина Мартина? У него явно озабоченный вид...

По субботам я ходила с Миной на протестные акции в защиту библиотеки. К этому времени толпа протестующих явно поредела, поскольку будущее библиотеки зависело не только от общественной поддержки, но и от краудфандинга для решения проблемы в правовой плоскости. На что никто, собственно, не возлагал особых надежд. Мы стояли, уже не столь продрогшие, так как зима шла на убыль, махали потрепанными плакатами и с благодарностью принимали горячие напитки и закуски от соседей и хозяев местных заведений. Я уже научилась находить в толпе знакомые лица, например бабулю, с которой познакомилась еще во время первого похода к библиотеке. Старушка, ее звали Мартина, приветствовала меня теплым объятием и широкой улыбкой. Мне улыбались и махали рукой новые знакомцы: охранник, женщина, приносившая пакору, библиотекарша с красивыми волосами. А вот оборванки с похожими на эполеты дырами на плечах я больше ни разу не видела.

На тринадцатый день моего пребывания у миссис Де Витт я столкнулась с Агнес. Хотя, если учесть, что мы жили совсем рядом, странно, что этого не произошло раньше. На улице шел сильный дождь, и миссис Де Витт одолжила мне один из своих дождевиков 1970-х — пластиковый, желтый с оранжевым, с яркими круглыми цветами по всему полю. Дин Мартин был в макинтоше с поднятым капюшоном. Уморительное зрелище. Мы неслись по коридору, я хихикала, глядя на его забавную мордочку под пластиковым капюшоном. Неожиданно двери лифта открылись, и оттуда вышла Агнес в сопровождении молодой женщины с туго затянутыми в хвост волосами и с айпадом под мышкой. Я застыла как вкопанная. Агнес тоже остановилась, уставившись на меня во все глаза. Выражение ее лица на мгновение изменилось: на нем было написано нечто вроде смущения, молчаливой просьбы о прощении, а может, с трудом сдерживаемого гнева, что я до сих пор здесь, — трудно сказать. Наши глаза встретились, она открыла рот, будто собиралась что-то сказать, но затем, поджав губы, прошла мимо с гордо поднятой головой, блестящие белокурые волосы развевались на ходу, девушка с айпадом семенила сзади.

Входная дверь квартиры Гупников выразительно захлопнулась за их спиной, и я осталась стоять с пылающим лицом, точно отвергнутая любовница.

В голове промелькнуло воспоминание о том, как мы тогда смеялись в японском ресторане.

Мы ведь подруги, да?

А потом я сделала глубокий вдох, подозвала к себе Дина Мартина, пристегнула поводок и вышла прямо в дождь.

В результате мне все-таки предложили оплачиваемую работу, причем не кто иной, как хозяйки «Магазина винтажной одежды». Из Флориды прибывал контейнер с одеждой, содержимое нескольких платяных шкафов, и сестры нуждались в дополнительной паре рук. Прежде чем класть вещи на полку, нужно было внимательно обследовать каждый предмет, пришить недостающие пуговицы и проследить за тем, чтобы к началу ярмарки винтажной одежды, проходившей в конце апреля, все наряды были выстираны и выглажены. Вещи, от которых исходил несвежий запах, как правило, возвращали. Работать предстояло за гроши, но зато в хорошей компании и с бесплатным кофе. Более того, сестры давали мне 20-процентную скидку на все, что я захочу купить. И хотя после потери постоянного жилья моя страсть к приобретению новой одежды несколько поутихла, я с благодарностью сказала «да». И теперь, удостоверившись, что миссис Де Витт достаточно окрепла, чтобы самостоятельно выгуливать Дина Мартина хотя бы до конца квартала и обратно, я каждый вторник спешила к десяти утра в «Магазин винтажной одежды». Я выводила пятна, шила и болтала с девушками во время перекуров, которые они делали каждые пятнадцать минут или типа того.

Марго — она запретила называть ее миссис Де Витт: «Боже правый, ты ведь теперь живешь в моем доме» — внимательно выслушала мой рассказ и поинтересовалась, что именно я использую для починки одежды. Я описала ей огромную пластиковую коробку со старыми пуговицами и молниями, которые хранились в таком ужасном беспорядке, что невозможно было подобрать две одинаковые пуговицы. После чего Марго с трудом поднялась с места и жестом показала следовать за ней. Я шла, приблизившись к Марго вплотную: в последнее время она не слишком твердо держалась на ногах и постоянно кренилась набок, подобно перегруженному судну на бурных волнах. Однако сейчас она справилась сама, поскольку упиралась для устойчивости рукой о стену.

— Под кроватью, дорогая. Нет, вон там. Две коробки. Да-да, они самые.

Опустившись на колени, я извлекла две деревянные коробки с крышками. Открыла одну из них и обнаружила, что она под завязку набита пуговицами, молниями, бахромой и тесьмой. А еще там были крючки и петли, разнообразные застежки, разложенные по местам и помеченные, ну и конечно пуговицы: медные морские пуговицы и обтянутые ярким шелком крошечные китайские пуговки, костяные и перламутровые пуговицы, аккуратно пришитые к картонным полоскам. В обитую мягкой тканью крышку были воткнуты булавки, иголки всех имеющихся размеров, а также крошечные штырьки с разноцветными шелковыми нитками. Я почтительно пробежалась по ним пальцами.

— Мне подарили это на мой четырнадцатый день рождения. Дедушка специально выписал из Гонконга. Если тебе чего-то не будет хватать, можешь поискать здесь. Знаешь, я всегда отпарывала пуговицы и молнии со старой одежды. Таким образом, если вдруг потеряешь пуговку с красивой вещи, здесь всегда можно будет найти полный комплект на замену.

— А разве вам самой это не нужно?

Марго махнула здоровой рукой:

— Ох, дорогая! Мои пальцы стали для шитья слишком неловкими. Мне даже в дырочку от пуговицы теперь не попасть. Да и вообще, в наше время так мало людей берет себе за труд пришить пуговицу или молнию. Они просто выкидывают одежду в мусорный бак и покупают новую в этих ужасных дисконтных магазинах. Так что бери, дорогая. Мне будет приятно знать, что все это добро хоть кому-нибудь пригодилось.

Итак, благодаря удаче, а отчасти — намеченному плану, у меня теперь были две работы, и обе мне нравились, поскольку давали некоторое успокоение. По вторникам я приносила вечером домой несколько предметов одежды в клетчатом плетеном пластиковом мешке и, пока Марго дремала или смотрела телевизор, аккуратно срезала с вещи оставшиеся пуговицы, после чего пришивала новые и демонстрировала свою работу Марго.

— Ты очень прилично шьешь, — разглядывая через очки мелкие стежки, заметила Марго, с которой мы вместе смотрели «Колесо фортуны». — А я-то считала, что у тебя руки-крюки и шить ты будешь так же никудышно, как делаешь все остальное.

— В школе уроки кройки и шитья, пожалуй, были единственными, где я неплохо успевала. — Разгладив на коленях жакет, я приготовилась его снова сложить.

— Представляешь, и я тоже, — отозвалась Марго. — К тринадцати годам я уже сама шила себе всю одежду. Мама показала, как делать выкройки, и пошло-поехало. Меня все это увлекло. Я стала одержима модой.

— Марго, а чем вы занимались? — Заинтригованная, я даже отложила шитье.

— Я была редактором отдела моды журнала «Ледиз лук». Сейчас этого журнала уже нет. Не выдержал конкуренции в девяностые. Но он просуществовал более тридцати лет, и все эти годы я была редактором раздела моды.

— Так это те самые журналы в рамках? Что висят на стене?

— Да. Мои любимые обложки. Я оказалась довольно сентиментальной и сохранила несколько на память. — Лицо Марго неожиданно смягчилось, она наклонила голову, бросив на меня заговорщицкий взгляд. — Знаешь, это была еще та работа. Руководство журнала отнюдь не жаждало продвигать женщин на ведущие должности, но за отдел моды отвечал совершенно ужасный тип, и мистер Олдридж, мой редактор, изумительный человек, доказал им, что такой старый замшелый пень, который до сих пор носит носки на подвязках, не имеет права диктовать молодым девушкам, что модно, а что нет. Мистер Олдридж считал, что у меня есть чутье и острый глаз. Я получила повышение. Вот и все.

— Теперь я понимаю, откуда у вас столько шикарных нарядов.

— Ну уж точно не потому, что я вышла замуж за миллионера.

— А вы когда-нибудь были замужем?

Марго потупилась и задумчиво провела пальцем по колену:

— Боже правый, ты задаешь слишком много вопросов! Да, была. Чудесный человек. Терренс. Работал в издательском бизнесе. Но он умер в тысяча девятьсот шестьдесят втором году, через три года после того, как мы поженились, и тогда я поставила крест на замужестве.

— И вы никогда не хотели детей?

— Дорогая, у меня был сын. Но не от мужа. Это все, что ты хотела узнать?

Я покраснела:

— Нет. Я имею в виду — не совсем. Я... Боже мой... иметь детей — это так... Я имею в виду, что никогда бы не подумала...

— Луиза, кончай мямлить! Я влюбилась в неподходящего мужчину, когда овдовела, и забеременела. Родила ребенка, но было слишком много суеты, и в конце концов мы решили, что для всех будет лучше, если мои родители воспитают его у себя в Уэстчестере.

— А где он сейчас?

— По-прежнему в Уэстчестере. Насколько мне известно.

Я растерянно заморгала:

— И вы что, с ним не видитесь?

— Раньше виделись. Пока он был ребенком, я навещала его каждый уик-энд и во время каникул. Но став взрослым, он вдруг предъявил мне претензии по поводу того, что я была ему недостаточно хорошей матерью. Видишь ли, мне тогда следовало сделать выбор. В мое время было не принято, чтобы замужние женщины или те, у кого есть дети, работали. А я выбрала работу, поскольку искренне верила, что умру без работы. И Фрэнк — мой босс — меня поддерживал. — Марго тяжело вздохнула. — К несчастью, сын так никогда меня и не простил.

В комнате повисла тяжелая тишина.

— Мне очень жаль.

— Да. И мне тоже. Но что сделано, то сделано. И нет никакого смысла ворошить прошлое.

Марго закашлялась, я налила ей стакан воды. Она показала на баночку с таблетками на маленьком столике. Приняв лекарство, Марго, похожая на нахохлившуюся курицу, устроилась поудобнее.

— А как его зовут? — спросила я, когда она окончательно пришла в себя.

— Сколько вопросов... Фрэнк-младший.

— Значит, его отцом был...

— ...редактор моего журнала. Все верно. Фрэнк Олдридж. Он был намного старше меня, да к тому же женат. Думаю, мой сын сердится на меня в том числе и за это. Ему нелегко пришлось в школе. Тогда на подобные вещи смотрели по-другому.

— А когда вы в последний раз виделись? Я имею в виду — с сыном?

— Должно быть... в тысяча девятьсот восемьдесят седьмом. В тот год он женился. Я узнала об этом уже после его свадьбы и написала ему гневное письмо с упреками по поводу того, что он меня не пригласил. А он ответил, особо не стесняясь в выражениях, что я давным-давно утратила право претендовать на то, чтобы принимать хоть какое-то участие в его жизни.

С минуту мы сидели молча. Лицо Марго стало неподвижным. Она то ли глубоко задумалась, то ли просто сосредоточилась на телевизоре. А мне нечего было ей сказать. Я не могла подобрать нужных слов, адекватных глубине ее личной драмы.

— Вот такие дела. А спустя несколько лет умерла моя мать, которая была единственным связующим звеном между нами. И теперь мне остается только гадать, как он там, жив ли, есть ли у него дети. Какое-то время я еще продолжала ему писать. Теперь я отношусь к тому, что произошло, более философски. Конечно, его можно понять. Я не имела никакого права претендовать на то, чтобы считаться частью его жизни.

— Но он же ваш сын, — прошептала я.

— Он был моим сыном, но я вела себя не так, как положено хорошей матери. — Марго судорожно вздохнула. — Луиза, я прожила прекрасную жизнь. Любила свое дело и работала с замечательными людьми. Путешествовала в Париж, Милан, Берлин, Лондон — одним словом, объездила много стран, о чем большинству женщин моего возраста даже и не приходилось мечтать... У меня были чудесные друзья и красивая квартира. Так что не стоит из-за меня переживать. Это абсолютная чушь, когда говорят, будто женщина при желании может иметь все. Такого никогда не было и никогда не будет. Женщине всегда приходится делать трудный выбор. Однако ты можешь найти невероятное утешение, если будешь просто делать то, что любишь. — Некоторое время мы сидели молча, осмысливая сказанное, потом Марго чинно сложила руки на коленях и подняла на меня глаза. — А сейчас, моя дорогая девочка, не могла бы ты проводить меня в ванную? Я чувствую себя ужасно усталой, и мне, наверное, самое время лечь в постель.

В ту ночь я не сомкнула глаз. Я вспоминала рассказ Марго. Я думала об Агнес и о том, что эти живущие по соседству женщины, каждая из которых замкнулась в своем личном горе, возможно, при других обстоятельствах, в другой жизни нашли бы общий язык. Я думала о том, что женщине приходится платить высокую цену за тот путь, который она для себя выбирает, если, конечно, она не предпочтет сдаться и снизить планку. Но ведь я и так все это прекрасно знала. Разве нет? Я приехала в Нью-Йорк и заплатила за это сполна.

Уже на рассвете у меня в голове зазвучал голос Уилла, который велел не глупить и не впадать в отчаяние, а наоборот, подумать о том, чего я за это время успела добиться. Я лежала в темноте и, загибая пальцы, вела счет своих достижений. Я нашла дом — по крайней мере, для временного проживания. Нашла оплачиваемую работу. Я по-прежнему была в Нью-Йорке, среди друзей. У меня появился новый парень, хотя иногда я задавала себе вопрос, как так получилось, что я осталась именно с ним. И могла ли я, положа руку на сердце, сказать, что сейчас поступила бы по-другому?

И наконец, я подумала о старой женщине в соседней комнате, с мыслями о которой в результате и заснула.

На полке у Джоша красовались четырнадцать спортивных кубков, четыре из них размером с мою голову, за победу в американском футболе, бейсболе, легкой атлетике и даже в школьном конкурсе по орфографии. Конечно, я уже один раз была у Джоша дома, но только теперь, без лишней спешки и в трезвом виде, смогла внимательно рассмотреть обстановку и оценить масштаб его достижений. Я увидела множество фотографий Джоша в спортивной одежде, где он был запечатлен в момент своего триумфа, его руки лежали на плечах товарищей по команде, идеальные зубы белели в идеальной улыбке. Я вспомнила о Патрике и многочисленных дипломах на стенах его квартиры. Интересно, почему мужчинам, подобно павлинам, распускающим яркий хвост, так необходимо демонстрировать свои успехи?

Джош положил телефон, и я невольно подскочила на месте.

— Я заказал еду из ресторана. С этим сумасшедшим домом на работе не успел придумать ничего более интересного. Но это лучшая корейская еда к югу от корейского квартала.

— Не возражаю, — ответила я.

Если честно, у меня не было особого опыта в дегустации корейской еды, чтобы с чем-то сравнивать. Я просто радовалась перспективе повидаться с Джошем. Когда я добиралась к нему на метро, то просто наслаждалась новизной поездки в даунтаун, а также тому, что не приходится бороться с сибирскими ветрами, преодолевать снежные завалы, дрожать под ледяным дождем.

Да и квартира Джоша вовсе не была той кроличьей норой, как в свое время он ее описал, если, конечно, наш кролик не решил перебраться в отремонтированный лофт в районе, некогда служившем пристанищем для художников, а теперь превратившемся в идеальную стартовую площадку для четырех различных версий Марка Джейкобса[1], с ювелирными мастерскими, специализиро-

[1] Американский модельер, начинавший свою карьеру продавцом в авангардном нью-йоркском бутике.

ванными кофейнями и бутиками, охранявшимися строгими мужчинами в наушниках. Я увидела беленые стены, дубовые полы, модерновый мраморный столик и специально состаренный кожаный диван. Немногочисленные интерьерные штучки и предметы мебели свидетельствовали о том, что все было тщательно продумано, отобрано и получено, возможно, не без помощи дизайнера интерьеров.

Джош подарил мне цветы — восхитительный букет из гиацинтов и фрезий.

— А это еще зачем? — удивилась я.

Джош пожал плечами и впустил меня в дом:

— Я просто увидел их по пути с работы и подумал, что тебе, возможно, понравится.

— Ух ты! Спасибо большое. — Я понюхала цветы. — Ой, это самая чудесная вещь, которая случилась со мной за последнее время!

— Ты это о чем? О цветах или обо мне? — поднял брови Джош.

— Ну, ты *тоже* чудесный человек. — (У него вытянулось лицо.) — Потрясающий! И мне очень нравятся цветы.

Джош широко улыбнулся и поцеловал меня:

— Что ж, встреча с тобой — действительно самая чудесная вещь, которая случилась со мной за последнее время, — нежно произнес он. — Луиза Кларк, я так долго тебя ждал.

— Но мы встретились всего лишь в октябре.

— Пусть. Ведь мы живем в век больших скоростей. И мы в городе, где все, что хочешь иметь, ты получил уже вчера.

Какая женщина откажется почувствовать себя настолько желанной? Если честно, я даже не знаю, чем заслужила такое трепетное отношение. Мне хотелось спросить, что такого особенного он во мне нашел, но я не рискнула озвучить свой вопрос из опасения показаться идиоткой, а потому решила выяснить это окольными путями.

— Расскажи о женщинах, с которыми ты встречался. — Я устроилась на диване, а Джош тем временем доставал из кухонных шкафов тарелки, столовые приборы и бокалы. — Какие они из себя?

— Кроме тех, кого я подцепил на сайте знакомств? Умные, красивые, как правило, успешные... — Джош полез в буфет за рыбным соусом. — Но честно? Они все зациклены на своей внешности. Типа они не могут показаться без идеального макияжа, а растрепанные волосы будут для них полной катастрофой, причем все должно быть сфотографировано и запощено в «Инстаграме» или в социальных сетях и представлено в лучшем свете. Включая свидания со мной. Словно они всегда в полной боевой готовности. — Джош выпрямился с бутылками в руках. — Какой соус ты хочешь? Чили или соевый? Я как-то встречался с девушкой, которая, выяснив, во сколько я обычно просыпаюсь, ставила будильник на полчаса раньше — привести в порядок прическу и макияж. Чтобы я, не дай бог, не застал ее в разобранном виде. Даже если ради этого ей приходилось вставать в половине пятого утра!

— Хорошо. Должна тебя предупредить, что явно не принадлежу к такому типу девиц.

— Луиза, я в курсе. Ведь я укладывал тебя в кровать.

Я сбросила туфли, поджав под себя ноги:

— Полагаю, тебе, должно быть, весьма лестно, что они так для тебя стараются.

— Ага. Но слегка напрягает. И ты никогда не знаешь... что скрывается под этой красивой оболочкой. Вот у тебя, например, вся душа нараспашку. Ты такая, какая есть.

— Это что, комплимент?

— Конечно. Ты совсем как те девчонки, с которыми я рос. Честная.

— Гупники так не считают.

— Да пошли они куда подальше! — В голосе Джоша вдруг послышались нехарактерные для него жесткие интонации. — Знаешь, я много об этом думал. Ты ведь сумеешь доказать, что не брала деньги, да? Поэтому вполне можешь вчинить им иск за несправедливое увольнение, опороченную репутацию, задетые чувства и... — (Я покачала головой.) — Нет, я серьезно. Бизнес Гупника строится на его репутации достойного, старомодного, порядочного человека, и он всегда занимается благотворительностью, но, Луиза, он уволил тебя вообще ни за что. Ты потеряла работу, потеряла жилье без предупреждения и без компенсации.

— Он считал, что я его обкрадываю.

— Да, но он отдавал себе отчет, что не совсем прав и делает что-то не то, поскольку иначе непременно вызвал бы копов. Учитывая его положение, не сомневаюсь, наверняка нашелся бы юрист, который взялся бы защищать твои интересы с оплатой по факту.

— Нет, правда. У меня все отлично. Судебные разбирательства — не мой стиль.

— Ну ладно. Ты слишком добрая. И ведешь себя слишком уж по-английски.

В дверь позвонили. Джош поднял палец, желая показать, что разговор еще не закончен, и исчез в узком коридоре. Я услышала, как он разговаривает с разносчиком, и, встав с дивана, поставила на маленький столик оставшуюся посуду.

— И знаешь что? — На кухню с пакетом в руках вернулся Джош. — Даже если у тебя нет доказательств своей невиновности, Гупник легко отвалит кругленькую сумму, лишь бы вся эта история не попала в газеты. Сама подумай, каким бы это было подспорьем! Ведь еще пару недель назад ты спала на полу в чьей-то комнате. — (Я благоразумно не стала ему говорить, что мы с Натаном делили одну кровать.) — А так у тебя появились бы деньги на съемное жилье. Черт, если найдешь ловкого адвоката, то на сумму компенсации морального ущерба даже квартиру сможешь себе купить! Ты хоть в курсе, сколько денег у Гупника? Так вот знай, он сказочно богат. В городе реально богатых людей.

— Джош, я понимаю, ты желаешь мне добра. Но я просто хочу забыть об этом деле.

— Луиза, ты...

— *Нет*. — Я положила руки на стол. — Я не собираюсь ни с кем судиться.

Джош замолчал, явно обескураженный моей упертостью, но затем передернул плечами и улыбнулся:

— Ну ладно. Пора обедать. Надеюсь, у тебя ни на что нет аллергии? Попробуй цыпленка. Вот... Ты любишь баклажаны? Они потрясающе делают баклажаны с чили.

В ту ночь я переспала с Джошем. Я не была пьяной, и я не нуждалась в крепком мужском плече, и я не сгорала от страсти. Думаю, мне просто хотелось, чтобы жизнь снова вернулась в нормальную колею. Мы ели, пили, разговаривали и смеялись до поздней ночи, а потом он задернул шторы и притушил свет, и дальнейшее развитие событий показалось мне вполне естественным, по крайней мере у меня не было причины сказать «нет». Он был таким красивым. Безупречная кожа, и высокие скулы, и шелковистые каштановые волосы с едва заметными золотыми вкраплениями даже после долгой зимы. Мы начали целоваться еще на диване, сперва нежно, а потом все более страстно, и он оказался без рубашки, а я — без блузки, и я заставила себя сосредоточиться на этом роскошном, предупредительном мужчине, этом нью-йоркском принце, а не на тех хаотичных образах, что совершенно непрошено возникали в воображении, и я почувствовала, как во мне, словно далекий надежный друг, разгорается желание, и я наконец сумела заблокировать абсолютно все, кроме ощущений того, что он рядом со мной, а чуть позже — внутри меня.

А потом он нежно меня поцеловал и спросил, было ли мне хорошо, после чего прошептал, что ему нужно немного поспать, и я лежала в темноте, стараясь не обращать внимания на слезы, которые, скапливаясь в уголках глаз, текли прямо в уши.

Ведь что в свое время говорил Уилл? Что нужно жить одним днем. И не упускать удобной возможности. И быть доброй к человеку, повернувшемуся к тебе лицом. И если бы я оттолкнула Джоша, то наверняка потом жалела бы об этом до конца жизни, так?

Осторожно поворочавшись на незнакомой кровати, я принялась разглядывать его профиль: идеально прямой нос и рот, похожий на рот Уилла. Я подумала, что Уилл наверняка бы одобрил Джоша. Мне было нетрудно представить их вместе, добродушно подтрунивающих друг над другом. Они могли бы быть друзьями. Или врагами. Уж слишком они были похожи.

Быть может, сама судьба свела меня с этим мужчиной, подумала я, хотя и довольно тернистым путем. Быть может, это Уилл вернулся ко мне. И с этой мыслью я, вытерев глаза, забылась беспокойным сном.

Глава 24

Кому: KatClark!@yahoo.com
От кого: BusyBee@gmail.com

Дорогая Трина!

Я знаю, ты считаешь, что я слишком тороплюсь. Но чему учил меня Уилл? Что у тебя только одна жизнь. И ты ведь счастлива с Эдди? Тогда почему я не могу быть счастлива? Обещаю, ты сама все поймешь, когда познакомишься с ним.

Итак, ты только представь, какой Джош необыкновенный человек: вчера, например, он отвел меня в лучший книжный магазин Бруклина, где накупил кучу книжек в мягкой обложке, которые, по его мнению, мне непременно понравятся, затем повел меня на ланч в шикарный мексиканский ресторан на Восточной Сорок шестой улице и заставил попробовать рыбные тако. Только не говори «фу», тако были восхитительные. А потом сказал, что хочет кое-что мне показать (нет-нет, совсем не это). Мы отправились на Центральный вокзал, народу там, как всегда, было битком, и я подумала: ладно, хотя и странно. Мы что, отправляемся в путешествие? Он велел мне встать в углу арки подземной галереи[1], неподалеку от «Устричного бара», и прижаться головой к стенке. Я рассмеялась. Думала, он шутит. Но он настоял, сказав, чтобы я ему доверилась.

[1] Так называемая галерея шепота.

И вот я стою, как форменная идиотка, в углу этой гигантской галереи с замысловатой каменной кладкой, вокруг снуют туда-сюда пассажиры, и, оглянувшись, вижу, что он куда-то уходит. Затем он останавливается ярдах в пятидесяти по диагонали от меня и прижимается лицом к углу другой арки, и я неожиданно слышу, как он шепчет мне на ухо, перекрывая шум, гам и грохот поездов, словно он совсем рядом со мной: «Луиза Кларк, ты самая красивая девушка Нью-Йорка». Трин, это было настоящее колдовство. Я подняла глаза, а он повернулся и улыбнулся, уж не знаю, как это работало, но он подошел ко мне, обнял и поцеловал у всех на глазах, и кто-то одобрительно свистнул, и, положа руку на сердце, это было, наверное, самой романтической вещью за всю мою жизнь.

Итак, да, я двигаюсь дальше. И Джош потрясающий. И мне было бы очень приятно, если бы ты смогла порадоваться за меня.

Поцелуй Тома.

Л. х

Шли недели, и Нью-Йорк в свойственной ему манере с места в карьер перепрыгнул со скоростью миллион миль в час из зимы прямо в весну, причем очень шумно. Поток транспорта стал плотнее, на улицах появилось больше народу, и теперь каждый день вокруг нашего дома даже в предрассветные часы не смолкала какофония звуков. Я перестала надевать на протесты в защиту библиотеки шапку и перчатки. Стеганый комбинезон Дина Мартина был выстиран и спрятан в шкафу. Парк покрылся молодой зеленью. И никто не заговаривал о том, что мне пора выезжать.

Марго в качестве оплаты моей помощи по дому отдала мне столько предметов одежды, что я перестала хвалить ее вещи, чтобы она, упаси господи, не подумала, что должна одарить меня еще больше. И я наконец поняла, что если она и жила с Гупниками в одном доме, то на этом все сходство и заканчивалось. Потому что, как сказала бы моя мама, Марго перебивалась с хлеба на воду.

— А на что, скажите на милость, я буду покупать еду, если оплачу все эти счета за медицинские и коммунальные услуги? — ворчала она, когда я вручила ей очередное доставленное курьером письмо от управляющей компании.

На конверте значилось: «Вскрыть — иначе дело передается в суд». Марго сморщила нос и аккуратно положила письмо на стопку аналогичных писем в серванте, где оно останется лежать еще пару недель, пока я не вскрою его.

Марго постоянно ворчала по поводу коммунальных платежей, достигавших несколько тысяч долларов в месяц, но сейчас, кажется, уже дошла до такой стадии, что решила игнорировать приходящие счета, ибо другого выхода у нее просто-напросто не было.

Она рассказала, что унаследовала квартиру от деда — человека весьма авантюрного склада, который единственный из всей семьи категорически не придерживался расхожего мнения, что женщина должна ограничить круг своих интересов исключительно мужем и детьми.

— Мой отец был в ярости, что его обошли. После этого он много лет вообще со мной не разговаривал. Моя мать попыталась нас помирить, но там возникли... другие моменты, — вздохнула Марго.

Марго покупала продукты в ближайшем магазинчике, крошечном супермаркете с ценами, ориентированными скорее на туристов, поскольку это было одно из немногочисленных мест, куда она могла дойти пешком. Я решительно положила этому конец и теперь дважды в неделю ездила в супермаркет «Фейрвей» на Восточной

Восемьдесят шестой улице, где покупала основные продукты примерно на треть дешевле, чем это делала Марго.

Если я ничего не готовила, то Марго ничего и не ела, но зато она покупала Дину Мартину приличные куски вырезки или специально размачивала ему белую рыбу в молоке, потому что это было полезно для его пищеварения.

Думаю, она привыкла к моему обществу. Ну а кроме того, теперь ее буквально качало от ветра, и мы обе знали, что одной ей больше не справиться. У меня невольно возник вопрос: сколько времени уходит у людей ее возраста на восстановление после хирургического вмешательства? И что бы она делала, если бы меня не было рядом?

— И как вы собираетесь с этим поступить? — Я показала на пачку счетов.

— Ой, просто не буду оплачивать, и все. — Она помахала рукой. — Из этой квартиры я перееду разве что в картонную коробку. Мне некуда идти и некому завещать квартиру, о чем этот мошенник Овиц прекрасно знает. Полагаю, он сидит и ждет, когда я умру, после чего наложит на квартиру арест из-за неуплаты коммунальных платежей и заработает целое состояние, продав ее какому-нибудь топ-менеджеру или мерзкому толстосуму типа этого дурака из квартиры напротив.

— Может, я могу вам помочь? У меня еще остались кое-какие сбережения со времен работы у Гупников. Я хочу сказать, чтобы вы могли хоть пару месяцев какнибудь продержаться. Вы были так добры ко мне.

Она глухо заухала, совсем как сова:

— Моя дорогая девочка, у тебя не хватит денег, чтобы заплатить даже за содержание моей гостевой ванной.

По какой-то неведомой мне причине мое предложение так рассмешило ее, что она даже закашлялась от хо-

хота. Но когда она легла в кровать, я все-таки открыла письмо. И содержащиеся там фразы, такие как «задержки платежей», «прямое нарушение условий проживания» и «возможность лишения собственности по суду», навели меня на мысль, что мистер Овиц, возможно, не столь благодушный — или терпеливый — человек, каким его считает Марго.

Я по-прежнему четыре раза в день выгуливала Дина Мартина и во время прогулок по парку напряженно думала, чем можно помочь Марго. Мысль о том, что ее могут выселить, терзала мне сердце. Ну конечно, управляющий не посмеет так поступить с больной и очень пожилой женщиной. Да и остальные жильцы непременно встанут на ее защиту. Но потом я вспомнила, как мистер Гупник выгнал меня взашей и как замкнуто жили обитатели каждой квартиры, совершенно не интересуясь жизнью соседей. Я даже не была уверена, что они вообще что-либо заметят.

И вот, когда я стояла на Шестой авеню, таращась на витрину оптового магазина нижнего белья, меня вдруг осенило. Девочки из «Магазина винтажной одежды», возможно, не продавали «Шанель» и «Ив Сен Лоран», но наверняка смогут это сделать, если получат одежду с такими лейблами, или хотя бы подскажут адрес специализированного модного агентства. У Марго в ее коллекции были неисчерпаемые запасы дизайнерской одежды, за которую, я не сомневалась, коллекционеры выложат серьезные деньги. Одних только сумок у нее было на много тысяч долларов.

Я повезла Марго на встречу с сестрами под предлогом, что ей нужно немного проветриться. Сказала, что сегодня чудесный день и нам, пожалуй, стоит прогуляться чуть дальше обычного, чтобы Марго могла набраться сил на свежем воздухе. Она велела мне не говорить глупостей, так как начиная с 1937 года на Манхэттене уже никто не дышал свежим воздухом, однако почти безропотно села в такси, посадив Дина Мартина на колени, и мы отправились в Ист-Виллидж, где Марго выразительно нахмурилась на бетонный фасад магазина с таким видом, будто ее ради прикола привезли на бойню.

— Что вы сделали со своими руками? — Марго, остановившись у кассы, уставилась на татуировки Лидии.

На Лидии была изумрудно-зеленая блузка с рукавами буф, открывавшими трех аккуратно вытатуированных японских карпов кои — оранжевого, нефритового и синего.

— Ах это вы о моих татушках! Вам нравится? — Лидия взяла сигарету в другую руку и поднесла татуированное предплечье к свету.

— Да, если бы мне хотелось походить на матроса!

Я принялась осторожно подталкивать Марго вглубь магазина:

— Сюда, Марго. Смотрите, у них винтажные вещи рассортированы по годам. Если вам нужна одежда шестидесятых годов, то это здесь, а если пятидесятых — то там. Слегка напоминает вашу квартиру.

— Ничего похожего!

— Я просто хочу сказать, что они торгуют нарядами вроде ваших. В наши дни это весьма перспективное направление бизнеса.

Марго пощупала рукав нейлоновой блузки, посмотрев поверх очков на лейбл:

— Эми Армистед — ужасная линия одежды. Всегда терпеть не могла эту женщину. Или «Les Grandes Folies». У них вечно отваливались пуговицы. Дешевые нитки.

— А вот тут у них, в пластиковых чехлах, реально интересные платья. — Я подошла к отделу коктейльных платьев, где были выставлены лучшие образцы женской одежды. Сняв с плечиков бирюзовое платье «Сакс Пятая авеню», расшитое по подолу и манжетам блестками и бусинками, я с улыбкой приложила к себе.

Марго пригляделась к платью, повертела этикетку с ценой:

— Кто, ради всего святого, заплатит за это такие деньги?!

— Люди, которые любят хорошую одежду, — ответила появившаяся у меня за спиной Лидия.

Лидия громко жевала жевательную резинку, и при каждом движении ее челюсти в глазах Марго появлялись яростные огоньки.

— Неужели они действительно пользуются спросом?

— Да еще каким! Особенно если вещи в безупречном состоянии, как ваши, — сказала я и, повернувшись к Лидии, добавила: — Все вещи Марго хранятся в пластиковых чехлах в шкафах с кондиционированием воздуха. У Марго есть одежда еще сороковых годов.

— Это не мои. А моей матери, — сухо произнесла Марго.

— Серьезно? А что там еще у вас есть? — Лидия пристально рассматривала шерстяное пальто Марго длиной три четверти от «Йегер» и черную меховую шляпу, напоминающую огромную губку для мытья фирмы «Виктория сикрет». Несмотря на теплую погоду, Марго постоянно мерзла.

— Что у меня есть? Ничего такого, что я хотела бы здесь продать. Благодарю.

— Но, Марго, у вас ведь есть несколько действительно чудесных костюмов — «Шанель» и «Живанши», — которые вам уже не годятся. А еще шарфы, сумки. Вы могли бы предложить все это дилерам винтажной одежды. И даже аукционным домам.

— «Шанель» можно продать за серьезные деньги, — глубокомысленно заметила Лидия. — Особенно сумки. Не слишком потрепанные, приличные сумки-конверты из натуральной кожи «икра» могут стоить от двух с половиной до четырех тысяч. Новая обойдется вам ненамного дороже. Понимаешь, о чем я? А если из кожи питона, то цена сразу вырастет до небес.

— Марго, у вас ведь не одна, а несколько сумок «Шанель», — заметила я.

Марго еще крепче зажала под мышкой сумочку «Эрмес» из крокодиловой кожи.

— А у вас еще такие есть? Миссис Де Витт, мы можем легко их продать. Мы даже завели лист ожидания для желающих приобрести хорошее барахло. Я знаю даму в Асбери-Парк, которая готова выложить до пяти штук за приличную сумку «Эрмес». — Лидия провела пальцем по краю сумки, но Марго отшатнулась с оскорбленным видом.

— Это не барахло! — отрезала она. — У меня нет барахла.

— По-моему, вам стоит обдумать это предложение, — вмешалась я. — Мне кажется, у вас достаточно вещей, которыми вы больше не пользуетесь. Вы можете продать их, оплатить наконец коммунальные услуги и перестать дергаться.

— А я и не дергаюсь! — отрезала Марго. — Кстати, я была бы весьма признательна, если бы ты прекратила обсуждать на людях мои финансовые дела. И вообще, мне не нравится это место. Здесь пахнет старьем. Пойдем, Дин Мартин! Мне необходимо выйти на свежий воздух.

Я проводила Марго на улицу, прошептав слова извинения, на что Лидия лишь невозмутимо пожала плечами. Надежда рано или поздно заполучить гардероб Марго, похоже, смягчила природную ершистость Лидии.

В такси мы ехали в гробовом молчании. Я злилась на себя за отсутствие дипломатичности и одновременно на Марго за ослиное упрямство, поскольку, на мой взгляд, я предложила вполне разумный вариант. Марго всю дорогу отказывалась на меня смотреть. Я сидела возле нее, между нами сопел Дин Мартин, и прокручивала в голове различные доводы, пока молчание не начало действовать угнетающе. И тут до меня дошло, что рядом со мной старуха, которая не так давно выписалась из больницы, и я не имею никакого права на нее давить.

— Марго, я вовсе не хотела вас расстраивать, — сказала я, помогая Марго выйти из такси. — Мне просто казалось, что это некий выход из положения. Ну, вы понимаете, учитывая ваши долги и все такое. Не хочу, чтобы вы потеряли дом.

Марго выпрямилась, поправив меховую шляпу здоровой рукой. В ее голосе появились капризные, даже слезливые интонации, и я поняла, что и она тоже всю обратную дорогу мысленно репетировала свои возражения.

— Луиза, ты не понимаешь. Это *мои* вещи, они мои детки. Вероятно, это всего-навсего старая одежда, которая даже может быть потенциальными финансовыми активами... для тебя, но для меня они *бесценны*. Это моя история, прекрасные обломки моей прежней жизни.

— Простите меня.

— Я не отправлю их в эту занюханную комиссионку, даже если меня поставят на колени. Мне страшно подумать, что в один прекрасный день я встречу на улице идеальную незнакомку в моем любимом наряде. Этого я точно не переживу! Поэтому нет, нет и еще раз нет. Я знаю, ты хотела помочь, но нет.

Марго вышла из такси и, проигнорировав мою протянутую руку, вошла в вестибюль, где Ашок проводил ее до лифта.

Несмотря на мелкие недоразумения, этой весной мы с Марго жили душа в душу.

В апреле, как и было обещано, в Нью-Йорк приехала Лили в сопровождении миссис Трейнор. Они остановились в «Риц-Карлтоне», в паре кварталов от «Лавери», и пригласили нас с Марго на ланч. И когда я увидела их вместе, у меня возникло стойкое ощущение, будто судьба, вдев нитку в штопальную иглу, начинает мало-помалу сшивать лоскутки мой жизни.

Миссис Трейнор, с ее прекрасными манерами настоящего дипломата, очаровала Марго, и они сразу нашли общий язык на почве истории этого здания и Нью-Йорка в целом. За ланчем предо мной предстала совсем другая Марго: остроумная, эрудированная, оживленная. Как выяснилось, миссис Трейнор уже была в Нью-Йорке в 1978 году во время медового месяца, и они с Марго принялись обсуждать рестораны, галереи и выставки тех времен. Миссис Трейнор рассказывала о своей работе мировым судьей, Марго — об офисной политике 1970-х, и они от всего сердца смеялись своим шуткам, которых нам, молодым, похоже, было не понять. Мы заказали салат и рыбу, завернутую в прошутто. Я заметила, что Марго, едва прикоснувшись к еде, отодвинула остатки на край тарелки, тихонько посетовав на то, что опасается вообще не влезть в свою одежду.

Между тем Лили, наклонившись поближе, принялась расспрашивать меня об интересных местах, где не было бы стариков и где ее не заставляли бы повышать свой культурный уровень.

— Бабуля перенасытила эти четыре дня всяким образовательным дерьмом. Мне нужно посетить Нью-Йоркский музей современного искусства и всякие там ботанические сады, что, конечно, замечательно — бла-бла-бла, — если ты все это любишь, но я реально хочу завалиться в клуб, и получить острые ощущения, и прошвырнуться по магазинам. Ведь это Нью-Йорк!

— Я уже договорилась с миссис Трейнор. Завтра она встречается со своей кузиной, ну а я пока свожу тебя куда-нибудь развлечься.

— Ты серьезно? Слава богу! На каникулах я собираюсь отправиться во Вьетнам. Я тебе говорила? И теперь мне нужно купить нормальные обрезанные джинсовые шорты. Что-нибудь такое, что я могу носить неделями и не волноваться из-за того, что они нестираные. А еще, может, старую байкерскую куртку. Классную такую, потрепанную.

— А с кем ты едешь? С подружкой? — Я вопросительно подняла брови.

— Ты говоришь прямо как бабушка!

— Ну?

— Со своим парнем. — А когда я открыла было рот, она поспешно добавила: — Но я не хочу о нем говорить.

— Почему? Я в восторге, что у тебя есть парень. Чудесные новости! — Я понизила голос. — Вообще-то, я знаю еще кое-кого, кто тихарился так же, как ты. Это моя сестра. Она тщательно скрывала тот факт, что собирается совершить каминг-аут.

— Я вовсе не планирую каминг-аут. Вот еще! Тыкаться носом в лобок какой-то тетки! Фу, гадость!

Я с трудом сдержала смех:

— Лили, не стоит принимать все так близко к сердцу. Мы просто хотим, чтобы ты была счастлива. И нет ничего страшного, если мы будем знать, как обстоят твои дела.

— Бабуля знает, как обстоят мои дела. Ты слишком замысловато выражаешься.

— Тогда почему ты не хочешь признаться? Мне казалось, у нас с тобой нет друг от друга секретов.

На лице Лили появилось упрямое выражение человека, которого загнали в угол. Театрально вздохнув, она положила нож с вилкой. И воинственно посмотрела на меня:

— Потому что это Джейк.

— Джейк?

— Племянник Сэма.

Внезапно все вокруг будто застыло. Я выдавила некое подобие улыбки:

— Вот и отлично! Ух ты!

Лили нахмурилась:

— Я знала, что ты именно так и отреагируешь. Послушай, что случилось, то случилось. И вообще, неужели ты думаешь, что мы только о тебе и говорим?! Просто мы случайно столкнулись с ним пару раз... Ты ведь знаешь, мы познакомились с ним еще тогда, когда выпускали в небо шарики вместе с этой позорной психгруппой, куда ты ходила. Так вот, мы поладили и типа друг другу понравились. Короче, мы нашли общий язык и теперь собираемся летом вдвоем отправиться в путешествие. Всего и делов-то!

У меня в голове был полный сумбур.

— А миссис Трейнор с ним знакома?

— Да. Он приезжает к нам в гости, а я — к ним, — ощетинилась Лили.

— Выходит, ты часто видишь его...

— Отца. Короче, я действительно иногда вижу Сэма со «скорой», но чаще — отца Джейка, который очень даже ничего себе. Нормальный. Хотя по-прежнему в депресняке и ест чуть ли не тонну печенья в неделю, тем самым жутко напрягая Джейка. Отчасти мы из-за этого хотим свалить куда-нибудь подальше. Недель на шесть или типа того.

Лили продолжала говорить, но у меня началась тупая боль в затылке, и я уже плохо соображала, о чем она болтает. Я не хотела слышать о Сэме, даже опосредованно. Не хотела слышать, как люди, которых я люблю, играют без меня в «Счастливую семью», в то время как я нахожусь за тысячи миль от них. Не хотела ничего знать о том, как Сэм счастлив с Кэти, с ее чувственным ртом, или как они живут в его доме, в его только что построенной уютной берлоге, и путают одинаковые униформы.

— А как там твой новый парень? — спросила Лили.

— Джош? Джош! Он замечательный. Совершенно замечательный. — Я аккуратно положила нож с вилкой на край тарелки. — Ну, я как будто попала в волшебный сон.

— Итак, что у вас с ним? Я хочу посмотреть ваши фотки. Ужасно обидно, что ты не выкладываешь фото в «Фейсбуке». А у тебя есть его фотки в телефоне?

— Нет, — сказала я, и Лили недовольно сморщила нос.

Я обманула ее. У меня были наши фотографии из ресторана на крыше, сделанные неделей раньше. Но мне не хотелось, чтобы она увидела, что Джош был абсолютной копией ее отца. Это или лишило бы ее душевного равновесия, или, если бы она заявила об этом вслух, лишило бы меня душевного равновесия, что еще хуже.

— Итак, когда мы наконец покинем этот погребальный зал? Ну а старушек, само собой, оставим здесь доедать ланч. — Лили пихнула меня в бок, показав на Марго с миссис Трейнор, которые продолжали мило болтать. — А я тебе рассказывала, как классно развела дедушку насчет воображаемого бабушкиного сексапильного поклонника? Я сказала дедушке, что они уезжают отдыхать на Мальдивы и поэтому бабушка отправилась в «Ригби энд Пеллер» за новым нижним бельем. Клянусь, еще немножко — и дедушка наверняка сломался бы, объявив, что до сих пор ее любит. Умереть не встать.

Я, конечно, очень любила Лили и тем не менее была крайне рада, что насыщенная культурная программа, составленная миссис Трейнор на следующие несколько дней, не оставляла нам слишком много времени проводить вдвоем, если не считать похода по магазинам. Присутствие в Нью-Йорке Лили, оказавшейся в курсе всех подробностей личной жизни Сэма, создавало в воздухе некие вибрации, угнетающе действовавшие на нервную систему. Еще хорошо, что Джош, у которого работы было по горло, не обратил внимания ни на мою рассеянность, ни на подавленное состояние. А вот Марго все отлично заметила и в один прекрасный вечер, когда закончилось ее любимое «Колесо фортуны» и я поднялась, чтобы выгулять на ночь Дина Мартина, прямо в лоб спросила меня, в чем дело.

Я рассказала. Собственно, почему бы и нет?

— Ты по-прежнему любишь того, другого, — безапелляционно заявила Марго.

— Ну вы прямо как моя сестра. Нет, не люблю. Хотя, когда мы встречались... я действительно его очень любила. Все это так ужасно закончилось, и я подумала, что новая жизнь в другом городе станет для меня лекарством от любви. Я больше не сижу в социальных сетях. И больше не хочу ни за кем следить. Но тем не менее каким-то чудесным образом информация о моем бывшем рано или поздно до меня добирается. Так что, пока Лили в городе, я сама не своя и не могу толком сосредоточиться, поскольку она теперь часть его жизни.

— Дорогая, может, тебе стоит как-нибудь с ним связаться. По-моему, вам есть о чем поговорить.

— Мне нечего ему сказать! — страстно возразила я. — Марго, я очень старалась. Писала, оправляла имейлы, звонила. А вам известно, что я не получила от него ни единого письма? За целых три месяца! Я попросила его написать, чтобы оставаться на связи и быть в курсе жизни друг друга. Да и вообще, если бы в дальнейшем нам удалось помириться, у нас осталось бы некое напоминание о том времени, когда мы были в разлуке... А он... он не ответил. — (Марго пристально смотрела на меня, ее рука застыла на пульте дистанционного управления.) — Но все отлично. Потому что я начала двигаться дальше. И Джош просто невероятный. Короче, он красивый, и он добрый, и у него шикарная работа, и он амбициозный. Он... он такой амбициозный. Знаете, он действительно очень успешный. И он хочет и дом, и карьеру, и отдавать все сполна. Он хочет отдавать все сполна! Хотя пока ему, собственно, нечего отдавать! — Я села. Ничего не понимающий Дин Мартин продолжал стоять возле меня. — И он совершенно однозначно хочет быть со мной. И никаких сомнений, никаких условий. После первого же свидания он назвал меня своей девушкой. А я наслышана о нью-йоркских любителях менять девушек как перчатки. Теперь вы понимаете, насколько мне повезло? — Марго неохотно кивнула. Я снова встала. — Поэтому мне теперь наплевать на Сэма. Я хочу сказать, что до моего отъезда сюда мы даже не успели толком узнать друг друга. Подозреваю, что, если бы в свое время нам обоим не понадобилась бы экстренная медицинская помощь, мы вообще не были бы вместе. На самом деле я в этом абсолютно уверена. И я определенно ему не подхожу, ведь иначе он наверняка меня дождался бы. Потому что в жизни обычно так и бывает. Значит, по большому счету жизнь прекрасна и удивительна. И я действительно рада, что все так обернулось. Все хорошо. Хорошо.

В комнате вдруг стало тихо.

— Я вижу, — спокойно ответила Марго.

— И я действительно счастлива.

— Я вижу, дорогая. — Марго испытующе посмотрела на меня, положив руки на подлокотники. — А теперь, может, выведешь бедного песика на улицу. А то у него уже глаза на лоб вылезли.

Глава 25

У меня ушло два вечера на то, чтобы обнаружить внука Марго. Джош был занят на работе, а Марго теперь, как правило, ложилась спать еще до девяти, поэтому однажды вечером я устроилась на полу перед входной дверью — единственное место, где я могла поймать WiFi Гупников, — и попыталась прогуглить сына Марго, набрав имя Фрэнк Де Витт, а когда ничего не нашлось, набрала Фрэнк Олдридж-младший. Но ничего похожего и близко не было, если только он не переехал в другой конец страны, но даже при таком раскладе даты рождения и национальности мужчин, которые выдавал мне «Гугл», не соответствовали нужным критериям.

На второй вечер, словно поддавшись импульсу, я попробовала отыскать девичью фамилию Марго в бумагах, хранившихся в ящике комода моей комнаты. И действительно нашла приглашение на панихиду по Терренсу Уэберу, после чего набрала Фрэнка Уэбера и с некоторой долей грусти обнаружила, что Марго дала сыну фамилию своего незабвенного мужа, умершего задолго до рождения мальчика. А еще — что через какое-то время Марго вернула себе девичью фамилию — Де Витт — и стала совершенно новым человеком.

Фрэнк Уэбер-младший был дантистом, жившим в местечке под названием Такахо в Уэстчестере. Я нашла ссылки на него в LinkedIn и в «Фейсбуке», через его жену Лэйни. Оказывается, у них был сын Винсент, который был ненамного моложе меня. Винсент работал в Йонкерсе в некоммерческом образовательном центре с детьми из неимущих семей, и этот факт стал для меня решающим. Фрэнк Уэбер-младший, возможно, до сих пор был слишком обижен на мать, чтобы восстановить с ней отношения, но что плохого, если я попытаюсь действовать через Винсента? Я нашла его профиль в «Фейсбуке», сделала глубокий вдох, отправила ему сообщение и стала ждать.

Джош, прервав наконец свою бесконечную корпоративную гонку за дивидендами, пригласил меня на ланч в бар, где подавали лапшу, и сообщил, что в следующую субботу у них состоится корпоративный «день семьи» в ресторане «Лёб боатхаус» и он приглашает меня в качестве своей спутницы.

— Но я собиралась пойти на акцию протеста в защиту библиотеки.

— Луиза, тебе давно пора с этим завязывать. Ты ничего не изменишь, если будешь стоять с кучкой людей и выкрикивать лозунги вслед проезжающим машинам.

— Но ведь я вовсе не член семьи! — огрызнулась я.

— Почти член. Ладно, брось! Это будет замечательный день. Ты когда-нибудь была в этом ресторане? Там шикарно. Моя фирма умеет устраивать праздники. Ты ведь продолжаешь говорить «да» новым вещам? Так что тебе остается только сказать «да». — Джош посмотрел на меня щенячьими глазами. — Луиза, скажи «да». Пожалуйста! Ну давай же!

Джош меня уломал, и он это знал. Я покорно улыбнулась:

— Ладно. Да.

— Прекрасно! В прошлом году у них были надувные костюмы борцов сумо, и мы боролись на траве, а еще они устроили семейные гонки и организованные игры. Тебе точно понравится.

— Потрясающе!

Слова «организованные игры» на слух казались мне ничуть не привлекательнее, чем фраза «принудительный мазок из шейки матки». Но ведь это был Джош, и он казался таким довольным тем, что я составлю ему компанию, что у меня не хватило духу сказать «нет».

— Обещаю, тебе не придется бороться с моими коллегами. Впрочем, если захочешь, можешь потом побороться со мной. — Джош поцеловал меня и ушел.

Всю неделю я аккуратно проверяла почту, но писем не было, разве что имейл от Лили, которая интересовалась, знаю ли я место, где делают тату несовершеннолетним, да дружеский привет от кого-то, с кем я вроде бы училась в школе, но кого решительно не помнила, а еще письмо от мамы с гифкой чрезвычайно толстого кота, очевидно разговаривающего с двухлетним малышом, и ссылка на игру под названием «Фарм фан фанданго».

— Марго, а вы точно справитесь одна? — Я положила в сумку ключи и кошелек.

Марго одолжила мне белый комбинезон с золотыми парчовыми эполетами и парчовой отделкой времен начала восьмидесятых и, увидев меня в этом наряде, восторженно захлопала в ладоши:

— Ой, ты выглядишь просто великолепно! Должно быть, у тебя тот же размер, что был у меня в твоем возрасте. Видишь ли, когда-то у меня даже был бюст! Ужасно немодно в шестидесятые и семидесятые, но тут уж ничего не попишешь.

Я не стала ей говорить, что мне приходилось прилагать титанические усилия, чтобы не разошлись швы, но в принципе она была права: переехав к Марго, я действительно сбросила несколько фунтов, в основном благодаря тому, что готовила ей диетическую еду. Чувствуя себя в этом комбинезоне королевой, я покружилась перед Марго:

— А вы приняли ваши таблетки?

— Конечно приняла. Не суетись, дорогая. Похоже, ты хочешь сказать, что не вернешься домой ночевать, да?

— Еще не знаю. Но перед уходом обязательно выгуляю Дина Мартина. Так, на всякий пожарный. — Я потянулась было за поводком и замерла на месте. — Марго, а почему вы назвали его Дином Мартином? Я как-то все время забываю спросить.

Марго, судя по ее тону, явно сочла мой вопрос идиотским:

— Потому что Дин Мартин был потрясающе красивым мужчиной, а это, соответственно, потрясающе красивая собака.

Маленькая собачка послушно сидела у двери, свесив язык и выпучив непропорционально большие глаза.

— Понятно. Как же я сразу не догадалась?! — воскликнула я, закрывая за собой дверь.

— Нет, вы только поглядите! — присвистнул Ашок, когда мы с Дином Мартином спустились в вестибюль. — Звезда диско!

— Тебе нравится? — Я сделала танцевальное па. — Это Марго мне дала.

— Ты серьезно? Наша старушка полна сюрпризов.

— Присмотри за ней, хорошо? Она сегодня очень слабая.

— Ладно, придержу ее почту, чтобы был предлог постучаться часов шесть к ней в дверь.

— Ты мой герой!

Мы пробежались по парку, и Дин Мартин сделал свои собачьи дела, а я проделала все положенные манипуляции с маленьким мешком для мусора, чуть-чуть содрогаясь от отвращения и периодически перехватывая взгляды прохожих, явно не ожидавших увидеть здесь девушку в белом комбинезоне с золотыми эполетами, которая носится за маленькой возбужденной собачкой с мешочком собачьих какашек в руках. Я вбежала в дом, Дин Мартин восторженно тявкал сзади, и неожиданно столкнулась с Джошем.

— Ой, привет! — поцеловала я Джоша. — Буквально две минуты — и я буду готова. Хорошо? Только вымою руки и возьму сумку.

— Возьмешь сумку?

— Да! — Я удивленно уставилась на Джоша. — Ой, да! Дамскую сумочку. Я имею в виду дамскую сумочку.

— Нет, я о другом. А ты разве не переоденешься?

Я оглядела свой комбинезон:

— Так я уже переоделась.

— Солнышко, если ты придешь в таком наряде на наш корпоратив, они решат, что ты аниматорша.

Я не сразу поняла, что Джош не шутит.

— Значит, тебе не нравится? — спросила я.

— Да нет же. Ты выглядишь классно. Правда, немного похоже на... то, как одеваются трансвеститы... У нас ведь офисная публика, привыкшая носить костюмы. Типа все жены и подружки будут в платьях-шифт или в белых брюках. Одним словом, одеты с элегантной небрежностью.

— Ох! — Я старалась не выдать своего разочарования. — Прости. Я плохо разбираюсь в вашем американском дресс-коде. Ладно. Подожди меня здесь. Сейчас вернусь.

Перепрыгивая сразу через две ступеньки, я ворвалась в квартиру и бросила поводок Марго, которая зачем-то встала с кресла и теперь, держась за стенку, проследовала за мной по коридору.

— К чему такая спешка? У нас что, пожар? Ты топаешь, как стадо слонов!

— Мне нужно переодеться.

— Переодеться? Зачем?

— По всей видимости, я одета неподобающим образом. — Я принялась рыться в платяном шкафу.

Значит, платье-шифт? Единственным чистым коротким прямым платьем было то психоделическое, что в свое время подарил Сэм, и мне казалось нелояльным надевать по такому случаю подарок бывшего парня.

— А по-моему, ты выглядишь очень мило, — с нажимом произнесла Марго.

В дверях появился Джош, поднявшийся вслед за мной наверх.

— Ой, вы совершенно правы. Она выглядит отпадно. Я просто... боялся, что ее... могут неправильно понять. — Джош рассмеялся.

Марго — нет.

Я судорожно перебирала одежду, швыряя вещи на кровать, пока наконец не обнаружила темно-синий блейзер а-ля Гуччи и шелковое платье-рубашку. Быстро натянув на себя платье, я сунула ноги в зеленые туфли «Мэри Джейн».

— Ну как тебе? — Я выбежала в коридор, на ходу приглаживая волосы.

— Грандиозно! — Джош не мог скрыть облегчения. — Ну все. Пойдем.

— Дорогая, я оставлю дверь открытой, — пробормотала мне в спину Марго, когда я побежала догонять Джоша. — На всякий случай, если ты все же решишь вернуться домой.

«Лёб боатхаус» оказался чудесным местом, расположенным в тихом уголке Центрального парка; панорамные окна заведения выходили прямо на мерцавшее в лучах полуденного солнца озеро. Здесь было полно элегантно одетых мужчин в одинаковых чинос, а женщины, все с профессионально уложенными волосами, как и предсказывал Джош, издалека казались морем пастельных нарядов и белых брюк.

Я взяла с протянутого официантом подноса бокал шампанского и нашла глазами Джоша, который, фланируя по залу, обменивался рукопожатиями с похожими на клонов мужчинами: все, как один, короткостриженые, с квадратными челюстями и ровными белыми зубами. И мне на память тотчас же пришли светские мероприятия, где я бывала вместе с Агнес: я снова попала в мир другого Нью-Йорка — мир, бесконечно далекий от моего сегодняшнего, с его магазинами винтажной одежды, пахнущими нафталином джемперами и дешевым кофе. Я сделала большой глоток шампанского, решив взять от сегодняшнего дня максимум возможного.

Рядом со мной внезапно возник Джош:

— Это что-то с чем-то, правда?

— Здесь очень красиво.

— Уж, наверное, лучше, чем сидеть весь день в квартире больной старухи, а?

— Ну, не думаю, что я...

— Мой босс идет. О'кей. Я хочу тебя представить. Никуда не уходи. Митчелл!

Джош поднял руку, и к нам медленно направился какой-то немолодой мужчина в сопровождении изящной брюнетки с безжизненной улыбкой на пухлых губах. Возможно, именно это и происходит с твоим лицом, если приходится улыбаться всем подряд.

— Вам нравится наш праздник?

— Очень, сэр! — ответил Джош. — Изумительное место! Могу я представить вам свою девушку? Это Луиза Кларк. Она из Англии. Луиза, это Митчелл Дюмон, глава отделения по слиянию и аквизиции.

— Значит, англичанка? — Мужчина решительно сжал мою руку своей лапищей.

— Да, я...

— Отлично. Отлично. — Он повернулся к Джошу. — Итак, молодой человек, я слышал, вы навели шороху в вашем отделе.

Джош не мог скрыть своего восторга. Его лицо расплылось в счастливой улыбке. Он бросил на меня быстрый взгляд, показав глазами на изящную брюнетку, и я поняла, что от меня требуется завязать с ней светскую беседу. Но никто из мужчин даже не потрудился представить нас друг другу. Митчелл Дюмон, по-отечески обняв Джоша за плечи, отвел его в сторону.

— Итак... — Я подняла брови и снова их опустила. Она ответила мне равнодушной улыбкой. И тогда я сказала единственное, что можно сказать, чтобы поддержать разговор с женщиной, с которой абсолютно не о чем говорить: — Мне нравится ваше платье.

— Спасибо. Очень милые туфли, — произнесла она, всем своим видом однозначно давая понять, что вовсе не считает их милыми.

Дама отвела от меня скучающий взгляд, явно подыскивая более подходящего собеседника, потом оглядела мой наряд, похоже с ходу сообразив, что мой тарифный разряд гораздо ниже ее.

Но поскольку поблизости никого не было, я предприняла еще одну попытку:

— А вы часто здесь бываете? Я имею в виду в «Лёб боатхаусе»?

— Это «Лоуб», — поправила меня она.

— «Лоуб»?

— Вы произнесли «Лерб», а надо говорить «Лёб».

Я посмотрела на ее идеально накрашенные, неестественно пухлые губы, артикулирующие это слово, и меня вдруг начал душить смех. Тогда я глотнула шампанского, чтобы обуздать неуместный приступ веселья.

— Итак, вы часто берваете в «Лерб Бертхаусе»? — Я ничего не могла с собой поделать — это было выше моих сил.

— Нет, — ответила она. — Хотя у моей подруги в прошлом году здесь была свадьба. Очень красивая церемония.

— Могу себе представить. А чем вы занимаетесь?

— Я домохозяйка.

— Дермохозяйка! Моя мама тоже дермохозяйка. — Я снова приложилась к шампанскому. — Быть дермохозяйкой — это так мерло.

Тут я увидела Джоша. Он не сводил глаз со своего босса, отдаленно напомнив мне Тома, который точно таким же взглядом смотрел на папу, когда хотел, чтобы тот поделился с ним чипсами.

На лице женщины появилось слегка озабоченное выражение, конечно, насколько это возможно для человека, неспособного нахмурить лоб. Я почувствовала, как из груди буквально рвутся непослушные пузырьки озорного веселья, и мысленно попросила Бога помочь мне держать смех под контролем.

— Крисси! — Голос моей собеседницы буквально звенел от облегчения.

Миссис Дюмон — я наконец сообразила, с кем разговаривала, — помахала рукой какой-то женщине, идеальная фигура которой была аккуратно втиснута в платье-шифт цвета мяты. Я подождала, пока они прижимались щека к щеке, изображая поцелуй.

— Ты выглядишь просто роскошно!

— Ты тоже. Мне нравится твое платье.

— Ой, это такое старье! Но ты просто прелесть. А как там твой дорогой супруг? Как всегда, говорит о делах?

— Ох, ну ты же знаешь Митчелла! — Миссис Дюмон явно больше не могла игнорировать мое присутствие. — Это девушка Джошуа Райана. Простите, забыла ваше имя. Здесь ужасно шумно.

— Луиза.

— Как мило. А я Крисси. Прекрасная половина Джефри. Вы ведь знаете Джефри из отела продаж и маркетинга?

— Ох, ну кто же не знает Джефри?! — воскликнула миссис Дюмон.

— О-о... Джефри... — Я покачала головой, затем кивнула, потом снова покачала головой.

— А чем вы занимаетесь?

— Чем я занимаюсь?

— Луиза в модном бизнесе. — Рядом со мной словно из-под земли возник Джош.

— Да, в вас определенно чувствуется индивидуальность. Мне нравятся британцы. А тебе, Мэллори? У них такие *своеобразные* вкусы.

И все замолчали, словно пытаясь оценить мои вкусы.

— Луиза собирается работать в «Вименс веар дейли».

— Да неужели? — удивилась Мэллори Дюмон.

— Кто? Я? Ну да. Собираюсь, — кивнула я.

— Это, должно быть, потрясающе. Изумительный журнал! Ну а теперь прошу меня извинить. Я должна найти своего мужа. — И, одарив нас очередной равнодушной улыбкой, миссис Дюмон, в своих туфлях на головокружительно высоком каблуке, зашагала прочь. Крисси поспешила за ней.

— Зачем ты это сказал? — Я потянулась за очередным бокалом шампанского. — Потому что это звучит лучше, чем *сиделка у больной старухи*?

— Нет. Просто, судя по твоему внешнему виду, можно решить, будто ты работаешь в индустрии моды.

— Значит, тебя по-прежнему смущает моя манера одеваться?

Я оглянулась на двух дам в их заслуживающих одобрения нарядах. И внезапно с новой остротой почувствовала, каково было Агнес на подобных сборищах, где все остальные женщины ненавязчиво дают понять, что ты не из их круга.

— Ты выглядишь шикарно. Просто, сказав, что ты работаешь в индустрии моды, гораздо легче объяснить твое особое... уникальное чувство стиля. Что на самом деле так!

— Джош, я вполне довольна тем, чем занимаюсь.

— Но ты ведь хочешь работать в модном бизнесе, да? И ты не можешь до конца жизни ухаживать за больной старухой. Послушай, я хотел сказать тебе позже, ну да ладно. Моя невестка Дебби знакома с женщиной из отдела маркетинга «Вименс веар дейли». И она обещала разузнать, не открылись ли у них подходящие вакансии. Дебби абсолютно уверена, что сможет тебе помочь. Ну что скажешь? — Джош сиял так, будто подарил мне Святой Грааль.

Я глотнула шампанского:

— Конечно.

— Вот так-то! Ну разве не здорово? — Джош продолжал испытующе на меня смотреть.

— Ура! — наконец воскликнула я.

Он сжал мое плечо:

— Я знал, что ты будешь на седьмом небе от счастья. Отлично. А теперь давай присоединимся к остальным. Нас ждут семейные гонки. Хочешь содовой с лаймом? Не уверен, что нас правильно поймут, если мы выпьем больше одного бокала шампанского. Позволь, я это возьму. — Он поставил мой бокал на поднос проходящего мимо официанта, и мы вышли на солнечный свет.

Учитывая элегантность мероприятия и живописные декорации, я, по идее, должна была отлично провести оставшуюся пару часов. Ведь, как ни крути, я сказала «да» еще одному новому жизненному опыту. Но, положа руку на сердце, я все больше чувствовала себя не в своей тарелке среди корпоративных пар. Я решительно не попадала в ритм их разговоров и, затесавшись в случайную группу гостей, казалась или угрюмой, или тупой как пробка. Джош легко переходил от человека к человеку, словно управляемая менеджерская ракета, и на каждой остановке выражение его лица тотчас же становилось внимательным и участливым, ну а безукоризненные манеры вообще были выше всяких похвал. Я поймала себя на том, что невольно слежу за ним, и у меня в очередной раз возник вопрос: что, ради всего святого, он во мне нашел? Я совсем не походила на всех этих женщин, с их сияющими персиковыми конечностями, с их наглаженными платьями, с их разговорами о невыносимых нянях и каникулах на Багамах. Я шла в кильватерном следе Джоша, повторяя его ложь насчет зачатков моей карьеры в модельном бизнесе, молча улыбаясь и бесконечно твердя: «Да-да, здесь очень красиво» или: «Спасибо большое, о да, я, конечно, не откажусь от еще одного бокала шампанского» — и стараясь не замечать выразительно поднятых бровей Джоша.

— Как вам сегодняшнее мероприятие?

Пока Джош раскатисто смеялся над шуткой кого-то пожилого мужика в чиносах и голубой рубашке, ко мне подошла женщина с уложенными каре ярко-рыжими волосами, настолько блестящими, что в них можно было смотреться как в зеркало.

— О, великолепно! Спасибо.

За это время я успешно освоила манеру улыбаться и говорить ничего не значащие фразы.

— Фелисити Либерман. Я работаю с Джошем практически за соседним столом. У него прекрасно идут дела.

Я пожала протянутую мне руку:

— Луиза Кларк. Да, прекрасно. — Я сделала шаг назад и глотнула шампанского.

— Через два года он станет партнером. Не сомневаюсь. А вы давно встречаетесь?

— Хм, не очень. Но знакомы гораздо дольше. — (Она явно ждала развернутого ответа.) — Ну, раньше мы были типа друзьями. — Похоже, я немного перебрала, и у меня развязался язык. — На самом деле я встречалась с другим, но мы с Джошем постоянно сталкивались в разных местах. Ну, он сказал, что ждал именно такую девушку, как я. Или ждал, когда я порву со своим бывшим. Что было весьма романтично. А потом много чего случилось и — оба-на! Неожиданно у нас возникли романтические отношения. Вы ведь знаете, как это бывает.

— О, прекрасно знаю. Он умеет быть очень убедительным, наш Джош.

В ее смехе было нечто такое, что заставило меня насторожиться.

— Убедительным? — немного помедлив, переспросила я.

— А он уже демонстрировал вам свой коронный номер в галерее шепота?

— Вы о чем?

Она, должно быть, заметила ошарашенное выражение моего лица и наклонилась чуть ближе:

— *Фелисити Либерман, ты самая красивая девушка Нью-Йорка*. — Она бросила взгляд на Джоша, затем на меня. — Ой, только не надо на меня так смотреть. Мы ведь это несерьезно. И Джошу вы действительно нравитесь. На работе он только о вас и говорит. Нет, у него определенно *серьезные* намерения. Хотя одному Богу известно, что движет этими мужчинами! Верно?

Я натужно рассмеялась:

— Верно.

К тому времени как мистер Дюмон произнес в свой адрес хвалебную речь, после чего пары начали потихоньку расползаться по домам, я уже успела изрядно нагрузиться и теперь мучилась похмельем. Джош предупредительно распахнул передо мной дверь ожидающего нас такси, но я сказала, что предпочитаю прогуляться.

— А разве ты не хочешь заехать ко мне? Мы могли бы заказать что-нибудь перекусить.

— Я устала. А утром нужно отвезти Марго к врачу. — У меня болели щеки от бесконечных фальшивых улыбок.

Глаза Джоша впились в мое лицо.

— Ты на меня сердишься.

— Я на тебя не сержусь.

— Ты сердишься из-за того, что я наврал насчет твоей работы. — Он взял меня за руку. — Луиза, солнышко, я вовсе не хотел тебя обидеть.

— Но ты хотел, чтобы я изобразила из себя того, кем отнюдь не являюсь. Ты считаешь меня ниже их.

— Нет. Я считаю тебя удивительной. Просто ты можешь достичь гораздо большего, ведь у тебя такой громадный потенциал, и я...

— Давай не будем говорить о моем потенциале. Хорошо? Это звучит чересчур покровительственно и оскорбительно, и... Короче, я не хочу, чтобы ты мне это говорил. Идет?

— Ого! — Джош оглянулся, возможно, проверить, не смотрят ли на нас его коллеги. Потом взял меня под руку. — Ну а теперь скажи, что на самом деле стряслось.

Я уставилась под ноги. Вообще-то, я не хотела ничего говорить, но меня уже понесло.

— Скажи, со сколькими?

— Что значит «со сколькими»?

— Со сколькими женщинами ты уже проделывал этот трюк раньше? В галерее шепота?

И тут до него дошло. Он закатил глаза и на секунду отвернулся:

— Фелисити.

— Ага. Фелисити.

— Ну да. Ты не была первой. Но это же очень мило. Разве нет? Я решил, тебе понравится. Послушай, я просто хотел, чтобы ты улыбнулась. — (Мы стояли у открытой двери такси, счетчик щелкал, водитель выжидающе смотрел в зеркало заднего вида.) — И я действительно заставил тебя улыбнуться. Ведь так? И у нас с тобой был неповторимый момент. Или нет?

— Но у тебя уже был этот неповторимый момент. Но только с кем-то другим.

— Я тебя умоляю! Разве я единственный мужчина, кому ты говорила ласковые слова, а? Ради которого наряжалась? С кем занималась любовью? Мы же не дети. И каждый имеет определенный жизненный багаж за плечами.

— И использует уже опробованные приемы.

— Это несправедливо.

Я перевела дух:

— Извини. Но дело не только в этой дурацкой галерее шепота. Просто подобные мероприятия не по мне. Я не привыкла изображать из себя кого-то, кем не являюсь.

Джош попытался улыбнуться, выражение его лица смягчилось.

— Эй, ты освоишься! И когда узнаешь их поближе, то поймешь, что они милые люди. Даже те девушки, с которыми я когда-то встречался.

— Поверю тебе на слово.

— Мы с тобой как-нибудь сходим на наш корпоративный софтбол. Это мероприятие не столь высокого уровня. Тебе точно понравится. — И когда я слабо улыбнулась в ответ, Джош наклонился и поцеловал меня. — Ну что, мир?

— Мир.

— Уверена, что не хочешь поехать со мной?

— Мне нужно проведать Марго. Плюс у меня дико болит голова.

— Вот к чему приводит невоздержанность в потреблении алкоголя! Тебе нужно выпить побольше воды. Вероятно, у тебя просто-напросто обезвоживание. Я завтра тебе позвоню. — Он поцеловал меня, сел в такси и закрыл дверь.

А я все стояла и смотрела, смотрела. Джош помахал мне, после чего постучал по перегородке, показывая таксисту, что тот может ехать.

Вернувшись домой, я посмотрела на настенные часы в вестибюле, обнаружив, к своему удивлению, что сейчас только половина седьмого. А мне показалось, что сегодняшний день растянулся на целую вечность. Я сняла туфли, испытывая знакомое только женщинам невероятное облегчение оттого, что можно утопить измученные пальцы ног в толстом ворсе ковра, и босиком направилась к квартире Марго. Я чувствовала себя усталой и раздраженной, хотя и сама не могла толком понять почему, словно меня заставили играть в игру, правил которой я не понимаю. Ведь я нутром чувствовала, что зря согласилась пойти на этот корпоратив. И в ушах по-прежнему стояли слова Фелисити Либерман: *А он уже демонстрировал вам свой коронный номер в галерее шепота?*

Войдя в квартиру, я наклонилась погладить бросившегося мне навстречу Дина Мартина. Его сморщенная мордочка светилась таким неподдельным восторгом, что у меня сразу же поднялось настроение. Я села на пол, позволив ему запрыгивать на меня и лизать мне лицо крошечным розовым язычком.

— Марго, я вернулась! — крикнула я.

— Я, собственно, и не рассчитывала, что это Джордж Клуни, — услышала я в ответ. — Впрочем, тем хуже для меня. Ну как там степфордские жены? Джош еще не обратил тебя в свою веру?

— Марго, день прошел чудесно, — соврала я. — И все были очень милыми.

— Все так плохо, а? Дорогая, если случайно будешь проходить мимо кухни, не нальешь мне немного вермута?

— Какой еще, к черту, вермут?! — прошептала я, обращаясь к мопсу, самозабвенно чесавшему задней лапой у себя за ухом.

— Кстати, если хочешь, можешь себе тоже налить. Мне кажется, сейчас он тебе явно не повредит.

Я уже вставала с пола, как вдруг зазвонил мой телефон. И меня сразу же заколотило. Это, должно быть, Джош, но я еще была морально не готова общаться с ним. Однако, взглянув на экран, я с удивлением увидела номер телефона родителей. Я прижала мобильник к уху:

— Папа?

— Луиза? Слава богу!

Я посмотрела на часы:

— У вас все в порядке? Ведь в Англии сейчас глубокая ночь!

— Дорогая, у меня плохие новости. Это твой дедушка.

Глава 26

В память об Альберте Джоне Комптоне, «дедушке»
Поминальная служба:
приходская церковь Святой Марии и Всех Святых,
Стортфолд-Грин
23 апреля в 12:30

Скорбящие приглашаются на поминки
в пабе «Смеющаяся собака» на Пайнмут-стрит.
Никаких цветов, но приветствуются пожертвования
в Фонд помощи травмированным жокеям.

«Наши души осиротели,
но Господь дал нам счастье любить тебя».

Спустя три дня я улетела домой на похороны. Я наготовила Марго на десять дней обедов, заморозила их и оставила Ашоку инструкции хотя бы раз в день под каким-нибудь предлогом заглядывать к Марго удостовериться, что она в порядке, а если, паче чаяния, нет, сделать все возможное, чтобы мне не пришлось обнаружить это только через десять дней. Я отменила очередной визит Марго в больницу, проверила запас чистых простыней и собачьего корма, а еще заплатила Магде — специалисту по выгуливанию собак — за то, чтобы она приходила дважды в день, строго-настрого запретив Марго увольнять ее в первый же день. И наконец, сообщила девушкам из «Магазина винтажной одежды», что я уезжаю. За это время я дважды встречалась с Джошем. И даже позволила ему гладить меня по голове и говорить, как сильно он мне сочувствует и как глубоко переживал, потеряв своего дедушку. Только в самолете я наконец поняла, что специально загружала себя тысячей дел, чтобы отогнать осознание свершившегося факта.

Дедушка умер.

Очередной апоплексический удар, сказал папа. Они с мамой болтали на кухне, а дедушка смотрел по телевизору скачки. Мама вошла в комнату спросить, не хочет ли дедушка еще чая, а он спал, так тихо и так мирно, что до них только через пятнадцать минут дошло, что дедушка заснул вечным сном.

— Лу, он выглядел таким умиротворенным, — заметил папа, когда мы ехали из аэропорта в его минивэне. — Голова склонилась набок, глаза закрыты, словно он просто решил вздремнуть. Я хочу сказать, Господь любил твоего дедушку, и, конечно, никто из нас не хотел его терять, но это хорошая смерть, ведь так? В своем уютном кресле, в своем доме, перед своим старым телевизором. Он даже не успел сделать ставки на этот забег, так что ему там, на Небесах, не придется переживать, что поставил не на ту лошадь. — Папа попытался улыбнуться.

Я словно оцепенела. И, только войдя в дом и увидев пустое кресло, я смогла убедить себя, что это правда. Я больше никогда не увижу дедушку, больше никогда не обниму его, не поглажу эту сгорбленную старую спину, никогда не принесу ему чая, никогда не буду разбирать его невнятную речь или подтрунивать над ним, что он жульничает, разгадывая судоку.

— Ох, Лу! — Появившаяся из коридора мама прижала меня к груди.

Я обняла маму в ответ, чувствуя, как мамины слезы капают мне на плечо. А папа тем временем гладил ее по спине и, словно заклинание, повторял:

— Все, любимая. Держись. Держись.

И тем не менее, хотя я очень любила дедушку, в свое время я иногда чисто абстрактно размышляла о том, что, когда он отойдет в мир иной, маме сразу станет легче, поскольку это избавит ее от необходимости ухаживать за прикованным к креслу инвалидом. Ведь очень долго вся мамина жизнь была плотно завязана на дедушке, и ей с трудом удавалось выкраивать время для себя, а из-за резкого ухудшения его здоровья в последние месяцы мама даже лишилась возможности посещать свои любимые вечерние курсы.

Но я была не права. Мама чувствовала себя опустошенной, на грани отчаяния. Она казнила себя за то, что ее не было в комнате, когда умер дедушка, рыдала при виде его вещей и сокрушалась, что так мало для него сделала. Теперь, когда ей не за кем было ухаживать, она буквально не находила себе места. Она вставала и снова садилась, взбивала подушки, смотрела на часы, словно опаздывала на встречу. А когда ей сделалось совсем невмоготу, принялась с маниакальным упорством наводить чистоту, вытирать несуществующую пыль и, обдирая костяшки пальцев, драить полы. Вечером мы расселись за кухонным столом, а папа отправился в паб — предположительно сделать последние распоряжения насчет поминок, — и мама поспешно вылила чай из четвертой чашки, машинально поставленной для человека, которого уже не было с нами, а затем обрушила на меня лавину мучивших ее вопросов:

— А что, если я сделала не все, что могла? Может, нужно было свозить его в больницу на дополнительное обследование? Возможно, они могли бы уменьшить риск очередного инсульта. — Ее руки нервно крутили носовой платок.

— Но ты все сделала. Ты миллион раз возила его по врачам.

— А ты помнишь тот случай, когда он съел две пачки шоколадного печенья? Может, именно это его и доконало? По последним данным, в наше время сахар — это орудие дьявола. Конечно, мне следовало убрать печенье на верхнюю полку. Чтобы он не добрался до этой отравы!

— Мама, дедуля же не был ребенком!

— Нужно было заставлять его есть салат и зелень. Но тебе даже не представить, как это было трудно! Невозможно кормить с ложечки взрослого человека. Господи Иисусе, только без обид! Я хочу сказать, с Уиллом это было совсем другое дело...

Я накрыла ее руку своей, мамино лицо плаксиво сморщилось.

— Мама, никто не любил его так, как ты. И никто не смог бы ухаживать за ним лучше тебя.

По правде говоря, мамины душевные муки выводили меня из равновесия. Ведь я сама была в ее положении, причем не так уж давно. Мамина скорбь пугала, словно заразное заболевание. И я старалась держаться от мамы подальше, пытаясь найти какое-нибудь занятие, чтобы ее горе не захлестнуло меня с головой.

В тот вечер, пока родители сидели над полученными от адвоката бумагами, я прошла в дедушкину комнату. Там все было так, как при его жизни: кровать аккуратно застелена, на стуле — номер «Рейсинг пост», два забега на следующий день обведены синей шариковой ручкой.

Присев на краешек кровати, я провела указательным пальцем по вафельному стеганому покрывалу. На прикроватном столике стояла фотография бабушки, сделанная в 1950-х годах, волосы уложены буклями, улыбка открытая и доверчивая. У меня сохранились лишь смутные воспоминания о бабушке, а вот дедушка был неизменной составляющей моего детства: сперва — как хозяин маленького домика в конце нашей улицы (по субботам мы с Триной постоянно бегали к нему за конфетами), а последние пятнадцать лет — как постоянный обитатель нашего дома; его ласковая неуверенная улыбка будто пунктиром проходила через весь мой день, так же как и его присутствие в гостиной с газетой и кружкой чая.

Я вспомнила истории, которые мы с Триной любили слушать в детстве, о его службе на военно-морском флоте (хотя, быть может, рассказы о необитаемых островах, об обезьянах и кокосовых пальмах не совсем соответствовали действительности). Вспомнила, как он жарил на закопченной сковородке сладкие гренки — единственное блюдо, которое дедушка умел готовить, вспомнила и о том, как он в свое время умел смешить бабушку буквально до слез. А потом вспомнила последние годы его жизни, когда смотрела на него практически как на предмет обстановки. Я не писала ему. Я не звонила ему. Я просто считала, что он всегда будет здесь так долго, как мне захочется. Обижался ли он на меня? И хотелось ли ему со мной поговорить?

Я даже не сказала ему «до свидания».

На память пришли слова Агнес о том, что, оказавшись вдали от родного дома, ты словно пытаешься одновременно усидеть на двух стульях, а твое сердце разрывается на две половинки. Я положила руку на стеганое покрывало. И наконец-то смогла заплакать.

В день похорон я, сойдя вниз, застала маму за лихорадочными приготовлениями к приему гостей, хотя, насколько мне было известно, приходить к нам домой после похорон никто вроде бы не собирался. Папа сидел за столом, глядя на происходящее отсутствующим взором, что в последние дни стало характерно для него во время разговора с мамой.

— Джози, тебе не нужно искать работу. Тебе не нужно ничего делать.

— Ну, должна же я как-то теперь убивать время. — Мама сняла жакет и, аккуратно повесив его на спинку стула, опустилась на колени, чтобы вытереть несуществующее грязное пятнышко под буфетом.

Папа беззвучно пододвинул ко мне тарелку и нож.

— Лу, дорогая, я просто пытаюсь объяснить твоей маме, что ей нет абсолютно никакой нужды с ходу заниматься поисками работы. А она говорит, что прямо после службы в церкви собирается отправиться в центр занятости.

— Мама, ты много лет ухаживала за дедушкой. Теперь ты должна отдохнуть и просто получить удовольствие от свободного времени.

— Нет. Мне будет гораздо лучше, если я займусь делом.

— У нас скоро не останется буфетов, если она продолжит скрести их с такой же интенсивностью, — пробормотал папа. — Садись. Я тебя очень прошу. Тебе нужно хоть немного поесть.

— Мне не хочется.

— Ради всего святого, женщина! Или ты хочешь, чтобы у меня случился удар?! — воскликнул папа и, похоже, сам испугался. — Прости. Прости. Я совсем не это имел в виду...

— Мама... — Я подошла к ней, так как она явно меня не слышала, и положила руки ей на плечи, после чего она на секунду застыла. — Мама...

Поднявшись на ноги, мама рассеянно посмотрела в окно.

— И какой теперь от меня прок? — с горечью спросила она.

— Что ты хочешь этим сказать?

Она поправила накрахмаленную белую занавеску:

— Я теперь никому не нужна.

— Господи, мама! Ты мне нужна. Ты нам всем нужна.

— Но ты ведь меня покинула. Разве нет? Вы все меня покинули. Даже Том. Вы все от меня за тридевять земель.

Мы с папой переглянулись.

— Но это вовсе не значит, что ты нам не нужна.

— Дедушка был единственным человеком, который реально нуждался во мне. Даже тебя, Бернард, вполне устроит по вечерам кусок пирога и пинта пива в пабе через дорогу. И что теперь прикажете делать? Мне пятьдесят восемь лет, и я ни на что не гожусь. Всю свою жизнь я провела, ухаживая за другими, а сейчас вообще никому не нужна.

У нее на глаза навернулись слезы. И мне вдруг показалось, что еще немножко — и она завоет.

— Мама, ты всегда нужна нам. Даже не знаю, что бы я делала, если бы тебя не было рядом. Ты для нас как фундамент здания. Мы можем сколь угодно долго не видеться, и тем не менее я знаю, что ты здесь. Поддерживаешь меня. Всех нас. — (Она неуверенно окинула меня встревоженным взглядом, точно не веря своим ушам.) — Да-да, так оно и есть. Сейчас у тебя трудный период. Пройдет немало времени, прежде чем ты приспособишься. Но вспомни, что было, когда ты начала посещать вечерние курсы! Ты была такой счастливой. Будто открыла в себе нечто такое, чего не знала раньше. Ну и теперь все будет точно так же. Забудь о том, что кто-то непременно должен в тебе нуждаться, и посвяти наконец свободное время себе.

— Джози, — ласково сказал папа, — мы начнем путешествовать. Короче, делать то, что не могли себе позволить раньше, так как нельзя было оставить дедушку одного. Возможно, приедем навестить тебя, Лу. Поездка в Нью-Йорк! Послушай, любовь моя, твоя жизнь не кончилась, она просто будет теперь немножко другой.

— В Нью-Йорк? — переспросила мама.

— Боже мой! Я буду на седьмом небе от счастья! — Я взяла кусочек тоста с подставки. — Найду вам какой-нибудь симпатичный отель. И мы вместе будем осматривать достопримечательности.

— Ты серьезно?

— Быть может, мы наконец познакомимся с тем миллионером, на которого ты работаешь, — сказал папа. — И он даст нам парочку полезных советов. Да?

Честно говоря, я решила пока не сообщать им об изменении своих жизненных обстоятельств. И сейчас просто продолжила с отсутствующим видом жевать тост.

— Мы? Поедем в Нью-Йорк? — удивилась мама.

Папа протянул ей коробку бумажных носовых платков:

— Ну а почему бы и нет? У нас есть какие-никакие сбережения. С собой их в могилу не заберешь. Наш старик это отлично понимал. Луиза, ты ведь не ждешь от нас богатого наследства, а? Лично я опасаюсь проходить мимо конторы букмекера. А что, если он выскочит на улицу и скажет, что дедуля остался должен ему пятерку?

Мама выпрямилась, по-прежнему не выпуская из рук тряпку для пыли:

— Ты и мы с папой в Нью-Йорке. Вот это да!

— Если хочешь, вечером посмотрим расписание рейсов. — Интересно, а мне удастся уговорить Марго подтвердить, что ее фамилия Гупник?

Мама смахнула непрошеную слезу:

— Боже милостивый, дедушку еще не успели похоронить, а вы уже строите планы на будущее. Что он подумает о нас?

— Он подумает, что это прекрасно. Дедушка бы точно одобрил вашу идею поехать в Америку.

— Ты уверена?

— Абсолютно уверена. — Я обняла маму. — Дедушка ведь побывал во многих странах, когда служил на флоте, да? И он наверняка обрадуется, если ты продолжишь занятия в образовательном центре для взрослых. Зачем зря пропадать знаниям, которые ты уже приобрела за прошлый год?!

— И я совершенно уверен: дедушке было бы приятно знать, что, прежде чем уйти, ты не забудешь оставить мне в духовке обед, — добавил папа.

— Брось, мама! Самое главное — пережить сегодняшний день, а потом можно и начать строить планы. Ты сделала для дедули все, что могла, и я не сомневаюсь, он считает, что следующий этап твоей жизни должен быть более увлекательным. Ты это заслужила.

— Увлекательным... — Мама взяла у папы бумажный платок и промокнула глаза. — И как только мне удалось воспитать таких мудрых дочерей?

Папа выразительно поднял брови, проворно схватив у меня с тарелки тост:

— Ах! Все дело в благотворном отцовском влиянии.

Он тихо крякнул, когда мама смазала его по голове посудным полотенцем, а когда она отвернулась, улыбнулся мне с видом глубочайшего облегчения.

Похороны прошли, как, собственно, проходят все похороны, с различными вариациями степени скорби, со слезами и существенным процентом собравшихся, которым не мешало бы знать слова и мелодию псалмов.

Сборище было не слишком многолюдным, как деликатно заметил священник. Под конец жизни дедушка так редко выходил из дому, что почти никто из его бывших друзей и не узнал о его смерти, хотя мама даже поместила объявление в «Стортфолд обзервер». А впрочем, быть может, большинство дедушкиных знакомых к этому времени уже и сами отошли в мир иной. Поскольку проститься с ним пришла всего парочка человек, наверное, имело место и то и другое.

У могилы я стояла, с мокрым от слез лицом, рядом с Триной, с благодарностью ощутив прилив родственных чувств, когда она неожиданно сжала мою ладонь. Я оглянулась на Эдди, которая держала за руку Тома. Том ковырял ногой маргаритку в траве, возможно, чтобы не разреветься, а возможно, вспоминая в данный момент о трансформерах или недогрызенном печенье, которое засунул под обшивку катафалка.

Я услышала, как священник шепчет знакомое «прах к праху», и мои глаза наполнились слезами, которые я поспешно вытерла носовым платком. А потом я подняла голову и увидела с другой стороны могилы, за спинами немногочисленных скорбящих, Сэма. У меня екнуло сердце. И тотчас же нахлынула жаркая волна — нечто среднее между страхом и тошнотой. На секунду перехватив его взгляд, я заморгала и отвернулась. А когда снова посмотрела в ту сторону, Сэма уже не было.

Я стояла возле шведского стола в пабе, когда Сэм внезапно возник возле меня. Надо сказать, я еще ни разу не видела его в костюме. Сэм казался таким красивым и одновременно таким чужим, что мне стало трудно дышать. И я решила вести себя по возможности как вполне зрелая личность, а именно старательно не замечать его, а потому пристально уставилась на тарелки с сэндвичами с видом человека, только недавно познакомившегося с таким понятием, как еда.

Но Сэм упорно продолжал стоять рядом, ожидая, когда я подниму глаза, но в конце концов не выдержал и тихо сказал:

— Мне очень жаль твоего дедушку. Я знал, что вы все были с ним очень близки.

— Выходит, не так уж и близки, иначе я была бы в тот момент здесь. — Я принялась судорожно раскладывать салфетки, хотя мама заплатила за обслуживание.

— Что ж, в жизни не все идет так, как запланировано.

— Ничего, я в порядке. — Я на секунду закрыла глаза, пытаясь справиться с трагическими интонациями в голосе. Сделала глубокий вдох и наконец посмотрела на Сэма безразличным взглядом, что потребовало определенных усилий. — Итак, как поживаешь?

— Неплохо. А ты?

— О-о... замечательно. — Мы смущенно замолчали, и я решила заполнить паузу: — А как там твой дом?

— Продвигается помаленьку. Планирую переехать в следующем месяце.

— Ух ты! — Я на секунду даже забыла о неловкости момента. Мне казалось невероятным, что кто-то, кого я знала, сумел построить дом практически с нуля на пустом месте. Ведь я видела будущий дом лишь на стадии забетонированной площадки. И все-таки Сэм сделал это. — Потрясающе!..

— Знаю. Хотя наверняка буду скучать по своему железнодорожному вагончику. Мне там нравилось. Жизнь была такой... простой.

Мы посмотрели друг на друга и поспешно отвернулись.

— А как там Кэти?

— Отлично, — после короткой заминки ответил Сэм.

У меня за спиной внезапно возникла мама с подносом рулетиков из колбасы:

— Лу, солнышко, ты не посмотришь, где Трина? Она обещала мне помочь вот с этим... Ой, а вот и она. Может, отнесешь ей рулетики? Похоже, за тем концом стола совершенно нечего есть... — И тут до мамы дошло, с кем я разговариваю. Она буквально вырвала у меня из рук поднос. — Прости, прости. Я вовсе не хотела вам мешать.

— Ну что ты! Ты нам совсем не мешаешь, — многозначительно произнесла я и решительно ухватилась за край подноса.

— Дорогая, я сама прекрасно справлюсь. — Мама потянула поднос на себя.

— Нет, я сделаю. — Я так крепко вцепилась в поднос, что побелели костяшки пальцев.

— Лу, отпусти! Сейчас же! — Мама бросила на меня свирепый взгляд.

После чего я все же ослабила хватку, и мама поспешно удалилась.

Мы с Сэмом топтались возле стола, смущенно улыбаясь друг другу, но улыбки наши как-то слишком быстро таяли. Я взяла тарелку и положила на нее морковную палочку. По правде говоря, мне кусок в горло не лез, но вроде глупо было стоять с пустой тарелкой.

— Итак, ты надолго вернулась?

— Всего лишь на неделю.

— Ну и как там продвигаются твои дела?

— С переменным успехом. Меня уволили.

— Лили говорила. Теперь, когда она с Джейком, я вижу ее довольно часто.

— Угу... Это стало для меня своего рода сюрпризом. — Интересно, а что именно Лили успела рассказать о нашей с ней встрече?

— Но не для меня. Я понял это сразу, как только увидел их вместе. Знаешь, Лили классная. И они счастливы. — (Я молча кивнула в знак согласия.) — Она много чего рассказала. О твоем крутом парне, о том, как ты запаниковала, когда тебя уволили, а потом быстро нашла жилье и работу в «Магазине винтажной одежды». — Сэма, похоже, как и меня, вдруг заворожили сырные палочки. — Выходит, ты со всем отлично разобралась. Лили от тебя в полном восторге.

— Что-то я сомневаюсь.

— Она говорит, Нью-Йорк тебе подходит. — Сэм пожал плечами. — Хотя, полагаю, мы оба это знали.

Я украдкой посмотрела на него, когда он отвернулся, и где-то в глубине моей истекающей кровью души возник вопрос: почему два человека, которым в свое время было легко и хорошо вместе, оказались не способны связать два слова, чтобы по-человечески поговорить?

— У меня кое-что для тебя есть. Правда, дома, — отрывисто сказала я. — Я привезла это еще в прошлый раз, но ты сам понимаешь...

— Кое-что для меня?

— Не совсем так. Это бейсболка «Никс». Я купила ее... очень давно. Помнишь, ты тогда рассказывал мне о своей сестре... Ей так и не удалось попасть на их игру, но я подумала, может, Джейку понравится. — Поймав удивленный взгляд Сэма, я смущенно потупилась. — Понимаю, это, конечно, жуткая глупость. И вообще, я спокойно могу подарить бейсболку кому-нибудь другому. Не то чтобы в Нью-Йорке было трудно пристроить бейсболку «Никс». Да и вообще, наверное, странно дарить тебе подобное барахло.

— Нет-нет. Джейку точно понравится. Очень мило с твоей стороны.

На улице нетерпеливо загудел автомобиль, и Сэм машинально посмотрел в окно. Я лениво подумала, что, вполне возможно, в машине его ждет Кэти.

Я не знала, что еще сказать. Да и в любом случае на все мои вопросы не было правильных ответов. Я попыталась сглотнуть ком в горле. Мне почему-то вспомнился бал у Стрейджеров. Тогда я решила, что Сэму там не понравилось бы, поскольку у него нет костюма. И с чего я это взяла? Костюм, что был сегодня на Сэме, сидел как влитой.

— Ладно, тогда я просто отправлю бейсболку по почте. А знаешь что? — Я поняла, что больше не в силах терпеть эту муку. — Пожалуй, я лучше помогу маме с этими... с этими... колбасками, которые...

Сэм слегка попятился:

— Конечно. Я просто хотел принести свои соболезнования. Все, больше не буду тебе мешать.

Он повернулся ко мне спиной, и я тотчас же плаксиво скривилась. Отчасти я даже была рада, что присутствую на траурном мероприятии, где подобное выражение лица вполне уместно. Но прежде чем я успела взять себя в руки, Сэм обернулся.

— Лу, — тихо произнес он.

Я была не в силах говорить. И только покачала головой. А затем смотрела сквозь пелену слез, как он пробирается сквозь толпу скорбящих и закрывает за собой дверь паба.

Вечером мама вручила мне маленькую коробочку.

— Это от дедушки? — спросила я.

— Не задавай глупых вопросов. За последние десять лет жизни дедушка вообще никому ничего не дарил.

Это от твоего парня, Сэма. Увидела его сегодня и сразу вспомнила. Ты оставила его подарок у нас в свой прошлый приезд. А я не знала, что ты захочешь с ним сделать.

Я держала в руках коробочку, и в памяти всплыла наша прошлая ссора за кухонным столом. «Счастливого Рождества», — сказал Сэм и, прежде чем уйти, положил на стол коробочку.

Мама начала мыть посуду. А я с преувеличенной осторожностью принялась вынимать из коробки слои папиросной бумаги, как будто собираясь извлечь оттуда редкий артефакт.

В коробочке лежала эмалевая брошка в форме кареты «скорой помощи», скорее всего, производства 1950-х годов. Красный крест был сделан из крошечных драгоценных камней, возможно рубинов, а может быть, чего-то еще. По крайней мере, брошь мерцала и переливалась у меня в руке. К крышке коробки была прикреплена записка:

Чтобы ты не забывала обо мне, пока мы не вместе. С любовью, твой Сэм со «скорой». ххх

Брошь лежала на моей раскрытой ладони, и мама подошла ко мне сзади, чтобы посмотреть поближе. И случилось чудо. Мама воздержалась от комментариев. Она сжала мое плечо и, поцеловав в макушку, вернулась к своей посуде.

Глава 27

Дорогая Луиза Кларк!

Меня зовут Винсент Уэбер, я внук Марго Уэбер. Мне она известна под этой фамилией, а Вам под ее девичьей фамилией Де Витт.

Ваше сообщение стало для меня своего рода сюрпризом, потому что папа не любит говорить о своей матери, и, честно говоря, я много лет считал, что она умерла, хотя, как я понял уже теперь, никто, собственно, напрямую мне этого не говорил.

Получив Ваше сообщение, я попросил объяснений у своей мамы, и она сказала, что они прекратили общаться еще до моего рождения, но я подумал и решил, что ко мне это не имеет никакого отношения, и я очень хотел бы узнать о ней побольше. Вы намекнули, что она нездорова. Поверить не могу, что у меня есть еще одна бабушка!

Пожалуйста, пришлите мне ответный имейл. И большое спасибо за Ваши усилия.

Винсент Уэбер (Винни)

Он пришел к нам в условленное время в среду, в первый по-настоящему теплый майский день, когда улицы неожиданно заполнились частично обнаженной плотью и новенькими солнцезащитными очками. Я не стала ничего говорить Марго, поскольку: а) знала, что она придет в бешенство, и б) подозревала, что она уйдет гулять и не вернется до ухода Винсента. Я открыла входную дверь, и передо мной возник он — высокий блондин с проколотым в семи местах ухом, в мешковатых штанах а-ля 1940-е, в алой рубашке, начищенных до зеркального блеска коричневых ботинках и наброшенном на плечи пестром вязаном свитере.

— Вы Луиза? — спросил он, когда я наклонилась взять на руки впавшего в неистовство мопса.

— Боже мой! — Я медленно оглядела Винсента с головы до ног. — Кажется, вы с ней отлично поладите.

Я провела его по коридору, шепотом объясняя, что к чему. Бедняга Дин Мартин надрывался целых две минуты, прежде чем он привлек внимание Марго.

— Дорогая, кто там пришел? — крикнула она мне. — Если это ужасная женщина Гупника, то можешь сказать ей, что ее игра на фортепиано — это показушная сентиментальная чушь. Передай ей, что это мнение человека, некогда слушавшего самого Либераче. — Марго закашлялась.

Отступив, я махнула Винсенту рукой в сторону гостиной. И настежь распахнула дверь:

— Марго, к вам гости.

Она обернулась, ее руки покоились на подлокотниках кресла, и, слегка нахмурившись, секунд десять критически разглядывала Винсента. После чего безапелляционно заявила:

— Молодой человек, я вас не знаю.

— Марго, это Винсент. — Я перевела дух и добавила: — Ваш внук.

Она уставилась на него во все глаза.

— Привет, миссис Де Витт... Бабушка. — Он подошел к креслу, улыбнулся и склонился над ней, а Марго впилась в него глазами.

У Марго было такое напряженное лицо, что я испугалась ее неадекватной реакции. Однако она издала лишь странный звук, похожий на икоту. Ее рот чуть приоткрылся, костлявые немощные руки вцепились в рукав Винсента.

— Ты пришел. — Ее голос вдруг стал воркующим, чуть надтреснутым, грудным. — Ты пришел. — Она не отрываясь смотрела на Винсента, впитывая в себя его черты, словно искала фамильное сходство, вспоминала семейные истории и извлекала из потайных уголков своей памяти давным-давно забытые воспоминания. — Ой, ты так похож на своего отца! — Она провела рукой по его лицу.

— Хотя, по-моему, я одеваюсь все же лучше, чем он, — улыбнулся Винсент, и Марго взвизгнула от смеха.

— Дай же мне посмотреть на тебя. Боже правый, ты такой красивый! Но как ты меня нашел? А твой отец знает о... — Марго покачала головой, явно запутавшись в рвавшихся наружу вопросах; она так крепко вцепилась в руки Винсента, что у нее побелели костяшки пальцев. Потом она повернулась ко мне, впервые за все это время вспомнив о моем присутствии. — Луиза, я не понимаю, чего ты стоишь столбом. Нормальный человек уже давно предложил бы бедному мальчику чего-нибудь выпить. Господи боже мой! Иногда я действительно не понимаю, чем ты тут занимаешься!

Винсент слегка прибалдел от ее тирады, но я молча повернулась и, улыбаясь, пошла на кухню.

Глава 28

Свершилось, сказал Джош, хлопая в ладоши. Теперь он был уверен, что получит повышение. Коннора Айлса не пригласили на обед. Шарлин Трент, которая недавно перешла из юридического отдела, не пригласили на обед. Скотта Макея, аккаунт-менеджера, сперва пригласили на обед, а потом сразу сделали аккаунт-менеджером, и Скотт сказал, он на сто процентов уверен, что Джош — бесспорный кандидат на победу.

— Короче, я не хочу заранее себя обнадеживать, но все дело, Луиза, в навыках социального общения, — глядя на свое отражение в зеркале, заявил Джош. — Они приглашают только тех людей, которые, по их мнению, могут легко войти в их круг. Ты ведь наверняка об этом не знала, да? Я подумываю о том, чтобы подучиться игре в гольф. Они все играют в гольф. Но я, к сожалению, не играл в гольф с тринадцати лет. Как тебе мой галстук?

— Классный!

Галстук как галстук. Я честно не знала, что сказать. В любом случае они все были синими. Джош завязал его одним быстрым уверенным движением.

— Вчера я звонил папе. Папа считает, самое главное — это продемонстрировать, что ты от них не так уж сильно зависишь. Типа ты амбициозный человек и командный игрок, но с таким же успехом можешь перейти в другую компанию, потому что пользуешься спросом. Начальство должно почувствовать, что ты можешь легко перейти в другую фирму, если они не воздадут тебе по заслугам. Понимаешь, о чем я?

— О да.

Этот разговор повторялся уже в четырнадцатый раз за последнюю неделю. Джошу, собственно, и не особо требовались мои ответы. Он снова посмотрел на свое отражение в зеркале, а затем, явно довольный увиденным, подошел к кровати и погладил меня по голове:

— Я заеду за тобой около семи, хорошо? Постарайся пораньше выгулять собаку, чтобы не задерживаться. Я не хочу опаздывать.

— Я буду готова.

— Желаю хорошего дня. Знаешь, а ты это здорово придумала с семьей твоей старой дамы. Великолепно! Ты сделала доброе дело.

Он с чувством меня поцеловал, улыбнулся своим мыслям о предстоящем дне и ушел.

Я осталась сидеть, обняв себя за коленки, в одной из его футболок, то есть в том самом положении, в каком он меня оставил. После чего я встала, оделась и покинула его квартиру.

Когда тем же утром я везла Марго в больницу на прием к врачу, то по-прежнему мысленно была где-то далеко. Прижавшись лбом к окну такси, я рассеянно отвечала Марго, делая вид, будто понимаю, о чем она говорит.

— Дорогая, оставь меня здесь, — сказала Марго, когда я помогла ей выйти из машины.

Я отпустила ее руку у двустворчатых дверей, которые раздвинулись, будто желая ее проглотить.

Всякий раз, как мы приезжали в больницу, я провожала ее до дверей, а сама оставалась снаружи с Дином Мартином, возвращаясь за ней через час или тогда, когда она мне звонила.

— Не понимаю, что с тобой сегодня творится. Ты прямо сама не своя. От тебя никакого проку. — Остановившись перед входом в больницу, Марго отдала мне поводок.

— Спасибо, Марго.

— Ну, это все равно что путешествовать в обществе полоумной. Ты постоянно где-то витаешь, и компаньонка из тебя сегодня никудышная. Господь свидетель, мне приходится по три раза просить тебя что-то сделать.

— Извините.

— Ладно, постарайся все же сосредоточиться и уделить максимальное внимание Дину Мартину, пока меня не будет. Он очень расстраивается, когда на него не обращают внимания. — Она грозно подняла вверх палец. — И я не шучу, юная леди. Ведь я все равно узнаю.

И уже на полпути к кофейне со столиками на улице и дружелюбным официантом я вдруг поняла, что у меня осталась сумочка Марго. Чертыхнувшись, я побежала обратно.

Я пулей влетела в приемное отделение, не обращая внимания на выразительные взгляды пациентов, смотревших на собаку так, будто я пришла сюда с ручной гранатой.

— Привет! Мне нужно отдать сумку — дамскую сумочку — миссис Марго Де Витт. Где я могу ее найти? Я ее сиделка.

Женщина в регистратуре даже не потрудилась оторвать взгляд от экрана компьютера:

— А вы разве не можете ей позвонить?

— Ей уже за восемьдесят. Она не пользуется сотовым телефоном. А если даже и пользовалась бы, то телефон остался бы в этой сумке. Я вас очень прошу. Сумка ей наверняка понадобится. Здесь ее таблетки, записи и прочее.

— Ей назначено на сегодня?

— На одиннадцать пятнадцать. Марго Де Витт, — на всякий случай по буквам произнесла я.

Она провела пальцем с экстравагантным маникюром по экрану, проверяя список пациентов.

— Да, я нашла ее. Онкология здесь. Налево, через двустворчатые двери.

— Простите, не поняла?

— Онкология. Дальше по главному коридору, налево, через двустворчатые двери. Если она сейчас у лечащего врача, можете оставить сумочку у кого-нибудь из сестер. Или передайте через них, где вы будете ждать.

Я смотрела на нее в надежде, что она скажет, что ошиблась. Наконец она оторвалась от экрана и удивленно подняла на меня глаза, явно не понимая, почему я продолжаю стоять перед ней как вкопанная. Взяв со стойки номерок на прием к врачу, я вышла с Дином Мартином на солнечный свет.

— Почему вы мне не сказали?

Марго сидела в такси, упрямо отвернувшись от меня, Дин Мартин сопел у нее на коленях.

— Потому что это тебя не касается. Ты непременно сказала бы Винсенту. А я не хочу, чтобы он чувствовал себя обязанным навещать меня лишь потому, что у меня какой-то идиотский рак.

— И какой прогноз?

— Не твое дело.

— А как... как вы себя чувствуете?

— Я чувствовала себя вполне нормально, пока ты не начала задавать дурацкие вопросы.

Теперь мне все сразу стало ясно. Таблетки, постоянные посещения больницы, потеря аппетита. Все то, что я списывала на преклонный возраст и издержки частного медицинского обслуживания в США, оказалось куда более серьезным недугом. Мне стало нехорошо.

— Марго, я даже не знаю, что сказать. Я чувствую себя...

— Меня не интересуют твои чувства.

— Но...

— Не смей надо мной причитать! — отрезала она. — И что стало с хваленой английской сдержанностью?! Ты растеклась, точно кисель.

— Марго...

— Все! Я не собираюсь это обсуждать. Здесь нечего обсуждать. А если ты твердо намерена относиться ко мне как к немощной старой вещи, то вот тебе бог, вот тебе и порог. Переселяйся к кому-нибудь другому.

Когда мы приехали в «Лавери», Марго с необычной для нее прытью выскочила из такси. И к тому времени, как я расплатилась с водителем, она, не дождавшись меня, уже вошла в вестибюль.

Я хотела поговорить с Джошем о том, что случилось, но, когда я отправила ему сообщение, он ответил, что у него жуткая запарка и мы поговорим вечером. Натан был занят с мистером Гупником. Илария могла возбудиться сверх меры и, что самое страшное, заявиться к Марго со своей бесцеремонной заботой и подогретой запеченной свининой. А больше мне не с кем было поговорить.

И когда Марго, как всегда, легла днем вздремнуть, я тихонько пробралась в ванную комнату и под предлогом уборки открыла шкафчик и обшарила полку с лекарствами, прочитала названия и наконец нашла доказательство: морфий. После чего проверила другие лекарства в Интернете, получив ответы на все накопившиеся вопросы.

Я была потрясена до глубины души. Даже страшно представить, каково это — жить в постоянном предчувствии смерти. Господи, и сколько же ей осталось?! Внезапно я поняла, что почти как родную любила эту вздорную старуху с ее острым языком и не менее острым умом. Подсознательно у меня сразу мелькнула эгоистичная мысль: что со мной будет дальше? Ведь мне было так хорошо и уютно в квартире Марго. Конечно, я понимала, что это не навсегда, но все же рассчитывала пожить у Марго по крайней мере еще год-другой. А теперь волей-неволей приходилось признать тот факт, что в очередной раз я оказалась в подвешенном состоянии.

К тому моменту, как в дверь позвонили, ровно в девятнадцать ноль-ноль, я уже успела более или менее взять себя в руки. Я открыла, на пороге стоял Джош, как всегда безупречный. Ни малейшего намека на усталость, наваливающуюся к пяти вечера.

— Но как? — удивилась я. — Как тебе удается так хорошо выглядеть после напряженного рабочего дня?

Джош наклонился и поцеловал меня в щеку:

— Электрическая бритва. И я взял из химчистки другой костюм, а на работе переоделся. Не хотелось выглядеть помятым.

— Но твой босс наверняка будет в том же костюме, в котором был весь день в офисе.

— Возможно. Но это ведь не он рассчитывает на повышение. Так, по-твоему, я выгляжу хорошо?

— Привет, Джош, дорогой. — Мимо прошла направлявшаяся на кухню Марго.

— Добрый вечер, миссис Де Витт. Как поживаете?

— Пока еще жива, дорогой. Полагаю, этой информации тебе вполне достаточно.

— Вы, как всегда, выглядите замечательно.

— А ты, как всегда, несешь вздор.

Джош ухмыльнулся и снова повернулся ко мне:

— Итак, что ты собираешься надеть, моя красавица?

Я опустила глаза:

— В общем-то, я уже одета.

Обескураженное молчание.

— А эти... колготки?

Я посмотрела на свои ноги:

— Ах, ты об этом... У меня сегодня выдался еще тот денек. А колготки поднимают мне настроение. Это мой эквивалент свежего костюма из химчистки. — Я печально улыбнулась. — Если тебе так будет понятнее, я надеваю их лишь по особым случаям.

Джош снова оторопело уставился на мои ноги, затем медленно поднес руку ко рту:

— Извини, Луиза, но для сегодняшнего вечера это абсолютно неприемлемо. Мой босс и его жена — люди весьма консервативные. И ресторан высшего разряда. Со звездами Мишлен.

— Это платье «Шанель». Миссис Де Витт мне его одолжила.

— Я понимаю. Но общий эффект... — скривился Джош, — такой, будто ты сбежала из дурдома. — Когда я не сдвинулась с места, Джош положил мне руки на плечи. — Милая, я знаю, ты любишь смелые наряды, но не могла бы ты одеться чуть более традиционно для моего босса? Этот вечер очень важен для меня.

Я посмотрела на его руки и покраснела, неожиданно почувствовав себя до крайности нелепой. Ну конечно же, мои пчелиные колготки были неуместны для обеда с финансовым директором крупной корпорации. И о чем я только думала?!

— Да, ты совершенно прав, — ответила я. — Я сейчас же переоденусь.

— Ты не возражаешь?

— Конечно нет.

Джош даже слегка сдулся от облегчения:

— Чудненько! Но только в темпе вальса, хорошо? Мне действительно не хочется опаздывать, а на Седьмой авеню жуткие пробки. Марго, вы позволите воспользоваться вашей ванной?

Она молча кивнула.

Я кинулась в спальню и принялась рыться в своих шмотках. Интересно, что принято надевать на шикарный обед с финансистами?

— Марго, помогите, пожалуйста, — почувствовав, что она стоит у меня за спиной, попросила я. — Или мне просто переодеть колготки? Что лучше надеть?

— Именно то, что на тебе надето, — твердо ответила она.

Я удивленно повернулась:

— Но Джош сказал, это неприемлемо.

— Неприемлемо для кого? У них что, есть своя униформа? Почему он не позволяет тебе быть самой собой?

— Я...

— Или эти люди такие дураки, что не способны примириться с кем-то, кто одевается не так, как они? Почему тебе нужно строить из себя кого-то, кем ты абсолютно точно не являешься? Неужели ты хочешь стать одной из «тех» женщин?

Я выронила из рук вешалку:

— Ну я... не знаю.

Марго поправила идеально уложенные волосы. И бросила на меня взгляд, который моя мама назвала бы старомодным:

— Любому нормальному мужчине, которому выпало счастье с тобой встречаться, было бы сто раз наплевать, даже если бы ты надела на себя мешок для мусора и галоши.

— Но он...

Марго со вздохом прижала палец к губам, явно давая понять, что она много чего может сказать, но, так и быть, воздержится. Прошло несколько томительных секунд, прежде чем она решила продолжить:

— Думаю, самое время, моя дорогая, решить для себя, кем на самом деле является Луиза Кларк. — Она похлопала меня по руке. И вышла из комнаты.

Я стояла как пень, глядя на пустое пространство, где она только что была. Посмотрела на свои полосатые ноги, затем — на одежду в шкафу. Вспомнила об Уилле и о том, как он подарил мне эти колготки.

Минуту спустя в дверях, поправляя галстук, появился Джош. «Ты не он, — неожиданно для себя подумала я. — По правде говоря, ты абсолютно на него не похож».

— Итак? — улыбнулся Джош и тут же помрачнел. — Хм, мне казалось, ты собиралась переодеться?

Я посмотрела на свои ноги.

— На самом деле... — начала я.

Глава 29

Марго сказала, что мне необходимо уехать куда-нибудь на пару дней проветриться. Когда я ответила, что не хочу, она спросила почему и добавила, что в последнее время у меня определенно мозги набекрень и мне нужно навести порядок в голове. А когда я призналась, что не хочу оставлять ее одну, заявила, что я смешная девчонка и сама не знаю, что для меня хорошо. Несколько минут Марго внимательно следила за мной краешком глаза, ее костлявые пальцы нетерпеливо барабанили по подлокотнику кресла, затем она тяжело поднялась и исчезла, вернувшись с таким крепким «сайдкаром», что у меня глаза полезли на лоб. После чего она приказала мне сесть спокойно, потому что мое ерзанье действует ей на нервы, и посмотреть с ней «Колесо фортуны». Я сделала, как она велела, стараясь не слышать голос Джоша, полный ярости и удивления, эхом звучащий в моей голове:

Ты бросаешь меня из-за пары колготок?

Когда программа закончилась, Марго поглядела на меня, громко поцокала языком, сказала, что это никуда не годится и в таком случае мы поедем вдвоем.

— Но у вас ведь совсем нет денег.

— Боже правый, Луиза! Нет ничего вульгарнее, чем обсуждать финансовые вопросы. Меня шокирует то, как современные молодые женщины говорят о подобных вещах.

Марго сообщила название отеля на Лонг-Айленде, куда я должна была позвонить, и проинструктировала, чтобы я не преминула сказать, что звоню от имени Марго Де Витт и хотела бы получить особую «семейную» скидку. Марго добавила, что раз уж я так сильно переживаю и если мне от этого будет легче, то я, так и быть, могу заплатить за нас обеих.

В результате я оплатила поездку в Монток еще и Марго с Дином Мартином.

Мы добрались на поезде из Нью-Йорка в Монток в крытый гонтом маленький отель на побережье, где Марго в свое время отдыхала каждое лето, пока старческие немощи, а скорее всего, финансы не заставили ее отказаться от этих поездок. Пока я стояла как столб, служащие отеля прямо на пороге тепло поприветствовали Марго, почти как члена семьи, с которым давно не виделись. После ланча, состоявшего из жареных креветок с салатом, я, оставив Марго болтать с супружеской четой, которая управляла отелем, спустилась по тропинке на широкий, открытый всем ветрам пляж, вдохнула насыщенный озоном воздух и принялась с умилением наблюдать, как Дин Мартин радостно резвится среди песчаных дюн. Именно под этим бескрайним небом я вдруг почувствовала, что впервые за много месяцев моя голова не обременена заботами о чужих потребностях или надеждах.

Марго, утомленная путешествием на поезде, следующие два дня провела в маленькой гостиной, глядя на море или болтая за чашечкой кофе со старожилом отеля, загорелым немолодым мужчиной по имени Чарли, похожим на статую с острова Пасхи. Чарли глубокомысленно кивал в ответ на нескончаемый поток слов Марго, качал головой и говорил, что нет, дела уже не так хороши, как прежде, и что да, все кругом стремительно меняется, после чего старики оставались сидеть, сокрушаясь по поводу того, куда катится этот мир, довольные своим полным единодушием в данном вопросе. И я очень быстро сообразила, что моя роль состояла исключительно в том, чтобы доставить Марго в это место. Сейчас она явно не нуждалась в моих услугах, и мне нужно было разве что выгулять собаку и помочь ей с выбором туалета. Я еще никогда не видела, чтобы она столько улыбалась, и уже одно это стало для меня полезным отвлечением от тягостных раздумий.

Итак, следующие четыре дня я завтракала у себя в номере, читала книги, стоявшие на книжной полке отеля, наслаждалась неторопливым ритмом жизни Лонг-Айленда, короче, делала все, как было велено. Я много ходила, нагуливая аппетит, а монотонный шум волн, пронзительные крики чаек в бескрайних сумрачных небесах, возбужденное тявканье маленькой собачки, не верящей в свое счастье, заглушали несвоевременные мысли.

На третий день я села на кровать в своем номере, позвонила маме и выложила ей правду о своих последних трех месяцах. Она не стала ничего говорить, а только слушала и в конце разговора сказала, что, по ее мнению, я поступила очень правильно и очень смело. Услышав от мамы слова одобрения, я даже всплакнула. Она передала трубку папе, и папа в свою очередь заявил, что с удовольствием надрал бы задницы этим чертовым Гупникам, что мне не следует разговаривать с незнакомцами и что я должна им позвонить, как только мы с Марго вернемся на Манхэттен. Папа добавил, что очень гордится мной.

«Родная, спокойная жизнь не для тебя, да?» — сказал он. И я согласилась, что да, не для меня, и что я вспоминаю о том, как жила до знакомства с Уиллом, когда самой захватывающей вещью, которая со мной случалась, было требование посетителя в кафе «Булочка с маслом» вернуть ему деньги, и поэтому так или иначе, но мне очень нравится моя новая жизнь.

В последний вечер Марго настояла, чтобы мы отправились на ужин в ресторан отеля. Я надела темно-розовый бархатный топ и шелковую юбку-брюки длиной три четверти, а Марго — цветастую зеленую блузку с рюшем и слаксы в тон. Мне пришлось пришить дополнительную пуговку на талии, чтобы слаксы не сваливались с бедер. Когда мы шли к оставленному для нас лучшему столику у большого окна, все посетители ресторана смотрели нам вслед, что было чертовски приятно.

— Что ж, дорогая. Это наш последний вечер. Полагаю, мы вполне можем позволить себе загулять по буфету. — Марго помахала здоровой рукой продолжавшим глазеть на нас гостям заведения. И только я задумалась, что это за буфет такой, по которому мы будем гулять, как Марго добавила: — Думаю, нужно заказать лобстера. И возможно, шампанского. Ведь, как ни крути, это мой прощальный визит сюда. — Я шумно запротестовала, но Марго меня решительно осадила. — Ой, ради всего святого! Это факт, Луиза. Непреложный факт. Мне казалось, вы, англичанки, сделаны из более прочного материала.

Итак, мы заказали бутылку шампанского и двух лобстеров. Солнце садилось за горизонт, а мы ели вкуснейших лобстеров, сдобренных чесноком, я вскрывала для Марго клешни, так как самой ей было не справиться, а она, причмокивая от удовольствия, высасывала мясо и скармливала малюсенькие кусочки сидевшему под столом Дину Мартину, которого остальные гости дипломатично старались не замечать. Я умяла практически одна взятую на двоих огромную миску картофеля фри, поскольку Марго положила себе на тарелку совсем чуть-чуть, правда, отметив при этом, что картофель весьма недурен.

Мы ели в основном молча, но молчание наше было по-дружески теплым и очень уютным. Между тем ресторан начал мало-помалу пустеть. Марго расплатилась кредитной картой, которой пользовалась крайне редко («Меня уже не будет в живых к тому моменту, как придется закрывать кредит, ха!»). К нам неуклюже подошел Чарли. Положив свою здоровенную руку на хрупкое плечо Марго, он сказал, что идет спать, но надеется еще повидаться с ней утром перед отъездом и что для него было огромным удовольствием снова встретить ее после стольких лет.

— Чарли, для меня это было еще бóльшим удовольствием! Спасибо за чудесный прием. — Ее глаза нежно блеснули.

Они еще долго держались за руки, но потом он неохотно выпустил ее ладонь и направился к выходу.

— А ведь однажды я даже переспала с ним, — сообщила Марго, когда Чарли ушел. — Чудесный человек. Хотя все это было, конечно, совершенно бесперспективно. — Я едва не подавилась последним ломтиком картофеля фри, и Марго бросила на меня усталый взгляд. — Луиза, это были семидесятые. И я долго оставалась одна. Очень приятная встреча. Сейчас он уже, естественно, стал вдовцом. — Марго вздохнула. — В нашем возрасте все кругом или вдовцы, или вдовы.

Мы еще немного посидели молча, глядя на безбрежный черный океан. Где-то вдали яркими точками светились огни рыболовецких судов, и я вдруг подумала, каково это — оказаться в одиночестве посреди этой непроглядной водной пустыни.

Внезапно Марго нарушила молчание:

— Честно говоря, я уже не рассчитывала когда-либо сюда вернуться. И хочу сказать тебе спасибо. Эта поездка стала для меня... чем-то вроде тонизирующего средства.

— И для меня тоже, Марго. Я чувствую, что... пришла в себя.

Улыбнувшись, Марго потрепала по спине Дина Мартина, который тихонько похрапывал, растянувшись под стулом.

— Знаешь, ты правильно сделала, что отшила Джоша. Он совершенно тебе не подходил.

Я не ответила. Впрочем, что я могла сказать? Все эти три дня я размышляла, что со мной было бы, согласись я выйти замуж за Джоша. И неожиданно для себя обнаружила, что за несколько месяцев Марго сумела понять меня даже лучше, чем я себя за свои почти тридцать лет. Наверное, я стала бы богатой дамой, наполовину американкой, возможно, вполне счастливой. Конечно, мне пришлось бы резко измениться, чтобы соответствовать своему мужу. Пришлось бы отказаться от любимой одежды, от дорогих мне вещей. Изменить стиль поведения, привычки и тупо следовать за этой стремительной, харизматичной машиной. Стать корпоративной женой, которая осуждала бы себя за остатки своего прежнего «я», не соответствующие принятым в их кругу стандартам, и чувствовала бы себя вечно обязанной этой стране за то, что та подарила мне такого замечательного Уилла.

О Сэме я не думала. Теперь мне это хорошо удавалось.

— Понимаешь, — сказала Марго, — когда ты доживешь до моих лет, то гора сожалений о прежних ошибках станет такой высокой, что заслонит открывающийся перед тобой вид.

Марго упрямо продолжала смотреть куда-то вдаль, и я так толком и не поняла, к кому, собственно, она обращалась.

Три недели после нашего возвращения из Монтока прошли без особых происшествий. Однако моя жизнь стала эфемерной, а будущее — неопределенным, поэтому я решила жить так, как завещал Уилл, — одним мгновением, ну а там будет видно. Я понимала, что очень скоро наступит такой момент, когда или Марго окончательно сляжет, или ее финансовая ситуация станет безвыходной, и тогда наш теплый, уютный пузырь лопнет, и мне придется брать билет домой.

Но пока все шло своим чередом — спокойно и вполне приятно. Я научилась находить удовольствие в рутинных вещах, пунктиром проходивших через весь мой день. Бегала по Центральному парку, гуляла с Дином Мартином, готовила ужины для Марго, хотя она и ела как птичка, смотрела вместе с ней «Колесо фортуны» и выкрикивала буквы, когда выпадал «Тайный сектор». Я усовершенствовала свой гардероб, придумав для своей нью-йоркской сущности новые имиджи, от которых у Лидии и ее сестры восхищенно отвисала челюсть. Иногда я надевала то, что одалживала мне Марго, иногда — то, что покупала в «Магазине винтажной одежды». Каждый день я становилась перед зеркалом в гостевой комнате квартиры Марго, разглядывала вешалки с нарядами, которые мне разрешалось взять, и моя душа пела от радости.

Иногда меня просили подменить кого-нибудь из сестер в «Магазине винтажной одежды», например, когда Анжелике пришлось отправиться на зачистку фабрики женской одежды в Палм-Спрингс, где хранились образцы всей их продукции начиная с 1952 года. Я стояла за прилавком вместе с Лидией, помогая худосочным девицам выбрать винтажные платья для выпускного и молясь про себя, чтобы не разошлись молнии, а Лидия тем временем меняла раскладку товара и шумно жаловалась на переизбыток неиспользуемых площадей в их магазине.

— А ты знаешь, почем квадратный фут в этом районе? — спрашивала она, сокрушенно качая головой при виде пустой вешалки-карусели в дальнем углу. — Нет, я серьезно. Я с удовольствием сдала бы этот угол парковщикам, если бы придумала, как загонять туда машины.

Я поблагодарила покупательницу, купившую расшитое блестками тюлевое болеро, и шумно задвинула ящик кассы:

— А почему бы вам просто не сдать свободные площади? Под магазин или что-нибудь другое? Вы смогли бы получить дополнительный доход.

— Ну да. Мы уже думали на эту тему. Но все не так просто. Если пустить сюда других ритейлеров, придется построить перегородку, сделать отдельный вход и застраховаться, и тут будет проходной двор... Незнакомый персонал. Слишком рискованно. — Она пожевала резинку и, выдув пузырь жвачки, проткнула его кроваво-красным ногтем. — Плюс ты же знаешь, нам вообще никто не нравится.

— Луиза! — Когда я вернулась домой, стоявший на ковровой дорожке Ашок радостно захлопал руками в перчатках. — Ты идешь с нами в следующую субботу? Мина интересуется.

— А что, протесты еще продолжаются?

В два предыдущих раза я не могла не заметить, что протестующих заметно поубавилось. Местные жители уже практически оставили всякую надежду. Они скандировали теперь вполсилы, и чем скуднее становились муниципальные бюджеты, тем сильнее редели ряды протестующих. Так что на данный момент остались лишь немногочисленные активисты. Но Мина поддерживала наши силы водой в бутылках и твердила, что, пока мы едины, мы непобедимы.

— Продолжаются. Ты же знаешь мою жену.

— Ладно, тогда я с удовольствием. Передай ей, что я принесу десерт.

— Будет сделано. — Он одобрительно причмокнул, а когда я уже подошла к лифту, неожиданно окликнул меня.

— Что?

— Отличный прикид, леди!

В тот день я решила отдать дань фильму «Отчаянно ищу Сьюзен». На мне была пурпурная шелковая куртка-бомбер с вышитой на спине радугой, леггинсы, несколько жилеток и куча браслетов, мелодично позвякивавших всякий раз, как я задвигала ящик кассы, на который приходилось слегка нажимать, поскольку он плохо закрывался.

— Знаешь, мне теперь даже не верится, что, работая у Гупников, ты носила эти жуткие футболки поло, — покачал головой Ашок. — Это был явно не твой стиль.

Я помедлила у открывшихся дверей лифта. Кстати, в последнее время я стала пользоваться обычным лифтом, а не грузовым.

— А пожалуй, ты прав, Ашок! — крикнула я.

Поскольку Марго как-никак была хозяйкой квартиры, я всегда стучалась в дверь, прежде чем войти внутрь, из уважения к ее статусу, хотя у меня уже давным-давно был ключ. Не получив ответа, я постаралась подавить рефлекторный приступ паники. Ведь Марго часто включает радио на полную громкость и, если бы что-нибудь случилось, Ашок непременно сообщил бы. В результате я открыла дверь своим ключом. Дин Мартин с выпученными от радости глазами выбежал в коридор поздороваться. Я подхватила его на руки, позволив ему тыкаться в мое лицо мокрым кожаным носом.

— Ну здравствуй, здравствуй. А где твоя мамочка? — Я поставила Дина Мартина на пол, и пес с тявканьем принялся нарезать вокруг меня круги. — Марго, Марго! Вы где? — Марго, облаченная в китайский шелковый халат, вышла из гостиной; я уронила покупки и кинулась к ней. — Марго! Вы что, заболели?!

Марго остановила меня взмахом ладони:

— Луиза, ты даже не представляешь! Случилось нечто чудесное.

— Неужели вы пошли на поправку?! — вырвалось у меня, прежде чем я успела прикусить язык.

— Нет, нет и нет. Иди сюда. Иди сюда и познакомься с моим *сыном*. — Не дождавшись ответа, Марго повернулась и исчезла в гостиной.

Я прошла вслед за Марго. Мне навстречу поднялся высокий мужчина в светлом джемпере, обтягивающем небольшое брюшко над пряжкой ремня.

— Это Фрэнк-младший, мой сын. Фрэнк, а это моя дорогая подруга Луиза Кларк, без которой я наверняка не справилась бы в последние несколько месяцев.

Я попыталась скрыть свое смущение:

— Ой, ну что вы! И я без вас тоже.

Я наклонилась пожать руку сидевшей рядом с ним женщине в белой водолазке, с похожими на бесцветную сахарную вату волосами, которые явно доставляли ей массу хлопот.

— Я Лэйни. — У нее был высокий, пронзительный, немножко детский голос. — Жена Фрэнка. Полагаю, именно вам мы обязаны воссоединением нашей семьи. — Она промокнула глаза вышитым носовым платком. На носу у нее алели яркие пятна.

Марго повернулась ко мне:

— Итак, оказалось, что Винсент, этот коварный негодник, рассказал отцу о нашей встрече и о моей... ситуации.

— Да, коварный негодник — это, должно быть, я. — На пороге с подносом в руках возник Винсент. Он казался расслабленным и довольным. — Луиза, приятно встретиться снова.

Я кивнула и наконец-то смогла улыбнуться.

Так странно было видеть людей в этой квартире, обычно такой тихой и спокойной, где всегда были только мы с Марго и Дин Мартин, но никогда не было ни Винсента, в клетчатой рубашке и галстуке «Пол Смит», с нашим обеденным подносом в руках, ни высокого мужчины с длинными ногами, с трудом уместившимися под кофейным столиком, ни женщины, украдкой оглядывавшей гостиную круглыми от изумления глазами.

— Знаешь, они застали меня врасплох. — Голос Марго слегка охрип и сел от слишком долгого разговора. — Он позвонил и сказал, что проезжает мимо и хочет заскочить. Я подумала, что это Винсент, а потом дверь открылась чуть шире и... Нет, не могу... Вы все, наверное, просто в ужасе от моего вида?! Я ведь даже не успела переодеться! Как-то напрочь об этом забыла и только сейчас вспомнила. Но мы чудесно провели день. Так чудесно, что невозможно передать словами. — Марго протянула руку, и Фрэнк нежно сжал ее; его подбородок подрагивал от наплыва чувств.

— О, это просто настоящее чудо! — воскликнула Лэйни. — Нам нужно столько всего наверстать. Я уверена, нас свела вместе рука Господа.

— Ну, скорее, Он и «Фейсбук», — философски заметил Винсент. — Луиза, кофе хотите? В кофейнике еще немного осталось. Я принес печенья на случай, если Марго захочет перекусить.

— Ой, она такое не ест. — Черт, опять не успела прикусить язык!

— Да, Луиза совершенно права. Винсент, дорогой, я действительно не ем печенья. Печенье скорее для Дина Мартина. Ведь шоколадная крошка — это не настоящий шоколад, так?

Марго говорила без остановки. Она совершенно преобразилась. Казалось, всего за один день эта старая дама помолодела на десять лет. Колючий блеск глаз куда-то исчез, взгляд стал мягким, проникновенным, и она непрерывно щебетала веселым, захлебывающимся голосом.

Я попятилась к двери:

— Ну что ж, пожалуй, не буду вам мешать. Думаю, вам есть о чем поговорить. Марго, крикнете, если я вам понадоблюсь. — Я остановилась, беспомощно свесив руки. — Было очень приятно познакомиться. Очень рада за вас всех.

— Мы считаем, что самым правильным решением будет, если мама вернется с нами, — заявил Фрэнк-младший.

В комнате вдруг стало тихо.

— Вернется куда? — не поняла я.

— В Такахо, — уточнила Лэйни. — К нам домой.

— И надолго? — (Они переглянулись.) — Я только хотела узнать, как долго она у вас пробудет. Чтобы собрать ее вещи.

Фрэнк-младший продолжал держать мать за руку:

— Мисс Кларк, мы потеряли уйму времени. Мама и я. И мы оба считаем, что сейчас нам следует извлечь максимум возможного из того, что у нас есть. Поэтому нам нужно сделать... определенные приготовления. — В его голосе прозвучали собственнические нотки, словно он уже начал предъявлять свои права на Марго.

Я посмотрела на Марго, и она ответила мне безмятежным взглядом:

— Все верно.

— Погодите. Вы хотите уехать... — начала я и, не получив поддержки, продолжила: — А квартира?

Винсент сочувственно на меня посмотрел, затем повернулся к отцу:

— Папа, может, на сегодня довольно? Нам всем нужно много чего переварить. У нас впереди масса работы. Да и Луизе с бабулей наверняка есть о чем поговорить.

На прощание он легонько коснулся моего плеча. Что было немного похоже на извинение. После слов Винсента вся семья сразу засобиралась домой. Мне показалось, что именно он стал инициатором столь поспешного ухода, поскольку его родителям явно не хотелось расставаться с Марго.

— Знаешь, мне кажется, жена Фрэнка довольно приятная, хотя и не умеет одеваться, бедняжка. Если верить моей матери, в молодости у него были совершенно ужасные подружки. Она какое-то время рассказывала мне о них в письмах. Но белая хлопковая водолазка! Нет, ты можешь представить себе этот кошмарный ужас?! *Белая водолазка!*

Скорость, с которой тараторила Марго, выражая свое возмущение столь абсурдной манерой одеваться, неожиданно вызвала у нее приступ кашля. Я принесла ей стакан воды и дождалась, пока кашель не успокоится, после чего бессильно опустилась на стул:

— Ничего не понимаю.

— Все это наверняка стало для тебя неожиданностью. Луиза, дорогая, случилась невероятная вещь. Мы все говорили и говорили, даже пролили одну-две слезинки. Он остался прежним. Как будто мы вообще не расставались! Он такой же, как в детстве. Слишком серьезный, спокойный, но очень добрый. И его жена очень на него похожа. Представляешь, совершенно неожиданно они предложили мне переехать к ним. У меня возникло смутное подозрение, что они все решили еще до своего прихода сюда. Ну я и согласилась. — Марго подняла на меня глаза. — Ой, только не куксись! Мы ведь знали, что это не навсегда. И там есть чудное местечко в двух милях от их дома, куда я смогу переехать, когда мне станет совсем трудно.

— Совсем трудно? — переспросила я.

— Луиза, ради всего святого, перестань надо мной причитать! Короче, когда я не смогу себя обслуживать. Когда мне будет совсем плохо. Если честно, не думаю, что мне удастся провести с сыном больше нескольких месяцев. Подозреваю, они именно поэтому так охотно пригласили меня к себе. — Марго сухо рассмеялась.

— Но... но я ничего не понимаю. Вы ведь говорили, что никогда не покинете эту квартиру. А как же все ваши вещи? Нет, вы не можете вот так взять и уехать.

Марго выразительно на меня посмотрела:

— Это именно то, что я могу сделать. — Ее старая костлявая грудь болезненно вздымалась и опадала под тонкой тканью. — Луиза, я умираю. Я старая женщина, и я долго не протяну. Мой сын, который, как я считала, потерян для меня навеки, был настолько великодушен, что, забыв о гордости, повернулся ко мне лицом. Ты можешь себе представить? Ты можешь себе представить, как это благородно с его стороны?! — (Я вспомнила о Фрэнке-младшем, как он сидел рядом с матерью, не сводя с нее глаз, его руки сжимали ее прозрачные ладони.) — И чего ради, скажи на милость, мне оставаться здесь, если я могу провести время с сыном? Просыпаться и видеть его за завтраком, и болтать обо всех вещах, которые прошли мимо меня, обнимать его детей... Винсента, моего дорогого Винсента. Кстати, ты знала, что у него есть брат? У меня двое внуков. *Двое!* Ну да ладно. Мне нужно извиниться перед моим сыном. А ты знаешь, как это важно? Я должна сказать «прости». Ох, Луиза, можно лелеять свою обиду из какой-то дурацкой гордости или признаться в своих ошибках и насладиться тем драгоценным временем, которое отмерено тебе судьбой. — Она аккуратно сложила руки на коленях. — Вот что я планирую сделать.

— Но вы не можете. Вы не можете вот так взять и уйти. — И неожиданно для себя я разревелась белугой.

— Ой, моя дорогая девочка, я рассчитываю, что ты не будешь волноваться из-за таких пустяков. Не сейчас. Ради бога, только никаких слез! Я хочу попросить тебя об одном одолжении. — (Я вытерла нос.) — Пожалуй, сейчас будет самый тяжелый момент. — Марго с трудом сглотнула. — Они не берут Дина Мартина. Они оба ужасно извинялись, но у них аллергия или вроде того. Сперва я собиралась сказать им, что все это глупости и Дин Мартин поедет с мной, но, положа руку на сердце, я страшно переживаю, что с ним будет после моей смерти. Ведь, как ни крути, ему еще жить да жить. В отличие от меня. Итак... я хотела бы знать, не могла бы ты взять его себе. Он, кажется, тебя любит. Один Бог знает почему, учитывая, как ты третируешь бедняжку! Это несчастное животное — олицетворение всепрощения.

Я удивленно посмотрела на Марго сквозь слезы:

— Вы хотите, чтобы я взяла Дина Мартина?

— Хочу. — (Преданно сидевший у ее ног мопс с немым обожанием смотрел на хозяйку.) — Я прошу тебя, мой друг... присмотреть за ним... вместо меня.

Она напряженно всматривалась в мое лицо, ее выцветшие глаза вглядывались в мои, бледные губы были нервно поджаты. Я едва сдерживала рыдания. Безусловно, я была счастлива за Марго, но одна мысль о том, что я теряю ее и снова остаюсь одна, разбивала мне сердце.

— Да.

— Значит, ты согласна?

— Конечно. — И я снова расплакалась.

Марго облегченно откинулась на спинку кресла:

— О, я знала, что ты согласишься. Знала. И знаю, что ты о нем позаботишься. — Она улыбнулась, впервые за все время нашего знакомства решив не бранить меня за излишнюю плаксивость, наклонилась ко мне и сжала дрожащими пальцами мою руку. — Луиза, ты настоящий человек.

Они приехали за ней через две недели, проявив, на мой взгляд, слегка неприличную поспешность, но, полагаю, никто из нас толком не знал, сколько она еще протянет.

Фрэнк-младший погасил гору долгов за коммунальные услуги. Его поступок показался мне чуть менее альтруистичным, когда я поняла, что тем самым он устранил все претензии мистера Овица, получив полное право унаследовать квартиру, однако Марго предпочитала видеть в этом проявление сыновней любви, и у меня не было причин с ней не согласиться. Тем более что Фрэнк-младший определенно был счастлив снова видеть рядом свою мать. Они с женой кудахтали над Марго, непрерывно интересуясь, все ли у нее в порядке, приняла ли она лекарство, не чувствует ли себя утомленной или нездоровой, не хочет ли выпить воды, и так до тех пор, пока Марго не всплескивала руками, в наигранном раздражении округляя глаза. Но на данный момент Марго просто плыла по течению. И, сказав мне о Дине Мартине, больше к этой теме не возвращалась.

Мне предложили остаться присмотреть за квартирой, по крайней мере в обозримом будущем, как выразился Фрэнк-младший. Что, скорее всего, означало, пока Марго не отойдет в мир иной, хотя никто не решился произнести это вслух. Очевидно, риелтор объяснил им, что вряд ли найдутся желающие снять квартиру в таком виде, а начинать потрошить ее до наступления этого самого обозримого будущего казалось не слишком приличным, в связи с чем на меня возложили роль временной смотрительницы. Марго в свою очередь несколько раз подчеркнула, что это должно помочь Дину Мартину приспособиться к новой ситуации. Хотя у меня имелись некоторые сомнения по поводу того, что забота о психическом здоровье собаки стояла на первом месте в списке приоритетов Фрэнка-младшего.

Марго взяла с собой только два чемодана и надела свой любимый дорожный костюм: жакет с юбкой из желтовато-зеленого букле и шляпку-таблетку в тон. Я повязала ей темно-синий шарф от Ива Сен-Лорана, чтобы замаскировать выпирающие ключицы и болезненную худобу шеи, а в качестве завершающего штриха нашла серьги из бирюзовых кабошонов. Я переживала, что слишком тепло одела Марго, но она стала еще более субтильной и постоянно жаловалась на холод даже в самые жаркие дни. Я стояла с Дином Мартином на руках в сторонке и смотрела, как Фрэнк-младший с Винсентом руководили погрузкой вещей Марго. Она проверила, на месте ли ее шкатулки с драгоценностями. Марго собиралась отдать самые ценные украшения жене Фрэнка-младшего, ну а кое-что — Винсенту, когда тот женится. Удостоверившись, что все в целости и сохранности, она медленно подошла ко мне, тяжело опираясь на палку:

— Ну вот и все, дорогая. Я оставила тебе письмо с инструкциями. Я не сказала Ашоку, что уезжаю. Не люблю суеты. Но я кое-что оставила для него на кухне. И была бы весьма признательна тебе, если бы ты отдала это ему после нашего отъезда. — (Я кивнула.) — Обо всем, что касается Дина Мартина, я написала в отдельном письме. Очень важно, чтобы ты твердо придерживалась заведенного распорядка. Он к этому привык.

— Ради бога, не волнуйтесь! Я сделаю все, чтобы он был счастлив.

— И категорически никаких лакомств из печенки. Он их вечно выпрашивает, а потом его тошнит.

— Никакой печенки.

Марго закашлялась, возможно, ей было тяжело говорить, и остановилась перевести дух. Опершись на палку, она выпрямилась и, заслонив глаза от солнца хрупкой рукой, посмотрела на дом, более полувека дававший ей приют, после чего повернулась на негнущихся ногах и бросила взгляд на Центральный парк, видом на который столько лет любовалась.

Фрэнк-младший, уже сидя в автомобиле, звал мать, наклонившись вперед, чтобы лучше нас видеть. Его жена, одетая в голубую ветровку, стояла у пассажирской двери, заламывая от волнения руки. Она явно не относилась к тем женщинам, что любили большой город.

— Мама?

— Секундочку. Извини, дорогой. — Марго сделала шаг вперед и, встав прямо передо мной, погладила сидевшего у меня на руках мопса тонкими мраморными пальцами. — Ты хороший друг. Да, Дин Мартин? Очень хороший друг. — (Песик ответил ей влюбленным взглядом.) — И самая красивая собака на свете. — Голос Марго дрогнул.

Дин Мартин лизнул ее ладонь. Марго нагнулась и поцеловала его в складчатый лобик, прижимаясь щекой к мягкой шерстке чуть дольше обычного. Мопс от волнения выпучил глаза и начал перебирать лапками. У Марго вдруг странно поплыло и обвисло лицо.

— Я могу привезти его... повидаться.

Она продолжала нежно целовать мопса, не замечая стоящего кругом шума, мчащегося транспорта, проходящих мимо людей.

— Марго, вы меня слышали? Думаю, когда вы устроитесь, мы с ним можем сесть на поезд и...

Она выпрямилась и открыла глаза, на секунду остановив взгляд на собаке:

— Нет. Спасибо. — И прежде чем я успела открыть рот, Марго уже отвернулась. — А теперь, дорогая, пожалуйста, отведи его на прогулку. Не хочу, чтобы он видел, как я уезжаю.

Ее сын вылез из машины и терпеливо ждал мать на тротуаре. Он протянул ей руку, но она отмахнулась. Мне показалось, будто она вытерла слезы, хотя было трудно сказать наверняка — у меня перед глазами стоял туман.

— Марго, спасибо! — крикнула я ей вслед. — За все!

Она покачала головой:

— А теперь ступай. Пожалуйста, дорогая.

Марго повернулась к автомобилю, ну а что было дальше, я не видела, поскольку опустила Дина Мартина на тротуар и, как и велела Марго, повела его в сторону Центрального парка. Я шла с опущенной головой, не обращая внимания на любопытные взгляды прохожих, удивлявшихся, почему девушка в блестящих коротких шортах и пурпурной шелковой куртке-бомбер плачет у всех на глазах в одиннадцать часов утра.

Я гуляла, пока Дин Мартин, с его короткими лапками, вконец не обессилел. И когда он застыл как вкопанный у пруда с азалиями, свесив крошечный розовый язык и опустив одно веко, я взяла его на руки и понесла. Мои глаза опухли от слез, грудь разрывали рвущиеся наружу всхлипывания.

Честно говоря, я никогда не была особым любителем животных. Но сейчас неожиданно поняла, какое это блаженство зарыться лицом в теплую шерстку четвероногого друга, как успокаивает необходимость выполнять кучу мелких обязанностей ради его блага.

— Миссис Де Витт уехала на каникулы? — спросил стоявший за стойкой Ашок, когда я вошла в вестибюль, низко опустив голову и скрыв глаза за синими пластиковыми солнцезащитными очками.

Сейчас у меня не было сил сказать ему правду, поэтому я отделалась невразумительным «угу».

— Она не давала распоряжений, чтобы ей не доставляли почту. Пожалуй, мне стоит этим заняться. — Он уткнулся в свой гроссбух. — Ты в курсе, когда она возвращается домой?

— Оставь, я потом к тебе спущусь, — бросила я.

Я медленно поднялась по лестнице, Дин Мартин неподвижно сидел у меня на руках, словно из опасения, что если он вдруг пошевелится, то я заставлю его идти своим ходом. Потом я вошла в квартиру.

Там стояла мертвая тишина, пронизанная отсутствием Марго гораздо сильнее, чем тогда, когда она лежала в больнице. Крохотные комочки пыли висели в застывшем теплом воздухе. Через несколько месяцев, подумала я, здесь будет жить кто-то другой, и этот другой обдерет обои 1960-х годов, вынесет мебель из дымчатого стекла. Квартира будет полностью переделана, заново декорирована и станет жильем для каких-нибудь топ-менеджеров или семьи толстосумов с маленькими детьми.

Я налила Дину Мартину воды, насыпала в качестве лакомства пригоршню собачьего корма, после чего медленно прошлась по квартире, с ее горой одежды и шляпок, с ее стенами, хранящими море воспоминаний, и строго-настрого приказала себе не думать о грустных вещах и вспоминать лишь луч счастья, озаривший лицо старой дамы при мысли о том, что она проведет остаток дней со своим единственным ребенком. Это счастье буквально преображало ее, очерчивало усталые черты и заставляло светиться глаза. И я вдруг поняла, что все это барахло, все эти реликвии прошлой жизни были лишь способом оградить себя от непрекращающейся боли от разлуки с сыном.

Марго Де Витт, королева стиля, выдающийся редактор отдела моды, женщина, опередившая свое время, возвела высокую стену, чудесную, яркую, многоцветную стену, чтобы доказать себе, что все было не зря. Но в тот самый момент, как сын вернулся к ней, она недрогнувшей рукой без сожалений разрушила эту постройку.

Чуть позже, когда слезы перешли в прерывистую икоту, я взяла со стола первый конверт и открыла его. Письмо было написано прекрасным каллиграфическим почерком Марго, служившим напоминанием о том времени, когда детей в школе еще учили чистописанию. Как и было обещано, в письме содержались детали, касающиеся предпочтительного режима питания мопса, времени кормления, наблюдения у ветеринара, прививок, защиты от блох и приема глистогонных препаратов.

Марго напоминала, где хранятся его разнообразные попонки — на случай дождя, ветра и снега, — а также какой шампунь он предпочитает. Кроме того, песику необходимо снимать зубной налет, чистить уши и — тут я вздрогнула — выдавливать анальные железы.

— Вот об этом она точно не говорила, когда просила позаботиться о тебе, — сказала я Дину Мартину, а он в ответ поднял голову и со стоном снова положил ее на пол.

Далее следовали инструкции относительно того, куда отправлять ее корреспонденцию, и контактные телефоны компании, занимающейся упаковкой: вещи, которые они не возьмут, нужно будет оставить в ее спальне, а к двери спальни следует пришпилить записку с просьбой не входить. Мебель, лампы, занавески пусть увозят. В конверт были вложены визитные карточки сына и невестки Марго на случай, если мне потребуется связаться с ними для получения разъяснений.

А теперь самое важное. Луиза, я не успела лично поблагодарить тебя за то, что ты нашла Винсента, совершив акт гражданского неповиновения, который неожиданно принес столько счастья, но мне хотелось бы поблагодарить тебя сейчас. И в частности за то, что ты ухаживаешь за Дином Мартином. В мире очень мало людей, на которых я могу полностью положиться, и ты одна из них.

Луиза, ты сокровище. Ты не стала из деликатности посвящать меня в подробности того, что у тебя произошло с теми дураками из квартиры напротив, но не позволяй этому омрачать твою жизнь. Ты смелая, роскошная, бесконечно добрая маленькая женщина, и я благодарна судьбе, что их потеря стала моей находкой. Спасибо тебе.

И в знак благодарности я хотела бы предложить тебе свой гардероб. Для всех остальных, за исключением разве что твоих корыстных подружек из того отвратительного магазина одежды, это всего-навсего бесполезный хлам. И я это прекрасно понимаю. Но ты видишь мои вещи такими, какие они есть. Делай с ними все, что захочешь: что-то оставь себе, что-то продай, как тебе будет угодно. Я знаю, ты получишь от них удовольствие.

Вот мои соображения, хотя я прекрасно понимаю, что соображения такой старухи, как я, мало кого интересуют. Организуй собственное агентство. Сдавай мои вещи напрокат или продавай. Твои подружки, кажется, считают, что они стоят денег. И меня вдруг осенило: это идеальная карьера для тебя. У меня достаточно одежды, чтобы ты могла открыть собственное дело. Хотя, конечно, у тебя могут быть другие идеи насчет своего будущего, возможно, гораздо лучше моих. Ты сообщишь мне о том, что в конечном счете решила?

В любом случае, моя дорогая соседка, я буду ждать от тебя новостей. Пожалуйста, поцелуй за меня моего маленького песика. Я уже безумно по нему скучаю.

С любовью и лучшими пожеланиями,

Марго.

Положив письмо, я некоторое время сидела неподвижно на кухне, после чего прошла через спальню Марго в ее гардеробную, где принялась один за другим осматривать чехлы с одеждой.

Агентство по продаже и прокату одежды? Я ничего не знала об этом бизнесе, не знала об аренде помещений, или счетах, или связях с общественностью. Я жила, не имея постоянного адреса, в городе, правила которого так до конца и не поняла, и, более того, не справилась с работой, ради которой сюда приехала. С чего, ради всего святого, Марго взяла, что я могу открыть собственное дело?

Пробежав пальцами по темно-синему бархатному рукаву, я сняла с вешалки наряд: Рой Хальстон, комбинезон, с разрезами до талии и вставками из сетки. Я осторожно повесила комбинезон обратно и достала платье — ажурная вышивка и юбка с множеством оборок. Растерянным взглядом я окинула ближайший кронштейн с висящей на нем одеждой, одновременно задумавшись об ответственности, которую налагает наличие домашнего питомца. И что прикажете делать с этими комнатами, забитыми одеждой?

В тот вечер я сидела в квартире Марго и смотрела «Колесо фортуны». Доела остатки цыпленка, которого поджарила ей на прощальный обед. Скорее всего, она скормила бо́льшую часть своей порции собаке под столом. Я не слышала, что говорила Ванна Уайт, не выкрикивала буквы, когда выпал «Тайный сектор». Я раздумывала над письмом Марго и удивлялась, что такого особенного она во мне нашла.

И все же, кем была Луиза Кларк?

Я была дочерью, сестрой и в какой-то период времени даже кем-то вроде исполняющей обязанности матери. Я была женщиной, которая заботилась о других, но которая, похоже, понятия не имела, как позаботиться о себе. И пока перед глазами крутилось сверкающее колесо, я попыталась понять не чего хотят от меня другие, а чего на самом деле хочу я сама. Понять, что на самом деле пытался сказать Уилл, а именно: жить не чужими представлениями о полной жизни, а следовать за своей мечтой. Но вся проблема была в том, что я еще сама толком не определилась с этой самой мечтой.

Я подумала об Агнес из квартиры напротив, о женщине, пытавшейся убедить всех, что способна загнать себя в рамки новой жизни, и одновременно продолжавшей в глубине души оплакивать роль матери, которую она пыталась похоронить вместе со своим прошлым. Я подумала о своей сестре и о том, как она смогла вновь обрести счастье, переосмыслив свою сексуальную идентичность, а также о том, как смело она шагнула навстречу своей любви, когда позволила себе это сделать. Я подумала о своей матери, которая настолько привыкла ухаживать за другими, что, получив свободу, почувствовала себя неприкаянной.

Я подумала о троих мужчинах, которых когда-то любила: каждый из них меня изменил или, по крайней мере, пытался это сделать. Уилл, вне всяких сомнений, оставил в моей душе самый глубокий след. Теперь я смотрела на все через призму того, что он желал для меня. *Уилл, я готова измениться ради тебя. Хотя только сейчас поняла, что ты всегда это знал.*

Живи смело, Кларк.

— Удачи! — крикнула ведущая «Колеса фортуны», раскрутив колесо.

И я вдруг поняла, чем действительно хочу заняться.

Следующие три дня я посвятила разборке гардероба Марго, сортируя одежду по десятилетиям, их оказалось всего шесть, а затем на три группы: повседневную, вечернюю и для специальных случаев. Я отложила все, что нуждалось в небольшой починке — с потерянными пуговицами, порванным кружевом, крошечными дырочками, — удивляясь, как Марго удалось уберечь вещи от моли и сколько там оказалось непрошитых швов, хотя и идеально заглаженных. Я прикладывала к себе различные предметы одежды, примеряла вещи, снимала пластиковые чехлы, визжа от восторга. От всех этих странных звуков Дин Мартин настороженно приподнимал уши, после чего обиженно уходил прочь. Я отправилась в публичную библиотеку в поисках информации том, как открыть малый бизнес, о налогах, грантах, документообороте, и распечатала кучу материала, который складывала в папку, пухнувшую день ото дня. Затем мы с Дином Мартином совершили вылазку в «Магазин винтажной одежды», где я села поговорить со своими девушками, чтобы узнать адреса лучших химчисток для деликатных вещей, а также галантерейщиков, у которых можно найти шелковый подкладочный материал для починки.

Сестры буквально ошалели, узнав о щедром даре Марго.

— Мы можем купить у тебя все оптом, — пустив в потолок колечко дыма, предложила Лидия. — Я хочу сказать, если, конечно, нам удастся взять ссуду в банке. Согласна? Мы дадим тебе хорошую цену. Достаточную, чтобы арендовать реально отличную квартиру. У нас есть желающие в одной немецкой телевизионной компании. Они там снимают телефильм из двадцати четырех серий о жизни нескольких поколений, и им нужно...

— Спасибо, но я пока еще не решила, что мне с этим делать. — Я сделала вид, будто не заметила их вытянувшиеся лица. Мне хотелось оградить одежду Марго от посягательств посторонних людей. И наконец, собравшись с духом, я сказала: — Но у меня есть другая идея...

На следующее утро, когда я примеряла зеленый брючный костюм «Джуди» 1970-х от Оззи Кларка, чтобы проверить, нет ли там разошедшихся швов или маленьких дырочек, в дверь неожиданно позвонили.

— Погоди, Ашок! Погоди! Я только возьму на руки собаку. — Я схватила надрывающегося от лая Дина Мартина.

Но за дверью я, как ни странно, обнаружила не Ашока, а Майкла.

— Привет, — холодно бросила я, оправившись от первоначального шока. — Какая-то проблема?

Майкл усиленно пытался не показывать удивления при виде моего наряда.

— Мистер Гупник хотел бы с тобой встретиться.

— Я здесь на законных основаниях. Миссис Де Витт пригласила меня пожить у нее.

— Это совсем по другому поводу. Хотя, если честно, я и сам толком не знаю, в чем дело. Но мистер Гупник желает кое о чем с тобой поговорить.

— Майкл, лично я не желаю ни о чем с ним говорить. Но все равно спасибо. — Я собралась было закрыть дверь, но он вставил в щель ногу.

Я удивленно опустила глаза. Дин Мартин угрожающе зарычал.

— Луиза, ты же знаешь, какой он. Он сказал, чтобы я не смел без тебя возвращаться.

— Тогда передай ему: пусть возьмет на себя труд пройти дальше по коридору. Это не так уж и далеко.

Майкл понизил голос:

— Он хочет встретиться не здесь. Он ждет тебя в своем офисе. Это очень личное.

Майкл чувствовал себя явно не в своей тарелке, что было отнюдь не характерно для него. Впрочем, чего еще ждать от человека, который сперва декларировал, что он мой лучший друг, а потом отшатнулся от меня, как от зачумленной?

— Передай ему, что я приеду утром, но чуть позже. После того, как выгуляю Дина Мартина. — (Майкл не тронулся с места.) — Ну что еще?

Он умоляюще посмотрел на меня:

— Машина уже ждет на улице.

Я взяла с собой Дина Мартина. Прекрасное отвлекающее средство от стресса. Майкл устроился рядом со мной, и Дин Мартин бросал злобные взгляды на него и одновременно на спинку водительского кресла. Я сидела молча, гадая, что еще, ради всего святого, надумал мистер Гупник. Если бы он решил выдвинуть против меня обвинение, то тогда бы, скорее, вызвал полицию, а не лимузин. Или он специально дожидался отъезда Марго? Или обнаружил за мной еще какие-то грехи, которые теперь собирается на меня повесить? Я вспомнила о Стивене Липкотте, тесте на беременность и задумалась, какую линию поведения выбрать, если мистер Гупник прямо в лоб спросит, что мне известно. Уилл всегда говорил, что у меня все чувства написаны на лице. Я принялась мысленно репетировать фразу «Я ничего не знаю», но тут Майкл бросил на меня странный взгляд, и я поняла, что начала говорить вслух.

Нас высадили перед входом в огромное стеклянное здание. Майкл быстро прошел через огромный, отделанный мрамором вестибюль, но я решительно отказывалась ускорить шаг и даже позволила Дину Мартину неспешно семенить рядом, чем явно разозлила своего провожатого. Взяв на посту охраны пропуск, Майкл протянул его мне и показал на расположенный отдельно лифт в конце вестибюля. Похоже, мистер Гупник был слишком важной шишкой, чтобы ездить вверх и вниз с простыми смертными.

Мы поднялись на сорок шестой этаж, причем на такой скорости, что у меня глаза вылезли из орбит, совсем как у Дина Мартина. На неверных ногах я вышла из лифта и попала в офис. Секретарша, в безупречном приталенном костюме и туфлях на шпильке, удивленно воззрилась на меня. Полагаю, здесь не часто приходится видеть посетителей, одетых в изумрудные брючные костюмы с красной атласной отделкой 1970-х годов от Оззи Кларка, с маленькими злобными собачонками на руках. Я прошла вслед за Майклом по коридору еще в один офис, где сидела уже другая женщина, но в таком же безупречном костюме.

— Диана, это мисс Кларк. Она со мной. Ее хотел видеть мистер Гупник, — сказал Майкл.

Она кивнула, подняла трубку, что-то прошептала в микрофон.

— Он примет вас прямо сейчас, — сдержанно улыбнулась она.

Майкл проводил меня к двери:

— Может, мне взять у тебя песика? — Он явно не хотел, чтобы я шла туда с собакой.

— Нет, спасибо. — Я еще сильнее прижала к себе Дина Мартина.

Дверь отворилась, на пороге стоял Леонард Гупник в рубашке без пиджака.

— Спасибо, что согласилась со мной встретиться, — закрыв за собой дверь, произнес он.

Мистер Гупник показал на стул напротив письменного стола и медленно прошел на свое место. Его хромота стала более заметной. И у меня сразу же возник вопрос, чем сейчас занимается с ним Натан. Впрочем, Натан был слишком тактичным, чтобы обсуждать подобные вещи.

Я не стала отвечать мистеру Гупнику.

Он тяжело опустился в кресло. Я заметила, что у него усталый вид; даже дорогой загар был не в состоянии скрыть тени под глазами и расходящуюся от уголков тонкую сетку морщин.

— Ты очень серьезно относишься к своим обязанностям, — кивнув на собаку, произнес мистер Гупник.

— Причем всегда, — многозначительно сказала я, и он кивнул, как будто соглашаясь с моим язвительным замечанием.

Он навалился грудью на стол, сложив пальцы домиком:

— Луиза, у меня никогда не было проблем с поиском нужных формулировок, но, признаюсь, в данный момент я в некотором затруднении. Два дня назад я обнаружил крайне неприятную вещь, которая повергла меня в шок. — Он посмотрел на меня в упор, но я продолжала сидеть с невозмутимым видом. — У моей дочери Табиты вызвали подозрения некоторые курсирующие вокруг нашей семьи слухи, и она наняла частного детектива. Не могу сказать, что это меня очень обрадовало, ведь мы одна семья и члены семьи не должны следить друг за другом. Но когда Табита сообщила, что именно раскопал этот джентльмен, я, естественно, не смог спустить дело на тормозах. Я поговорил с Агнес, и она мне во всем призналась. — (Я ждала.) — Речь о ребенке.

— О-о... — протянула я.

Мистер Гупник вздохнул:

— Во время этого, довольно бурного, обсуждения Агнес рассказала мне все, в том числе и насчет фортепиано, деньги на которое ты, по ее поручению, и снимала день за днем небольшими суммами в ближайшем банкомате.

— Да, мистер Гупник, — ответила я.

Он опустил голову. Быть может, он, несмотря ни на что, в глубине души хотел, чтобы я опровергла сей факт, прямо заявив, что все это бред собачий и частный сыщик их нагло обманул.

Наконец мистер Гупник пришел в себя и с трудом выпрямился:

— Луиза, вероятно, мы были к тебе очень несправедливы.

— Я не воровка, мистер Гупник.

— Естественно. И тем не менее из преданности моей жене ты позволила мне поверить, что взяла деньги.

Если честно, я не совсем поняла, можно ли было считать это критикой.

— Похоже, у меня просто не было выбора.

— Нет, выбор у тебя был. Безусловно, был.

Несколько минут мы сидели молча. Он нервно барабанил пальцами по столу.

— Луиза, я полночи пытался понять, как исправить эту неприятную ситуацию. Так вот, у меня есть предложение. — (Я терпеливо ждала.) — Я бы хотел принять тебя обратно на работу. Естественно, на более выгодных условиях: более продолжительные каникулы, более высокая зарплата, а также различные бонусы. Если ты не хочешь жить у нас, мы можем снять тебе жилье поблизости.

— Вы хотите дать мне работу?

— Агнес так и не сумела найти помощницу, которая нравилась бы ей хотя бы вполовину так же, как ты. Ты зарекомендовала себя более чем достойно, и я безмерно благодарен тебе за... преданность и сдержанность. Девушка, которую мы наняли после тебя, оказалась... ну, она оказалась профнепригодна. Моей жене она категорически не нравится. А вот к тебе она относилась скорее как... к подруге.

Я посмотрела на Дина Мартина. Он поднял на меня круглые глаза, всем своим видом демонстрируя, что явно не в восторге от происходящего.

— Мистер Гупник, ваше предложение очень лестное, но я сомневаюсь, что после всего случившегося мне будет комфортно работать помощницей Агнес.

— Но есть и другие возможности. Например, у меня в фирме. Насколько я понимаю, ты пока без работы.

— Откуда вам это известно?

— Луиза, я в курсе практически всего, что происходит в нашем доме. За редкими исключениями. — Он позволил себе сухо улыбнуться. — Послушай, у нас открылись вакансии в маркетинговом и административном отделах. Я могу попросить отдел кадров не принимать во внимание отсутствие необходимых навыков, а потом ты сможешь пройти соответствующее обучение. Я даже готов создать под тебя должность в своем подразделении, ответственном за благотворительность, если тебе это больше по душе. Ну что скажешь? — Он откинулся на спинку кресла, держа наготове эбонитовую ручку.

Образы другой, красивой, жизни пронеслись у меня перед глазами: я, в строгом костюме, каждый день спешу на работу в эти просторные стеклянные офисы. Луиза Кларк, получающая большую зарплату, живущая в дорогой квартире. Жительница Нью-Йорка. Впервые в жизни не присматривающая за кем-то, а идущая вверх по социальной лестнице с безграничными перспективами. Это будет совершенно другая жизнь, настоящее воплощение американской мечты.

Я подумала, как будет гордиться моя семья, если я скажу «да».

Я подумала о задрипанном магазине в деловой части города, под завязку забитого чужой старой одеждой.

— Мистер Гупник, повторяю еще раз, ваше предложение очень лестное. Но мне оно не подходит.

Выражение его лица внезапно сделалось жестким.

— Значит, ты хочешь получить деньги. — (Я растерянно заморгала.) — Луиза, мы живем в сутяжническом обществе. Я отдаю себе отчет в том, что ты обладаешь весьма деликатной информацией о нашей семье. Если ты хочешь получить приличную сумму денег, мы можем это обсудить. Я попрошу принять участие в дискуссии нашего юриста. — Он наклонился и нажал на кнопку интеркома. — Диана, не могли бы вы...

И тут я не выдержала и встала, опустив Дина Мартина на пол:

— Мистер Гупник, мне не нужны ваши деньги. Если бы я хотела подать на вас в суд или заработать на ваших секретах, то уже давным-давно это сделала бы, когда осталась без работы и без крыши над головой. Вы недооцениваете меня сейчас, точно так же как недооценили тогда. А теперь я хотела бы уйти.

Он убрал палец с интеркома.

— Пожалуйста... присядь. У меня и в мыслях не было тебя оскорбить. — Он махнул рукой в сторону стула. — Луиза, пожалуйста. Мне необходимо полюбовно решить это дело.

Он мне не верил. Я поняла, что мистер Гупник живет в мире, где деньги и статус ценятся превыше всего, и поэтому для него было непостижимо, что кто-то может пренебречь подвернувшейся удобной возможностью прилично заработать.

— Вы хотите, чтобы я что-то подписала? — холодно спросила я.

— Я хочу, чтобы ты назвала свою цену.

И тут меня осенило. Возможно, я действительно могла назвать ему свою цену.

Я снова села, после чего изложила ему суть дела, и впервые за девять месяцев нашего знакомства увидела на его лице искреннее изумление.

— Так ты именно этого хочешь?

— Совершенно точно. И меня не волнует, как вы это сделаете.

Мистер Гупник снова откинулся на спинку кресла, заложив руки за голову. Он устремил взгляд куда-то в сторону, потом снова повернулся ко мне:

— Луиза Кларк, конечно, я предпочел бы, чтобы ты вернулась и продолжила работать у меня. — Он неожиданно улыбнулся и, потянувшись через стол, пожал мне руку.

— Тебе письмо, — сказал Ашок, когда я вошла в вестибюль.

Мистер Гупник распорядился, чтобы меня отвезли домой на машине, и я попросила водителя высадить нас с Дином Мартином в двух кварталах от «Лавери», так как Дину Мартину нужно было срочно размять лапы. Меня до сих пор колотило после встречи с мистером Гупником, и тем не менее я была в эйфории, ощущая себя способной свернуть горы. Ашоку пришлось дважды меня окликнуть, прежде чем я поняла, чего он хочет.

— Это мне?

Я удивленно уставилась на адрес. Кроме родителей, никто не знал, что я живу у миссис Де Витт, но мама всегда сообщала по электронной почте, что отправила мне письмо, чтобы оно, упаси господи, не прошло мимо меня.

Итак, я взбежала по лестнице, налила Дину Мартину воды, после чего села и открыла конверт. Почерк был незнакомый, поэтому для начала я пробежала письмо глазами. Оно было написано на дешевой бумаге, черной авторучкой, с помарками, автор письма явно с трудом подбирал нужные слова.

Сэм.

Глава 30

Дорогая Лу!

Во время нашей последней встречи я был с тобой недостаточно откровенен, поэтому и решил написать письмо. Нет, я не надеюсь что-то изменить, но однажды я тебя уже обманул, и теперь мне очень важно сказать тебе, что этого никогда больше не повторится.

Я расстался с Кэти. Еще до нашей встречи на похоронах. Не хочу вдаваться в подробности, но я довольно быстро понял, что мы с ней разные люди и я сделал колоссальную ошибку. Если честно, я это знал с самого начала. Она подала прошение о переводе, и, хотя в головном офисе не слишком довольны, похоже, ее прошение будет удовлетворено.

И теперь я чувствую себя круглым идиотом, но так мне и надо! Не проходит и дня, чтобы я не пожалел о том, что не писал тебе, как ты просила, или хотя бы не послал открытку. Мне нужно было крепко держать тебя и не отпускать. Говорить о своих чувствах. Приложить чуть больше усилий, а не посыпать голову пеплом, вспоминая обо всех тех, кто меня покинул.

Как я уже говорил, я пишу не для того, чтобы ты переменила свое решение. Я знаю, ты продолжаешь дви-

гаться дальше. Я только хотел извиниться и сказать, что сожалею о случившемся и искренне надеюсь, что ты счастлива (на похоронах я, естественно, не мог этого сделать).

Луиза, береги себя.

Вечно любящий тебя

Сэм.

У меня закружилась голова. Меня затошнило. Я сглотнула, пытаясь подавить раздирающие грудь чувства, природу которых я и сама не могла толком определить. А потом я скомкала письмо и с протяжным стоном швырнула в мусорное ведро.

Я послала Марго фотографию Дина Мартина и написала ей коротенькое письмецо, в котором справлялась о ее самочувствии. Просто чтобы успокоить нервы. Я металась, как загнанный зверь, по квартире и чертыхалась. Я налила себе хереса, достав его из покрытого вековой пылью бара Марго, и выпила в три глотка, несмотря на то что даже для ланча еще было слишком рано. А затем я вытащила письмо из мусорного ведра, открыла лэптоп, села на полу в коридоре спиной к входной двери, чтобы поймать WiFi Гупников, и отправила Сэму имейл:

Что за бредовое письмо ты прислал? И почему именно сейчас? Не прошло и полгода!

Ответ пришел буквально через несколько минут, словно Сэм сидел и ждал у компьютера.

Я понимаю, почему ты сердишься. На твоем месте я бы тоже сердился. Но Лили сказала, будто ты собралась замуж и уже подыскиваешь квартиру в Маленькой Италии, вот я и подумал: если не скажу тебе все сейчас, потом будет слишком поздно.

Нахмурившись, я уставилась на экран. Два раза перечитала его ответ. После чего напечатала:

Это Лили тебе сказала?

Да. А еще, типа ты считаешь, что еще слишком рано, и не хочешь, чтобы он думал, будто все это ради вида на жительство, но он сделал тебе предложение, от которого невозможно отказаться.

Выждав несколько минут, я напечатала, тщательно выбирая слова:

Сэм, что она рассказала тебе насчет предложения?

Что Джош опустился на одно колено на крыше Эмпайр-стейт-билдинга. Или что он нанял оперного певца. Лу, не сердись на нее. Я не должен был ничего у нее выпытывать. Ведь это меня не касается. Но я поинтересовался у нее на днях, как у тебя дела. Мне хотелось знать, что нового происходит в твоей жизни. И потом она буквально оглоушила меня, вывалив всю эту информацию. И я твердо сказал себе, что должен порадоваться за тебя. Но в голове упрямо засела мысль: а что, если бы на его месте был я? А что, если бы я не упустил своего шанса?

Я закрыла глаза.

Значит, ты написал лишь потому, что Лили сообщила, будто я собираюсь выйти замуж?

Нет, я в любом случае собирался тебе написать. С той самой минуты, как увидел тебя в Стортфолде. Я просто не знал, что сказать. Но потом я прикинул, что, когда ты выйдешь замуж — тем более, если это случится совсем скоро, — я уже не смогу тебе ничего сказать. Быть может, я слишком старомодный.

Лу, послушай, я только хотел сказать, что сожалею. Вот и все. Прости, если мое послание неуместно.

Собравшись с мыслями, я написала ответ:

О'кей. Спасибо, что наконец дал о себе знать.

Я выключила лэптоп, привалилась к входной двери и закрыла глаза.

Я решила об этом не думать. За последнее время я научилась не думать о многих вещах. Я занималась домашним хозяйством, гуляла с Дином Мартином и ездила на метро в удушающей жаре в Ист-Виллидж, где обсуждала с сестрами такие вещи, как площадь помещения, перегородки, условия аренды, страховка. Я не думала о Сэме.

Я не думала о нем, когда выгуливала собаку мимо тошнотворных мусоровозов, вечно торчавших возле дома, когда увертывалась от надрывно сигналивших почтовых фургончиков, когда подворачивала ноги на мощеных улочках Сохо, когда пыталась протащить необъятные вещевые мешки с одеждой через турникеты метро. Я мысленно повторяла слова Марго и делала то, что любила, и в результате крошечный зачаток идеи превратился в насыщенный кислородом огромный пузырь, который медленно, но верно надувался внутри меня, упорно вытесняя все остальное.

Я не думала о Сэме.

Следующее письмо от него пришло три дня спустя. На сей раз, увидев конверт, который Ашок просунул под дверь, я сразу узнала почерк.

Я тут подумал о нашем обмене имейлами, и мне захотелось еще кое о чем с тобой поговорить. Ты не сказала, чтобы я прекратил писать, поэтому, надеюсь, ты не порвешь это письмо.

Лу, мне как-то не приходило в голову, что ты хочешь замуж. И теперь я чувствую себя дураком, что в свое время не догадался тебя об этом спросить. Более того, я не подозревал, что ты относишься к тому типу девушек, которые в глубине души ждут красивых романтических жестов. Но Лили так много рассказала о том, что делает для тебя Джош — каждую неделю розы, необычные обеды и прочее, — что я задумался... Или я действительно был настолько неповоротливым?! Разве можно было вот так просто сидеть и ждать, что все будет хорошо, если я даже не попытался?

Лу, неужели я и впрямь все неправильно понял? Мне необходимо знать, действительно ли ты ждала все время, пока мы были вместе, какого-то красивого жеста, а я, дурак, ни о чем и не догадывался. Если это так, еще раз прости.

Как-то странно постоянно рефлексировать, особенно если ты, вообще-то, не склонен к самоанализу. Я просто делал свое дело, особо не задумываясь. Но полагаю, то, что с нами случилось, будет мне впредь хорошим уроком, вот потому-то я и прошу сжалиться надо мной и сказать мне правду.

Я нашла выцветшую фирменную бумагу для записей Марго с адресом наверху. Зачеркнула ее имя и написала:

Сэм, я никогда не хотела от тебя ничего грандиозного. Ничего.

Луиза

Итак, я спустилась вниз, отдала письмо Ашоку на отправку и вихрем взлетела по лестнице обратно, сделав вид, будто не слышу, как Ашок озабоченно спрашивает, все ли у меня в порядке.

Следующее письмо пришло через несколько дней. И снова доставлено экспресс-почтой. Должно быть, отправка корреспонденции обошлась ему в целое состояние.

На самом деле хотела. Ты хотела, чтобы я тебе писал. А я этого не сделал. Потому что уставал как собака, ну а если честно, то просто стеснялся. Будто я не с тобой говорю, а только бумагу перевожу. В этом я чувствовал какую-то фальшь.

И чем труднее мне было писать и чем больше ты отдалялась от меня, приспосабливаясь к новой жизни, тем назойливее в голову лезла мысль: и что, черт возьми, я могу ей рассказать?! Она посещает шикарные балы и загородные клубы, катается в лимузинах, одним словом, берет от жизни все, а я тем временем езжу в «скорой помощи» по Восточному Лондону, подбирая алкашей и свалившихся с кровати одиноких пенсионеров.

Ладно, Лу, сейчас я скажу тебе кое-что еще. И если ты больше никогда не захочешь со мной общаться, я пойму, но сейчас, раз уж мы снова разговариваем, я должен это сделать. Я вовсе не рад за тебя. Не думаю, что ты должна выходить за него замуж. Я знаю, он умный, и красивый, и богатый, и даже приглашает струнные квартеты увеселять вас во время обеда на террасе на крыше его дома и все дела. Но есть в нем что-то такое, что меня настораживает. Я не уверен, что он тебе подходит.

Вот дерьмо! И дело не только в тебе. У меня просто крышу сносит, когда я представляю тебя с ним. От одной мысли, что он тебя обнимает, мне хочется рвать и метать. Я стал плохо спать, потому что превратился в нелепого ревнивца, безуспешно старающегося заставить себя думать о другом. А ты ведь меня знаешь — я всегда спал как убитый.

Ты читаешь это и наверняка думаешь: и поделом тебе, кретин! Что ж, имеешь полное право.

Только не спеши, не бросайся в омут с головой, хорошо? Сперва удостоверься, что он тебя заслуживает. А лучше вообще не выходи за него.

Сэм

х

На этот раз я выждала несколько дней. Я носила его письмо с собой и перечитывала во время затишья в «Магазине винтажной одежды» или когда заходила выпить кофе в закусочную, куда пускали с собаками, неподалеку от Коламбус-серкл. Я перечитывала его, когда вечером ложилась в кровать с продавленным матрасом, и думала об этом письме, когда отмокала в оранжево-розовой ванне Марго.

И вот наконец я написала ответ:

Дорогой Сэм!

Я рассталась с Джошем. Ты был прав. Оказалось, мы совершенно разные люди.

Лу

P. S. И хуже того, при мысли о нависающем надо мной во время еды скрипаче у меня мурашки ползут по спине.

Глава 31

Дорогая Луиза!

Впервые за долгое время я спокойно спал. Я нашел твое письмо, вернувшись после ночного дежурства в шесть утра, и, должен тебе сказать, так чертовски обрадовался, что мне хотелось вопить, как помешанному, и танцевать, но танцор из меня дерьмовый, а поговорить было не с кем, поэтому я пошел и выпустил кур из курятника, сел на ступеньку и все им рассказал. Моя речь их особо не впечатлила, но что они могут знать?

Итак, теперь мне можно тебе писать?

У меня куча всего, что я должен тебе рассказать. И вообще, я сейчас восемьдесят процентов своего рабочего времени улыбаюсь как последний дурак. Мой новый напарник (Дейв — ему сорок пять лет, и он явно не горит желанием подсовывать мне французские романы) говорит, что я пугаю пациентов.

Расскажи, что там у тебя слышно. Ты в порядке? Тебе грустно? Хотя, судя по письму, вроде бы нет. А может, мне просто не хочется, чтобы ты грустила.

Поговори со мной.

С любовью,

Сэм. х

Письма приходили чуть ли не каждый день. Иногда длинные и бессвязные, иногда короткие — всего несколько торопливо накорябанных строчек или фото разных частей уже законченного дома. Или куриц. А иногда это были пространные, философские, страстные послания.

Луиза Кларк, мы с самого начала взяли слишком высокий темп. Возможно, нас подстегнуло мое ранение. Ведь глупо строить из себя крутого перед человеком, который в буквальном смысле держал голыми руками твои кишки. Так что, может, оно и к лучшему. Может, сейчас самое время нам по-настоящему поговорить.

После Рождества я был в полном раздрае. Теперь я могу в этом честно признаться. Мне хотелось думать, что я все сделал правильно. Но я все сделал неправильно. Я тебя обидел, и это меня мучило. И по ночам, когда мне было не уснуть, я просто вставал и шел строить свой дом. Так что очень рекомендую всем тем, кому нужно срочно закончить стройку, для начала свалять большого дурака.

Я много думаю о своей сестре. О том, что она сказала бы мне. Впрочем, совершенно необязательно ее хорошо знать, чтобы представить, какими словами она бы меня сейчас обложила.

Итак, письма продолжали приходить день за днем, иногда сразу два в день, иногда вместе с имейлом, но чаще всего это были самые настоящие, написанные от руки полноценные эссе — окно во внутренний мир Сэма. Иногда я не хотела читать его послания, мне было страшно восстанавливать доверительные отношения с человеком, вдребезги разбившим мое сердце. А иногда я сломя голову неслась вниз, Дин Мартин семенил за мной, и нетерпеливо пританцовывала перед Ашоком, не в силах дождаться, когда он разберет лежавшую на стойке корреспонденцию. В таких случаях Ашок обычно делал вид, будто для меня ничего нет, после чего вытаскивал из кармана куртки конверт и с улыбкой протягивал мне, а я пулей мчалась обратно наверх, чтобы насладиться им в одиночестве.

Я перечитывала письма Сэма снова и снова, каждый раз обнаруживая, как плохо мы знали друг друга до моего отъезда, и создавая для себя совершенно новый образ этого спокойного, но очень непростого человека. Иногда его письма заставляли меня грустить.

Прости. Сегодня совсем нет времени. Двое ребятишек погибли в ДТП. Мне срочно необходимо пойти спать.

X

P. S. Надеюсь, сегодня с тобой происходили только хорошие вещи.

Однако такое случалось не слишком часто. Сэм много писал о Джейке. Тот, оказывается, заявил, что Лили — единственный человек, который его понимает. А еще Сэм каждую неделю гуляет с отцом Джейка по дорожке вдоль канала или заставляет его красить стены в новом доме, чтобы помочь ему облегчить душу (и заставить перестать жрать печенье). Сэм рассказал о двух курицах, которых съела лисица, о моркови и свекле, растущих в его огороде. Рассказал, как со всей дури пнул глушитель своего мотоцикла, когда в Рождество ушел из дома моих родителей, а потом так и не выправил вмятину, поскольку та служила немым укором и вечным напоминанием о том, как плохо ему было, когда мы перестали общаться. Каждый день Сэм раскрывался чуть больше, а я с каждым днем понимала его чуть лучше.

Кстати, я тебе говорил, что сегодня к нам заезжала Лили? Короче, я признался ей, что мы снова в контакте, а она дико покраснела и едва не подавилась жвачкой. Серьезно. Я даже испугался, что придется оказывать ей экстренную медицинскую помощь.

Я писала ему в основном в свободное время, когда не работала и не выгуливала Дина Мартина. Кратко описывала свою жизнь, рассказывала о том, как систематизировала и чинила предметы гардероба Марго, и посылала фотографии ее вещей, которые были сшиты словно на меня. Сэм сообщил, что повесил мои фото на кухне. Я рассказала, что идея Марго основать свое агентство по прокату одежды полностью завоевала мое воображение и сделала меня буквально одержимой. Рассказала я и о другой своей корреспонденции: о написанных тонким кружевным почерком открытках от Марго, по-прежнему полных радости от воссоединения с сыном, и о слащавых открытках с цветами от ее невестки Лэйни, в которых та извещала об ухудшающемся состоянии здоровья Марго, благодарила меня за мужа, сумевшего восстановить близость с родным человеком, и сетовала на то, что все это произошло слишком поздно.

Я написала Сэму, что мы с Дином Мартином начали поиски нового жилья, в ходе которых я постепенно открывала для себя прежде незнакомые мне районы, такие как Джексон-Хайтс, Квинс, Парк-Слоуп, пытаясь при этом одним глазом определить риск быть убитой в собственной постели, а другим — оценить вопиющее несоответствие цены и площади помещения.

А еще я рассказала о том, что теперь каждую неделю обедаю с семьей Ашока. Их безобидные подначивания и в то же время страстная любовь друг к другу невольно заставляли меня грустить о своем одиночестве. Рассказала, как постоянно вспоминаю дедушку, причем гораздо чаще, чем тогда, когда он был жив, и что мама, даже освободившись от невыносимого бремени ухаживать за больным стариком, по-прежнему тяжело переживает его смерть. Рассказала, что теперь, когда я впервые в жизни стала сама себе хозяйкой и живу в огромной пустой квартире, я, как ни странно, не чувствую одиночества.

Постепенно я дала Сэму понять, что рада снова впустить его в свою жизнь, слышать знакомый голос, звучащий в этих письмах, понимать, что я до сих пор ему нужна. И буквально на физическом уровне чувствовать присутствие некогда близкого мне человека, несмотря на разделяющее нас расстояние.

И наконец я призналась, что скучаю по нему. Но, нажав на кнопку «отправить», я тотчас же поняла, что на самом деле это ничего не меняет.

Ко мне на обед пришли Натан с Иларией. Натан принес упаковку пива, а Илария — свинину со специями и фасолевую запеканку, которую никто не стал есть. И у меня невольно возник вопрос: как часто Илария готовит блюда, которые никто не хочет есть? На прошлой неделе она притащила креветки в карри, которые, насколько я помнила, Агнес велела никогда больше не подавать.

Мы сидели, с мисками на коленях, бок о бок на диване Марго, макали кусочки кукурузного хлеба в густой томатный соус и, сыто рыгая, пытались перекричать работающий телевизор. Илария, спросившая меня о здоровье Марго, перекрестилась и печально покачала головой, когда я поделилась с ней уточненными данными. После чего она в свою очередь рассказала, что Агнес вышибла Табиту из квартиры, и это стало причиной очередного стресса у мистера Гупника, который, чтобы пережить образование новой трещины в семейных отношениях, стал еще дольше задерживаться на работе.

— Ну, если честно, то у него действительно в офисе много чего происходит.

— Это в квартире напротив много чего происходит! — Илария выразительно подняла брови, а когда Натан отошел в туалет, вытерла руки салфеткой и прошептала: — У *puta* есть дочь.

— Я знаю.

— Она приезжает погостить вместе с сестрой *puta.* — Илария фыркнула и принялась теребить зацепку на штанах. — Бедное дитя! За что ей такое наказание?! Ведь она будет жить с этими чокнутыми.

— Ты присмотришь за ней, — ответила я. — У тебя это хорошо получается.

— Да уж, нехилый цвет для туалета! — К нам снова присоединился Натан. — Не знал, что уборные отделывают кафелем нежно-зеленого цвета. Там стоит лосьон для тела тысяча девятьсот семьдесят четвертого года выпуска!

Илария сделала большие глаза и поджала губы.

Натан ушел в четверть десятого, и, как только за ним закрылась дверь, Илария шепотом, словно опасаясь, что Натан услышит, рассказала, что он сейчас встречается с персональной тренершей из Бушуика, причем ходит к ней в любое время дня и ночи. Бедняга разрывается между мистером Гупником и этой девчонкой, поэтому у него теперь ни на кого другого вообще нет времени. Ну и что, скажите на милость, с этим делать?

— Ничего, — ответила я. — Каждый волен делать то, что он хочет.

Она кивнула, словно я поделилась с ней некой великой мудростью, после чего закрыла за собой дверь и зашлепала по коридору в квартиру напротив.

— Могу я тебя кое о чем спросить?

— Легко. Надия, детка, отнеси это бабушке! — Мина вручила девочке пластиковую чашку воды со льдом.

Вечер выдался на редкость жарким, и все окна в квартире Ашока были распахнуты настежь. Несмотря на два лениво жужжащих вентилятора, воздух оставался неподвижным. Мы готовили ужин в крошечной кухоньке, и я то и дело прилипала к мебели выпуклыми частями тела.

— Ашок когда-нибудь делал тебе больно? — (Мина тут же отошла от плиты и повернулась ко мне лицом.) — Я имею в виду не физически, а морально. Просто...

— Ты о моих чувствах, да? Хочешь узнать, не ходил ли он на сторону? Если честно, то он не по этому делу. Правда, однажды он выкинул фортель, когда я сорок две недели вынашивала Рачану и в результате стала похожа на китиху. Но когда мои гормоны улеглись и все такое, то я вроде его даже поняла. Хотя он мне за это дорого заплатил! — Мина раскатисто засмеялась. — Ты опять про того парня из Лондона?

— Он мне пишет. Каждый день. Но я...

— Ты что?

Я пожала плечами:

— Мне страшно. Я так его любила. И ужасно переживала, когда мы расстались. Ну а теперь я боюсь, что если позволю себе снова в него влюбиться, то в случае чего буду страдать еще больше. Короче, все очень сложно.

— А кто сказал, что будет легко? — Мина вытерла руки о фартук. — Это жизнь, Луиза. Давай покажи мне.

— Что показать?

— Письма. Брось! Только не вкручивай мне, будто не таскаешь их собой! Ашок говорит, ты вся светишься, когда получаешь эти письма.

— А мне казалось, консьержи умеют держать язык за зубами.

— У моего мужа нет от меня секретов. И ты это знаешь. Более того, мы очень внимательно следим за всеми поворотами твоей жизни здесь. — Она со смехом протянула руку, нетерпеливо пошевелив пальцами.

После секундного колебания я бережно извлекла пачку писем из сумочки. И Мина, не обращая внимания на суматошливую беготню ребятишек, на доносящийся из-за двери смех своей матери, смотревшей по телику какую-то комедию, на шум, духоту и ритмичное пощелкивание вентилятора над головой, склонилась над моими письмами и начала их читать.

Странная вещь, Лу. Итак, я потратил три года на строительство этого проклятого дома. И думал исключительно о том, какие рамы установить, какую душевую кабину выбрать, какие электрические розетки купить — белые пластиковые или никелированные. А теперь дом закончен, или почти закончен, но уже точно останется в таком же виде. И вот я сижу один в своей безупречной гостиной, выкрашенной нужным оттенком бледно-серого цвета, с отреставрированной печью, шторами с французскими складками, которые помогла выбрать мама, и думаю: «А на хрена мне все это? На хрена я построил этот дом?»

Я считал, мне нужно было как-то отвлечься после смерти сестры. И поэтому затеял стройку, чтобы ни о чем не думать. Я строил дом, потому что хотел верить в будущее. Итак, дом готов, а я смотрю на эти пустые комнаты и абсолютно ничего не чувствую. Возможно, некоторую гордость, что довел до конца начатую работу, и, пожалуй, больше ничего. Ничего.

Мина еще раз перечитала последние строчки. Потом сложила письмо и вручила мне всю пачку.

— Ох, Луиза, — склонив голову набок, вздохнула она. — Давай, девочка, не тушуйся! Вперед!

1442 Лантерн-драйв
Такахо,
Уэстчестер, штат Нью-Йорк

Дорогая Луиза!

Надеюсь, у Вас все хорошо и квартира не доставляет Вам особых хлопот. Фрэнк говорит, через две недели придут подрядчики ее осмотреть. Не могли бы Вы остаться дома, чтобы их впустить? Мы сообщим Вам все подробности, но уже ближе к делу.

Марго последнее время не расположена писать — она слишком быстро утомляется, а все эти лекарства ее слегка одурманивают. Но я подумала, Вам наверняка будет приятно узнать, что за ней хорошо ухаживают. Несмотря на ее состояние, мы решили, что не можем отдать Марго в специализированное заведение, поэтому она останется с нами, тем более что нам помогает очень квалифицированный медперсонал. Ей еще много чего нужно сказать Фрэнку и мне — о да! Бóльшую часть времени она гоняет нас вокруг себя кругами, точно безголовых куриц! Но я не возражаю. Мне даже приятно за кем-то ухаживать и в хорошие дни слушать ее рассказы о детских годах Фрэнка. Похоже, Фрэнку это тоже нравится, хотя он ни за что не признается. Ведь они два сапога пара! Яблоко от яблони...

Марго просит Вас, если можно, прислать еще одну фотографию песика. Ей очень понравилась та, последняя. Фрэнк вставил ее в симпатичную серебряную рамочку и поставил возле кровати Марго, и я знаю, фотография ее очень утешает, поскольку Марго сейчас в основном отдыхает. Не могу сказать, что мне так же, как ей, приятно смотреть на этого малыша, но о вкусах не спорят.

Она передает Вам привет и надеется, что Вы продолжаете носить те роскошные полосатые колготки. Возможно, это у нее лекарственный бред, но я точно знаю, она желает Вам добра!

Ваша

Лэйни Дж. Уэбер

— Ты слышала?

Я направлялась вместе с Дином Мартином на работу. Лето уже вступило в свои права, с каждым днем воздух становился все более теплым и влажным, так что даже после короткой пробежки до метро футболка прилипала к спине, а рассыльные на велосипедах разделись до пояса, обнажив опаленную солнцем бледную плоть, и вовсю материли неосторожно переходящих улицу туристов. Но сегодня я надела психоделическое платье, которое купил мне Сэм, и туфли на пробковой танкетке с розовыми цветами на ремешках, а после тяжелой зимы лучи солнца на голых руках были для меня точно волшебный бальзам.

— Слышала — о чем?

— О библиотеке! Она спасена! По крайней мере на ближайшие десять лет. — Ашок сунул мне свой телефон. Я остановилась и, подняв на лоб солнцезащитные очки, прочла сообщение от Мины. — Поверить не могу! Анонимное пожертвование в память о каком-то умершем парне. Вот... погоди... я нашел. — Ашок провел пальцем по экрану. — Мемориальная библиотека Уильяма Трейнора. Но кому какое дело, кто он такой?! Луиза, финансирование в течение десяти лет! И городской совет согласился! Десять лет! Вот это да! Мина на седьмом небе от счастья. Она была уверена, что мы потеряли библиотеку.

Я еще раз посмотрела на сообщение, после чего вернула Ашоку телефон:

— Это ведь очень хорошо, да?

— Это потрясающе! Кто бы мог подумать?! А? Кто бы мог подумать?! Хоть что-то хорошее для маленьких людей. О да! — Ашок расплылся в счастливой улыбке.

И сердцу вдруг стало тесно в груди от ощущения счастья, настолько огромного, что земной шар на секунду перестал вертеться. Я была одна во Вселенной, полной чудес, которые непременно произойдут, если чуть-чуть подождать.

Я посмотрела на Дина Мартина, поправила очки, помахала Ашоку и пошла по Пятой авеню, улыбаясь от уха до уха.

Ведь я просила финансирование на пять лет.

Глава 32

Итак, полагаю, пора поговорить о том, что твой год в Нью-Йорке подходит к концу. Ты уже наметила дату возвращения домой? Ведь ты не можешь вечно оставаться в квартире той старой дамы.

Я думал о твоем агентстве по прокату одежды. Лу, мой дом в твоем распоряжении, здесь полно свободного места, причем совершенно бесплатно. Если захочешь, то и сама можешь пожить здесь.

Ну а если ты сочтешь, что еще слишком рано для резких телодвижений, но при этом не захочешь нарушать нормальную жизнь сестры, въехав обратно в свою квартиру, предлагаю тебе свой железнодорожный вагон. Я, конечно, предпочел бы первый вариант, но вагон тебе всегда нравился, а мне будет приятно знать, что ты живешь у меня под боком...

Безусловно, есть и третий вариант, если ты сочтешь это перебором и больше не захочешь иметь со мной никаких дел, но мне он совсем не нравится. Дерьмовый вариант. Надеюсь, ты тоже так думаешь.

Ну и какие соображения?

Сэм х

P. S. Отвозил в больницу пару, которые женаты пятьдесят шесть лет. Сегодня у них юбилей. У него были проблемы с дыханием, ничего особо серьезного, а она все время держала его за руку. Суетилась вокруг него, пока мы не приехали в больницу. Обычно я не обращаю на такие вещи внимания. А вот сегодня заметил. Почему? Сам не знаю.

Я скучаю по тебе, Луиза Кларк.

Я шла по Пятой авеню, с ее забитой транспортной артерией, с ее заполонившими тротуары разноцветными туристами, и думала о том, какое это счастье встретить и полюбить двух замечательных мужчин и какая это невероятная удача, если они ответят тебе взаимностью. Я думала о том, что человек формируется под влиянием окружающих его людей, а потому следует очень осмотрительно подходить к выбору друзей. Я думала, что, возможно, наоборот, иногда нужно потерять их всех, чтобы таким образом обрести себя.

А еще я думала о Сэме и о незнакомой супружеской паре, имевшей за плечами пятьдесят шесть лет совместной жизни, и с каждым шагом имя Сэма барабанной дробью звучало в моей голове. Я шла мимо Рокфеллер-плаза, мимо небоскреба Трамп-тауэр, с его безвкусным блеском, мимо собора Святого Патрика, магазина одежды «Uniqlo», со сверкающими светодиодными экранами, Брайант-парка, нарядного здания Нью-Йоркской публичной библиотеки, с бдительно охраняющими вход каменными львами, мимо магазинов, щитов с афишами, туристов, уличных торговцев, бомжей. Я наблюдала за биением сердца большого города, который любила, но в котором не было Сэма, и, несмотря на шум, суету, рев сирен и автомобильных гудков, я вдруг поняла, что он тут, со мной, его имя слышится в каждом моем шаге.

Сэм.

Сэм.

Сэм.

А потом я подумала о том, каково это — вернуться домой.

28 октября 2006 года

Мама!

У меня запарка, но я возвращаюсь в Англию! Я получил работу в фирме Рупи, поэтому завтра подаю заявление об уходе и, без сомнения, уже через несколько минут покину офис, держа в руках коробку с пожитками — в этих фирмах на Уолл-стрит не любят держать людей, которые, по их мнению, могут увести у них списки клиентов.

Итак, к Новому году я буду исполнительным директором отделения по слиянию и аквизиции в Лондоне. Мне уже не терпится взять новую высоту. Думал сделать сперва небольшой перерыв — отправиться на месяц в путешествие по Патагонии, о котором я так много распространялся, а потом начать подыскивать себе жилье. Если не трудно, подбери мне парочку риелторов, хорошо? Обычный почтовый индекс, в центре, две-три спальни. И подземную парковку для мотоцикла, если можно (да, я знаю, ты ненавидишь мой мотоцикл).

Да, кстати. Тебе понравится. Я кое-кого встретил. Ее зовут Алисия Дьюар. Она англичанка, приезжала в Нью-Йорк навестить друзей, и мы познакомились на каком-то жутком обеде и даже пару раз успели сходить на свидание, прежде чем она вернулась обратно в Ноттинг-Хилл. Самое настоящее свидание, а вовсе не так, как у них принято в Нью-Йорке. Еще рано говорить, но с ней весело. Мы договорились встретиться после моего возвращения. И тем не менее не торопись подыскивать себе шляпку для свадьбы. Ведь ты меня знаешь.

Вот такие дела! Передавай привет папе — скажи ему, что очень скоро я куплю ему пинту-другую в «Ройал оак».

Навстречу новым свершениям, а?

Твой любящий сын

Уилл х

Я читала и перечитывала письмо Уилла со всеми этими намеками на параллельную реальность, и мучительное «вот если бы» накрыло меня, будто снежной пеленой. Я прочла между строчками о будущем, которое могло бы ждать его с Алисией — или его со мной. Уильям Джон Трейнор уже не один раз круто менял мою жизнь, заставляя сойти с накатанной колеи, причем не деликатным пиханием в бок, а энергичным тычком. Прислав мне письма сына, Камилла Трейнор невольно заставила его сделать это в очередной раз.

Навстречу новым свершениям, а?

Еще раз перечитав слова Уилла, я положила письмо к остальным и задумалась. После чего налила себе остатки вермута Марго, немного посидела, уставившись в пустоту, вздохнула, подошла с лэптопом к входной двери и, как всегда, устроившись на полу, написала:

Дорогой Сэм!

Я еще не готова.

Да, я знаю, что уже прошел почти год, и первоначально я так и планировала, но вся штука в том, что я еще не готова вернуться домой. Всю свою жизнь я ухаживала за другими людьми, приспосабливаясь к их нуждам и потребностям. И в этом я здорово преуспела. Я научилась делать это, не успев даже толком понять, что именно я делаю. И вполне вероятно, я буду делать это и для тебя тоже. Ты не представляешь, как мне хочется прямо сейчас взять билет на самолет, чтобы быть рядом с тобой.

Но за последние несколько месяцев со мной что-то произошло — что-то, что не дает мне поступить именно так.

Я открываю свое агентство здесь. Оно получит название «Пчелиные коленки» и будет располагаться в углу «Магазина винтажной одежды», так что клиенты смогут или покупать одежду у девушек, или брать ее напрокат у меня. Мы сейчас завязываем полезные контакты, собираемся раскошелиться на рекламу и, я надеюсь, поможем друг другу делать бизнес. Я открываюсь в пятницу и уже разослала приглашения всем, кого смогла вспомнить. К нам начали проявлять интерес люди из киноиндустрии и модных журналов и даже женщины, желающие взять напрокат необычное платье. Ты не поверишь, сколько вечеринок на тему сериала «Безумцы» проводится на Манхэттене!

Меня ждут нелегкие дни, я буду уставать как собака, а вернувшись домой, засыпать на ходу, но, Сэм, впервые в своей жизни я просыпаюсь по утрам, чувствуя радостное возбуждение. Мне нравится встречаться с клиентами и решать, что им пойдет, а что нет. Мне нравится чинить эту прекрасную старую одежду, чтобы она становилась как новая. Мне нравится каждый день придумывать себе новый образ.

Ты когда-то говорил, что с детских лет мечтал стать парамедиком. Что ж, мне пришлось ждать почти тридцать лет, чтобы понять свое предназначение. Моя мечта продлится, возможно, всего неделю, а возможно — и год, но каждый день, когда я еду в Ист-Виллидж с вещевыми мешками, набитыми одеждой, и у меня дико болят руки, и я боюсь, что никогда не буду готова, мне хочется петь.

Я часто думаю о твоей сестре. Я думаю об Уилле. Когда люди, которых мы любим, умирают молодыми, — это для нас как тычок в бок, напоминание о том, что нельзя ничего знать наперед, и наша святая обязанность сделать максимум того, на что мы способны. Мне кажется, я только сейчас это поняла.

И самое главное. Я никогда никого ни о чем не просила.

Но, Сэм, если ты действительно меня любишь, я хочу, чтобы ты был со мной, по крайней мере, пока я не пойму, удастся ли мне раскрутить свое дело. Я уже навела справки. Так вот, тебе нужно сдать экзамен, и в штате Нью-Йорк обычно сезонный прием на работу, но им действительно нужны парамедики.

Ты мог бы сдать свой дом, чтобы получать стабильный доход, и мы сняли бы маленькую квартирку в Квинсе или в Бруклине, где дешевле, и каждый день просыпались бы в одной кровати, и, короче, это было бы пределом моих мечтаний. А я сделаю все, что в моих силах, когда не буду покрыта пылью, нафталином и осыпавшимися блестками, чтобы ты не пожалел о своем решении приехать ко мне.

Похоже, я хочу все и сразу.

Но у нас ведь только одна жизнь, да?

Ты как-то спросил меня, нужны ли мне красивые жесты. Так вот, я буду ждать тебя там, куда мечтала попасть твоя сестра, 25 июля, в семь вечера. Ты знаешь, где найти меня, если твой ответ «да». Если нет, я постою там немного, полюбуюсь видом и тихо порадуюсь, что пусть так, но мы снова нашли друг друга.

Вечно твоя

Луиза xxx

Глава 33

Я встретила Агнес еще раз до того, как навсегда покинула «Лавери». Я вошла в вестибюль, нагруженная, как верблюд, чехлами с одеждой, которую принесла домой для починки. От жары пластик противно прилипал к коже. И когда я проходила мимо стойки консьержа, два платья упали на пол. Ашок бросился их поднимать, а я пыталась удержать остальные.

— Сегодня вечером тебе явно не мешало бы отдохнуть от работы.

— Ты совершенно прав. Ехать со всем этим барахлом в метро было сущим кошмаром.

— Охотно верю. Ой, простите меня, миссис Гупник. Сейчас я все это уберу с прохода.

Ашок молниеносным движением убрал мои платья с ковра, посторонившись, чтобы пропустить Агнес.

Я сразу выпрямилась, насколько это возможно с охапкой одежды в руках. На Агнес было простое платье-шифт с большим круглым вырезом и туфли-лодочки без каблука. Она выглядела так — впрочем, как и всегда, — словно погодные условия, будь то жара или холод, не оказывали на нее ни малейшего воздействия. Агнес держала за руку маленькую девочку в сарафанчике, лет четырех или пяти; девочка чуть-чуть замедлила шаг, чтобы поглазеть на яркие наряды, которые я прижимала к себе. У нее были вьющиеся тонкими локонами светлые волосы медового оттенка, аккуратно зачесанные назад и завязанные двумя бархатными бантами, и чуть раскосые, как у Агнес, глаза. Девочка с интересом поглядела на меня и осторожно улыбнулась.

Не выдержав, я улыбнулась в ответ. В этот момент Агнес повернулась посмотреть на ребенка и наши глаза встретились. У меня внутри все похолодело, хотя я сразу постаралась принять невозмутимый вид, но уголки губ Агнес внезапно приподнялись вверх, совсем как у ее дочери. Она кивнула мне, едва заметно, правда, достаточно для того, чтобы я увидела. А потом она вышла в дверь, которую предупредительно распахнул Ашок, девочка побежала вприпрыжку за ней, и они исчезли — их поглотил яркий солнечный свет и непрекращающийся людской поток на Пятой авеню.

Глава 34

От: MrandMrsBernardClark@yahoo.com
Кому: BusyBee@gmail.com

Дорогая Лу!

Мне пришлось перечитать это два раза, чтобы удостовериться, что я правильно все поняла. Я смотрела на девушку на фотографиях в газете и не верила своим глазам. Неужели моя маленькая девочка попала в нью-йоркскую газету?!

Твои фотографии на фоне всех этих платьев просто чудесные! И ты, и твои нарядные подружки смотритесь роскошно. Я тебе говорила, что мы с папочкой очень гордимся тобой? Мы вырезали одну фотографию из местной газеты, а еще папочка сделал скриншоты со всех твоих фото, которые мы нашли в Интернете. Кстати, он пошел на компьютерные курсы в нашем образовательном центре для взрослых и скоро станет стортфолдским Биллом Гейтсом! Лу, мы очень тебя любим, и я не сомневаюсь, что ты добьешься успеха. Когда ты звонила, в твоем голосе было столько уверенности и оптимизма. Потом ты повесила трубку, а я сидела, тупо уставившись на телефон, и не верила, что это моя маленькая девочка звонит, полная планов, из собственного магазина на другом побережье Атлантического океана! Это ведь Атлантический океан, да? А то я вечно путаю его с Тихим.

Итак, а теперь НАШИ главные новости. Мы собираемся навестить тебя в конце лета! Приедем, когда станет чуть-чуть попрохладнее. Мне не слишком нравятся эти ваши тепловые волны. Ты ведь знаешь, каким раздражительным становится папочка, когда ему некомфортно. Дейрдре из туристического агентства предлагает нам воспользоваться ее скидкой для сотрудников, и мы собираемся забронировать билеты уже в конце этой недели. Мы сможем пожить у тебя в квартире той старой дамы? Если нет, тогда подскажи, где лучше остановиться. НО ТОЛЬКО ЧТОБЫ НИКАКИХ КЛОПОВ!

Сообщи, какие даты тебя устроят. Я так взволнована!

С любовью,

мама. ххх

P. S. Я тебе говорила, что Трина получила повышение? Она всегда была очень умной девочкой. Теперь я понимаю, почему Эдди так ею увлечена.

25 июля

«И настанут безопасные времена твои, изобилие спасения, мудрости и ве́дения»[1].

Я стояла в самом сердце Манхэттена перед устремившимся к небу зданием и, затаив дыхание, смотрела на позолоченную надпись над широким входом в Рокфеллер-плаза, 30. Вокруг меня бурлил на вечерней жаре Нью-Йорк, тротуары заполонили слоняющиеся без дела туристы, воздух был наполнен ревом автомобильных гудков и вечным запахом выхлопных газов и жженой резины. За моей спиной женщина в футболке поло с эмблемой «Рок 30», перекрикивая стоящий вокруг шум и гам,

[1] Книга пророка Исаии, 33: 6.

вела хорошо заученную экскурсию для японских туристов. *Проект здания был завершен в тысяча девятьсот тридцать третьем году известным архитектором Раймондом Худом в стиле ар-деко... Сэр, пожалуйста, не отходите от группы. Мэм? Мэм? И первоначально назывался Ар-Си-Эй-билдинг, но затем его переименовали в Джи-И-билдинг... Мэм? Сюда, пожалуйста...*

Я задрала голову, чтобы увидеть все семьдесят этажей, и у меня перехватило дыхание.

На часах было без четверти семь.

Если честно, я хотела выглядеть идеально, а потому планировала вернуться к пяти в «Лавери», принять душ и надеть соответствующий прикид: нечто в стиле Деборы Керр в фильме «Незабываемый роман». Но в мои планы вмешалась безжалостная Судьба в лице стилистки из итальянского модного журнала, которая, прибыв в «Магазин винтажной одежды» в половине пятого, пожелала посмотреть все дамские костюмы из двух предметов для задуманной ею статьи, после чего заставила свою коллегу кое-что примерить, чтобы она могла сделать фото. И не успела я опомниться, как на часах уже было без двадцати шесть, и мне едва-едва хватило времени, чтобы отвести Дина Мартина домой, а потом покормить. И вот я наконец оказалась здесь — взмокшая, слегка взъерошенная, по-прежнему в рабочей одежде, — и уже через короткое время мне предстояло узнать, как теперь повернется моя жизнь.

О'кей, дамы и господа! Сюда, пожалуйста, сейчас мы поднимемся на обзорную площадку.

Я перешла на шаг уже несколько минут назад, но до сих пор не смогла отдышаться после пробежки по Рокфеллер-плаза. Я толкнула дверь из дымчатого стекла и с облегчением отметила, что очередь в кассу не слишком длинная. Проверив накануне вечером информацию на TripAdvisor, я уже знала, что очереди могут быть огромными, но из суеверия не стала заранее покупать билет. Поэтому я встала в хвост очереди, посмотрелась в зеркальце пудреницы и принялась озираться по сторонам на случай, если он вдруг появится раньше, затем купила билет, дававший право прохода между 18:50 и 19:10, прошла вдоль бархатного шнура ограждения и стала ждать, когда меня вместе с остальными туристами загонят в лифт.

Они сказали, шестьдесят семь этажей. Так высоко, что уши закладывает.

Он придет. Конечно он придет.

А что, если нет?

Эта мысль не давала мне покоя с тех пор, как он ответил онлайн на мой имейл: «Хорошо. Я тебя услышал». На самом деле это могло означать все, что угодно. Если честно, я ждала расспросов относительно моего плана или хотя бы намека на то, какое решение он принял. Я перечитала свой имейл, невольно задавшись вопросом: а не было ли мое письмо слишком обескураживающим, слишком смелым, слишком агрессивным и сумела ли я передать всю глубину своих чувств? Да, я любила Сэма. И мечтала, чтобы он был со мной. Но понял ли он, насколько сильным было мое желание? Хотя после такого ультиматума было бы странным перепроверять, правильно ли меня поняли, поэтому я решила просто ждать, а там будь что будет.

Без пяти семь. Двери лифта открылись. Зажав в руке билет, я вошла внутрь. Шестьдесят семь этажей. У меня скрутило живот.

Лифт начал медленно подниматься, и я вдруг запаниковала. А что, если Сэм не придет? Что, если он все понял, но изменил решение? И что мне тогда делать? Нет, он не сможет так со мной поступить, тем более после всего, что было. Я шумно втянула воздух и прижала руку к груди, пытаясь успокоить нервы.

— Это все высота, да? — Стоявшая рядом со мной добродушная женщина погладила меня по плечу. — Подняться на шестьдесят семь этажей — это серьезно.

Я попыталась улыбнуться:

— Да, вроде того.

Если ты не можешь оставить работу, и свой дом, и все то, что делает тебя счастливым, я пойму. Я, конечно, расстроюсь, но пойму.

Ты всегда будешь со мной или так, или иначе.

Я лгала. Конечно я лгала.

Ох, Сэм! Пожалуйста, скажи «да». Пожалуйста, стой там, когда откроются двери.

И тут лифт остановился.

— Ну, тут явно не было шестидесяти семи этажей, — заметил кто-то, и несколько человек смущенно засмеялись.

Младенец в коляске смотрел на меня большими карими глазами. Мы еще несколько минут потоптались в лифте, потом кто-то сообразил выйти наружу.

— Ой, а это, оказывается, не главный лифт, — сказала стоявшая рядом со мной женщина. — Главный лифт вон там!

Он действительно был там. И перед ним змеилась длиннющая бесконечная очередь.

Я в ужасе посмотрела на это людское море. Там было не меньше сотни, если не две сотни посетителей, которые вместе с очередью медленно петляли, глазея на музейные экспонаты и заламинированные информационные материалы на стенах. Я посмотрела на часы. Без одной минуты семь. Я отправила Сэму сообщение, но, к моему ужасу, оно не ушло. Тогда я начала протискиваться сквозь толпу, приговаривая: «Извините, извините», на что посетители в очереди громко отпускали неодобрительные замечания и кричали мне вслед: «Эй, дамочка, куда без очереди?!» С низко опущенной головой я прошла мимо щитов с информацией об истории создания Рокфеллеровского центра, о его рождественских елках, мимо видеоэкранов Эн-би-си, лавируя, толкаясь и бормоча извинения. Нет более сварливых людей, чем одуревшие от жары туристы, которым совершенно неожиданно пришлось стоять в очереди. Какой-то мужик схватил меня за рукав:

— Эй, ты! Мы тут все стоим!

— У меня назначена встреча, — ответила я. — Простите. Я англичанка. И мы всегда свято соблюдаем очередь, но если я опоздаю, то потеряю его.

— Ничего, все ждут, и ты подождешь!

— Пропусти ее, детка, — сказала стоявшая рядом с ним женщина, и я одними губами прошептала ей «спасибо».

Я продолжала прокладывать себе дорогу сквозь трясину обгоревших на солнце плеч, колышущихся тел, капризных детей, футболок с надписью «Я люблю Нью-Йорк», и двери лифта постепенно становились все ближе. Но менее чем в двадцати футах от заветных дверей очередь вдруг намертво застопорилась. Я подпрыгнула, пытаясь разглядеть над головами людей, в чем дело, и увидела фальшивую железную балку, установленную прямо перед огромной черно-белой фотографией небесной линии Нью-Йорка. Посетители, сидевшие на балке, пытались воспроизвести культовую фотографию с обедающими на балке рабочими во время строительства небоскреба, а молодая женщина с камерой громко командовала:

— Руки вверх, вот так, а теперь поднять большие пальцы за Нью-Йорк! А теперь сделайте вид, будто вы сталкиваете друг друга, вот так! И поцелуйтесь! О'кей, фотографии сможете получить, когда будете уходить. Следующие!

Пока мы со скоростью улитки ползли вперед, она продолжала раз за разом повторять эти пять фраз. Невозможно было пробраться мимо, не испортив чью-то, быть может, единственную в жизни памятную фотографию. Было уже четыре минуты восьмого. Я попыталась пролезть вперед, чтобы посмотреть, удастся ли протиснуться мимо женщины с камерой, но неожиданно оказалась заблокированной группой подростков с рюкзаками. Кто-то пихнул меня в спину, и мы еще немного продвинулись вперед.

— На балку, пожалуйста. Мэм?

Проход был перекрыт неподвижной людской стеной. Фотограф кивком показала мне на балку. Я был готова на что угодно, лишь бы побыстрее продвинуться. И поэтому послушно взгромоздилась на балку, едва-слышно бормоча:

— Давайте! Давайте! Я опаздываю.

— Руки вверх, вот так, а теперь поднять большие пальцы за Нью-Йорк! — (Я подняла руки вверх, выставила большие пальцы.) — А теперь сделайте вид, будто вы сталкиваете друг друга, вот так... И поцелуйтесь!

Ко мне повернулся какой-то пацан в очках. Он сперва удивился, потом явно обрадовался. Я покачала головой:

— Не в этот раз, приятель. Извини. — Я соскочила с балки и, оттолкнув парня, побежала к уже последней очереди перед лифтом.

На часах было девять минут восьмого.

Мне хотелось плакать. И вот я, переминаясь с ноги на ногу, стояла, зажатая в потной, недовольной очереди, смотрела, как уже другой лифт выплевывает наружу людей, и проклинала себя, что поленилась заранее собрать информацию. Вот в чем проблема красивых жестов, наконец поняла я. Они иногда приводят к совершенно обратным результатам, причем весьма эффектным. Охранники, явно повидавшие здесь самые разные отклонения от нормального человеческого поведения, индифферентно наблюдали за моими нервозными телодвижениями. И вот наконец в двенадцать минут восьмого двери лифта открылись и охранник начал загонять туда посетителей, пересчитывая их по головам. Когда дошла моя очередь, он закрыл проход шнуром:

— На следующем лифте.

— Ой, да ладно вам!

— Таковы правила, леди.

— Ну пожалуйста! Меня там ждет один человек. Я и так жутко опаздываю. Ну можно мне пройти? Пожалуйста. Я вас умоляю!

— Не могу. Лифт вмещает определенное число людей. У нас с этим строго.

И когда я тихо застонала от отчаяния, какая-то стоявшая впереди женщина, махнула мне рукой.

— Вот, — сказала она и вышла из лифта. — Становитесь на мое место. Я поеду на следующем.

— Вы серьезно?

— Люблю романтические свидания.

— Ой, спасибо! Спасибо вам большое! — воскликнула я, входя в лифт.

Мне не хотелось ей говорить, что шансы на романтическое свидание или хотя бы просто на встречу тают с каждой секундой.

Я втиснулась в лифт, не обращая внимания на любопытные взгляды остальных пассажиров, и сжала кулаки, когда лифт тронулся.

На сей раз он поднимался с сумасшедшей скоростью, потрясенные малыши, ехавшие в сопровождении родителей, дружно захихикали и принялись показывать пальцем на стеклянный потолок. Над головой непрерывно моргал свет. Мой желудок, подпрыгнув вверх, несколько раз перевернулся. Стоявшая рядом со мной пожилая женщина в шляпке в цветочек легонько пихнула меня в бок:

— Хотите мятное драже? На случай, если вы наконец встретитесь. — Я взяла одно с нервной улыбкой. Она убрала пакетик обратно в сумку, добавив при этом: — Я хочу знать, как все прошло. Потом найдете меня. Расскажете.

И вот, когда мне уже стало казаться, что барабанные перепонки вот-вот лопнут, лифт замедлил ход и остановился.

Жила-была девушка из маленького городка, и жила она в своем маленьком мире. И была она абсолютно счастлива или, по крайней мере, убеждала себя в этом. Как и многим девушкам, ей нравилось примерять разные наряды, чтобы казаться тем, кем она не являлась. Но, как это обычно бывает с девушками, жизнь быстро ее обломала, и она, вместо того чтобы искать свое призвание, замаскировалась, надежно спрятав то, что отличало ее от других. Жизнь так часто била ее, что она решила: куда безопаснее оставаться не похожей на себя.

Ведь существует масса версий нас самих, которые мы можем выбрать. Когда-то мне казалось, что я обречена на самую заурядную жизнь. Но мой взгляд на мир изменился после встречи с мужчиной, отказавшимся принять новую версию себя самого, которой наградила его злая судьба, и со старой дамой, сумевшей понять, что она способна переделать себя, именно тогда, когда большинство людей уже наверняка махнули бы на себя рукой.

У меня был выбор. Я могла стать Луизой Кларк из Нью-Йорка или Луизой Кларк из Стортфолда. Возможно, была и третья Луиза Кларк; впрочем, я с ней пока не встретилась. Но весь смысл состоял в том, чтобы не позволить человеку, шагавшему рядом с тобой по жизни, решать за тебя, какой ты должна быть, а потом поместить тебя, как бабочку, в стеклянный ящик. А еще в том — чтобы твердо знать, что ты всегда рано или поздно найдешь способ создать себя заново.

Что ж, я переживу, если его там не будет, уговаривала я себя. Ведь, как-никак, я и не такое переживала. Просто тогда мне придется выдержать очередную трансформацию. И, ожидая, когда откроются двери лифта, я повторяла это, как мантру. На часах было семнадцать минут восьмого.

Я стремительно подошла к стеклянной двери, уговаривая себя, что раз уж он проделал такой путь, то вполне сможет подождать двадцать минут. Затем я побежала по площадке, лавируя между желающими полюбоваться видом и желающими сделать селфи туристами, чтобы проверить, здесь ли Сэм. После чего вошла обратно через стеклянную дверь в просторный вестибюль и поднялась на второй уровень. Он наверняка с этой стороны. Я вихрем носилась взад-вперед, заглядывая в лица незнакомых людей в тщетной попытке отыскать одного-единственного мужчину, на голову выше всех остальных, темноволосого и широкоплечего. Я пересекла по диагонали туда и обратно покрытый плиткой пол, вечернее солнце нещадно пекло голову, по спине ручьем струился пот, а я все смотрела, смотрела, смотрела, с замиранием сердца начиная понимать, что его тут нет.

— Ну как, нашли его? — Пожилая женщина, ехавшая тогда со мной в лифте, схватила меня за руку. —

(Я уныло покачала головой.) — Милочка, попробуй подняться наверх. — Она показала на стену здания.

— Наверх? А разве можно подняться наверх?

Я со всех ног кинулась, стараясь не смотреть вниз, к короткому эскалатору. Эскалатор доставил меня на другую обзорную площадку, которая оказалась еще больше забита туристами. Я была в полном отчаянии и внезапно представила, как в этот самый момент он спускается с противоположной стороны. А я об этом так и не узнаю.

— Сэм! — Сердце, казалось, вот-вот выскочит из груди. — Сэм!

На меня уже стали оборачиваться, но большинство посетителей продолжали любоваться видом, делали селфи или позировали у стеклянного ограждения.

А я стояла посреди обзорной площадки и кричала до хрипоты: «Сэм! Сэм!»

Потом я дрожащими руками достала телефон, пытаясь снова и снова послать сообщение.

— Ну да, сотовая связь здесь отвратительная. Вы кого-то потеряли? — Ко мне подошел охранник в униформе. — Ребенка?

— Нет. Мужчину. Я должна была встретиться с ним здесь. Я не знала, что тут два уровня. И так много площадок. Боже мой! Боже мой! Боже мой! Наверное, его здесь уже нет.

— Я свяжусь по рации с коллегой. Попрошу его сделать объявление. — Он поднес к уху уоки-токи. — Кстати, леди, а вам известно, что на самом деле здесь три уровня? — Он показал куда-то наверх.

И тут я не выдержала и всхлипнула. Было уже двадцать три минуты восьмого. Я никогда его не найду. Он наверняка уже ушел. Если он, конечно, вообще был здесь.

— Попробуйте поискать там. — Взяв меня за локоть, охранник показал еще на одну лестницу, после чего отвернулся и что-то произнес в рацию.

— Мне вон туда? — спросила я. — И больше никаких обзорных площадок?

— Больше никаких, — ухмыльнулся он.

Чтобы подняться со второго уровня обзорной площадки Рокфеллеровского центра до последней, самой высокой, нужно преодолеть шестьдесят семь ступенек, а это очень даже немало, если вы в винтажных атласных бальных туфлях цвета фуксии на высоком каблуке со срезанными эластичными ремешками — одним словом, в туфлях, отнюдь не предназначенных для марафонских забегов, особенно на такой жаре. На этот раз я пошла чуть помедленнее. Я взобралась по узкой лестнице, но уже на половине пути, почувствовав, что еще немного — и я взорвусь от волнения, остановилась и посмотрела на открывающийся отсюда вид. Над Манхэттеном навис огненный шар солнца, безбрежное море блестящих небоскребов отражало его оранжевый свет. Центр мира, где делается весь бизнес. А там, внизу, миллионы жизней, миллионы горестей, больших и маленьких, симфония счастья, потерь и выживания, миллионы ежедневных маленьких побед.

Это большое счастье — иметь возможность делать то, что ты любишь.

Преодолевая последние ступени, я думала о том, что моя жизнь все равно удалась. Я перевела дух и подумала о своем новом агентстве, о своих друзьях, о своей нежданно-негаданно полученной в наследство маленькой собачке с веселой мордочкой. Думала о том, что меньше чем за год я пережила потерю работы и дома в самом крутом городе на земле. И наконец — о Мемориальной библиотеке Уильяма Трейнора.

А когда я повернулась и подняла глаза, то увидела Сэма. Он стоял, облокотившись на парапет, спиной ко мне, и смотрел на город, а ветер трепал его шевелюру. Я остановилась, пропуская вниз последнюю группу туристов, и попыталась снова вобрать в себя любимый образ: широкие плечи, наклон головы, шелковистые темные волосы, падающие на воротник. И в этот момент я внезапно ощутила, как изменились все мои внутренние настройки. Я только посмотрела на Сэма — и на душе сразу стало легко и спокойно.

Итак, я стояла, не в силах отвести от него глаз, и из моей груди невольно вырвался вздох облегчения.

Будто почувствовав мой пристальный взгляд, он медленно повернулся и выпрямился. И его лицо, впрочем, так же как и мое, расцвело улыбкой.

— Привет, Луиза Кларк, — сказал он.

Благодарности

Большое спасибо Николь Бейкер Купер и Ноэль Берк за прекрасные описания Центрального парка и Верхнего Ист-Сайда, ставшие окном в этот незнакомый для меня, специфический мир. Любые искажения фактов, которые лежат целиком на моей совести, сделаны в интересах сюжета.

Я хочу выразить огромную благодарность Вианеле Ривас из Библиотечной службы Нью-Йорка, которая сумела найти время, чтобы показать мне публичную библиотеку Вашингтон-Хайтса. Моя вымышленная библиотека не является ее точной копией, хотя и основана на предоставленной мне бесценной информации о реальной библиотеке и ее сотрудниках. Желаю ей дальнейшего процветания.

Ну и как всегда, спасибо моему агенту Шейле Кроули и моему издателю Луизе Мур за их поддержку и бесконечную веру в меня. Большое спасибо сотрудникам издательства «Penguin Michael Joseph», которые помогли оформить этот сырой материал в нечто пригодное для публикации, в частности: Максин Хичкок, Хейзел Орме, Матильде Макдоналд, Клэр Паркер, Лиз Смит, Лу Джонс и Клэр Буш, Элли Хьюз и Саре Харвуд. А также Крису Тернеру, Анне Курвис, Саре Манро и особенно Беатрис Макинтайр и Ли Мотли за дизайн обложки. Спасибо Тому Уэлдону и всем невоспетым героям книжных магазинов, которые помогают нам, авторам.

Бесконечная благодарность каждому, кто работает вместе с Шейлой в «Curtis Brown», за постоянную поддержку, а именно: Клэр Нозиерес, Кэти Макгован, Энричетте Фрецато, Мэйри Фризен-Эскanделл, Эбби Гривс, Фелисити Блант, Марте Кук, Нику Марстону, Ранит Ауйя, Элис Лаченс и, конечно, Джону Геллеру. Отдельное спасибо Бобу Букману из США.

Спасибо за верную дружбу, профессиональные советы, ланчи, чай и неурочные напитки Кэти Рансиман, Монике Левински, Мэдди Уикхэм, Саре Милликан, Олу Паркеру, Полли Сэмсон, Дэвиду Гилмору, Дэмиану Барру, Алексу Хеминсли, Венди Бирн, Сью Мэддикс, Теа Шаррок, Джессу Растону, Лайзе Джуэлл, Дженни Колган и всем членам «Writersblock».

И, перемещаясь поближе к дому, хотелось бы поблагодарить Джеки Тирн, Клэр Роуэт, Криса Лакли, Дрю Хейзел, персонал «Bicycletta» и каждого, кто помогает мне делать мое дело.

Моя любовь и благодарность моим родителям Джиму Мойесу и Лиззи Сандерс, а также Гаю, Би и Клемми. Но больше всего, как обычно, я благодарна Чарльзу, Саскии, Гарри и Локки, а также Биг-Дог, причисление которой к семье вряд ли удивит кого-нибудь, кто хорошо ее знает.

И под конец я хочу поблагодарить Джилл Манселл и ее дочь Лидию за щедрые пожертвования в «Authors of Grenfell». В знак признательности я увековечила Лидию в образе курящей и жующей жвачку хозяйки «Магазина винтажной одежды».

Мойес Дж.

М74 Всё та же я : роман / Джоджо Мойес ; пер. с англ. О. Александровой. — М. : Иностранка, Азбука-Аттикус, 2018. — 576 с.

ISBN 978-5-389-14539-9

Луиза Кларк приезжает в Нью-Йорк, готовая начать новую жизнь. И попадает в другой мир, в чужой дом, полный секретов. Радужные мечты разбиваются о жестокую реальность, но Луиза со свойственным ей чувством юмора не унывает. Она твердо знает, что рано или поздно найдет способ обрести себя. А еще обязательно получит ответ на вопрос: кого же она на самом деле любит?..

Впервые на русском языке!

УДК 821.111
ББК 84(4Вел)-44

Литературно-художественное издание

ДЖОДЖО МОЙЕС
ВСЁ ТА ЖЕ Я

Ответственный редактор Ольга Рейнгеверц
Редактор Ольга Давидова
Художественный редактор Илья Кучма
Технический редактор Татьяна Тихомирова
Компьютерная верстка Ирины Варламовой
Корректоры Маргарита Ахметова, Татьяна Бородулина

Подписано в печать 16.04.2018. Формат 84 × 100 1/32.
Печать офсетная. Тираж 80 000 экз. Усл. печ. л. 28,08 . Заказ № 3410/18.

Знак информационной продукции
(Федеральный закон № 436-ФЗ от 29.12.2010 г.): 16+

ООО «Издательская Группа „Азбука-Аттикус“» —
обладатель товарного знака «Издательство Иностранка»
115093, г. Москва, ул. Павловская, д. 7, эт. 2, пом. III, ком. № 1

Филиал ООО «Издательская Группа „Азбука-Аттикус“»
в Санкт-Петербурге
191123, г. Санкт-Петербург, Воскресенская наб., д. 12, лит. А

ЧП «Издательство „Махаон-Украина“»
04073, г. Киев, Московский пр., д. 6 (2-й этаж)

Отпечатано в соответствии с предоставленными материалами
в ООО «ИПК Парето-Принт».
170546, Тверская область, Промышленная зона Боровлево-1,
комплекс № 3А.
www.pareto-print.ru

ИЗДАТЕЛЬСКАЯ ГРУППА
АЗБУКА-АТТИКУС

ПО ВОПРОСАМ РАСПРОСТРАНЕНИЯ
ОБРАЩАЙТЕСЬ:

В Москве:
ООО «Издательская Группа „Азбука-Аттикус“»
Тел.: (495) 933-76-01,
факс: (495) 933-76-19
e-mail: sales@atticus-group.ru;
info@azbooka-m.ru

В Санкт-Петербурге:
Филиал ООО
«Издательская Группа „Азбука-Аттикус“»
Тел.: (812) 327-04-55,
факс: (812) 327-01-60
e-mail: trade@azbooka.spb.ru

В Киеве:
ЧП «Издательство „Махаон-Украина“»
Тел./факс: (044) 490-99-01
e-mail: sale@machaon.kiev.ua

Информация о новинках и планах на сайтах:
www.azbooka.ru,
www.atticus-group.ru

Информация по вопросам приема рукописей
и творческого сотрудничества
размещена по адресу:
www.azbooka.ru/new_authors/